VIDA AMOR Y SEXO

ENCICLOPEDIA FAMILIAR
SERVICIO DE EDUCACIÓN Y SALUD

Dr. ISIDRO AGUILAR
Dra. HERMINIA GALBES

VIDA AMOR Y SEXO

2.ª EDICIÓN

TOMO 3

EDITORIAL SAFELIZ

COMPOSICIÓN: Fotocomposición MARTÍNEZ / Villaamil, 15 / 28039 MADRID
FOTOMECÁNICA COLOR: CASTELLCROMO / Alberche, 11 / 28045 MADRID
GRÁFICOS: MEGATIPO / Manuel Tovar, 31 / 28034 MADRID
IMPRESIÓN: PACIFIC PRESS / P. O. Box 7000, Boise, ID 83707
ENCUADERNACIÓN: BALBOA S.C.L. / Ortiz Campos, 8 / 28026 MADRID
PACIFIC PRESS / P. O. Box 7000, Boise, ID 83707

IMPRESO EN EE. UU. de N. A. / *PRINTED IN U.S.A.*

Copyright by EDITORIAL SAFELIZ, S.L. / Aravaca, 8 / 28040 MADRID

Depósito Legal: M-46.477-1990
ISBN: 84-7208-080-3 (obra completa)
84-7208-083-8 (tomo 3)

CUARTA PARTE

LA FUNCIÓN MATERNAL

COMPENDIO DE MATERNOLOGÍA

«¡Dame hijos, o me muero!» [Génesis 30: 1]. El grito de la mujer es antiguo. Hoy como ayer, brota aún de su seno, agita su corazón, inunda su espíritu. Con la penetrante agudeza de su deseo, desgarra, tortura su ser.

Cuando la mujer consigue saciarse en la fuente de un amor comprometido y responsable, el grito pronto se convierte en otro de triunfo (...). Desde ese momento queda ligada a la vida que apenas seis horas después de la concepción explosiona dentro de ella, se divide, se multiplica, inicia su marcha. Tan sólo veintiún días después, ya posee un porfiado ritmo, un corazón que late... Desde ahora, ¿quién o qué se atreverá a detenerla en su impulso prodigioso?

La mujer está encinta. Posa las manos sobre su vientre, ofreciéndole suave protección. Se vuelve con gratitud hacia quien le ha proporcionado tan grande dicha. Busca con la mirada la certeza de su presencia. ¿Acaso ahora no se refuerza la unión del uno con el otro, transformados el uno por el otro? Pasado el tumultuoso goce del abrazo, se despliega ante ellos el apacible camino de la vida en gestación. Sienten nuevas emociones, descubren nuevos éxtasis, descifran nuevos misterios. La pareja posee ahora una tercera dimensión física, que también es espiritual y social. Su amor la ha proyectado más allá de sí misma.

Danièle Starenkyj

37

FUNDAMENTOS DE UNA DESCENDENCIA SANA

De la existencia del hombre y de la mujer nos hemos ocupado en las partes Primera y Segunda de esta obra, y de la unión de ambos, objeto de la Tercera, surge prometedora la esperanza de una nueva vida. Para que esa nueva vida se desarrolle normal y satisfactoriamente, no basta con que se desee que así ocurra. Es necesario poner los medios para ello.

Con el fin de que, tanto el padre como la madre, puedan engendrar hijos completamente sanos hace falta que ellos mismos gocen también de buena salud, habiendo practicado, ya antes de su matrimonio, un estilo de vida salutífero. Esta necesaria preparación es el objeto de la puericultura preconcepcional.

Intervienen, además, otros factores, como son la herencia que se ha recibido de los padres, y que se transmitirá a los hijos, lo cual es el objeto de la genética. Afortunadamente hoy el consejo genético puede evitar nacimientos o fracasos de los mismos, que resultarían generadores de sufrimiento personal y familiar, aparte de ser gravosos para la sociedad.

Y, por fin, está la puericultura prenatal, que estudia los cuidados a la embarazada y la necesidad de una observancia, por parte de ésta, de unas reglas elementales (estilo de vida, alimentación, asistencia sanitaria), que condicionarán el buen y completo desarrollo del fruto, así como el feliz alumbramiento del mismo.

En este primer capítulo de la Cuarta Parte, consagrada a la función maternal, vamos a ocuparnos particularmente de la puericultura preconcepcional, y de los fenómenos de la transmisión hereditaria, tanto normales como patológicos. En el resto de los capítulos de esta Parte nos ocuparemos con detalle de la puericultura prenatal.

La eugenesia

La eugenesia es la ciencia que estudia los procedimientos para mejorar las condiciones físicas y psíquicas de las generaciones futuras.

Según la definición del inglés Francis Galton, primer científico que expuso claramente la posibilidad de que la especie humana pudiera mejorar su dotación genética, la eugenesia es también el estudio de los factores sociales y de otro tipo, que puedan mejorar los caracteres hereditarios de las generaciones futuras.

Galton señaló dos posibles caminos para conseguir el mejoramiento de la especie: la eugenesia positiva, o selección de los individuos bien dotados, y la eugenesia negativa o eliminación de los individuos deficientes.

La eugenesia no siempre resulta éticamente admisible, ya que fácilmente se la puede usar como justificación «científica» para eliminar a los enemigos, llegándose en algunos casos que están en la mente de todos a los más horrendos genocidios. ¿Quién va a determinar los individuos o grupos que son inferiores o deficientes? ¿Acaso no somos la mayoría deficientes en algún sentido y hasta un cierto punto? Entonces, ¿qué grado de deficiencia vamos a tolerar? ¿Se condenará a los deficientes físicos únicamente? ¿A los mentales también? ¿Y a los ideológicos?

Creemos que con estas preguntas es suficiente para que, pensando en las posibles respuestas, condenemos sin paliativos cualquier forma de eugenesia negativa, a la que también se califica de activa, ya que no se limita a dejar a su propia suerte a los deficientes, sino que los elimina físicamente.

Cuanto mejor sea la salud corporal y mental de los progenitores, y más sano su estilo de vida, mayores serán las posibilidades de que los hijos se desarrollen en condiciones psicofísicas óptimas.

La eugenesia positiva, en apariencia resulta éticamente admisible, e incluso encomiable. No obstante, si se atiene exclusivamente a criterios biológicos, acaba provocando casi los mismos resultados que la negativa. Meditemos frente a los siguientes interrogantes:

¿Quién va a decidir los individuos que se deben considerar superiores y dignos de perpetuarse? ¿Con qué criterios?: ¿físicos?, ¿mentales?, ¿ideológicos? ¿Hemos de conceder privilegios a los mejores y esperar que por «selección natural» los menos dotados acaben extinguiéndose? Eso sería muy «natural», pero no es más que la feroz ley de la selva, que se supone que la civilización debe superar.

Nosotros apoyamos una eugenesia de otro tipo: preventiva, respetuosa de la libertad individual, y en último caso que tienda a mejorar no sólo a la «raza», sino a cada individuo. Estamos convencidos que es la única moralmente válida, porque respeta al ser humano como criatura peculiar, individual, única e inteligente, superior al resto de los seres vivos, y capaz de transcenderse por sus obras personales y colectivas, y como ente individual.

Este tipo de eugenesia está demostrado que puede evitar numerosas enfermedades y deficiencias, sobre todo porque enseña como seguir un estilo de vida que favorezca la salud integral propia y de la descendencia.

Lo que todos podemos hacer

Hay muchas cosas inevitables, pero hay otras tantas evitables. Empecemos por éstas. Y además se pueden evitar sin tener que suprimir ninguna vida, ya sea en fase de formación o completamente formada.

Se cuenta de un fornido obrero, cuya tarea era cargar y descargar camiones en el gran mercado de abastos de París, quien, inquieto de ver a su hijo tan pálido y esmirriado, lo llevó a la consulta del célebre profesor Bouchard. El pequeño ofrecía un contraste llamativo con su padre, tan corpulento, tan colorado —demasiado, a juicio del famoso médico que lo observó con atención—.

Nada más verlo Bouchard afirmó sin vacilación que se trataba del claro ejemplo de un niño hijo de un alcohólico.

El padre, indignado, adujo que él jamás se había emborrachado. Pero el vino, ingerido diaria y abundantemente por el cargador, había hecho de él un alcohólico crónico, cuyo resultado era su inocente hijo.

Cuando la madre es alcohólica, las

PRINCIPALES HITOS EN LOS PROGRESOS DE LA GENÉTICA

1820	Nasse describe la herencia ligada al sexo (hemofilia).
1865	Mendel descubre las leyes de la herencia.
1869	Miescher aisla el material del núcleo celular.
1889	De Vries anticipa la teoría del gen.
1902	Sutton y Boveri proponen que los genes se sitúan sobre los cromosomas linealmente (teoría cromosómica de la herencia).
1946	Avery, MacLeod y McCarty demuestran que los genes están formados por ADN.
1953	Watson y Crick proponen el modelo por el que se estructura el ADN como una doble hélice.
1956	Tjio y Levan consiguen hacer el recuento de los cromosomas humanos.
1959	Severo Ochoa, Premio Nobel de Medicina y Fisiología, por el desciframiento del código genético.
1959	Lejeune descubre la trisomía 21, causante del síndrome de Down (mongolismo).
1959	Ford descubre la monosomía X0, causante del síndrome de Turner.
1959	Jacobs describe la trisomía XXY, causante del síndrome de Klinefelter.
1963	Lejeune describe el síndrome del maullido de gato.
1966	Se acaba de descifrar la clave genética.
1973	Se realiza el primer clonaje de ADN extraño dentro del material genético de una bacteria (Escherichia coli).
1974	Llamamiento a una moratoria mundial de ciertos tipos de experimentos de ingeniería genética molecular.
1975	Un informe gubernamental británico pide precauciones especiales en las investigaciones con ADN quimérico (fruto de técnicas de ingeniería genética).
1977	Fundación de Genetech, la primera compañía de ingeniería genética molecular, fundada para aplicar las primeras técnicas para la obtención de productos farmacéuticos.
1978	Por primera vez se produce una hormona humana, la somatostatina, con ayuda de microorganismos, a los que se clonó el ADN humano.
1981	Primer diagnóstico prenatal de una enfermedad hereditaria (anemia falciforme) por análisis con enzimas.
1982	Comercialización de insulina humana producida por microorganismos clonados con ADN humano.
1982	Aislamiento y clonación de un oncogén de células de cáncer humano de vejiga. Este oncogén difiere del gen normal sólo en el cambio de un nucleótido, que dará lugar al cambio de un aminoácido de la proteína.

consecuencias sufridas por la descendencia son aún más catastróficas, como veremos en el próximo capítulo.

Es decir que una persona robusta, pero cuyo estilo de vida es nocivo, hará que disminuyan sus propias fuerzas físicas, e incluso llegará a arruinar completamente su salud. Esa vida desordenada y las sustancias nocivas tomadas deteriorarán todo su organismo en mayor o menor medida, incluyendo a sus órganos genitales y células sexuales. Estos defectos que sufra el ADN de sus células sexuales se podrán transmitir a sus descendientes, a los que legará las taras asociadas. La mujer, además, puede presentar diversos problemas durante la gestación, que también influirán en la salud de sus hijos.

De modo que las reglas de la eugenesia, que son esencialmente preventivas, se confunden en gran parte con las leyes de la salud. Su observancia evitará buen número de males a las generaciones venideras y a la sociedad.

Hay casos, sin embargo, en los que a pesar de llevar un modo de vida correcto, los padres transmiten a sus hijos ciertas enfermedades o taras de las cuales no son responsables, ya que ellos mismos las han heredado de sus ascendientes. Tal es el caso de la hemofilia que, transmitida por la madre, provoca graves hemorragias que generalmente no las sufren más que los varones. Del estudio de estas enfermedades hereditarias, se ocupa la genética.

La genética

La genética tiene por objeto el estudio de los fenómenos que se relacionan con la herencia. Incluye, por tanto, las reglas de la herencia normal y patológica del ser humano.

El término «genética» viene de la palabra «gen». Como ya veíamos en el capítulo 8, y como seguiremos viendo más adelante, los genes son unidades de material hereditario que ocupan un lugar definido en el cromosoma, y que codifican la información para algún carácter del individuo.

La genética es una ciencia muy compleja pero apasionante. Comprende varias disciplinas, tales como la citogenética, la genética bioquímica, la inmunogenética, el consejo genético y otras. Ha hecho innumerables progresos tras la utilización de nuevas técnicas de coloración y de preparación del material celular, y también gracias al empleo del microscopio electrónico, que permite observar en el interior del núcleo celular los detalles de esos minúsculos ordenadores, o computadoras, que son los cromosomas. Las recientes técnicas del ADN recombinante, conocidas popularmente como ingeniería genética, han abierto nuevas perspectivas a esta joven ciencia.

Desde que el fundador de la genética, Gregorio Mendel, diera a conocer en 1866 las leyes de la herencia, la genética ha seguido una vertiginosa marcha hasta los conocimientos que actualmente tenemos.

Para obtener las informaciones necesarias relacionadas con las células del cuerpo humano, el material genético y su reparto durante la reproducción, necesarias todas ellas para comprender lo que a continuación vamos a exponer, remitimos al amable lector a los apartados correspondientes de los capítulos 1 y 8. Además, ampliaremos algunos conceptos en este mismo capítulo, para comprender mejor estas ideas, que en algunos aspectos tendremos que seguir desarrollando en el próximo capítulo.

LA HERENCIA: SUS LEYES

Las leyes de Mendel

Como introducción al complejo mundo de la herencia, vamos a exponer los experimentos realizados por Mendel.

Gregorio Mendel eligió las plantas del guisante de jardín para realizar sus experimentos, ya que generalmente las flores se fecundan ellas mismas; aunque resulta sencillo fecundarlas con polen de otras flores. Después seleccionó una línea pura de guisantes, es decir, de plantas que por autofecundación daban constantemente descendencia homogénea para los caracteres deseados. Así lo hizo para características, tales como el tamaño de la planta, el color y rugosidad de la semilla, y el color y posición de la flor.

Simplificaremos sus resultados fijándonos sólo en el carácter de la rugosidad en la semilla. Mendel seleccionó líneas puras cuyas semillas eran rugosas y otras cuyas semillas eran lisas. Cruzando plantas con simientes de ambos tipos (generación parental o P), obtuvo una primera generación filial (F_1) donde todas las semillas son lisas. El carácter «liso» enmascara al carácter «rugoso», ya que el primero es un carácter dominante, y el otro es recesivo. De esta forma se enunció la que se conoce como ley de la uniformidad de los híbridos de la primera generación, ley de la dominancia, o primera ley de Mendel.

Cruzando dos «hermanos», de esta F_1, por tanto lisos, el resultado es que aparecían un 75% de los descendien-

LEYES DE MENDEL

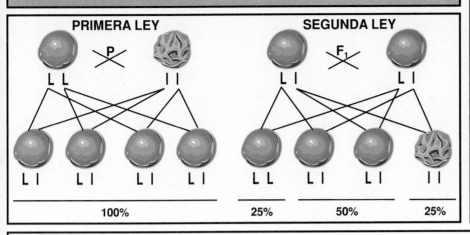

PRIMERA LEY

P

L L   l l

L l   L l   L l   L l

100%

SEGUNDA LEY

F₁

L l   L l

L L   L l   L l   l l

25%   50%   25%

Para comprobar la **primera ley de Mendel**, cruzamos dos plantas puras (homocigóticas) de semillas lisas y rugosas (**generación P**). Todos los gametos que produzcan serán de un sólo tipo (L y l, respectivamente), y por tanto sólo habrá una posible descendencia, con semillas lisas (Ll). Todos los "hijos" (**generación F₁**), serán heterocigóticos, y por tanto podrán tener los dos tipos de gametos posibles, con igual probabilidad. Observamos el cumplimiento de la **segunda ley de Mendel** cruzando dos "hermanos" de la F₁ (de semillas lisas Ll), que podrán dar las 4 combinaciones posibles de sus gametos, con lo que aparecerán individuos homocigóticos dominantes (lisos, LL), heterocigóticos (lisos, Ll) y homocigóticos recesivos (rugosos, ll) en diferentes proporciones. De esta forma es posible que el carácter rugoso, que se ocultaba en la F₁, aparezca en la segunda

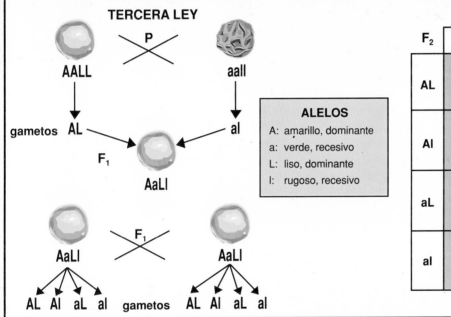

TERCERA LEY

P

AALL   aall

gametos   AL   al

F₁

AaLl

ALELOS
A: amarillo, dominante
a: verde, recesivo
L: liso, dominante
l: rugoso, recesivo

AaLl   F₁   AaLl

AL Al aL al   gametos   AL Al aL al

F₂	AL	Al	aL	al
AL	AALL	AALl	AaLL	AaLl
Al	AALl	AAll	AaLl	Aall
aL	AaLL	AaLl	aaLL	aaLl
al	AaLl	Aall	aaLl	aall

tes (F₂) lisos, mientras que el restante 25% presentaba el carácter recesivo rugoso. Probablemente Mendel no se sorprendió al encontrar en la segunda generación caracteres que no aparecían en la primera generación filial. Estas experiencias constituirían la ley de la segregación o segunda ley de Mendel.

Para la tercera ley de Mendel, o ley de la combinación independiente, este científico seleccionó líneas puras; pero para dos caracteres distintos, como por ejemplo plantas cuyas semillas fueran verdes y rugosas, y otras plantas cuyas semillas eran amarillas y lisas. Cruzando estas dos plantas distintas, obtenía una descendencia (F₁) uniforme de individuos con semillas amarillas y lisas.

Para comprobar el cumplimiento de la **tercera ley de Mendel** se cruzan plantas puras para dos caracteres (semillas amarillas lisas con verdes rugosas): **generación parental** o **P**. Cada "padre" sólo puede producir un tipo de gametos (AL y al, respectivamente), con lo que sus "hijos" (F₁) sólo presentarán los caracteres de uno de los padres (semillas amarillas lisas); aunque serán heterocigóticos para los dos caracteres (son AaLl), de modo que podrá tener 4 tipos de gametos diferentes, fruto de las posibles combinaciones al azar de sus alelos. Si cruzamos dos "hermanos" de esta F₁, se obtienen 4 x 4 = 16 combinaciones posibles de alelos; aunque, como vemos en la cuadrícula, por cuestiones de dominancia sólo se ven las 4 combinaciones posibles de caracteres (amarillo liso, amarillo rugoso, verde liso y verde rugoso) cada una con una frecuencia diferente, ya que existe dominancia de 2 alelos (amarillo y liso) sobre los otros 2 (verde y rugoso.)

Y cruzando estos individuos de la F₁ entre sí, aparecían individuos con las cuatro combinaciones posibles de caracteres, pero en distintas proporciones:

— 9 plantas con semillas amarillas y lisas,
— 3 plantas con semillas amarillas y rugosas,
— 3 plantas con semillas verdes y lisas,
— 1 planta con semillas verdes y rugosas.

Tras haber realizado todos estos experimentos, y sus correspondientes operaciones matemáticas, Mendel supuso que en cada individuo adulto había dos «elementos», los cuales controlaban cada uno de los caracteres observables de dicho individuo. No obstante, cada uno de estos «elementos» podía estar en una de dos versiones: una versión «fuerte» o dominante, y otra «débil» o recesiva; de forma que el elemento fuerte determina el carácter que aparece más frecuentemente.

A la luz de esta teoría podemos reinterpretar las tres leyes de Mendel:

La forma del guisante viene determinada por las dos versiones del elemento (o gen, como lo conocemos en la actualidad), una fuerte A (liso) y otra débil a (rugoso). Cada una de estas dos posibles versiones de un gen, se conoce como «alelo», de forma que liso sería un alelo dominante y rugoso recesivo. Como cada adulto posee dos alelos, si éstos son AA o Aa, la planta tendrá semillas lisas. Sólo en el caso en que el alelo dominante se halle completamente ausente, lo que ocurre en la combinación aa, la planta tendrá semillas rugosas. A las plantas que poseían los dos alelos iguales, se las denominó homocigóticas (AA sería homocigótica dominante y aa homocigótica recesiva) y las que poseen los dos alelos diferentes se las denominó heterocigóticas.

Continuando con su teoría, Mendel explica como el adulto produce sus células reproductoras, y los alelos se separan, yendo cada cual a una célula independiente. Así una planta con alelos únicamente dominantes, tendrá todas sus células reproductoras con el alelo A, mientras que una planta heterocigótica tendrá gametos tanto A como a. Según todas las combinaciones que se pueden dar con los gametos de las distintas plantas, obtendremos las diferentes descendencias posibles, como se explica en los esquemas de la página anterior y la siguiente, donde representamos las leyes de Mendel.

El soporte físico de los genes

Cuando Gregorio Mendel enunció sus leyes y teorías, todavía se desconocía el funcionamiento de los sistemas reproductores en los seres vivos. Por eso hoy nos resulta mucho más fácil entender estos descubrimientos, a la luz de las posteriores investigaciones. Con el fin de entender mejor todas estas cuestiones, vamos a repasar algu-

Gregorio Mendel fue un monje checo que en 1886 publicó *Ensayos sobre los híbridos vegetales*, base de la ciencia genética. Este trabajo no fue suficientemente valorado hasta que fue redescubierto por el botánico Correus en 1900. En honor de su descubridor, a las leyes que rigen la hibridación, se las denomina leyes de Mendel.

nos conceptos de citogenética, es decir, de la rama de la genética que estudia los cromosomas y los genes.

La célula y los cromosomas

Las células son las mínimas unidades estructurales y funcionales que componen un ser vivo. El hombre está compuesto de millones de estas células, que son básicamente iguales, pero que se diferencian según la función que vayan a desempeñar. Una célula está compuesta de una membrana celular, que encierra un líquido citoplasmático, donde flotan el resto de orgánulos celulares, como las mitocondrias, lisosomas, ribosomas, y otros que po-

demos ver en el dibujo de la página 639. En el centro se encuentra otro orgánulo celular llamado núcleo, separado del citoplasma por una membrana nuclear. Dentro del núcleo encontramos una maraña u ovillo formado por la cromatina.

Como veíamos en el capítulo 8, el ADN está formado por unos elementos moleculares denominados nucleótidos, que se unen linealmente dando larguísimas «hebras». Estos nucleótidos están formados, a su vez, por la unión de un ácido fosfórico a un glúcido y una base nitrogenada. Dos de estas hebras se enrollan mutuamente formando una doble hélice o espiral, de forma que enfrentan los componen-

CORTE ESQUEMÁTICO DE UNA CÉLULA

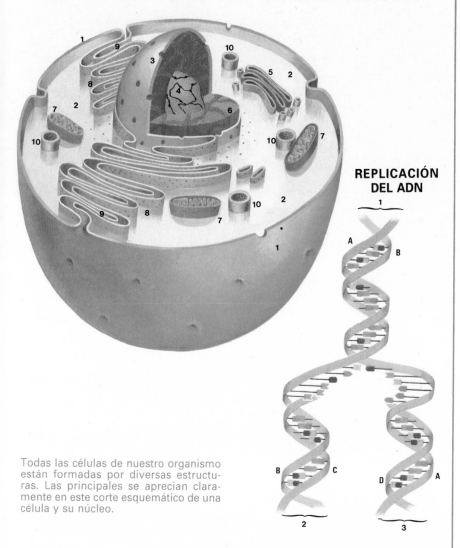

Todas las células de nuestro organismo están formadas por diversas estructuras. Las principales se aprecian claramente en este corte esquemático de una célula y su núcleo.

REPLICACIÓN DEL ADN

LA CÉLULA Y SUS ESTRUCTURAS: 1. Membrana citoplasmática. 2. Citoplasma. 3. Núcleo: Centro rector nuclear donde se hallan los cromosomas. **4. Nucleolo. 5. Aparato de Golgi:** Su descubridor fue Camilo Golgi, que compartió el Premio Nobel de Medicina con Ramón y Cajal en 1906. **6 ADN:** Ácido desoxirribonucleico (molécula helicoidal de gran tamaño, cuya estructura química contiene la información genética). **7. Mitocondrias:** Su función consiste en transformar la glucosa en energía aprovechable para la célula. **8. Ribosomas:** Son los encargados de traducir el ARN (ácido ribonucleico) mensajero, que transporta la información genética desde el ADN del núcleo al citoplasma, en proteínas estructurales y enzimas, verdaderas directoras de la «vida celular». **9. Retículo endoplasmático:** Membranas que suelen asociarse a los ribosomas. **10. Lisosomas:** Contienen enzimas, que digieren los materiales que incorpora la célula (nutritivos, o patógenos, como las bacterias), y que en caso de necesidad pueden producir la autodigestión de la propia célula (caso de los leucocitos o glóbulos blancos).

DOBLE HÉLICE DEL ADN Y SU REPLICACIÓN: Cada hebra **A** y **B** de la primitiva cadena de ADN **(1)**, es el molde para la construcción de las cadenas hijas **2** y **3**, absolutamente idénticas entre sí y a la primitiva cadena, ya que una guanidina de la nueva hebra (**C** o **D**) no puede asociarse más que a una citosina de la hebra molde (**A** o **B**) y viceversa, igual que ocurre con la adenina respecto de la timina.

tes llamados bases nitrogenadas. Si las dos hebras se forman por la sucesión monótona de un ácido fosfórico y una molécula de desoxirribosa (un glúcido), los travesaños se forman al enfrentarse una base púrica (adenina o guanina) de una de las cadenas, con una base pirimídica (citosina o timina) de la otra cadena. Estas bases nitrogenadas se ordenan de una forma concreta, con lo que acumulan una información, igual que al ordenar las letras del alfabeto de una manera determinada, acumulamos información en forma de palabras y oraciones.

Esta doble hélice de ADN, ayudada por otras moléculas, se enrolla numerosas veces, formando bucles y otras estructuras, hasta finalmente formar los cromosomas. Tantos enrollamientos permiten que las largas moléculas de ADN de unos cinco centímetros de largo puedan caber dentro de un núcleo celular de una millonésima de milímetro.

Pero el ADN sólo se enrolla de forma tan compleja cuando la célula se está dividiendo, por mitosis o por meiosis. Normalmente el ADN se encuentra formando un ovillo al que se denomina cromatina.

El soporte físico de los genes es el ADN. Simplificando mucho el concepto de gen, podríamos decir que es un fragmento de ADN que tiene suficiente información para un carácter macroscópico o microscópico. Ahora podemos simplificar la definición de cromosoma, diciendo que es una sucesión de ADN, y por tanto una sucesión de genes. Cada cromosoma posee la información genética para algunos caracteres determinados. En cada uno de los dos cromosomas que constituyen la pareja de homólogos, encontramos la misma información, para los mismos caracteres. Pero, aunque tienen igual información genética, pueden diferenciarse en los alelos que llevan. Por ejemplo, en la pareja cromosómica 1 del hombre encontramos los genes que determinan el grupo sanguíneo Rh. Y esta información se encuentra en los dos cromosomas 1. Pero uno de los cromosomas puede tener el alelo + y el otro cromosoma puede tener el alelo –. En este caso, el individuo tendría Rh⁺, ya que este alelo es dominante sobre el –.

En el capítulo siguiente veremos

639

CODOMINANCIA GENÉTICA

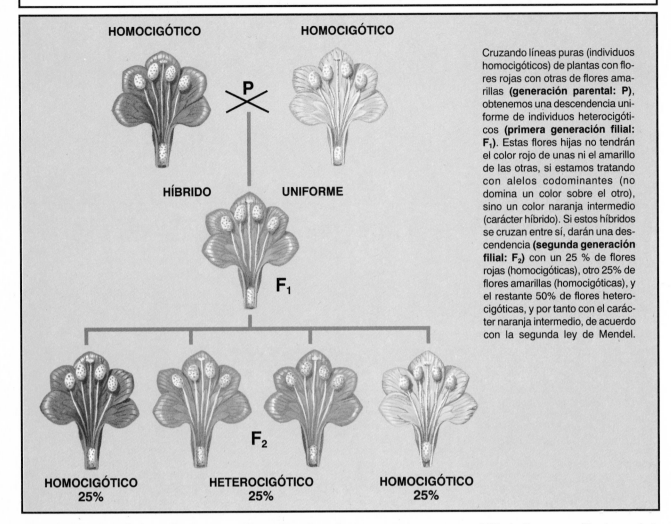

HOMOCIGÓTICO   **HOMOCIGÓTICO**

P

HÍBRIDO   **UNIFORME**

F₁

F₂

HOMOCIGÓTICO   **HETEROCIGÓTICO**   **HOMOCIGÓTICO**
25%   **25%**   **25%**

Cruzando líneas puras (individuos homocigóticos) de plantas con flores rojas con otras de flores amarillas **(generación parental: P)**, obtenemos una descendencia uniforme de individuos heterocigóticos **(primera generación filial: F₁)**. Estas flores hijas no tendrán el color rojo de unas ni el amarillo de las otras, si estamos tratando con alelos codominantes (no domina un color sobre el otro), sino un color naranja intermedio (carácter híbrido). Si estos híbridos se cruzan entre sí, darán una descendencia **(segunda generación filial: F₂)** con un 25 % de flores rojas (homocigóticas), otro 25% de flores amarillas (homocigóticas), y el restante 50% de flores heterocigóticas, y por tanto con el carácter naranja intermedio, de acuerdo con la segunda ley de Mendel.

---

cómo durante la meiosis, en la gametogénesis, la pareja de homólogos se separa, yendo un cromosoma a un gameto, y el otro cromosoma a otro gameto. Siguiendo con el ejemplo anterior del Rh, vemos que una espermatogonia perteneciente a un individuo Rh⁺ heterocigótico (es decir, + –) se dividirá meióticamente, hasta dar cuatro espermatozoides, todos ellos con un solo cromosoma, y por tanto con un solo alelo; serían dos espermatozoides con el alelo +, y los otros dos con el alelo –. Al juntarse cualquiera de estos gametos, con los óvulos producidos por una mujer, también heterocigótica, obtendríamos una descendencia:

— 25% Rh⁺ homocigóticos (+ +),
— 50% Rh⁺ heterocigóticos (+ –),
— 25% Rh⁻ homocigóticos (– –).

Aquí vemos el cumplimiento de la segunda ley de Mendel.

Compliquémoslo un poquito

Ahora bien, la herencia de los caracteres, es un proceso mucho más complejo, ya que pueden darse otras posibilidades, que, siguiendo las leyes de Mendel, la complican. Vamos a ver algunos de los casos más sencillos.

Puede darse una herencia intermedia o codominancia, cuando ninguno de los dos alelos es dominante sobre el otro, y el carácter en la descendencia resulta intermedio. Por ejemplo, cruzando líneas puras de plantas de flores rojas con otras de flores amarillas, la primera generación filial (F₁) sería de flores color naranja. Si estas plantas de flores naranja se cruzasen entre sí, tendríamos una segunda generación filial (F₂) compuesta por:

— 25% de flores rojas homocigóticas,
— 50% de flores naranjas heterocigóticas,

— 25% de flores amarillas homocigóticas, como vemos en el esquema superior.

Éste es el resultado de las dos primeras leyes de Mendel.

Un gen, en lugar de tener sólo dos alelos, puede tener tres o más. Este es el caso, por ejemplo, del sistema sanguíneo ABO, donde pueden aparecer el alelo A, el B o el O. Claro que un individuo puede llevar únicamente un alelo en cada cromosoma, de forma que, las posibles combinaciones de estos híbridos, complicarían el análisis matemático de la descendencia.

Actualmente se sabe que existen caracteres visibles, como la pigmentación de la piel, que no se deben a un sólo gen (con sus dos o más alelos posibles), sino a más. En el ejemplo de la coloración de la piel, Gates, Stern y

HERENCIA DE LOS CARACTERES PSÍQUICOS

CARÁCTER	OBSERVACIONES
INTELIGENCIA	Pese a las enormes dificultades que entraña el estudio genético de la inteligencia en los humanos, parece demostrado que la inteligencia se hereda. No debemos olvidar las limitaciones de los *tests* de inteligencia, ni la influencia ambiental y educacional en el desarrollo de la inteligencia; pero podemos recordar aquí grandes familias musicales como las de Bach, con 24 músicos célebres en 5 generaciones, de Mozart o de Beethoven; o las familias de matemáticos, como la Bernouilli, o la científica de los Darwin. Por otra parte Newman comprobó unas semejanzas de inteligencia del 88% entre gemelos monocigóticos educados juntos y del 76% en los educado por separado.
TEMPERAMENTO	A pesar de las dificultades de su estudio, parece concluirse que el temperamento se hereda. El temperamento jovial o triste, y la sensibilidad natural de los hijos, recuerda a los de los padres.

Debido a que los caracteres apreciables a simple vista son muchas veces el resultado de la influencia de numerosos genes, la herencia de dichos caracteres resulta muy complicada de estudiar. Este estudio se hace especialmente difícil en el caso de los caracteres psíquicos, donde intervienen factores educativos, que pueden enmascarar los caracteres genéticos. De todas formas parece que se pueden establecer unas pautas generales para algunos que recogemos en este cuadro.

otros consideran que está controlado por un sistema poligénico integrado por 4 o 6 genes (probablemente 5). El blanco puro sería aa bb cc dd ee y el negro AA BB CC DD EE. Aparecen entonces 243 posibles combinaciones, aunque por cuestiones de dominancia sólo encontramos 11 matizaciones diferentes de colores. Los caracteres cuantitativos, como la talla, el cociente mental o la pigmentación de la piel, generalmente vienen determinados por una herencia poligénica.

Hay otras posibles complicaciones, como la influencia de un gen sobre otro (epistasia), al que puede favorecer o dificultar su expresión.

La herencia ligada al sexo

La mujer tiene dos cromosomas sexuales X iguales. En cambio en el hombre son distintos, morfológica y funcionalmente, lo cual produce una peculiar herencia de los genes asentados en estos cromosomas sexuales. En la mujer estos genes podrán estar presentes en situación de homocigotia o de heterocigotia, mientras que en el varón la situación será de hemicigotia (es decir, de una sola carga), con lo

Johann S. Bach, uno de los mayores genios musicales de la historia, formaba parte de una gran familia que dio 24 músicos célebres en cinco generaciones.

que un gen recesivo que en la mujer esté en heterocigotia, no se manifestará en ella (mujer portadora), pero un gen recesivo en el varón se comportará como si fuera dominante. Tal es el caso de la hemofilia o del daltonismo, que normalmente padecen los hombres, mientras que las mujeres sólo son portadoras. Pero si una mujer portadora de daltonismo tiene hijos con un hombre que sufre esa enfermedad, la mitad de las hijas serán portadoras y la otra mitad padecerán la enfermedad, y la mitad de los hijos varones estarán enfermos y la otra mitad serán sanos. De igual forma ocurre, como vamos a ver a continuación, con la hemofilia.

También existen caracteres ligados al cromosoma Y, que sólo se transmiten a los hijos varones. Es la llamada herencia holándrica.

Podemos hablar así mismo de la herencia limitada al sexo o influida por el sexo, donde algunos genes sólo presentan su efecto, o lo presentan más frecuentemente en un sexo que en otro. Un ejemplo claro es la herencia de la calvicie, más frecuente en los varones que en las hembras y que se transmite del padre a la mitad de los hijos y a alguna de las hijas.

HERENCIA DE LOS CARACTERES FÍSICOS Y FISIOLÓGICOS

CARÁCTER	TIPO DE HERENCIA	OBSERVACIONES
PIGMENTACIÓN DE LA PIEL	Sistema poligénico integrado por 5 genes.	Parece ser que hay predominancia en la pigmentación oscura, resultado de las posibles combinaciones de los 5 genes. Pero existirán hasta 11 tonos distintos de piel, dentro de los que predominarán los oscuros.
TALLA	Parece debida a herencia poligénica.	Existe correlación entre la talla de los padres y de los hijos, que oscila según los autores entre 40%-50%, y entre hermanos del 51%-63%. Existe una variación de la talla debida a la alimentación y otros factores ambientales de hasta un 25%. La estatura elevada se considera dominante.
PESO		Los genetistas suponen que la participación genética en el control del peso oscila alrededor del 40%-80%.
COLOR DEL PELO	Según Fischer intervienen 3 genes.	Parece que el pelo rojo se hereda independientemente del resto de los genes que controlan el color del pelo (autosómico recesivo). El negro se impone sobre otros colores. El pelo rizado y el recio parece que son dominantes respecto del liso y del suave.
CALVICIE	Limitada al sexo o influida por él.	La calvicie es más frecuente en los varones que en las hembras. Un padre calvo tendrá el 50% de sus hijos calvos, mientras que una mujer calva tendrá todos sus hijos calvos.
CARA		Las caras largas y ovaladas parece que son dominantes frente a las redondas y pequeñas.
COLOR DE OJOS	Plate considera que hay 6 factores regidos genéticamente que controlan el color de los ojos.	Se considera gen dominante el castaño, frente al de color claro que sería recesivo. Los tonos de ojos oscuros suelen imponerse a los más claros.
LÓBULOS		Los lóbulos de la oreja sueltos o marcados predominan frente a los pegados.
NARIZ	Resulta de una herencia poligénica.	La nariz chata se considera recesiva frente a la aquilina.
DENTADURA		La dentición que aparece tardía y ordenada es dominante sobre la temprana y desordenada.
HOYUELOS	Siguen una herencia dominante.	Si alguno de los padres tiene una hendidura peculiar en la cara, la heredarán sus descendientes.
SISTEMA ABO (GRUPOS SANGUÍNEOS)	Un solo gen situado en el cromosoma 9, con dos alelos codominantes (A y B) y otro recesivo frente a ambos (O).	Este gen produce antígenos, a los que responderá el organismo en caso de transfusión de sangre. Los individuos con grupo O reaccionarán contra los A y B, los individuos con grupo A sólo reaccionarán contra el B, los individuos B sólo contra los A, y los AB contra ninguno, es decir, pueden recibir sangre de cualquier donante. Mediante este sistema de grupos sanguíneos se han podido verificar numerosos casos de paternidad dudosa, aunque actualmente se usan otros métodos cromosómicos más exactos.
FACTOR Rh	Gen situado en el cromosoma 1, con dominancia.	Cuando está presente el alelo dominante en uno o los dos cromosomas 1 homólogos, el individuo será Rh$^+$, y si no tiene ese alelo en ninguno de los cromosomas 1, será Rh$^-$.

Transmisión de la hemofilia

La hemofilia se ha convertido en una enfermedad muy conocida debido a que algunos de sus pacientes contrajeron el sida al recibir transfusiones de sangre contaminada. Los hemofílicos dependen de las transfusiones, pues su enfermedad se caracteriza por un retraso en la coagulación de la sangre, y la consecuente dificultad para detener las hemorragias. Para un hemofílico cualquier pequeña herida puede provocarle una gran hemorragia.

Esta peculiar enfermedad nos servirá como claro ejemplo de la transmisión hereditaria ligada al sexo.

Es una enfermedad de transmisión hereditaria recesiva, cuyos genes se encuentran en el cromosoma sexual X. Por eso, para que una mujer la pade-

En el **matrimonio 1** vemos que si un hombre hemofílico (fondo rosado) tiene hijos con una mujer normal, legará su cromosoma X portador de la enfermedad (en color grana) a todas sus hijas (que serán portadoras de la enfermedad, según vemos en el texto de esta misma página) pero no a sus hijos, quienes reciben del padre el cromosoma Y. Si un varón normal tiene hijos con una mujer portadora (fondo azul) es decir, con un sólo cromosoma X afectado (en grana), legará el X portador a la mitad de sus hijos (que serán hemofílicos) y a la mitad de sus hijas (portadoras), como podemos ver en el **matrimonio 2**. En el **matrimonio 3** vemos que si una mujer portadora (fondo azul) tiene hijos con un hemofílico (fondo rosado), sus respectivos cromosomas X afectados (en grana) pueden combinarse de forma que la mitad de sus hijas serán enfermas (fondo rosado), mientras que la otra mitad serán portadoras (fondo azul) y la mitad de sus hijos serán sanos, frente a la restante mitad que será de enfermos (fondo rosado).

ciera, debería poseer dos cromosomas X afectados. Sin embargo el varón únicamente necesita tener su único cromosoma X con la enfermedad para padecerla él mismo.

Cuando una mujer dispone de un sólo cromosoma X con el gen de la hemofilia, ella no padecerá esta afección, pero la legará, conforme a las leyes de la herencia, a la mitad de su descendencia; y entonces se dice que es una mujer portadora.

En el diagrama comprobamos cómo la descendencia de una mujer sana y un varón hemofílico quedará constituida por todas las mujeres portadoras y todos los varones sanos. Si los hijos varones sanos tuvieran hijos con mujeres portadoras, en el diagrama podemos ver cómo la mitad de los varones sufrirían la enfermedad, mientras que

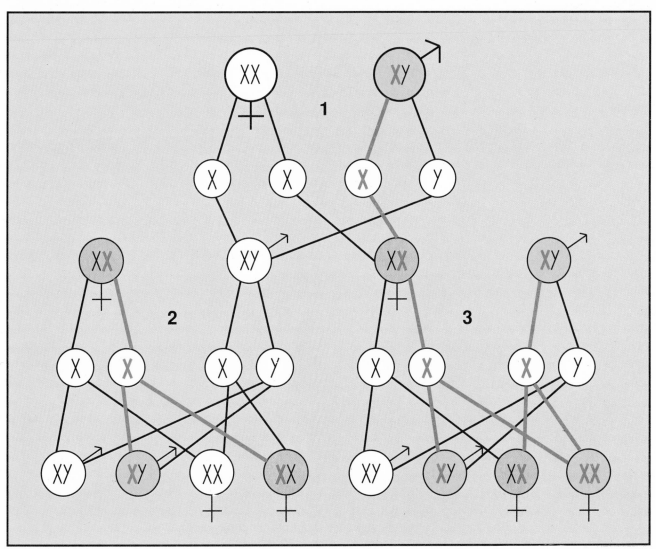

la otra mitad está libre de ella, y la mitad de las mujeres será sana, y el restante 25% de la descendencia serán mujeres portadoras.

Otra posibilidad es que una mujer portadora tenga hijos con un varón hemofílico, y entonces la mitad de los hijos varones estarán sanos y la otra mitad padecerán la hemofilia.

Pese a una extendida creencia, es erróneo suponer que todas las mujeres que padezcan hemofilia mueren antes del nacimiento. Cierto es que se conocen pocos casos de mujeres hemofílicas, ya que por la gravedad de la afección, pocos varones afectados pueden alcanzar la madurez sexual, y por lo tanto legar la enfermedad a su descen-

dencia. Esto unido a la baja incidencia de la enfermedad, hace que la existencia de mujeres hemofílicas resulte sumamente rara.

Anomalías cromosómicas

Como indicábamos en apartados anteriores, la aparición de anomalías

ANOMALÍAS NUMÉRICAS AUTOSÓMICAS

	CAUSA	INCIDENCIA	MANIFESTACIONES	OBSERVACIONES
Trisomía 8	Cromosoma extra de la pareja cromosómica 8 (47, 8).	Hasta 1975 se habían descrito 35 casos.	Ligero retraso mental, macrocefalia, paladar hendido, anomalías vertebrales, braquidactilia,...	Descrita en 1971 por Grouchy.
Síndrome de Patau	Trisomía del par 13 (47, 13).	1 de cada 7.000 recién nacidos.	Microcefalia, catarata, polidáctilia postaxial, comunicación interventricular, displasia valvular, orejas bajas,...	La media de edad de las madres es de 32 años. La supervivencia media del niño es de unos 100 días.
Síndrome de Edwars	Trisomía del par 18 (47, 18).	1 de cada 8.000 recién nacidos.	Dolicocefalia, microftalmia, comunicación intraventricular, riñón en herradura, criptorquidia, tórax en escudo, esternón muy corto, deformidad en dedos,...	La media de edad materna es de 32 años. La supervivencia media es de pocos meses. Más frecuente en las niñas.
Síndrome de Down (mongolismo)	Trisomía del par 21, o traslocación de un 21 sobre otro cromosoma (47, 21).	1 de cada 700 recién nacidos, frecuencia que aumenta con la edad de la madre. (Véanse los cuadros de las páginas 650 y 651.)	Braquicefalia, oblicuidad parpebral, nariz de raíz hundida, cardiopatía en el 50% de los casos, comunicación interauricular e interventricular, cociente intelectual entre 25 y 75, numerosas alteraciones metabólicas,...	Las mujeres son fértiles, dando 50% de descendencia mongólica, y los hombres son estériles. La morbilidad y mortalidad es superior a la media. La mortalidad por leucemia es 20 veces superior a la de la población normal.
Trisomía 22	Cromosoma extra de la pareja cromosómica 22 (47, 22).	1 de cada 30.000-50.000 nacidos.	Microcefalia, fisura palatina, comunicación interauricular e interventricular, retraso mental,...	Descrita por Hsu en 1971. Hasta 1975 se habían descrito 19 casos.
Monosomía 21	Ausencia de un cromosoma en el par 21 (45, 21).	Muy poco frecuente por su efecto deletéreo.	Retraso mental, microcefalia, micrognatismo (retracción del mentón por mandíbula pequeña), hipospadia, comuniación interauricular.	En 1967 se describe una niña de 4 años y medio retrasada mental, monosómica del 21.

en los cromosomas puede producirse espontáneamente o tras agresiones por agentes físicos, como los rayos X; químicos, como el benzol, o biológicos, como los virus. Estas anomalías pueden afectar a distintos niveles, permitiéndonos clasificarlas en numéricas, estructurales, e intragénicas o mutaciones.

Anomalías numéricas

Las anomalías cromosómicas numéricas se producen cuando aparecen cromosomas de más o de menos en el cariotipo (constitución cromosómica). Pueden ser:

— **Monosomías,** si falta uno de los cromosomas de la pareja de homólogos. Una persona que tenga una monosomía, poseerá 45 cromosomas en lugar de los 46 propios de la especie humana. Estas anomalías no suelen ser compatibles con la vida, ya que determinan, por lo general, la muerte del embrión. El síndrome de Turner, por ausencia de uno de los cromosomas sexuales, es un caso de monosomía.

— **Trisomías,** cuando hay un cromosoma de más en la pareja de homólogos, es decir, tres cromosomas en lugar de los dos propios de la pareja de homólogos. Un individuo con una trisomía, tendrá 47 cromosomas en lugar de 46. El mongolismo es debido a una trisomía en el par 21 de los cromosomas.

— **Poliploidías.** Como veíamos en el capítulo 8, el número diploide de cromosomas en la especie humana es de 46 cromosomas, y por tanto su número haploide es de 23. Poliploide sería cuando en lugar de los 46 cromosomas se tuviera alguna otra cantidad de cromosomas, múltiplo de 23 (del número haploide). Así un triploide tendría 69 cromosomas, con tres cromosomas en cada pareja de homólogos; un tetraploide tendría 92 cromosomas, con cuatro cromosomas en cada pareja de homólogos; etcétera. Estas anormalidades numéricas nunca son compatibles con la vida en la especie humana, aunque en otras especies sí.

Anomalías estructurales

Se habla de anomalías cromosómicas estructurales, cuando afectan a la estructura o cantidad de una porción grande de uno o varios cromosomas. Las más importantes son:

— **Duplicación:** Es la repetición de un fragmento cromosómico, con el consiguiente aumento de la longitud del cromosoma.

— **Deleción** o pérdida de un fragmento cromosómico.

— **Inversión** de un fragmento, que se ha roto y vuelto a soldar, pero habiendo dado la vuelta.

— **Isocromosomia,** cuando un cromosoma en lugar de escindirse longitudinalmente durante la mitosis o la meiosis, se escinde transversalmente, y luego se replica. De esta forma se pierde la mitad de la información genética del cromosoma.

— **Traslocación o transferencia** de un segmento cromosómico desde un lugar hasta otro completamente

ANOMALÍAS GONOSÓMICAS

	CAUSA	INCIDENCIA	MANIFESTACIONES	OBSERVACIONES
Síndrome de Turner (disgenesia gonadal, disgenesia ovárica)	Ausencia de un cromosoma X (45, X0).	1 de cada 2.500 niñas nacidas vivas.	Aspecto femenino, con talla baja, amenorrea primaria por hipoplasia ovárica, cuello alado, tórax en escudo con mamilas hipoplásicas y separadas, riñón en herradura, miopía.	Existen casos de isocromosoma X, mosaicos con células 45, X0 y 47, XXX, deleciones o anillos del cromosoma X, y casos de un pequeño residuo de cromosoma X.
Trisomía X (superhembra, metahembra)	Cromosoma X extra (47, XXX).	8 de cada 10.000 niñas nacidas vivas.	Cuadro clínico casi normal, con ligero retraso mental. Frecuente comunicación interauricular, amenorrea secundaria,...	También se han descrito tetrasomías (48, XXXX) y pentasomías (49, XXXXX).
Síndrome de Klinefelter (disgenesia testicular)	Varones con cromosomas X extra (47, XXY).	12 de cada 10.000 varones.	Aspecto masculino, talla alta, eunucoides, ginecomastia, testículos pequeños, vello feminoide, azoospermia, gonadotropinas elevadas, moderada disminución del coeficiente intelectual.	Hay individuos con fórmulas cromosómicas 48, XXXY, 49, XXXXY y mosaicos.
Síndrome YY o XYY	Varones con cromosoma Y extra (46, YY o 47, XYY; también se han descrito 48, XYYY y 49, XYYYY).	1 de cada 1.000 niños nacidos vivos.	Talla superior a la media, cociente mental ligeramente disminuido, trastornos de conducta.	Parece que su bajo cociente de inteligencia los lleva a cometer delitos fácilmente descubribles, y por eso hay muchos en las cárceles.

(Véase también el cuadro ANOMALÍAS DE LA DIFERENCIACIÓN Y DETERMINACIÓN SEXUAL, tomo 2, página 363.)

distinto, del mismo cromosoma o de otro diferente. Puede ser recíproca, cuando del otro cromosoma le llega también otro fragmento.

Mutaciones

Las mutaciones son anomalías cromosómicas intragénicas (del interior de los genes). Por azar, o acción de algún agente mutagénico (capaz de producir mutaciones), se elimina o sustituye equivocadamente uno o varios de los componentes del gen (nucleótidos), con lo cual la información que

El síndrome de Turner es relativamente frecuente en comparación con otras anomalías cromosómicas, pues se presenta en una de cada 2.500 niñas nacidas vivas. En el cuadro de esta misma página podemos ver cómo se manifiesta este síndrome, conocido también como disgenesia (defecto del desarrollo) gonadal u ovárica, que provoca una amenorrea primaria (ausencia de menstruación) y esterilidad. En la fotografía se aprecia el típico cuello alado y la separación mamilar, signos externos propios del síndrome de Turner.

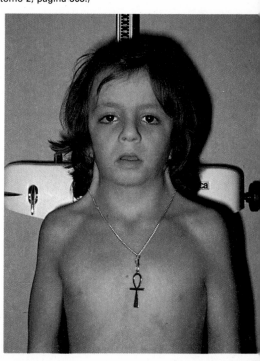

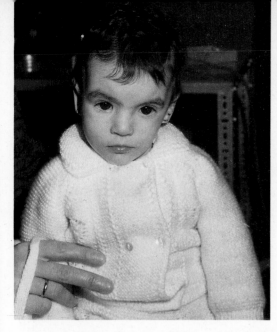

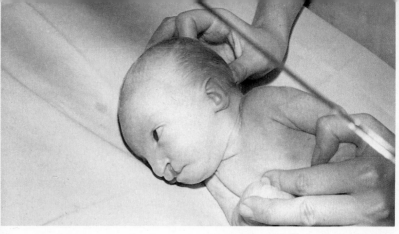

El síndrome de Lejeune suele afectar más a las niñas (instantánea de la izquierda). Se lo conoce también como síndrome del maullido de gato, pues alrededor del 50% de los recién nacidos que lo padecen sufren una hipoplasia laríngea que les hace emitir un llanto semejante al de los gatos. En la fotografía superior aparece un bebé que sufre el síndrome de Wolff.

ANOMALÍAS ESTRUCTURALES AUTOSÓMICAS

	CAUSA	INCIDENCIA	MANIFESTACIONES	OBSERVACIONES
Síndrome de Lejeune o del maullido de gato	Deleción de medio brazo corto del cromosoma 5 (46, 5p–).	1 por cada 6.600 recién nacidos.	Retraso mental, microcefalia, estrabismo, comunicación interventricular o interauricular, trastornos en el crecimiento,...	Más frecuente en las niñas que en los niños. Por deficiencias en el desarrollo laríngeo provoca un llanto semejante a un maullido.
Síndrome de Wolff	Deleción de un fragmento del cromosoma 4 (46, 4p–).	Menor que la del síndrome de Lejeune.	Micro y dolicocefalia, cara en casco de guerrero, fisura labiopalatina, comunicación interauricular, hipospadias...	Más frecuente en el sexo femenino.
Síndrome 13q–	Deleción en el brazo largo del cromosoma 13 (46, 13q–).		Retraso mental, perfil griego, microftalmia y catarata, hipospadias, comunicación interventricular o intraauricular,...	Lejeune en 1968 lo denomina como síndrome 13r.
Leucemia mieloide crónica	Presencia de cromosoma Filadelfia, formado por la deleción de brazo largo del cromosoma 22, o su traslocación al 9.	Supone aproximadamente un 20% de todas las leucemias.	Médula ósea sustituida por células tumorales, ganglios linfáticos de gran volumen, esplenomegalia, hepatomegalia, anemia, susceptibilidad a infecciones por tener leucocitos no activos.	Permiten la supervivencia prolongada, incluso sin tratamiento (2 a 6 años). Se observan entre los 40 y 60 años.
Linfoma de Burkitt	Traslocación recíproca entre los cromosomas 8 y 14.		Desarrollo de grandes masas tumorales en ganglios linfáticos de maxilar superior, inferior o abdomen.	Es una enfermedad principalmente de la infancia. Pese al tratamiento, las dos terceras partes mueren en 4 años.

647

MUTACIONES

PADECIMIENTO	MODO DE HERENCIA	MANIFESTACIONES	OBSERVACIONES
Acondroplasia o enanismo	Autosómica dominante	El tronco se desarrolla normalmente mientras que las extremidades se quedan cortas (huesos cortos y gruesos).	
Albinismo	Autosómica recesiva.	Las células pigmentarias (melanocitos), carecen de pigmentos.Sin repercusión patológica.	
Anemia falciforme	Autosómica recesiva.	Anemia hemolítica, episodios recurrentes de fiebre y dolor, retraso en la maduración epifisaria y sexual, reducción de la fertilidad,...	
Ataxia de Becker o cerebelar dominante	Autosómica dominante.	Nistagmo, ataxia, disartria.	Aparece entre los 30 y 60 años. Provoca la muerte entre los 60-70.
Ataxia de Friedreich	Autosómica recesiva.	Degeneración piramidal y espinocerebelosa, ataxia (falta de coordinación), disartria (dificultades para hablar), cifoscoliosis, ausencia de reflejos (movimiento rápido involuntario del globo ocular).	30 a 50 casos por cada 100.000 nacimientos.
Ceguera de Tay-Sachs	Autosómica recesiva.	Retraso del desarrollo, parálisis, demencia, ceguera, muerte a los 2-3 años.	15 de cada 1.000 judíos y 15 de cada 100.000 no judíos.
Corea de Huntigton	Autosómica dominante.	Movimientos coreicos (involuntarios e irregulares, de los miembros y la cara), asociados a inestabilidad, depresión y demencia.	Comienza generalmente en la tercera década de vida.
Daltonismo	Ligada al cromosoma X, recesiva.	Ceguera cromática (no distinguen ciertos colores como rojo y verde) congénita.	
Distrofia muscular de Duchenne	Ligada al cromosoma X, recesiva.	Debilidad muscular, con comienzo en la infancia y pseudohipertrofia de las pantorrillas. Es progresiva, empieza a los 6 años.	Uno de cada 4.000 nacimientos. Mueren antes de los 20 años.
Epilepsia esencial	Recesiva.	Síndrome con crisis convulsivas.	Parece que no se hereda la enfermedad, sino la predisposición.
Esferocitosis	Autosómica dominante.	Presencia de hematíes esféricos (esferocitos), anemia hemolítica y esplenomegalia.	
Fenilcetonuria clásica	Autosómica recesiva.	Retraso mental tratable con dieta adecuada, crisis convulsivas, microcefalia (cabeza pequeña).	Hay otros tres tipos, por falta de la misma enzima.
Galactosemias A y B	Autosómicas recesivas.	Hepatomegalia (agrandamiento del hígado), catarata, retraso mental.	Hay dos tipos, dependiendo de la enzima que falta. Muy raras.
Glucogenosis tipos 0 al XII	Autosómicas recesivas, salvo la tipo IX que está ligada al sexo.	Trastornos del metabolismo del glucógeno (hipoglucemia).	En cada tipo hay fallos de enzimas diferentes, que provocan distintos cuadros clínicos.
Hemofilias	Ligadas al cromosoma X, recesivas.	Tiempo anormalmente largo de coagulación de la sangre, por fallo de algún factor de coagulación.	
Hipercolesterolemia esencial o familiar	Autosómica dominante.	Arco corneal precoz, xantomas tendinosos, cardiopatía isquémica muy precoz.	
Mucoviscidosis (fibrosis quística del páncreas)	Autosómica recesiva.	Páncreas quístico, secundariamente hay cirrosis biliar, infecciones broncopulmonares con enfisema y alteraciones del sudor.	La padece uno de cada 3.700 recién nacidos.
Polidactilias	Autosómicas dominantes.	Se duplica uno o más dedos o falanges de uno o más miembros.	

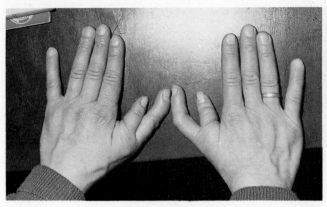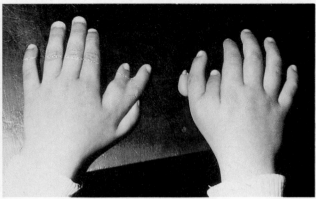

La polidactilia (de *polýs*, varios, y *dáktylos*, dedo, en griego) consiste en la existencia de dedos supernumerarios. Esta anomalía se transmite hereditariamente de forma autosómica dominante. Eso quiere decir que estadísticamente la mitad de los hijos de las parejas con un cónyuge polidactílico padecerán esta anomalía. En estas instantáneas, tomadas en el Centro de Investigaciones Biológicas del CSIC, podemos ver las manos de una madre polidactílica (a la izquierda del lector) y las de una hija suya (a la derecha).

lleva dicho gen resulta errónea. Si las anteriores anomalías podían detectarse contando los cromosomas (las numéricas) o con ciertas técnicas de tinción, las mutaciones no pueden localizarse mediante el microscopio, y se tiene que recurrir a otras técnicas más sofisticadas. Este tipo de anormalidades resulta mucho más frecuente que las anteriores.

Las anomalías transmisibles

Son numerosas las afecciones cuya transmisión hereditaria es bien conocida, y que en muchos casos se ha descubierto su causa genética o molecular, y adscrito a alguno de los anteriores grupos de anormalidades. Por ser enfermedades ligadas a los cromosomas, su transmisión seguirá las leyes de la herencia ya vistas, y se transmitirán de padres a hijos.

Para evitar un texto demasiado árido para el lector no iniciado en estas complicadas cuestiones científicas, hemos preferido exponer las principales afecciones que se transmiten hereditariamente en diferentes cuadros; de forma que, de un vistazo, se pueda tener una noción general clara sobre la cuestión.

Consejo genético

Tras las breves nociones de genética vistas en este capítulo, ya sabemos cómo trasmitimos la herencia a nues-

tros descendientes. También podemos comprender que cualquier actuación perjudicial para nuestra vida, puede afectar al material genético de nuestros gametos, de modo que leguemos a nuestros hijos taras genéticas. Aparte de los conocidos efectos de drogas y tóxicos de origen farmacológico, sabemos que otras sustancias poseen efectos dañinos o mutagénicos sobre el material genético, como determinados conservantes y colorantes alimentarios. También las radiaciones de alta energía, tanto ultravioleta, como ionizantes (rayos X, rayos gamma, etc.), producen daños, muchas veces irreparables, en nuestro material cromosómico. Ciertos virus también pueden introducirse en nuestro ADN, produciendo así mismo deterioros irrecuperables.

Podemos ver cómo además de algunos daños producidos por el azar, ciertos agentes mutagénicos son completamente ajenos a nuestra voluntad; de modo que ni siquiera una vida sana y cuidadosa puede ofrecernos completa garantía de una descendencia sana. Ahora bien, siguiendo los consejos de salud y del especialista en genética, aumentarán al máximo las probabilidades de conseguir una descendencia libre de taras.

Si recordamos que nuestras células germinales empiezan a desarrollarse a la vez que nosotros mismos, en el útero materno, comprenderemos que durante muchos años el ADN de las gó-

nadas va sufriendo agresiones. Aunque nuestro organismo tiene unos maravillosos sistemas que detectan y corrigen las mutaciones producidas, muchas veces no serán suficientes, como podemos constatar por la cantidad de taras genéticas que se producen. Por tanto un factor a tener en cuenta a la hora de tener los hijos es la edad de los padres. Es más importante la edad de la madre, ya que hay una mayor renovación de las células germinales masculinas, que de las femeninas.

La teoría de German también pretende explicar otros efectos de la edad sobre las anomalías cromosómicas. La vida del ovocito es normalmente muy corta desde que se desprende del ovario y una vez que se realiza su primera división meiótica. Si este ovocito no es fecundado en las 24 horas siguientes, los filamentos encargados del reparto de los cromosomas durante la meiosis pueden degenerar y dar un óvulo disómico (que tenga las dos cromátides). Si se produce el fenómeno de la fecundación tardía (más frecuente en edades maternas altas, por la mayor irregularidad de la actividad sexual), habrá una alta incidencia de trisomías.

Especial atención hay que tener respecto a los matrimonios entre parientes próximos, ya que poseen un material genético muy semejante, y tendrán mucha probabilidad de presentar los mismos alelos. Una persona que posea el alelo de una enfermedad en uno de sus cromosomas, si es recesivo no padecerá esta enfermedad. Sin embargo, si se casa con un pariente próximo, la probabilidad de que dicho pariente posea ese mismo alelo recesivo será muy alta, y por tanto resulta bastante probable que sus hijos cuenten con ese alelo en los dos cromosomas de la pareja de homólogos, y entonces padezcan esa enfermedad recesiva. Éste sería el principal motivo para desaconsejar los matrimonios consanguíneos.

La probabilidad de que una pareja cromosómicamente normal, pero con un hijo con síndrome de Down, tengan otro hijo mongólico, es bastante elevada (véase el cuadro adjunto). Por el contrario, la hermana de un mongólico no tiene un riesgo superior al normal de tener hijos con trisomía 21. Los padres de un niño mongólico por traslocación esporádica (no heredada de ninguno de los padres), tienen un riesgo apenas mayor del normal, de tener nuevos hijos mongólicos. Pero si la traslocación es entre el cromosoma 21 y el 13, el 14 o el 15 y proviene de uno de los padres, el 50% de los hijos serían mongólicos (luego se reduce al 10%, ya que se producirán numerosos abortos). Si uno de los padres de un niño mongólico tiene una traslocación de un cromosoma 21 sobre el otro cromosoma 21, todos sus hijos serán mongólicos.

La mayoría de las aneuploidías (triploidías y monosomías) son esporádicas. Por lo tanto, los padres de un niño aneuploide, si ellos mismos son cromosómicamente normales, no tienen mayor riesgo que el promedio de la población de tener otro hijo afectado.

El personal hospitalario en contactos con radiaciones, gases de anestesia, etcétera, corre mayor riesgo de tener hijos con anormalidades; aunque seguramente ese riesgo resulta despreciable, si se toman las debidas precauciones.

No siempre es fácil dar un consejo en materia de genética. Ciertas afecciones hereditarias no son evidentes y se las encuentra difícilmente entre los ascendientes, como la enfermedad de Tay-Sachs, la mucoviscidosis o la galactosemia. Algunas de ellas podrían ser descubiertas con un análisis de sangre bastante sencillo, como la hemofilia A y B, la talasemia, la esferocitosis o la hipercolesterolemia; aunque la

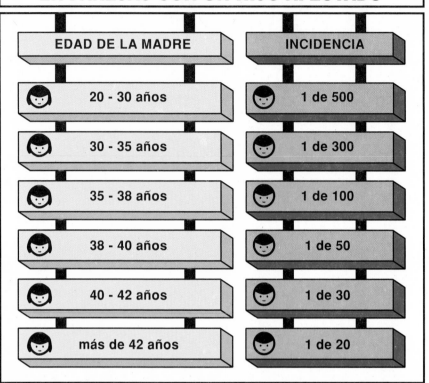

SÍNDROME DE DOWN
EN PAREJAS CON UN HIJO AFECTADO

EDAD DE LA MADRE	INCIDENCIA
20 - 30 años	1 de 500
30 - 35 años	1 de 300
35 - 38 años	1 de 100
38 - 40 años	1 de 50
40 - 42 años	1 de 30
más de 42 años	1 de 20

Basándonos en los datos que ofrece Andrés Sánchez Cascos, en su *Manual de genética médica*, hemos elaborado el cuadro estadístico de esta página y el de la siguiente. En el de esta misma página se presenta el riesgo de incidencia del síndrome de Down (mongolismo) en las parejas que ya tienen un hijo que lo sufre, siendo el padre y la madre cromosómicamente normales. En el de la página contigua se indica el riesgo de nacimiento de un hijo mongólico en las parejas que no tienen ningún antecedente familiar de trisomía 21. Tanto en un caso como en el otro, se observa que el riesgo se va haciendo notablemente mayor conforme aumenta la edad de la madre.

mayor parte de las enfermedades del metabolismo, exigen análisis muy especializados. Mención aparte merece la fenilcetonuria, de la que oportunamente hablaremos en el capítulo 54.

Desgraciadamente muchas enfermedades no tienen un tipo de herencia bien definido y su origen es multifactorial. La genética no puede por lo tanto dar una orientación exacta. También es posible gracias a la amniocentesis establecer un pronóstico prenatal, pero este procedimiento no se aplica a todos los casos. Por ejemplo, no puede determinar si un niño, uno de cuyos padres se halla afecto de la corea de Huntington, será normal o no. Habida

cuenta de la gravedad de esta afección, que no aparece más que a la edad adulta, y de su modo de transmisión dominante, el genetista se limitará a aconsejar a la pareja la esterilización del cónyuge afecto o bien un método anticonceptivo seguro.

Actualmente los interrogatorios y análisis realizados por los especialistas en consejo genético pretenden descubrir posibles enfermedades ligadas a la herencia, para desaconsejar, en su caso, la concepción de hijos; indicando en muchas ocasiones la probabilidad de que aparezca dicha enfermedad en la descendencia. Tras los espectaculares avances de la genética en los últi-

SÍNDROME DE DOWN
EN PAREJAS SIN ANTECEDENTES

EDAD DE LA MADRE	INCIDENCIA
menos de 20 años	1 de 2.000
20 - 30 años	1 de 1.000
30 - 35 años	1 de 600
35 - 38 años	1 de 300
38 - 45 años	1 de 70
más de 45 años	1 de 40

mos años, se han conseguido localizar exactamente muchos caracteres humanos en el cromosoma correspondiente, y existen programas para realizar un mapa cromosómico de todos los cromosomas del hombre. Con estos conocimientos, y la posibilidad de manipular el material genético, los especialistas esperan en el futuro poder curar estas enfermedades hereditarias.

Herencia y predisposición

Ciertas enfermedades no se transmiten en el sentido propio del término. Por ejemplo, si una enferma sufre de una insuficiencia hepática, se dice que su hijo heredará esta afección. Esto no es exacto. En realidad hereda de su madre el mismo tipo de órganos y con su misma capacidad. Lo cierto es que si continúa practicando los mis-

mos hábitos alimentarios erróneos de la madre, su hígado reaccionará de la misma manera. Esta persona había heredado la predisposición, no la enfermedad propiamente dicha.

Otro ejemplo es el caso de la úlcera. El origen de ciertas úlceras de duodeno está en una mala regulación, de origen nervioso, del vaciado del estómago. Por tanto al heredarse una constitución nerviosa, se heredará también una predisposición a la úlcera.

En cuanto al cáncer, deben reunirse varias condiciones para que aparezca: lesiones irritativas crónicas, acción de factores nocivos tales como las radiaciones, el asfalto, el tabaco, etcétera; y también una predisposición determinada por factores hereditarios. Ciertos autores han negado este carácter hereditario, pero existen cánceres familiares evidentes, como el caso del

retinoblastoma y de la xerodermia pigmentaria. En estos casos las células cancerosas muestran anomalías de los cromosomas. Lo mismo ocurre en las células de ciertos sujetos afectos de enfermedades hereditarias tales como la anemia de Fanconi, que se complica frecuentemente con leucemia.

Recordemos que la leucemia es más frecuente en los trisómicos y en los sujetos que presentan un síndrome de Klinefelter. En algunos casos se ha podido demostrar la relación de ciertos cánceres con anormalidades cromosómicas: como la leucemia mieloide crónica, con la presencia del cromosoma Filadelfia; o el linfoma de Burkitt, y traslocaciones recíprocas entre los cromosomas 8 y 14. (Véanse los cuadros de las páginas 644, 646 y 647.)

Lo que se hereda

Las malformaciones y anomalías presentes en el nacimiento, no son todas hereditarias. Así un niño puede nacer con malformaciones si la madre durante el curso del embarazo ha contraído la rubeóla o la toxoplasmosis. Lo mismo puede ocurrir si ha tomado medicamentos teratógenos, como el bien conocido caso de la talidomida. Se trata aquí de morfodisplasias accidentales ligadas a la acción de agentes exteriores y que no son transmisibles a la descendencia.

Ciertas enfermedades como la sífilis, tampoco son verdaderamente hereditarias. Antes se pensaba, hablando de la heredosífilis, que el agente productor de la enfermedad pasaba del padre al niño en el momento de la fecundación. Esto es imposible ya que el treponema es más voluminoso que la célula sexual masculina. En realidad, se produce una contaminación del niño por intermedio de la sangre de la madre, o en el momento del parto. En este caso no se trata de una verdadera herencia sino de la transmisión del agente infeccioso durante la vida intrauterina del niño, o durante el parto (véase «La sífilis» en el apartado «Enfermedades congénitas», capítulo 54).

Algunas conclusiones prácticas

Cierto es que el hombre no ha llegado a determinar más que una parte de los factores que inciden en la herencia humana, y únicamente es capaz de modificar positivamente un pequeño porcentaje de esos factores; aunque precisamente las más modernas líneas de investigación permiten albergar fundadas esperanzas de que ese porcentaje se verá continuamente incrementado en el futuro inmediato.

No es menos cierto, sin embargo, que con los conocimientos de que disponemos actualmente se pueden dar unas normas generales de eugenesia, que nos permitan traer hijos al mundo con una mejor salud física y mental inicial.

El primer principio de eugenesia se puede enunciar así: Una persona no puede pretender tener una descendencia sana si ella misma no lo es. En diferentes capítulos de este libro hemos visto como son numerosas las enfermedades que se pueden transmitir a la descendencia, entre las que destacan las ETS (enfermedades de transmisión sexual), y especialmente hoy el sida.

No hemos de olvidar los hábitos nocivos que no sólo debilitan físicamente, sino que incluso pueden producir alteraciones en los espermatozoides y los óvulos, con lo cual se ve afectada la capacidad de reproducción humana. Entre esos hábitos cabe citar en primer lugar las toxicomanías, de las cuales el alcoholismo es el causante de mayor número de males.

Somos pues responsables de todos aquellos problemas que podamos causar con nuestro estilo de vida a nuestra descendencia. Y el estilo de vida es algo evidente y modificable.

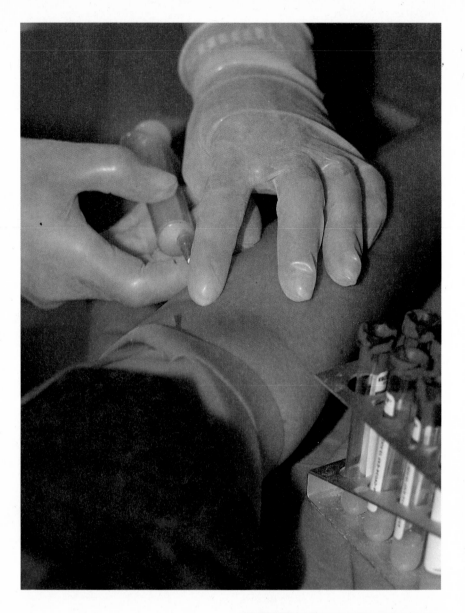

El examen prenupcial

Aunque no seamos responsables de nuestros cromosomas y nuestros genes, que nos han sido legados por nuestros progenitores, que a su vez los recibieron de los suyos, sí podemos, mediante el consejo genético, evitar que con ellos transmitamos a nuestros hijos determinadas taras.

Por eso en algunos países es obligatorio antes de casarse someterse a un examen prenupcial, que suele incluir diversos análisis y pruebas, que descubrirán la posibilidad de legar a los hijos ciertas enfermedades hereditarias como el síndrome de Turner, una ictiosis o una distrofia muscular.

Un cuidadoso interrogatorio de la pareja puede descubrir otros trastornos y enfermedades que pueden afectar a la descendencia: eccema, diabetes, hemofilia, asma.

Es fundamental el análisis de sangre que puede revelar que se padece, aun sin saberlo, enfermedades tan importantes como la sífilis. Por supuesto en este examen se determinará, si todavía no se conocía, el grupo sanguíneo y el factor Rh.

Un correcto examen prenupcial debe incluir también un completo examen ginecológico y andrológico, que permita descubrir determinadas anomalías causantes de infecundidad, u

En muchos países es obligatorio el examen prenupcial, que incluye como algo fundamental un análisis sanguíneo, con el cual se puede detectar la presencia de enfermedades tan importantes y graves para la futura descendencia como la sífilis o el sida, o anomalías hereditarias. Por supuesto este examen determinará el grupo sanguíneo y el factor Rh de los dos miembros de la pareja, si acaso no lo conocían. En cualquier caso, toda pareja que decida unirse para tener descendencia debiera someterse a una completa revisión médica, que incluya el estudio de su historial clínico y antecedentes familiares, y un completo examen ginecológico y andrológico.

otros problemas que pueden afectar negativamente a la vida sexual.

El examen prenupcial no permite descubrir todas las enfermedades hereditarias, sobre todo en los sujetos de apariencia sana. Ahora bien, cuando los futuros cónyuges conocen la existencia de una malformación, de una enfermedad o de un retraso mental en su parentela, aun cuando sea lejana, deben señalársela al médico, quien, si lo cree conveniente, puede prescribir exámenes especiales o enviar a la pareja a un genetista.

La puericultura prenatal

La puericultura, o cuidado del niño, no sólo es necesaria desde que nace, sino desde la misma concepción.

Cualquier matrimonio que desee tener hijos sanos necesita conocer cuáles son los cuidados y el estilo de vida que debe seguir la mujer embarazada. En los próximos capítulos vamos a abordar ampliamente estas cuestiones.

Lo que desgraciadamente no puede hacer la puericultura prenatal es impedir la transmisión de las enfermedades hereditarias al niño. Lo máximo que puede hacer es ayudar a descubrir algunas de ellas, como veremos en su momento (véase cap. 54).

Tampoco se pueden evitar las malformaciones (polidactilia, labio leporino, ano imperforado, etc.), aunque afortunadamente para la mayoría de ellas existe remedio.

Sí se pueden evitar ciertas malformaciones inducidas por agentes externos (medicamentos, drogas, radiaciones, por ejemplo), el contagio materno fetal de enfermedades infecciosas, enfermedades yatrogénicas (producidas por medicamentos), las intoxicaciones fetales, la prematuridad, etcétera.

Y todo lo malo que esté en nuestras manos evitar, que no es poco, hemos de evitarlo, sintiéndonos agradecidos a la ciencia que pone a nuestro alcance los medios para conseguirlo; pero fundamentalmente hemos de asumir nuestra responsabilidad cumpliendo con los principios generales de una vida sana. Y todo lo bueno que sepamos y podamos hacer, hemos de realizarlo, porque será un bien para nosotros, para nuestros hijos y para la sociedad en general. Con este fin hemos escrito esta obra y especialmente su Cuarta Parte.

La puericultura (del latín: *puer* y *cultura*; niño y cultivo, respectivamente) se define como la ciencia que estudia cómo debe cuidarse al niño, tanto física como psicológicamente, para conseguir que su desarrollo sea óptimo. Y ese desarrollo comienza, no con el nacimiento, sino mucho antes; al menos desde el mismo momento de la concepción. De ahí la importancia de la puericultura prenatal.

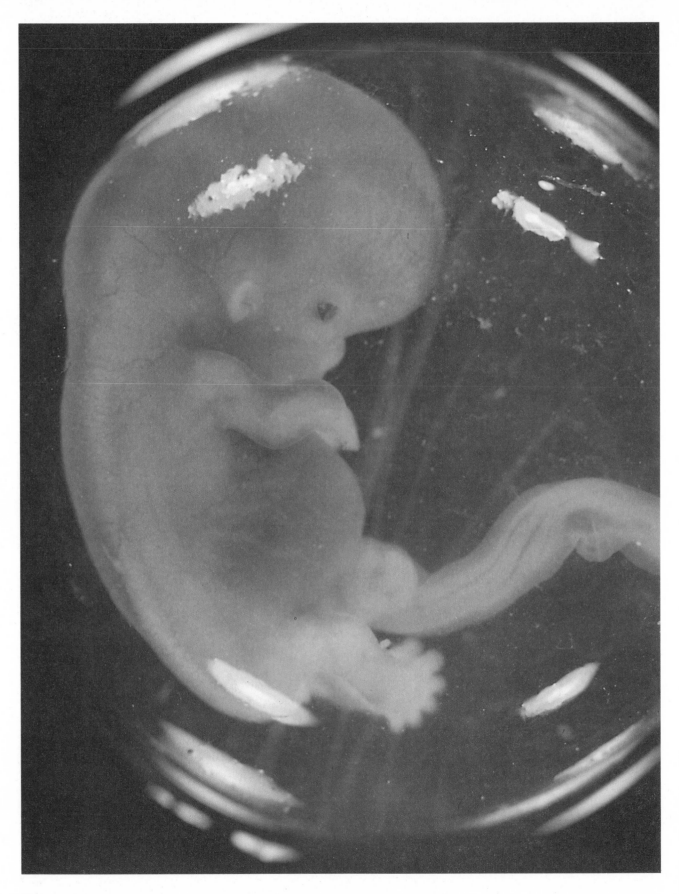

LA FORMACIÓN DEL NIÑO

Para que surja una nueva vida humana, es necesaria la unión de dos semillas reproductoras provenientes de cada uno de los miembros de la pareja. Estas semillas son el espermatozoide y el óvulo, procedentes a su vez de las células germinales embrionarias.

Las células germinales, o gonocitos, cuyo origen y situación se han descrito en el primer capítulo, van evolucionando y multiplicándose hasta la formación de los gametos o células sexuales maduras: en el hombre el espermatozoide y en la mujer el óvulo. La cadena que a ello conduce, distinta en el hombre y en la mujer, se denomina espermatogénesis y ovogénesis respectivamente. En ambos, varias características bien definidas llaman poderosamente la atención. Aquí únicamente vamos a referirnos a tres de ellas: al número, al tamaño y a la movilidad.

Entre un espermatozoide y un óvulo se dan diferencias sustanciales, aparte de las morfológicas. El espermatozoide es un gameto infinitamente pequeño, visible tan sólo al microscopio. El óvulo, enormemente mayor, puede incluso ser observado a simple vista. El óvulo no se desplaza por sí solo; por el contrario es el espermatozoide, el que mediante los movimientos de propulsión de su flagelo, va a su encuentro. Por último, la cantidad final de óvulos, propios para la reproducción, se cuentan en la mujer por centenas, mientras que en el hombre, los espermatozoides dotados en principio y teóricamente de igual poder, son millones y millones (véase la página 56 en el primer tomo).

Espermatogénesis

Poco antes de la pubertad, a partir de las células germinales originarias del testículo, se producen, por multiplicación de las mismas, las espermatogonias, las cuales poseen los 46 cromosomas distintivos de la especie humana. La multiplicación de las espermatogonias no se limita a la época de la pubertad, sino que continúa con mayor o menor actividad hasta prácticamente el fin de la vida del individuo.

Por crecimiento de las espermatogonias se originan los espermatocitos de primer orden, que contienen 22 pares de cromosomas somáticos, o autosomas, y un par de cromosomas sexuales X e Y.

El espermatocito de primer orden se segmenta, pero en vez de hacerlo en dos células, una mayor reproductora y otra menor, simple vectora de la mitad cromosómica, como acontece en los ovocitos de la mujer, se divide en dos células iguales y con equivalente categoría: los espermatocitos de segundo orden. Cada uno de estos dos espermatocitos de segundo orden tiene 23 cromosomas, uno de los cuales posee determinación femenina (23, X = 22 autosomas + un gonosoma X) y el otro masculina (23, Y = 22 autosomas + un gonosoma Y).

Cada uno de los espermatocitos de segundo orden —a los que llamaremos X e Y— se dividen a su vez, dando lugar respectivamente a dos espermátides X y a dos espermátides Y. Estos cuatro espermátides se convertirán en espermatozoides maduros de aspecto muy diferente al de la célula que les ha dado origen al formárseles un acrosoma (órgano celular), y luego les crecerá el flagelo (cola) típico, a la vez que perderán gran parte del citoplasma. Esta fase de transformación no se da en el óvulo. De los cuatro espermatozoides maduros, dos podrán ser origen

de niñas, al llevar el gonosoma X, y
otros dos de niños, al llevar el Y.

Ovogénesis

Hacia la 4.ª-5.ª semana de gestación, llegan al ovario primitivo del feto
femenino entre 1.000 y 2.000 gonocitos; los cuales, durante la vida embrionaria, se transformarán en ovogonias,
que se multiplican de forma extraordi-
naria hasta alcanzar la cifra de 4-5 millones entre los dos ovarios, en el 5.º
mes de embarazo.

Después las ovogonias maduran
pasando a ovocitos primarios. En el 7.º
mes de gestación, muchas ovogonias y
ovocitos se han atrofiado. De los restantes ovocitos, muchos de ellos, se ro-
dean de una capa de células epiteliales, formando cada uno un folículo primario. Su número se ha reducido a
400.000 por ovario en el momento del
nacimiento; cifra que baja a 300.000 a
los 7 años.

Se hallan en estado de letargo dentro de la primera división meiótica y
así continúan hasta la pubertad, donde
podemos encontrarlos en el ovario en
número de 40.000. De ellos, únicamente madurarán entre 300 y 400 a lo largo de la vida de la mujer.

El folículo, constituido por un ovocito de primer orden, con 46 cromosomas, rodeado de una capa de pequeñas células epiteliales, respondiendo a
estímulos hormonales procedentes de
la hipófisis, llega a la madurez antes de
la ovulación, momento en el que recibe el nombre de folículo de De Graaf.
Cuando se produce la ovulación, el
ovocito primario se divide en dos células de diferente tamaño: el ovocito de
segundo orden, con mayor citoplasma
que la otra, que constituye el primer
corpúsculo polar. Estas dos células poseen 23 cromosomas, es decir la mitad
de las demás células del organismo.

Sólo en el caso de que un espermatozoide penetre en el ovocito de segundo
orden, se producirá la segunda división
meiótica, con escisión de cada cromosoma en sus dos cromátides, y la formación
del gameto femenino maduro, u oótide,
y el segundo corpúsculo polar.

La oótide es portadora de 23 cromosomas: 22 autosomas y un gonosoma que siempre es X, por lo cual la
determinación del sexo vendrá dada
por el cromosoma sexual que lleve el
espermatozoide fecundante.

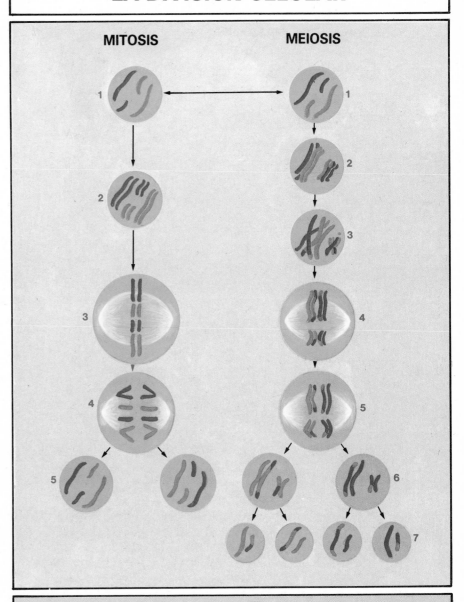

LA DIVISIÓN CELULAR

MITOSIS   **MEIOSIS**

MITOSIS: Las células humanas se multiplican mediante la mitosis. Los 46 cromátides presentes en cada célula somática ocupan todo el núcleo celular como un ovillo, y antes de
dividirse se agrupan y compactan formando las cromátides **(1)**. Entonces cada cromátide
(cilíndrica) se duplica dando dos **(2)**, tomando la conocida forma de X. Después cada cromosoma se separa en dos cromátides idénticas, de forma que la mitad de ellas se va a un
extremo de la célula y el resto al otro **(3,4)**. Finalmente la célula se divide en dos **(5)**, cada
una con la misma información genética (46 cromátides).

MEIOSIS: Los gametos se reproducen por un proceso de división más complejo. Los 46
cromátides presentes en el núcleo de las células precursoras de los gametos **(1)** se duplican
y se unen formando 23 parejas de homólogos estrechamente unidos **(2)**. En este período se
produce un intercambio equilibrado de material genético **(3)** entre el homólogo procedente
del padre y el procedente de la madre. En una primera división meiótica estas parejas se
separan **(4,5)** de manera que va un cromosoma completo a cada extremo y la célula se divide
en dos **(6)** con 23 cromosomas cada una. Ambas sufren después una segunda división meiótica que hará que cada cromosoma se divida en sus dos cromátides, los cuales se separan
dando dos células **(7)**. Quedan finalmente cuatro células con 23 cromátides cada una, que
son los gametos.

GAMETOGÉNESIS

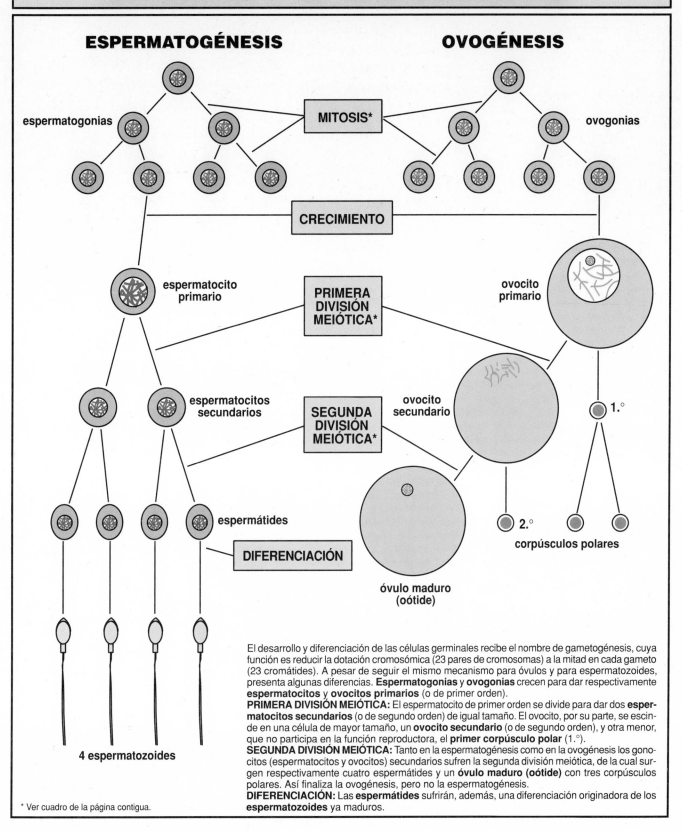

ESPERMATOGÉNESIS

espermatogonias

espermatocito primario

espermatocitos secundarios

espermátides

4 espermatozoides

OVOGÉNESIS

MITOSIS*

ovogonias

CRECIMIENTO

PRIMERA DIVISIÓN MEIÓTICA*

ovocito primario

SEGUNDA DIVISIÓN MEIÓTICA*

ovocito secundario

DIFERENCIACIÓN

óvulo maduro (oótide)

1.°

2.°

corpúsculos polares

El desarrollo y diferenciación de las células germinales recibe el nombre de gametogénesis, cuya función es reducir la dotación cromosómica (23 pares de cromosomas) a la mitad en cada gameto (23 cromátides). A pesar de seguir el mismo mecanismo para óvulos y para espermatozoides, presenta algunas diferencias. **Espermatogonias** y **ovogonias** crecen para dar respectivamente **espermatocitos** y **ovocitos primarios** (o de primer orden).
PRIMERA DIVISIÓN MEIÓTICA: El espermatocito de primer orden se divide para dar dos **espermatocitos secundarios** (o de segundo orden) de igual tamaño. El ovocito, por su parte, se escinde en una célula de mayor tamaño, un **ovocito secundario** (o de segundo orden), y otra menor, que no participa en la función reproductora, el **primer corpúsculo polar** (1.°).
SEGUNDA DIVISIÓN MEIÓTICA: Tanto en la espermatogénesis como en la ovogénesis los gonocitos (espermatocitos y ovocitos) secundarios sufren la segunda división meiótica, de la cual surgen respectivamente cuatro espermátides y un **óvulo maduro (oótide)** con tres corpúsculos polares. Así finaliza la ovogénesis, pero no la espermatogénesis.
DIFERENCIACIÓN: Las **espermátides** sufrirán, además, una diferenciación originadora de los **espermatozoides** ya maduros.

* Ver cuadro de la página contigua.

En el primer capítulo de VIDA, AMOR Y SEXO ya hemos explicado en sus líneas generales cómo se produce la fecundación humana. Ahora vamos a exponer algunos detalles de interés que allí no ofrecíamos.

Recorrido del óvulo

A la salida del ovario, el óvulo es recogido por el pabellón, que es la porción más externa de la zona ampular de la trompa de Falopio. Allí es re-tenido de 36 a 48 horas para facilitar la fecundación. Si ésta se produce, el en-tonces llamado huevo o cigoto, seguirá el trayecto que las trompas le señalan, hasta llegar a la cavidad uterina donde se implanta para poder desarrollarse.

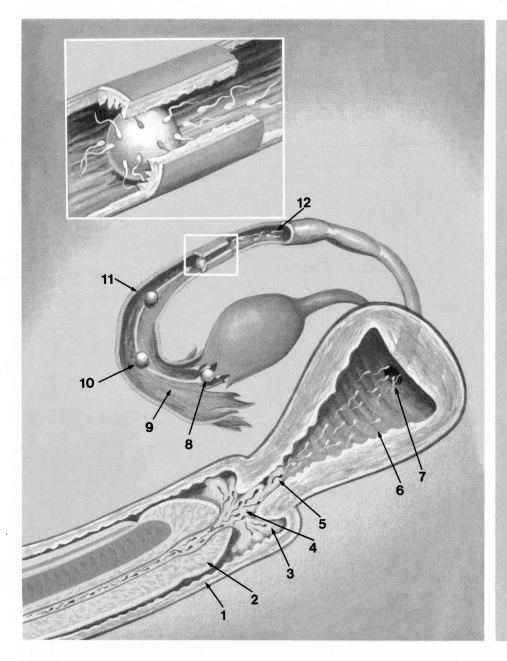

LA FECUNDACIÓN: De forma esquemática y simultánea vemos todo el proceso que se produce cuando una relación sexual ha resultado fecundante. Este proceso se expone con detalle en esta misma página y la siguiente.

1 Vagina. **2** Pene. **3** Fondo de saco vaginal. **4** Semen o esperma, llamado también líquido seminal o espermático, portador de los espermatozoides. **5** Cérvix o cuello del útero. **6** Cavidad uterina. **7** Espermatozoides ascendiendo. **8** Óvulo en el momento de ser expulsado del ovario. **9** Pabellón de la trompa. **10** El óvulo durante su recorrido por la trompa. **11** Trompa de Falopio: conducto que comunica el ovario con el útero o matriz. **12** Los espermatozoides siguen su recorrido en busca del óvulo hasta su encuentro, que se puede ver en el recuadro ampliado.

El óvulo que no ha sido fecundado degenera y se reabsorbe.

En el mecanismo de transporte del óvulo intervienen fundamentalmente tres factores:

— las contracciones musculares de la trompa (movimientos pseudoperistálticos),
— los movimientos de los cilios (pestañas) vibrátiles de la trompa, y
— la secreción de las células secretoras.

Los movimientos que determinan las contracciones de la trompa de Falopio correspondiente son más acusados y más eficaces, precisamente en el día de la ovulación y los siguientes.

Recorrido de los espermatozoides

Los espermatozoides, liberados en cantidades que fácilmente superan los 400 millones en una eyaculación, son depositados mediante el coito en la vagina. En realidad la vagina es un medio hostil para los espermatozoides, debido a su pH (grado de acidez). Por tanto, los que no alcanzan pronto el cuello uterino mueren en seguida. Se calcula que a la trompa llegan tan sólo una cuarta parte, después de haber atravesado el tapón mucoso protector del cuello del útero.

Depositados ya los espermatozoides en los genitales internos de la mujer, su misión consiste en progresar en busca del óvulo. Se ha verificado que los espermatozoides con vitalidad normal recorren unos 5 milímetros por minuto, lo cual supone que llegarán a la porción externa de la trompa en una hora u hora y media. En caso de que a la motilidad propia del espermatozoide se añada el incremento de velocidad imprimido por posibles contracciones uterinas o de la trompa, el tiempo de llegada podrá ser inferior incluso a la media hora. Estas contracciones se producen sobre todo hacia mitad del ciclo femenino o antes de la siguiente menstruación.

La migración de los espermatozoides se ve favorecida así mismo por el estado hormonal de la mujer, pues a mitad del ciclo menstrual el mucus cervical es mucho más fluido y la musculatura genital es más receptiva a hormonas liberadas por el coito mediante mecanismos neuroendocrinos (oxitocina) y a sustancias contenidas en el líquido seminal (prostaglandinas).

Una vez en la trompa de Falopio, los movimientos de las células ciliadas que recubren su interior, ayudan a los espermatozoides a avanzar al encuentro del óvulo; de modo que si hallan uno vivo, un espermatozoide pueda fecundarlo.

Encuentro del óvulo y un espermatozoide

Cuando se encuentran, el espermatozoide atraviesa la membrana del óvulo, merced a las enzimas que lleva en el acrosoma (parte anterior de la cabeza del espermatozoide), las cuales digieren las proteínas constituyentes de dicha membrana.

Normalmente penetra un solo espermatozoide en el óvulo; pero aunque penetren varios, únicamente uno de ellos lo fertiliza. La cola o flagelo del espermatozoide queda fuera del óvulo, se inmoviliza y finalmente desaparece. La cabeza se redondea y queda formando el pronúcleo masculino. Durante este tiempo el óvulo ha expulsado el segundo corpúsculo polar y se ha formado el pronúcleo femenino.

Llegado el momento ambos pronúcleos, masculino y femenino, se fusionan, y así los 23 cromosomas de procedencia ovular se unen con los 23 de procedencia espermática, y se constituye la primera célula con los 46 cromosomas propios de un nuevo ser humano, en los cuales se halla toda la potencia y programación para su desarrollo individual.

A continuación, el óvulo fecundado o huevo, se divide longitudinalmente y se separa, dando lugar a dos células de 46 cromosomas cada una, llamadas blástomeros. Esto ocurre a las 30 horas de la fecundación y marca el comienzo del desarrollo embrionario. La subdivisión de las células continúa, proporcionando al huevo un aspecto semejante a una mora, por lo que a esta fase se la llama de mórula (véase el capítulo primero).

Transporte y nidación del huevo

El huevo, ya en fase de mórula, tarda unos cuatro días en recorrer los 7-12 centímetros que lo separan de la cavidad uterina, para allí continuar su crecimiento.

Al quinto día se halla ya en la cavidad uterina donde llega al estado de blástula, para más tarde alcanzar el de gástrula.

En las primeras divisiones el cigoto no varía de tamaño aunque aumente su número de células, porque se mantiene la misma cantidad de citoplasma total. Luego, en ese conjunto apiñado de células, la mórula, se forma una cavidad o blastocele, con lo que el embrión pasa a llamarse blastocisto. Entonces es cuando se diferencian las células interiores que darán lugar al nuevo ser, y las corticales que constituyen el trofoblasto, o tejido de unión del huevo con la cavidad uterina, mediante el cual se nutre, y que más tarde se convertirá en la placenta.

A los 6-8 días de la fecundación el blastocisto se adhiere a la mucosa uterina, que se encuentra en fase de secreción, es decir, esponjosa y rica en jugos nutritivos, que facilitan su asiento y nutrición. Esta mucosa, dadas su función y características, recibe el nombre de decidua o caduca.

En esta fase se diferencian en el trofoblasto dos capas: una interna o citotrofoblasto, con células de un solo núcleo, y otra externa o sincitiotrofoblasto, cuyas células tienen varios núcleos.

Gracias a la capacidad digestiva del trofoblasto, el huevo va penetrando en la mucosa endometrial (capa interna del útero) hasta quedar totalmente envuelto por ella. El sincitiotrofoblasto va creciendo y rodeando al huevo y extendiéndose en su periferia. Según avanza el trofoblasto destruye los vasos de la madre, formándose lagunas de sangre que se extienden en forma de red y se comunican entre sí.

Todos estos cambios tienen mucho que ver con la nutrición del huevo, pues en su fase primitiva se alimenta por absorción directa de las sustancias nutritivas del endometrio, en el cual se halla implantado, donde también excreta sus materiales de desecho. Posteriormente, y a medida que va aumentando de tamaño, y su estructura va adquiriendo mayor complejidad, precisa de nuevos sistemas para el aporte de nutrientes. Por eso encontramos en las siguientes fases la vesícula umbilical y la alantoides. En la última etapa se forma la placenta, que vamos a estudiar a continuación.

La decidua o caduca

La mucosa endometrial, que se renueva cada mes, tiene como función albergar y nutrir en su primera fase de desarrollo al huevo. Recibe el nombre de decidua o caduca, porque está destinada a caer.

La caduca recibe diferentes calificativos, según la zona de ella que se considere:

— **verdadera,** en la mayor parte de su extensión,
— **basal,** en aquella que ocupará la placenta,
— **refleja,** en la que recubre el huevo y va dilatándose con él.

Las caducas verdadera y refleja se sueldan al fin del tercer mes, hermetizando el cierre de la cavidad ovular.

La placenta

La placenta es un órgano de excepcional importancia, que está constituido por vellosidades dotadas de vasos por los que circula la sangre fetal. Estas vellosidades se hallan sumergidas en un espacio regado continuamente por sangre materna. La sangre fetal y la materna no están en contacto directo, pues el intercambio entre ambas se efectúa a través de la pared del vaso.

La placenta, en el momento del parto, es una masa carnosa, circular y aplastada de un diámetro de 14-20 centímetros, unos 2-3 de espesor, y un peso de 400-600 gramos.

La cara de la placenta que mira al feto es lisa y brillante, y está recubierta por el amnios, cuyos vasos superficiales se transparentan. En el centro o lateralmente suele insertarse el cordón umbilical.

La cara que da al útero, y está en contacto con él, es más irregular. Su color es rojo vinoso y presenta un aspecto nodular. Se halla dividida en 12-16 porciones perfectamente adaptadas unas a otras, los cotiledones. Si después del parto y de la expulsión placentaria, queda retenido uno de esos cotiledones, o un fragmento de los

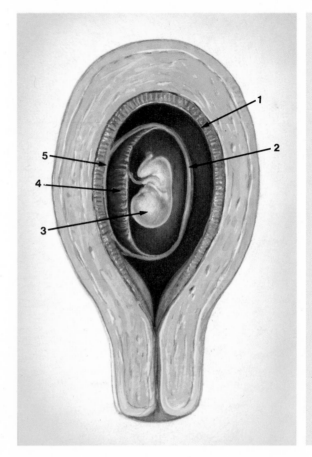

LA CADUCA Y EL CORION: **1** Caduca refleja. **2** Caduca verdadera. **3** Embrión. **4** Corion. **5** Caduca basal.

Las funciones y evolución de la decidua o caduca las encontrará el lector en el texto contiguo al dibujo, y el subapartado del corion se encuentra en la página 663.

mismos en la cavidad uterina, pueden producirse hemorragias, graves incluso (véase el capítulo 43).

Los bordes de la placenta se continúan con las membranas que recubren interiormente el útero.

Funciones de la unidad fetoplacentaria

La placenta no es un órgano pasivo de intercambio de sustancias entre la madre y el feto. Tiene una función activa, que transforma, distribuye y almacena sustancias, consume oxígeno, produce dióxido de carbono (CO_2), fabrica enzimas y secreta hormonas, en algunos casos en combinación con el propio feto.

Básicamente son tres las funciones de esa unidad fetoplacentaria:

— **Función respiratoria:** En la placenta, el oxígeno de la sangre materna pasa a través de ella por difusión, alcanzando la sangre del feto. Y a la inversa el dióxido de carbono de la sangre fetal pasa a la de la madre por el mismo mecanismo. Este paso del dióxido de carbono se ve favorecido por la diferencia de concentración que de este gas existe a ambos lados de la barrera placentaria, mayor en el feto y menor en la madre.

El paso de oxígeno en sentido inverso, sin embargo, tiene que ver entre otras circunstancias, además de su concentración —mayor en la sangre materna que en la fetal—, con la estructura de la hemoglobina del feto (hemoglobina F), dife-

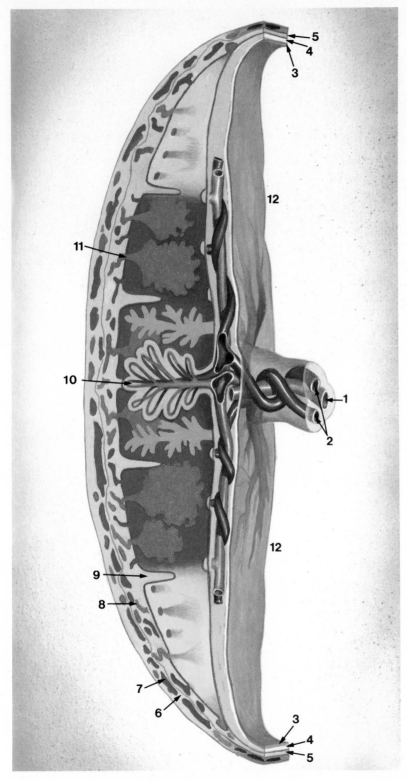

rente de la hemoglobina del adulto y cuya avidez por el oxígeno es mayor.

— **Función nutricia y metabólica:** Por simple ósmosis o por mecanismos más complicados, la placenta suministra al feto diversas sustancias: glúcidos (formación de glucógeno), lípidos (que sintetiza), prótidos (degradándose primero en aminoácidos y reconstituyéndose después especialmente para el feto), sales minerales, vitaminas, agua. También realiza una función excretora de los productos de desecho del metabolismo y de la respiración fetal, tales como: urea, creatinina, ácido úrico, colesterol, dióxido de carbono y otros. Podemos así decir con justicia que la placenta es el órgano del que se sirve el feto para respirar, nutrirse y deshacerse de sus excretas, funcionando pues como riñón, intestino y pulmón.

— **Función hormonal:** La placenta funciona también como glándula endocrina. Secreta principalmente HGC (hormona gonadotropa coriónica), cuya cuantificación radioinmunológica permite el diagnóstico precoz del embarazo. También produce HLP (hormona lactógena placentaria), cuya cuantificación permite descubrir estados de sufrimiento fetal y otros. La placenta fabrica así mismo otras hormonas de tipo proteínico, todas las cuales tienen como fin último actuar sobre el organismo materno preparándolo para contribuir al desarrollo del nuevo ser.

La placenta produce además hormonas esteroideas como la progesterona, cuya misión es capital en el establecimiento y persistencia del embarazo, y el estriol, cuya concentración hace posible el control de diversos estados de interés (por ejemplo: retraso en el crecimiento fetal, evolución del embarazo en diabéticas).

CORTE ESQUEMÁTICO DE LA PLACENTA (12): 3 Amnios. **4** Corion liso. **5** Decidua parietal. **9** Tabique placentario intercotiledóneo.

CIRCULACIÓN PLACENTARIA MATERNA: La sangre de la madre llega a la placenta **(12)** por las arterias endometriales **(8)** y se derrama en los espacios intervellosos **(11)**. Allí tiene lugar el intercambio con la sangre fetal contenida en los troncos vellosos **(10)**. La san-

gre arterial que llega desplaza a la sangre venosa hacia las venas endometriales **(7)**, que se hallan dispersas en la decidua basal **(6)**.
CIRCULACIÓN PLACENTARIA FETAL: Las arterias umbilicales **(2)** llevan la sangre desoxigenada a las vellosidades que se aproximan a la decidua basal **(6)**. Esta sangre, una vez reoxigenada por el intercambio gaseoso con la de la madre, sale de la placenta **(12)** y llega al feto conducida por la vena umbilical **(1)**.

FUNCIONES DE LA PLACENTA

RESPIRACIÓN FETAL	INTERCAMBIO DE SUSTANCIAS NUTRITIVAS	FUNCIÓN PROTECTORA (BARRERA PLACENTARIA)
OXÍGENO: Paso del oxígeno de la sangre materna a la del feto por difusión simple. **DIÓXIDO DE CARBONO (CO_2):** El CO_2 de la sangre, cuya presión parcial es mayor en la sangre del feto, se difunde hacia la sangre materna.	**GLÚCIDOS:** No pueden atravesar la placenta, recurriendo al método de las moléculas portadoras. La placenta elabora glucógeno. **LÍPIDOS:** Los detectados son productos de síntesis. **PRÓTIDOS:** Son degradados en aminoácidos y transformados en proteínas específicas para el feto. **AGUA Y MINERALES:** El intercambio se produce por ósmosis u otros mecanismo. Almacena hierro y calcio, sobre todo. **VITAMINAS:** La vitamina K_1 (sintética), importante en los procesos de coagulación sanguínea, atraviesa la placenta; no así la vitamina K natural. Las vitaminas A, C y E se difunden fácilmente.	**VIRUS:** Atraviesan fácilmente la barrera placentaria. **MICROORGANISMOS:** Son detenidos o no pasan más que tardíamente. **ANTICUERPOS MATERNOS:** Las IgG (inmunoglobulinas G) atraviesan la barrera placentaria, protegiendo al recién nacido durante varios meses (inmunidad pasiva). La IgM e IgA no superan la barrera placentaria. Los hematíes (glóbulos rojos) fetales pueden atravesar la barrera placentaria y provocar la formación de anticuerpos maternos (incompatibilidad Rh). **MEDICAMENTOS:** Muchos atraviesan la barrera placentaria, como por ejemplo: antibióticos, sulfamidas, alcohol, barbitúricos, opiáceos, etcétera.

Protección contra infecciones e intoxicaciones

Los microbios no pasan la barrera placentaria, o lo hacen tardíamente. Por el contrario los virus la atraviesan fácilmente, como es el caso de los de la rubéola, que durante los primeros meses del embarazo provocan en el embrión malformaciones cardíacas, sordera, cataratas o debilidad, en la mitad de los casos. El virus de la rubéola, pasado el tercer mes, ya sólo ataca al diez por ciento de los fetos. Por eso, las mujeres no inmunizadas, por no estar vacunadas o no haber padecido esta enfermedad, cuando se hallen en edad y estado de concebir, conviene que sean vacunadas; aunque con las debidas precauciones, pues en la vacuna se utilizan virus rubeólicos vivos.

Algunos anticuerpos, como las IgG (inmunoglobulinas G), atraviesan la barrera placentaria, protegiendo al feto durante los primeros meses de su vida en el exterior. Aún no se ha descubierto por qué el huevo no sufre un rechazo como los injertos o trasplantes, y a qué se debe su protección inmunológica. Tengamos en cuenta que en realidad el embrión y el feto están constituidos por tejido extraños al organismo de la madre, es decir que no tiene la misma constitución que el resto de los tejidos maternos, por lo que, en principio, el sistema inmunológico de la mujer debería rechazarlos.

Ciertas sustancias medicamentosas pueden superar la barrera placentaria, como es el caso de las sulfamidas, antibióticos, opiáceos y barbitúricos. Aún está en la memoria de muchos el sinnúmero de malformaciones fetales que produjo un sedante, la talidomida.

El alcohol también puede pasar al feto a través de la placenta, produciéndole malformaciones y otros daños, y a veces incluso como consecuencia de una sola toma, si ésta ha sido muy abundante.

Bien conocido es el «síndrome alcohólico fetal», propio de hijos de madres alcohólicas, caracterizado en el recién nacido por un retraso del desarrollo y diversas anomalías congénitas, algunas de las cuales son externas y visibles: cráneo pequeño, frente abultada, orejas malformadas, órganos genitales anormales, etcétera. Otras son internas, sobre todo las malformaciones cardíacas.

El hábito de fumar también es causa de importantes perjuicios fetales, pues la nicotina y otros venenos del tabaco pasan de la sangre materna a la fetal atravesando la placenta. Es notorio que los recién nacidos de madres fumadoras nacen con un peso inferior al normal y tienen un sistema nervioso frágil.

Las demás toxicomanías, especialmente las de morfina y heroína, son altamente perjudiciales para el feto, hasta tal punto que muchos hijos de drogadictas tienen que sufrir una cura de desintoxicación nada más nacer.

Ciertas toxicomanías afectan de un modo particular a las células reproductoras del individuo, así como al feto y al embrión, durante la vida intrauterina, pues la mayoría de las drogas atraviesan con facilidad la barrera placentaria.

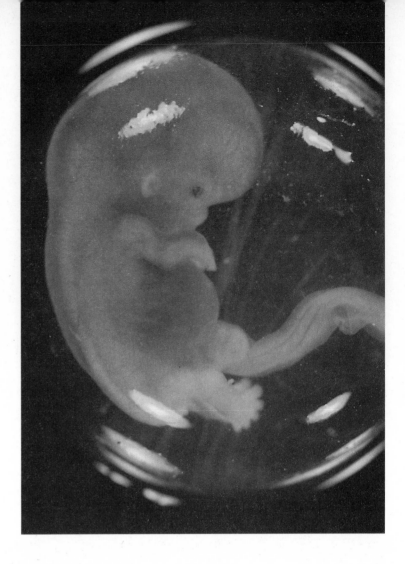

Instantánea que nos ha proporcionado la Asociación Española de Técnicos Especialistas en Fotografía Científica. Es un documento de gran valor. El fotógrafo consiguió captar con excepcional nitidez un feto de seis semanas dentro de su bolsa amniótica íntegra. El tamaño real de este feto era unas 4,5 veces menor al de la imagen aquí impresa. En la página 654 se reproduce a toda plana esta misma fotografía.

Los glóbulos rojos del feto pueden, en circunstancias particulares, superar la barrera placentaria, provocando la formación de anticuerpos por parte de la madre (véase más adelante «Enfermedad hemolítica perinatal: El Rh», en el capítulo 40).

El cordón umbilical

Entre la placenta y el feto se extiende el cordón umbilical, por cuyo interior discurren las dos arterias que llevan sangre venosa hacia la placenta, y la vena umbilical que trae sangre arterial de la placenta hacia el feto. Se hallan rodeadas de la llamada gelatina de Wharton, recubierta a su vez por el amnios.

El cordón umbilical tiene una longitud de unos 50 centímetros y su calibre es de 1-2 centímetros. Es de color blanco brillante, ligeramente azulado a causa de la transparencia del tejido que rodea a los vasos.

El corion y el amnios

El corion, situado entre la caduca materna y el amnios fetal, es una membrana resistente y transparente. A la altura del cuello uterino se halla en contacto con el tapón mucoso cervical.

El amnios forma la membrana interna de la bolsa de las aguas en cuyo interior se halla sumergido el feto. Es una membrana delgada, transparente y resistente, que recubre la superficie fetal de la placenta, envaina el cordón umbilical y se continúa en el ombligo con la piel del feto. El amnios filtra sustancias procedentes de la sangre materna.

El líquido amniótico

El líquido amniótico (las aguas) es el medio que recubre completamente al feto, de modo que puede moverse libremente dentro de él. Se halla encerrado dentro de una bolsa o saco, y este líquido se renueva completamente en menos de media hora. Su volumen, al final de la gestación, oscila entre el medio y los dos litros, aunque en ocasiones es mucho mayor, dando lugar al hidramnios.

El líquido amniótico proviene de una trasudación de los vasos placentarios, de la secreción de la piel del feto, de sus secreciones urinarias y excreciones digestivas, y del propio amnios. Sus características son muy variables, dependiendo del momento de la gestación. Por lo general, al final del embarazo, se trata de un líquido claro, blancuzco, transparente y de olor prácticamente inapreciable. Contiene agua, minerales y otras sustancias, así como células descamadas, lanugo (vello), materias sebáceas, y células procedentes del aparato urinario y genital. El estudio de sus componentes nos permite deducir la edad del feto, valorar la madurez de sus pulmones, determinar su sexo (corpúsculos de Barr o cromatina X), su cariotipo y sus características genéticas, así como los defectos congénitos del metabolismo y el grado de afectación en caso de enfermedad hemolítica del feto (como en el caso de incompatibilidad del Rh).

La obtención del líquido amniótico se realiza mediante la amniocentesis (punción del saco amniótico), intervención que apenas presenta riesgos para la madre y el feto, si se lleva a cabo adecuadamente: Con la ayuda de la ecografía se localiza la placenta y el feto. Así el operador encontrará el lugar ideal para realizar la punción sin que les afecte, y la realizará en la zona donde haya suficiente cantidad de líquido. La amniocentesis se realiza con anestesia local o sin ella y de forma ambulatoria, y normalmente se extraen de 10 a 25 mililitros de líquido amniótico.

En un período de tiempo realmente breve, tiene lugar un proceso en verdad asombroso: De dos células, tan simples al parecer, un óvulo y un espermatozoide unidos, se forma en nueve meses un organismo tan complejo como es el de un ser humano.

Esto no ocurre de forma casual ni desordenada; es fruto de la programación genética y de las circunstancias del desarrollo. En realidad no se pueden establecer límites definidos entre las distintas etapas del crecimiento del nuevo ser; pero sí, de forma convencional, se distinguen tres fases: la ovular, la embrionaria y la fetal.

La fase ovular abarca las dos primeras semanas, contadas a partir del momento de la fecundación. La embrionaria va desde la 2.ª hasta la 8.ª semana posterior a la concepción (5.ª y 10.ª semana de amenorrea, es decir, posteriores a la última menstruación). A partir de la 8.ª semana de la concepción (10.ª de amenorrea) empieza la fase fetal, que finalizará con el parto.

El desarrollo

En las primeras fases del desarrollo el crecimiento es lento. En un solo día, al final de la gestación, crece más el feto que en todo un mes de los primeros. Vamos a ver los principales cambios y cuándo se producen:

2.ª semana: Se produce la diferenciación del ectodermo y el endodermo (véase el capítulo 1).

3.ª semana: Se diferencia el mesodermo.

4.ª semana: Se distingue una prominencia, que acabará siendo el corazón. Aparecen las yemas de las extremidades, las fosas nasales y la boca. El amnios empieza a revestir el tallo de conexión, que se convierte en el cordón umbilical.

4.ª-8.ª semana: Hay una progresiva diferenciación de las estructuras del embrión, que ya presenta un

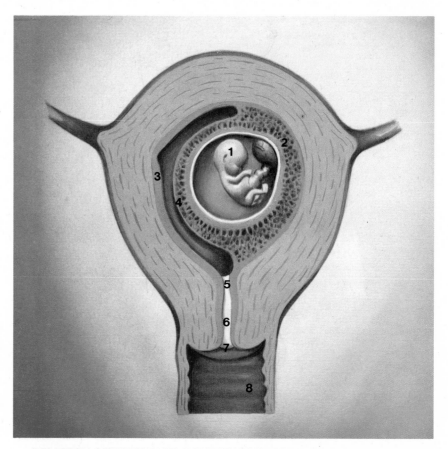

DESARROLLO EMBRIONARIO Y MODIFICACIONES UTERINAS: El óvulo fecundado al implantarse en el endometrio (mucosa del útero) provoca en ella una serie de transformaciones que le resultan propicias, entre las que se cuenta la formación de las caducas.

1 Embrión. **2** Decidua basal, llamada también caduca uteroplacentaria, que es la zona donde se implanta el huevo. **3** La decidua *vera* o caduca verdadera, procede del revestimiento uterino normal transformado por la gestación. **4** La decidua refleja o caduca capsular, que acabará uniéndose a la anterior, resulta de un desdoblamiento de la basal. **5** Orificio interno del cuello uterino. **6** Canal cervical (del cuello). **7** Orificio externo del cuello. **8** Cavidad vaginal.

aspecto muy semejante al del ser humano nacido. Se van modelando los dedos de las manos y los pies. Las orejas sobresalen de una cabeza proporcionalmente muy grande en comparación con el tronco. Aparecen también los ojos y el primer punto de osificación se pone de manifiesto en la clavícula.

10.ª semana: Al finalizar, en la mayoría de los huesos han aparecido

puntos de osificación, los dedos de manos y pies ya están provistos de uñas y aparecen rudimentos de pelo. Empiezan a diferenciarse los genitales externos.

Al comienzo de la fase fetal, en el tercer mes (10.ª semana), el feto mide 6,5-7 centímetros. En este período es cuando se desarrollan y maduran en su función las estructuras que se habían formado en el período embrionario.

14.ª semana: Ya son claramente reconocibles, como masculinos o femeninos, los genitales.

20.ª semana: Llegada la mitad del embarazo, la piel del feto pierde su transparencia al desarrollarse el tejido celular subcutáneo, y se cubre de lanugo.

24.ª semana: Se empieza a producir la *vérnix* caseosa, o unto sebáceo, por las glándulas sebáceas de la piel ya formadas. Se aprecian las cejas y las pestañas. La cabeza sigue siendo proporcionalmente grande, y los genitales externos son perfectamente reconocibles.

28.ª semana: El feto alcanza alrededor de un kilo de peso y mide unos 33 centímetros, y ya se lo considera viable; es decir, que si, por cualquier razón naciera, sería capaz de desarrollarse normalmente fuera del seno materno.

29.ª-40.ª semana: Al final del séptimo mes pesa 1.500 gramos y mide unos 38 centímetros. Durante el último trimestre de la gestación se completa la madurez pulmonar y del resto de los órganos. Hay un aumento de peso y talla a expensas de la masa muscular y del tejido graso subcutáneo, alcanzando alrededor de los 3 kilos y 50 centímetros respectivamente.

(Véanse además las páginas 670-677 y 688-689.)

La circulación fetoplacentaria

El feto respira, se nutre, se protege y se depura, gracias a su sistema circulatorio en conexión con el de la madre a través de la placenta. En la placenta, a resultas de las diferencias de presión y a otros mecanismos, se puede producir el intercambio de gases (oxígeno y CO_2) y sustancias de todo orden. La sangre arterial materna llega a la placenta procedente de las arterias uterinas, desde donde pasa al feto por la vena umbilical. La sangre impura del feto va hacia la placenta, por las dos arterias umbilicales, para purificarse. La vena y las dos arterias umbilicales transitan por el cordón umbilical.

El sistema circulatorio del feto difiere del que posee el adulto, debido a que el feto todavía no respira. Por eso, la sangre arterial que le llega, pasa en

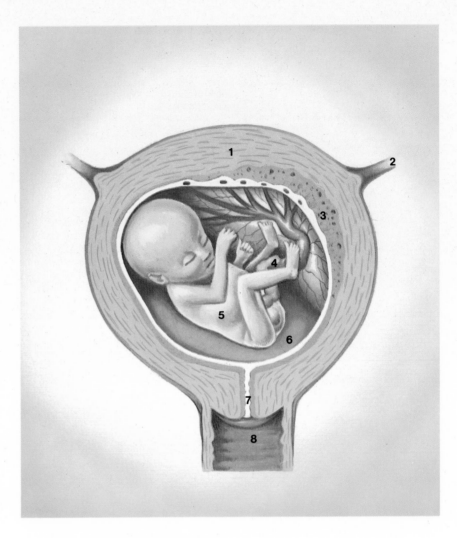

FETO Y ANEJOS FETALES. En la figura se ve un feto hacia su quinto mes de gestación, tal como aparece en el útero.

1 Capa media del útero o muscular. **2** Trompa uterina. **3** Placenta. **4** Cordón umbilical. **5** Feto. **6** Bolsa de las aguas o saco amniótico. **7** Cuello del útero cerrado herméticamente por el tapón mucoso cervical. **8** Vagina.

gran parte de la aurícula derecha a la izquierda por el agujero de Botal, y de la arteria pulmonar a la aorta por el conducto arterioso de Botal, que en el momento de nacer ha de cerrarse. Lo mismo ocurrirá con el conducto venoso de Arancio, que recibe la sangre arterial y la traslada a la vena cava inferior y al hígado del feto.

La sangre fetal

La eritropoyesis (producción de eritrocitos o glóbulos rojos) se inicia hacia el 14.º día del desarrollo. A la 10.ª semana el hígado es su principal productor, ayudado por el bazo entre las semanas 12.ª y 24.ª. A la 20.ª semana comienza a producir glóbulos rojos la médula ósea, que se convierte en el principal órgano eritropoyético a partir de la 28.ª semana. Después del nacimiento, salvo casos patológicos, todos los eritrocitos son producidos por la médula ósea.

La hemoglobina fetal, con una composición particular, va aumentando conforme avanza la gestación, llegando a concentraciones superiores a la materna (16-18 g/dl) al final del embarazo. En el momento del nacimiento la sangre contiene un 90% de hemoglobina fetal, la cual persiste hasta en un 25% al cabo de 12 meses.

DIAGRAMA DE LA CIRCULACIÓN FETAL

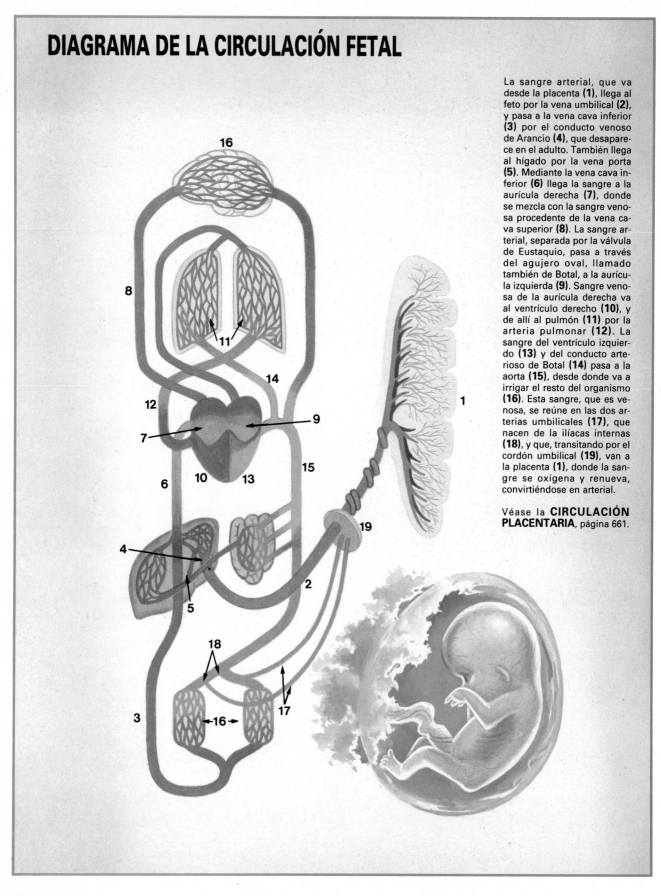

La sangre arterial, que va desde la placenta (1), llega al feto por la vena umbilical (2), y pasa a la vena cava inferior (3) por el conducto venoso de Arancio (4), que desaparece en el adulto. También llega al hígado por la vena porta (5). Mediante la vena cava inferior (6) llega la sangre a la aurícula derecha (7), donde se mezcla con la sangre venosa procedente de la vena cava superior (8). La sangre arterial, separada por la válvula de Eustaquio, pasa a través del agujero oval, llamado también de Botal, a la aurícula izquierda (9). Sangre venosa de la aurícula derecha va al ventrículo derecho (10), y de allí al pulmón (11) por la arteria pulmonar (12). La sangre del ventrículo izquierdo (13) y del conducto arterioso de Botal (14) pasa a la aorta (15), desde donde va a irrigar el resto del organismo (16). Esta sangre, que es venosa, se reúne en las dos arterias umbilicales (17), que nacen de la ilíacas internas (18), y que, transitando por el cordón umbilical (19), van a la placenta (1), donde la sangre se oxígena y renueva, convirtiéndose en arterial.

Véase la **CIRCULACIÓN PLACENTARIA**, página 661.

En comparación con el adulto, el feto dispone de mayor cantidad de hematíes (eritrocitos o glóbulos rojos); sus factores de coagulación se hallan en proporción menor, así como las IgA y las IgM (inmunoglobulinas A y M), pero las IgG se encuentran en la misma proporción. La cifra de leucocitos (glóbulos blancos) es muy variable.

Aparato respiratorio

El feto, por no disponer de aire, dentro del útero no respira. Los alveolos pulmonares, totalmente formados, se hallan colapsados y ocupados por líquido pulmonar rico en proteínas, lipoproteínas y sustancias surfactantes. Estas sustancias surfactantes son la causa de la expansión de los pulmones al iniciarse los movimientos respiratorios del neonato tras el parto.

En el tercer trimestre, la valoración analítica de algunos de estos componentes en el líquido amniótico permite conocer el grado de madurez pulmonar, y por tanto las posibilidades de supervivencia del feto en caso de parto prematuro.

Aunque la respiración propia del adulto no se establece más que después del nacimiento, el feto ya ejercita en el útero sus pulmones y músculos, realizando movimientos respiratorios episódicos e irregulares.

En el nacimiento, al pasar por el canal del parto, a causa de la compresión del tórax, se expulsa gran parte del líquido contenido en los pulmones. En la primera inspiración los alveolos se expanden llenándose de aire, y el resto del líquido que haya quedado es reabsorbido.

En el momento del parto cesa el aporte de sangre procedente de la madre, se proceda o no a la ligadura del cordón. Entonces al no oxigenarse su sangre y cargarse del venenoso dióxido de carbono, resulta excitado el centro respiratorio cerebral del feto, por lo que el pulmón se despliega y comienza a funcionar.

Como la sangre puede ya oxigenarse libre y completamente en los pulmones, deja de ser necesario aquel gran número de glóbulos rojos de que disponía la sangre fetal. Por eso el organismo los destruye (hemólisis). Esta destrucción es causante de la típica ictericia del recién nacido; aunque la ictericia puede deberse a otras causas no fisiológicas, incluso graves; por lo que no se debe descuidar su control (véase «Ictericia», cap. 55).

Aparato digestivo

En el 4.º mes el feto traga líquido. Aparece la movilidad intestinal, que se manifiesta hasta el colon distal o sigmoideo. La producción de ácido clorhídrico, así como la de mucina y enzimas digestivas, empieza en el tercero y cuarto mes.

Al principio del embarazo la deglución del feto parece que no tiene mucho efecto sobre el volumen total del líquido amniótico, pero si la deglución falla posteriormente, se produce un aumento excesivo de líquido (hidramnios).

Las heces fetales, o meconio, están constituidas por material de secreción y células muertas del intestino, así como por restos sin digerir del líquido amniótico y biliverdina (pigmento de la bilis), que es la que le da su característico color verdoso. En casos de sufrimiento fetal, por un aumento del gas carbónico, debido a que el oxígeno no le llega al feto correctamente, se produce un aumento de la movilidad intestinal y la expulsión del meconio al líquido amniótico.

En el hígado, en proporción mayor que en el adulto, se almacena gran cantidad de glucógeno, pero las enzimas se hallan en menor proporción.

Aparato urinario

Las funciones renales las cumple la placenta durante la vida intrauterina, aunque al final del tercer mes ya empiezan a funcionar los riñones. La orina del feto, no obstante, contiene bastantes menos sales minerales que la del adulto.

Los riñones no son indispensables para la supervivencia fetal, pero, cuando su función está disminuida, se observa un oligoamnios (menor cantidad de líquido amniótico).

Sistema hormonal

La hipófisis ya produce y almacena hormonas en el primer trimestre, y aunque su papel en la vida fetal es aún poco conocido, se cree que no es el mismo que en la vida adulta. Así, por ejemplo, la hormona del crecimiento aparece en concentraciones elevadas en la sangre del cordón umbilical.

La glándula tiroides, a la 10.ª semana, ya produce la hormona tiroxina.

Las glándulas suprarrenales son proporcionalmente de mayor tamaño que las del adulto. Su funcionamiento no es autónomo, pues al ser inmaduras, y no poseer todas las enzimas necesarias para la producción hormonal, funcionan en colaboración con la placenta y el organismo materno.

En cuanto a la gónadas, el testículo, que se diferencia entre la 4.ª y la 6.ª semana, empieza a producir testosterona a la 10.ª. La diferenciación del ovario es más tardía (6.ª-8.ª semanas); produce un poco de progesterona e inicia la de estrógenos al final del tercer trimestre.

Sistema inmunitario

El desarrollo del sistema inmunitario está condicionado a la presencia de estímulos antigénicos. En conjunto resulta insuficiente. La capacidad defensiva del sistema inmunitario se desarrolla completamente después del nacimiento. El tejido linfoide (bazo, médula ósea, ganglios) se desarrolla entre la 12.ª y la 20.ª semanas, y ya se puede detectar la presencia de linfocitos T.

La falta de estímulo antigénico produce una presencia predominante de IgG (inmunoglobulinas) maternas. Si se presenta una infección intrauterina, el feto fabrica IgM en cantidades elevadas, que persisten durante mucho tiempo, al contrario que en el adulto. La IgM de la madre difícilmente atraviesa la placenta.

Sistema nervioso y órganos de los sentidos

La actividad eléctrica cerebral ya se detecta durante la 8.ª semana de embarazo.

En el feto a término ya están totalmente formados los surcos y circunvoluciones cerebrales. En el recién nacido el peso de su masa encefálica supone un 12% de su peso total corporal, frente al 2% del adulto.

En la semana 30.ª el ojo ya es sensible a la luz, pero no capta completamente las formas y colores sino hasta tiempo después del nacimiento. El oído está completamente formado a mitad del embarazo, y se ha comprobado que el feto responde a estímulos acústicos a partir de las semanas 24.ª-26.ª.

Al tercer mes ya se puede comprobar la presencia de los botones gustativos, y a partir del séptimo el feto responde a las variaciones del sabor de las sustancias ingeridas.

Psicología prenatal

Hablar de psicología prenatal hasta hace bien poco podía parecer cosa de ciencia-ficción, si no de superstición. En la actualidad, sin embargo, se habla y se escribe de ella con toda seriedad, y con más que suficiente base científica. Hoy sabemos que diversos influjos externos, entre los que se cuentan de manera directa y primordial los estados anímicos de la madre, influyen sobre el feto.

Esta joven rama de la ciencia psicológica pretende ayudar a que los niños reciban influencias positivas incluso antes del nacimiento, de modo que vengan a este mundo con buen bagaje psíquico que favorezca el desarrollo armonioso de su carácter y su personalidad; lo cual es tan importante como todo lo que se refiere al aspecto físico.

Desde luego, queda mucho por descubrir, pero ya se poseen suficientes conocimientos contrastados experimentalmente, que pueden definir unas pautas de actuación práctica.

En la interesante obra del profesor Thomas Verny y de John Kelly, cuya traducción española se titula *La vida secreta del niño antes de nacer*, se parte de la base de que «el niño no nacido es un ser *consciente, que siente y recuerda*, y, puesto que existe, lo que le ocurre —lo que nos ocurre a todos nosotros— en los nueve meses que van desde la concepción al nacimiento, moldea y forma la personalidad, los impulsos y las ambiciones de manera significativa.»

Cierto es que alguna madre se puede sentir angustiada pensando que cualquier cosa incorrecta, que pueda hacer, decir o pensar, va a afectar de modo negativo al hijo que lleva dentro. Apresurémonos, pues, a dejar constancia de que para los científicos «esto no significa que la felicidad futura de un niño dependa de la capacidad

Se ha comprobado científicamente que el feto, a partir del sexto mes de gestación, es capaz de percibir los sonidos. Hoy en día se sabe que determinados patrones lingüísticos se adquieren antes del nacimiento. Por lo tanto, delante de un niño no se puede, ni se debe, decir cualquier cosa y en cualquier tono, incluso cuando éste todavía se halla en el seno materno. También la música influye en el feto: la melodiosa y suave le produce placer, la estridente lo excita.

de su madre para tener pensamientos optimistas las veinticuatro horas del día. Dudas, ambivalencias y ansiedades ocasionales son un aspecto normal del embarazo y (...) pueden contribuir realmente al desarrollo del niño intrauterino. Lo que significa es que una embarazada o una futura madre disponen ahora de otro modo de influir activamente y para bien en el desarrollo emocional de su bebé.»

Influencias psicológicas prenatales nocivas

Del libro del cual estamos tomando los datos científicos que aportamos, destacamos varias maneras de influir la madre, sobre el ser que está manteniendo y formando en su seno.

Aparte del daño físico que causa una embarazada fumadora sobre su hijo, se sabe ahora, que le produce trastornos psíquicos.

«En un extraordinario estudio realizado hace varios años, el doctor Michel Lieberman demostró que un niño intrauterino se agita emocionalmente (medido según la aceleración de los latidos de su corazón) cada vez que su madre piensa en fumar un cigarrillo. No necesita llevárselo a los labios ni encender una cerilla; la sola *idea* de fumar un cigarrillo basta para alterar al niño. Naturalmente, el feto no puede saber que su madre está fumando —ni pensar en esto—, pero intelectivamente es lo bastante perspicaz para asociar la experiencia del fumar de su madre con la desagradable sensación que provoca en él. Esto se debe a la disminución de su provisión de oxígeno (el tabaco reduce el contenido de oxígeno en la sangre materna que pasa a través de la placenta), lo cual es fisiológicamente nocivo para él, aunque es posible que sean todavía más nocivas las consecuencias psicológicas del fumar por parte de la madre. Arroja al feto a un estado crónico de incertidumbre y miedo: no sabe cuándo volverá a ocurrir esa desagradable sensación física ni cuán dolorosa será cuando aparezca; únicamente sabe que volverá a ocurrir. Este es el tipo de situación que predispone hacia un tipo de ansiedad profundamente arraigada y condicionada.»

Valga este botón de muestra para que nos demos cuenta hasta qué punto el feto se ve influido por los pensamientos y las reacciones concomitantes de la madre. Dicho de otra manera el estrés de la madre gestante no sólo lo sufre ella, sino también el feto que está en desarrollo dentro de ella.

Influencias psicológicas prenatales positivas

Lo más interesante de la psicología prenatal es que no sólo ha descubierto las influencias negativas que pueden incidir sobre el feto, sino que también ha estudiado las positivas.

Cuando la madre se halla serena y tranquila, su hijito, allá en su oscuro y reducidísimo mundo, se siente seguro y tranquilo.

Cuando oye la voz de su madre o de quien lo rodea, el feto reacciona. Se ha demostrado que a partir del sexto mes de gestación el feto oye claramente, y, no solamente eso, sino que adapta su ritmo al de lo sonidos que le llegan del exterior. Parece ser que incluso muchos de nuestros patrones lingüísticos no los hemos aprendido después, sino antes de ver la luz.

En diversos experimentos se vio que con música de Beethoven todos los fetos se agitaban, y con música de Vivaldi se tranquilizaban... ¿Para qué les vamos a hablar de la agitación tan tremenda a la que se puede someter a un niño no nacido con la estridente música rock o de corte parecido?

¡Fascinante! Nuestros hijos, como hemos visto en el capítulo precedente heredan genéticamente nuestras características personales: las buenas y las menos buenas. Eso forma parte de las leyes naturales a las que nadie puede sustraerse. No olvidemos, sin embargo, que una correcta educación física y psicológica, desde el primer momento de la concepción —y desde mucho antes en realidad— favorecerá y potenciará los aspectos positivos... y tendremos hijos más sanos física y mentalmente.

El feto a término

Cuando el feto llega a término (40.ª semana), y por tanto es apto para salir al exterior, es un ser perfecto que alcanza unos 50 centímetros de longitud, y cuyo peso oscila entre los 3.000 y 4.000 gramos, en el caso de los niños, y 2.400 y 3.000, en el de las niñas. Todos sus órganos se hallan completamente formados y prestos a funcionar a pleno rendimiento.

El feto normalmente constituido se nos ofrece con la piel tersa y sonrosada, órganos genitales específicos bien desarrollados, uñas completas, carencia de lanugo en la superficie y ausencia de pelos. El tejido adiposo se halla bien repartido rodeando al feto. El cordón umbilical se inserta en el centro de la superficie abdominal.

El tronco representa más de un tercio de su longitud total. La anchura de los hombros es el segundo obstáculo a la salida, si bien una vez que la cabeza llega al exterior ya no puede hablarse propiamente de obstáculos.

Las extremidades gozan de una especial movilidad y flexibilidad, lo cual no impide en ocasiones, y por maniobras extemporáneas, tanto durante el parto como después de él, se produzcan fracturas y luxaciones.

En la parte posterior y central de la frente se encuentra una depresión en la que con toda facilidad se hunde el dedo, pues en el momento del parto aún quedan ésa y otras zonas sin osificar, como tampoco lo están de forma acabada los bordes de lo huesos del cráneo. Las llamadas suturas se forman entre dos huesos puestos linealmente en contacto. Las fontanelas se forman en la coincidencia de varios huesos. El tamaño de la cabeza y su forma de presentación en el parto, sobre todo si viene más o menos flexionada, condiciona la facilidad o la dificultad de su salida.

EL FRUTO DEL AMOR: El lenguaje humano no ha sido capaz, ni parece que pueda serlo, de describir en toda su profundidad y amplitud el sublime gozo de la unión íntima de un hombre y una mujer. Hacer el amor es la culminación de una relación conyugal. Y la plenitud de esa relación se alcanza con el fruto del amor, cuando los dos, que ahora son una sola carne, se convierten en transmisores de la vida, en copartícipes en la obra del Creador.

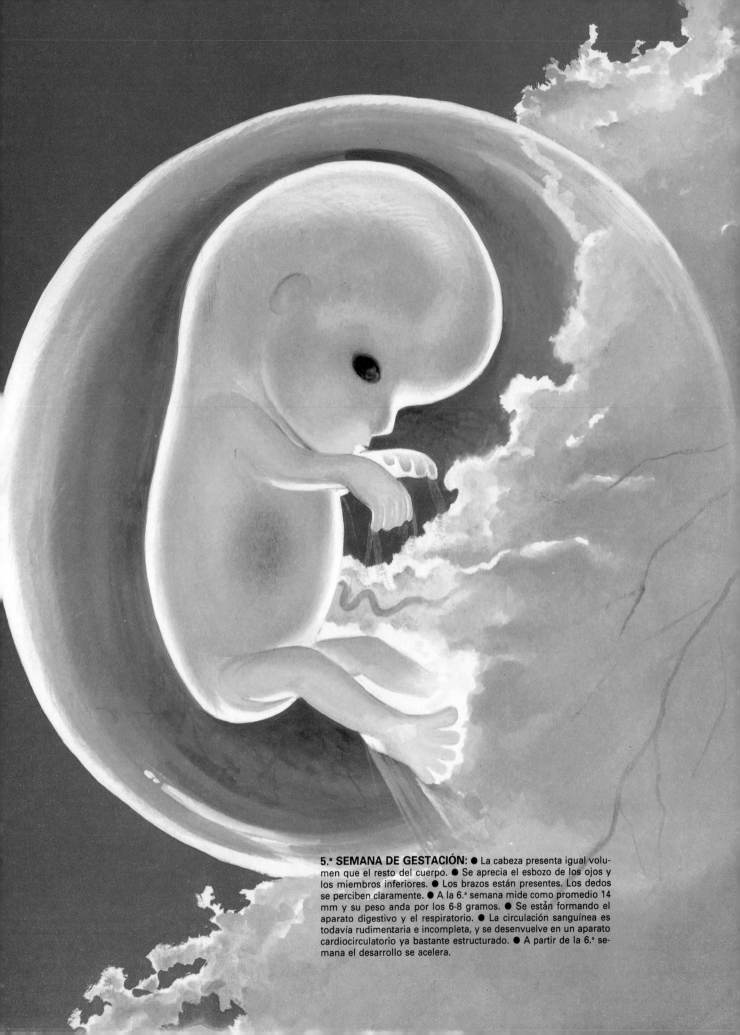

5.ª SEMANA DE GESTACIÓN: ● La cabeza presenta igual volumen que el resto del cuerpo. ● Se aprecia el esbozo de los ojos y los miembros inferiores. ● Los brazos están presentes. Los dedos se perciben claramente. ● A la 6.ª semana mide como promedio 14 mm y su peso anda por los 6-8 gramos. ● Se están formando el aparato digestivo y el respiratorio. ● La circulación sanguínea es todavía rudimentaria e incompleta, y se desenvuelve en un aparato cardiocirculatorio ya bastante estructurado. ● A partir de la 6.ª semana el desarrollo se acelera.

3.er MES DE GESTACIÓN: ●
Ya recibe, no el nombre de embrión como hasta el final de la 6.ª semana, sino propiamente el de feto. ● Mide al principio 18 mm y pesa 9-10 gramos; el cordón umbilical alcanza una longitud de 6 mm. Al final de este mes el feto mide 65-70 mm y pesa 30-35 gramos. ● La nariz se va formando y los dedos se hacen más acusados. ● Se perfecciona el desarrollo de diversos órganos internos. ● Se empiezan a percibir las estructuras genitales. ● Se mueve libremente sumergido en el líquido amniótico.

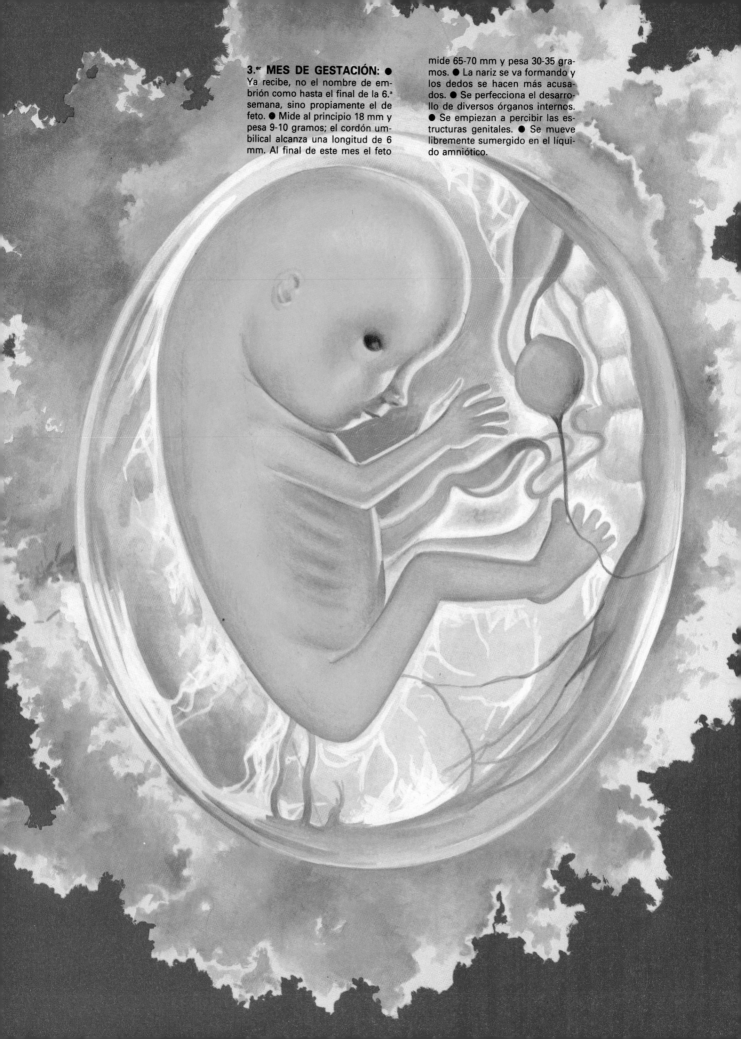

5.º MES DE GESTACIÓN: ● Se percibe ya nítidamente la forma humana y se puede distinguir el sexo. ● Al principio mide 15 cm y pesa 50 gramos, y al final de este mes alcanza los 25 cm y 250 gramos. ● Durante los dos primeros meses de embarazo la cabeza del feto representaba la mitad del cuerpo; ahora solamente la tercera parte. ● Los ojos ya se han centrado después de la lateralización. Las yemas de los dedos se hallan ya formadas. Al principio de este mes la piel no es más que una fina lámina que transparenta los vasos sanguíneos; al final la piel se ha engrue-

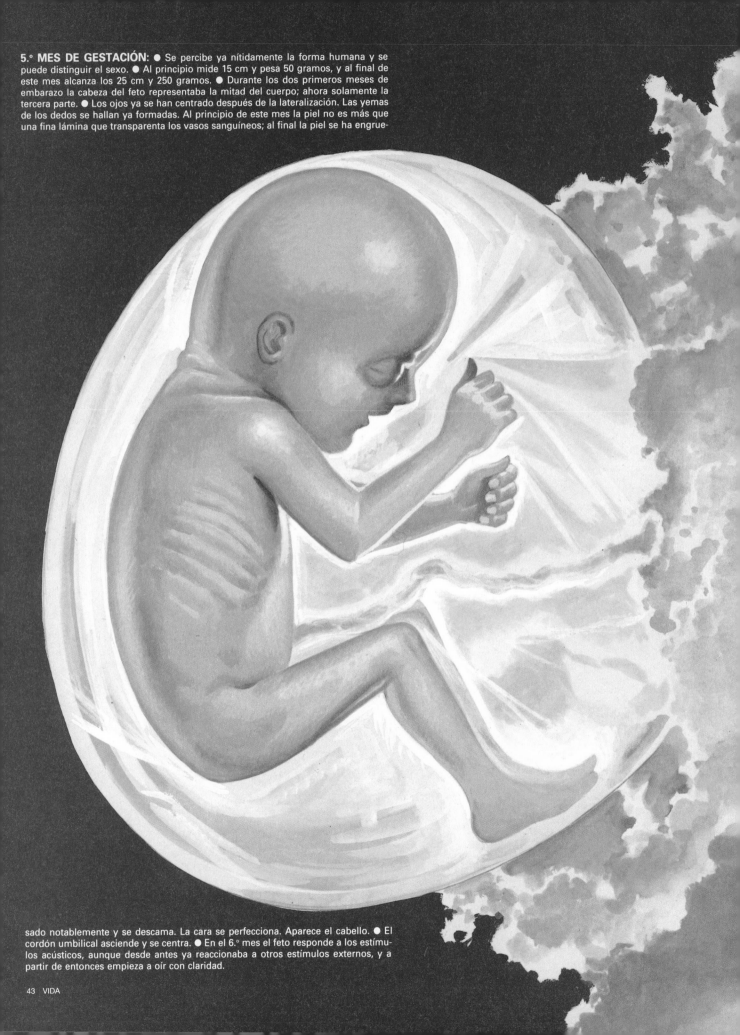

sado notablemente y se descama. La cara se perfecciona. Aparece el cabello. ● El cordón umbilical asciende y se centra. ● En el 6.º mes el feto responde a los estímulos acústicos, aunque desde antes ya reaccionaba a otros estímulos externos, y a partir de entonces empieza a oír con claridad.

7.º MES DE GESTACIÓN: ● Ya se ha completado la morfología fetal externa. Los diferentes órganos quedan definitivamente situados. ● Estamos en la fase de mayor crecimiento. ● Alcanza como promedio una talla de 38 cm y un peso de 1.400 gramos. ● Desaparecen los depósitos de grasa y el lanugo. ● Su piel presenta el aspecto de la de un viejecito apergaminado. ● El cráneo se halla ya bastante osificado, y comienza la osificación de las costillas. La columna vertebral está formada. ● Se inicia la migración de los testículos en los fetos masculinos, que llegan hasta el conducto inguinal. ● El feto ya es viable: si naciera podría sobrevivir separado de su madre.

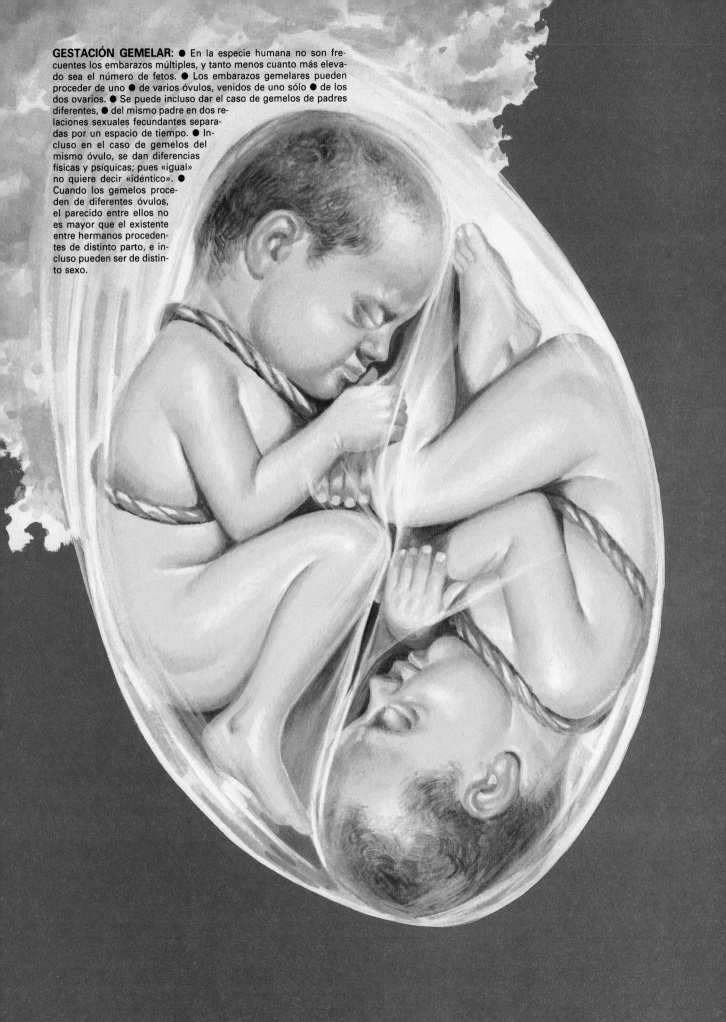

GESTACIÓN GEMELAR: ● En la especie humana no son frecuentes los embarazos múltiples, y tanto menos cuanto más elevado sea el número de fetos. ● Los embarazos gemelares pueden proceder de uno ● de varios óvulos, venidos de uno sólo ● de los dos ovarios. ● Se puede incluso dar el caso de gemelos de padres diferentes, ● del mismo padre en dos relaciones sexuales fecundantes separadas por un espacio de tiempo. ● Incluso en el caso de gemelos del mismo óvulo, se dan diferencias físicas y psíquicas; pues «igual» no quiere decir «idéntico». ● Cuando los gemelos proceden de diferentes óvulos, el parecido entre ellos no es mayor que el existente entre hermanos procedentes de distinto parto, e incluso pueden ser de distinto sexo.

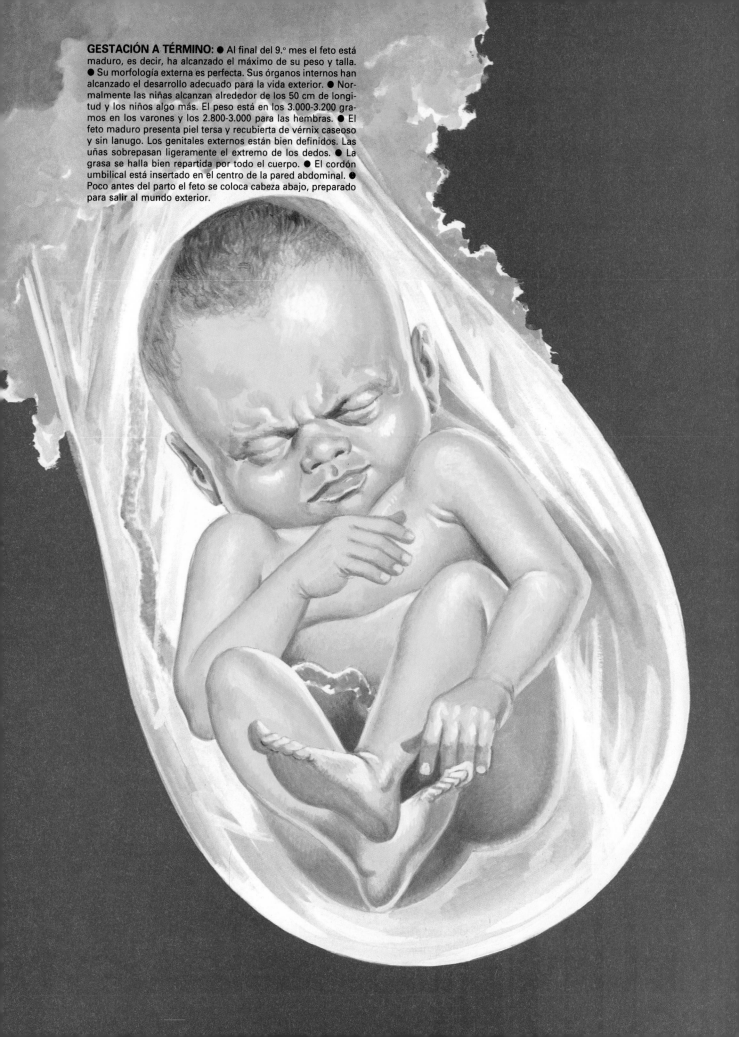

GESTACIÓN A TÉRMINO: ● Al final del 9.º mes el feto está maduro, es decir, ha alcanzado el máximo de su peso y talla. ● Su morfología externa es perfecta. Sus órganos internos han alcanzado el desarrollo adecuado para la vida exterior. ● Normalmente las niñas alcanzan alrededor de los 50 cm de longitud y los niños algo más. El peso está en los 3.000-3.200 gramos en los varones y los 2.800-3.000 para las hembras. ● El feto maduro presenta piel tersa y recubierta de vérnix caseoso y sin lanugo. Los genitales externos están bien definidos. Las uñas sobrepasan ligeramente el extremo de los dedos. ● La grasa se halla bien repartida por todo el cuerpo. ● El cordón umbilical está insertado en el centro de la pared abdominal. ● Poco antes del parto el feto se coloca cabeza abajo, preparado para salir al mundo exterior.

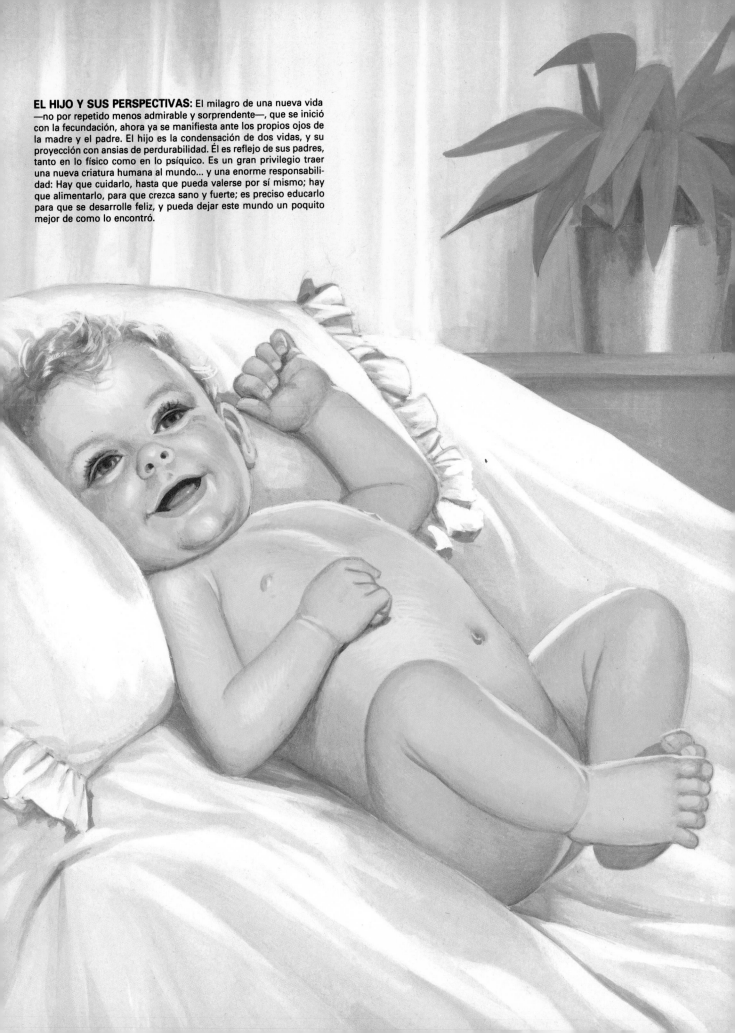

EL HIJO Y SUS PERSPECTIVAS: El milagro de una nueva vida —no por repetido menos admirable y sorprendente—, que se inició con la fecundación, ahora ya se manifiesta ante los propios ojos de la madre y el padre. El hijo es la condensación de dos vidas, y su proyección con ansias de perdurabilidad. Él es reflejo de sus padres, tanto en lo físico como en lo psíquico. Es un gran privilegio traer una nueva criatura humana al mundo... y una enorme responsabilidad: Hay que cuidarlo, hasta que pueda valerse por sí mismo; hay que alimentarlo, para que crezca sano y fuerte; es preciso educarlo para que se desarrolle feliz, y pueda dejar este mundo un poquito mejor de como lo encontró.

39

EL EMBARAZO

El embarazo es la iniciación de una nueva vida, que surge con la fecundación, perdura en el progresivo desarrollo del feto, y concluye con la irrupción de éste al mundo exterior mediante el parto.

Hay que aclarar que el embarazo no es, bajo ningún concepto, una enfermedad, y si hacemos alusión a esta idea es porque hay quienes así lo creen. El embarazo es un proceso fisiológico completamente normal, cuya finalidad es la continuación de la especie. Más aún: el embarazo incide favorablemente en el organismo y hasta en el psiquismo de la mujer. Con la gestación la mujer alcanza su plenitud física y mental. Por supuesto que estamos refiriéndonos a embarazos normales, en mujeres sanas. En las que padecen anomalías físicas o mentales, el hecho del embarazo y sus implicaciones, pueden producir diversas complicaciones.

Como bien dice la autora canadiense Danièle Starenkyj, en su obra *Les cinq dimensions de la sexualité féminine* [Las cinco dimensiones de la sexualidad femenina], el embarazo es en realidad una faceta de «la sexualidad femenina en acción». Si nuestra sociedad, dice ella, llegase a comprender plenamente que el embarazo es la culminación de la actividad sexual, ésta se vería notablemente dignificada y el papel de la mujer mucho mejor valorado.

Existen diversas evidencias y pruebas de que una mujer está embarazada. En la actualidad se puede hacer un diagnóstico de certeza, con una probabilidad de acierto prácticamente total, incluso algún día antes de la regla que se esperaba.

Diagnóstico de presunción

Se puede suponer que hay un embarazo por distintas manifestaciones:

— **Amenorrea.** La amenorrea o falta de regla, en una mujer en edad reproductiva, suele ser el primer signo de embarazo; aunque se producen embarazos con pérdidas cíclicas de sangre, que se confunden con verdaderas menstruaciones. Por el contrario, hay mujeres sin regla que no están embarazadas, y, sin embargo, ovulan y pueden concebir; aunque este caso es realmente excepcional.
En principio podemos decir que la ausencia de regla, en toda mujer joven, con buena salud y precedentemente bien reglada, significa que está embarazada mientras no se demuestre lo contrario.

— **Náuseas y vómitos.** Las náuseas y los vómitos, así como los dolores de cabeza, y los vértigos, son signos relativamente frecuentes de gravidez. A menudo, cuando se ha instaurado un embarazo, se producen náuseas matinales y vómitos, sobre todo si se trata del primero. Las náuseas consisten en una sensación penosa referida al hueco del estómago, que indican la proximidad del vómito y de los esfuerzos que acompañan a la necesidad de vomitar. En otras ocasiones son producidas por ciertos alimentos o estados digestivos o psíquicos.

— **Alteraciones psicoemotivas.** La exageración de los sentimientos y las alteraciones del carácter, dentro de ciertos límites, son frecuentes en este estado.

PRINCIPALES SIGNOS DE EMBARAZO

SIGNOS DE PRESUNCIÓN	SEMANAS DE GESTACIÓN
Amenorrea (ausencia de regla)	2.ª
Náuseas, mareos, vómitos, vértigos, alteraciones psicoemocionales	3.ª-5.ª
Tensión mamaria	3.ª-5.ª
Poliuria (micción frecuente)	3.ª-5.ª
Aumento de tamaño del útero	3.ª-6.ª
Reblandecimiento del útero	6.ª
Vagina congestiva y azulada	6.ª
Contracciones uterinas	6.ª
Aumento de volumen del abdomen	16.ª
Movimientos fetales	16.ª

SIGNOS DE CERTEZA	SEMANAS DE GESTACIÓN
Test de embarazo positivo	2.ª
Ecografía fetal (saco ovular)	3.ª
Ecografía fetal (embrión y latidos)	5.ª
Audición del latido cardíaco fetal	20.ª
Radioscopia o radiografía (desplazada hoy por la ecografía)	20.ª
Percepción de los movimientos fetales activos	20.ª-24.ª

— **Irritabilidad vesical.** La polaquiuria (micción frecuente) la nicturia (micción nocturna), debidas a cambios hormonales, son tal vez el signo más precoz y constante de que se ha producido un embarazo.

— **Cambios en las mamas.** Durante la gestación los pechos aumentan de tamaño y se vuelven más sensibles, al mismo tiempo que su consistencia disminuye, lo cual los convierte en más caídos y péndulos. La aréola mamaria, que de suyo ya es más oscura que la piel adyacente, au-

No está de más insistir en que en una mujer, cuyas reglas anteriormente se habían presentado con regularidad, la falta de regla debe hacer sospechar un embarazo, salvo casos realmente excepcionales. Añadamos que las más modernas pruebas biológicas (test de embarazo) permiten un diagnóstico de certeza incluso al 10.º-12.º día de la fecundación (unos días antes de la primera falta).

menta su pigmentación, de modo que se vuelve más apreciable. Al mismo tiempo se hacen más evidentes los tubérculos de Montgomery y Morgagni, glándulas secretoras y sebáceas, que situados en la superficie de la aréola presentan elevaciones de hasta 1,5 milímetros. No es infrecuente que por el pezón fluya una pequeña cantidad de calostro (secreción lactescente). La red de Haller (red venosa de la mama) aumenta y se hace visible.

Diagnóstico de probabilidad

Mediante la exploración de la mujer embarazada el médico puede apreciar una serie de signos que se producen en la primera fase del embarazo; entre ellos cabe destacar los que se producen en la vagina y en el útero.

Los signos vaginales que evidencian un embarazo son:

— lividez (color morado) del introito vaginal,
— consistencia aterciopelada de la superficie vaginal,
— ensanchamiento y mayor dilatabilidad vaginal.

En virtud de las modificaciones hormonales la matriz sufre un proceso de reblandecimiento, así como un aumento de tamaño en general, que también se debe al crecimiento del embrión y consiguiente abombamiento en la zona de nidación. También se reblandece la zona del istmo (la que separa el cuello del cuerpo uterino), lo cual resulta perceptible a la palpación.

En ocasiones ocurre que se diagnostica el embarazo pasado ya el primer trimestre de la gestación. Además del dato de la amenorrea, aportado por la propia interesada, es evidente, sobre todo después del cuarto mes, el aumento del volumen abdominal. A partir de los cuatro meses y medio se perciben ya los movimientos fetales. Por supuesto que estos movimientos son la confirmación de un estado de gravidez; aunque una mujer, sana o enferma, puede confundir los simples movimientos intestinales con los del feto.

Diagnóstico de certeza

Además de la percepción de los movimientos fetales, que el médico puede distinguir a partir de la 18.ª semana de gestación, y que evidentemente son signo de que la mujer está encinta, existen otras manifestaciones que son prueba segura de embarazo:

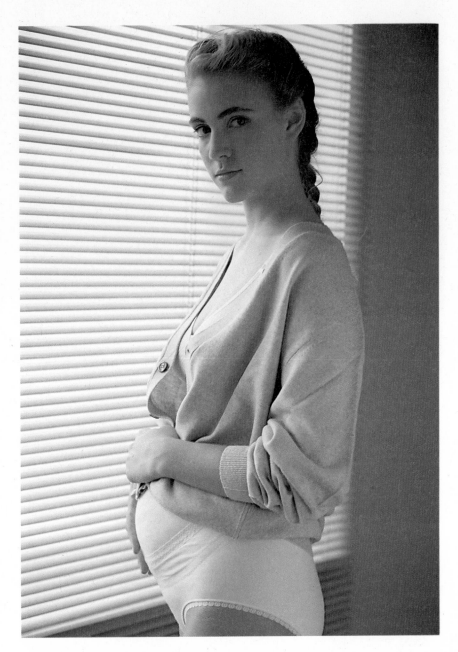

Cuando la gestación se desarrolla con normalidad, el rostro de la mujer cobra nueva belleza, la mirada es vivaz, su piel se muestra con nueva tersura, incluso algunos desarreglos metabólicos u hormonales se corrigen. No es extraño que eso sea así, pues la sabia naturaleza ha hecho que el cuerpo femenino alcance su óptimo funcionamiento en todos los sentidos cuando precisamente lleva en su seno una nueva vida.

— **Los tonos fetales.** Los latidos del corazón del feto pueden percibirse por auscultación directa con estetoscopio hacia el 5.º mes de vida intrauterina, y se diferencian de los de la madre en que son más rápidos, con una frecuencia de 120-160 latidos por minuto en el caso del feto y alrededor de 70 la madre en reposo. En una mujer delgada son perceptibles a partir de la 17.ª-18.ª semana de gestación. En la actualidad, con la aplicación de los ultrasonidos, se pueden detectar mucho antes.

— **Radiografía.** Aun cuando la radiografía continúa teniendo indicacio-

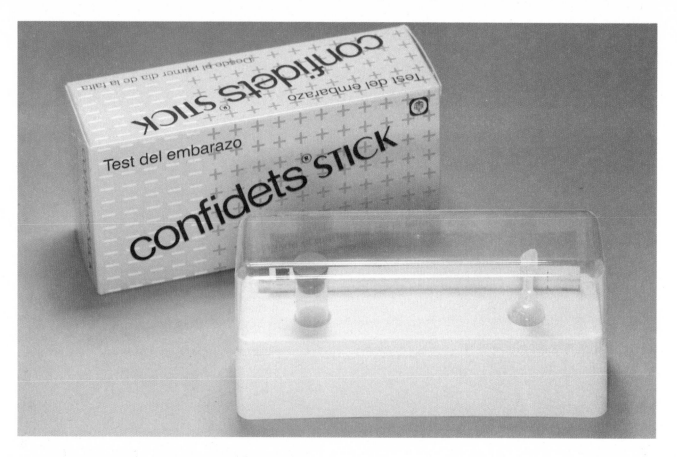

AUTODIAGNÓSTICO PRECOZ DEL EMBARAZO. Con este pequeño *kit*, una mujer puede averiguar si está embarazada ya en el primer día de la falta. Detecta, de forma rápida y sencilla, la posible presencia de gonadotropina coriónica (HCG) en la orina. La tableta que va en uno de los dos pequeños recipientes, que se ven dentro de la cajita de plástico, se mezcla con el disolvente que va en el otro, y luego se añaden unas gotas de orina. Se introduce el extremo del *stick* (palito), que va provisto de un reactivo, en la disolución. A continuación se enjuaga con agua corriente. Si la prueba es positiva la punta del *stick* adquiere un color rosado (+). Si permanece blanca (–), signo de ausencia de HCG en la orina, no hay embarazo.

nes precisas en obstetricia, no debe practicarse en feto vivo antes de la 32.ª semana de embarazo, por el gran peligro que para él representan las radiaciones ionizantes. Toda mujer de la que se sospecha pueda estar embarazada, no debiera exponerse a ningún tipo de radiaciones ionizantes.

— **Ecografía ultrasónica.** La imagen ecográfica que se consigue mediante los ultrasonidos es el método más precoz para diagnosticar con certeza un embarazo. No supone ningún peligro para la madre ni para el feto, y es de cómoda aplicación. Requiere simplemente que la vejiga urinaria esté llena. Por eso antes de practicar una ecografía la mujer debe beber agua en abundancia y retener la orina. Así se produce un contraste ultrasónico muy valioso, ya que en la pantalla aparecerá la vejiga como un globo negro sobre el cual se visualiza el feto y los anejos fetales.

Esta técnica exploratoria permite ver una imagen del saco ovular a partir de la 5.ª semana de amenorrea, y detectar el latido fetal incluso a partir de la 7.ª. Téngase en cuenta que cuando nos referimos a semanas de amenorrea en el diagnóstico ecográfico, estas semanas se cuentan a partir del último día en que se presentó la regla. De modo que cinco semanas de amenorrea, significan cuatro semanas entre la regla que se produjo y la que no se ha producido más una semana —lo cual supone en realidad tres semanas de embarazo—.

La ecografía permite determinar la edad probable del embarazo, la vitalidad del feto, su crecimiento y la existencia de gemelos.

— **Fetoscopia.** El fetoscopio introducido en la cavidad uterina permite la visualización directa del feto, para comprobar su desarrollo o posibles malformaciones, por ejemplo. Su utilización está limitada a necesidades diagnósticas muy concretas, pues comporta notables riesgos, entre los que se cuenta el aborto.

Diagnóstico de laboratorio y autodiagnóstico

En el embarazo, desde el principio, el trofoblasto produce la hormona coriónica, conocida por sus siglas en inglés: HCG *(Human Corionic Gonado-tropin)*. La HCG se puede encontrar en la orina y en el suero sanguíneo de la embarazada.

Las pruebas inmunológicas están basadas en la naturaleza proteínica de la HCG, lo cual hace que, inyectada en un animal, su sistema inmunológico reaccione defendiéndose contra esa sustancia extraña, o antígeno, y produzca los llamados anticuerpos.

Esta reacción se puede hacer visible mediante aparatos más o menos sofisticados que al final nos indicarán si existe HCG, confirmando en su caso la existencia de un embarazo.

El suero que contiene anticuerpos anti-HCG se puede aislar, e incluso extraer los anticuerpos, y preparar así pequeños *kits* con instrucciones sencillas y detalladas ya comercializados, que permiten el autodiagnóstico. Con este método inmunológico se puede descubrir el embarazo desde los 5-7 días de retraso de la regla, y en un par de minutos tan sólo. Su fiabilidad es casi del ciento por ciento. En caso de negatividad puede repetirse unos días más tarde. Si la negatividad persiste, a pesar de que se tenga la certeza de que hay embarazo, es que éste se halla en peligro.

Los procedimientos inmunológicos más recientes permiten el autodiagnóstico rápido, incluso a los 10-12 días después de la fecundación, es decir, ya antes de la primera falta.

Los métodos de radioinmunoensayo y radiorreceptores (basados en una inhibición de la aglutinación de los hematíes) resultan muy útiles en el diagnóstico de gestaciones ectópicas y en el seguimiento de las molas vesiculares. Con estos sistemas los resultados son aún más precisos y precoces que con los anteriores, además de que presentan la ventaja de la automatización.

FISIOLOGÍA DE LA MUJER EMBARAZADA

El espejo, fiel e imprescindible confidente femenino, es el único que en realidad conoce tan bien como la propia mujer hasta los más recónditos rincones de su cuerpo. Cuando las gráciles formas de la joven madre comienzan a poner claramente de manifiesto que una nueva vida esta creciendo en su seno, el instinto femenino obliga a consultar a quien es capaz de reflejar exactamente lo que está sucediendo, al menos exteriormente. Y ese auténtico milagro no puede, por repetido en el decurso de la historia humana, dejar de sorprender a la propia interesada, sobre todo cuando es primeriza.

El embarazo afecta a todo el organismo femenino, produciendo una serie de cambios, que si bien son más evidentes en el área genital, en realidad afectan a todos los sistemas y aparatos modificando su fisiología, e incluso su forma, según avanza la gestación. De manera que, datos analíticos y de exploración que, fuera del estado de gravidez, serían interpretados como indicativos de enfermedad, ahora se consideran absolutamente normales. Es importante, pues, conocer esto, para un mejor control y detección de cualquier posible anomalía que pudiera poner en peligro la feliz culminación del proceso.

Aparte de los cambios orgánicos relacionados con el área genital, ya mencionados, se pueden producir una serie de manifestaciones que vamos a detallar.

Aparato digestivo

— **Náuseas y vómitos.** Aproximadamente la mitad de las primigestas (mujeres que gestan por primera vez) suele padecer vómitos discretos, en tanto que únicamente los padece un tercio de las multigestas (mujeres que ya han gestado otras veces). Los vómitos se presentan con mayor frecuencia en ayunas y al levantarse de la cama. Se dan con tanta frecuencia y precocidad, que la mayor parte de las veces son el primer signo que pone a la mujer sobre aviso de un posible embarazo. En ellos interviene también el temperamento y estado nervioso de la mujer.

— **Sialorrea.** El aumento de la saliva, o sialorrea, aparece en algunas embarazadas, provocándoles ligeras

molestias, sobre todo por las mañanas al levantarse.

— **Trastornos del apetito.** Al comienzo del embarazo es frecuente la anorexia (pérdida del apetito), que suele seguirse de una bulimia (aumento del apetito).

— **Afecciones bucales y dentarias.** Durante el embarazo es muy frecuente la aparición de caries dentarias. El embarazo, por sí mismo no provoca caries, pero si puede agravar las ya existentes. Esto se debe a un reblandecimiento de la dentina de los dientes por descalcificación, en primer lugar, pero sobre todo por una deficiencia de flúor, que habrá que prevenir o combatir. Es frecuente la hinchazón de las encías, que sangran con facilidad ante la acción del cepillo. Ante és-

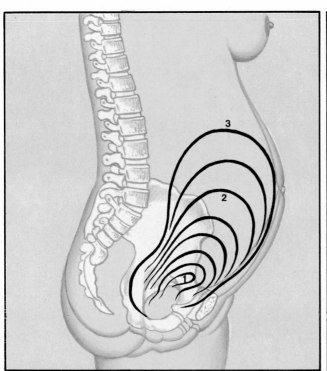

DIFERENTES ALTURAS DEL ÚTERO DURANTE EL EMBARAZO: A medida que la gestación avanza el útero va ascendiendo y ensanchándose, en este caso visto de perfil. **1** Al tercer mes de embarazo el útero se hace extrapelviano, desarrollándose en plena cavidad abdominal. **2** Al sexto mes, alcanza el nivel del ombligo. **3** Altura máxima al octavo mes y medio.

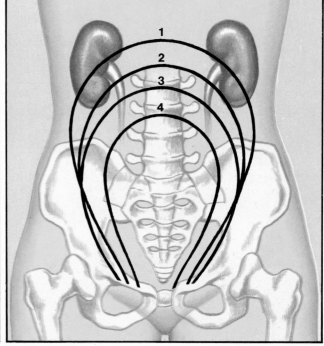

AUMENTO DEL ÚTERO DURANTE EL EMBARAZO: La máxima altura uterina se alcanza a los ocho meses y medio de embarazo. Al fin del noveno mes, el nivel desciende por debajo del alcanzado a finales del octavo, pero se ha ensanchado. **1** Límite al octavo mes y medio. **2** Altura alcanzada al octavo mes. **3** Altura al noveno mes con ensanchamiento del útero. **4** Altura uterina hacia el sexto mes.

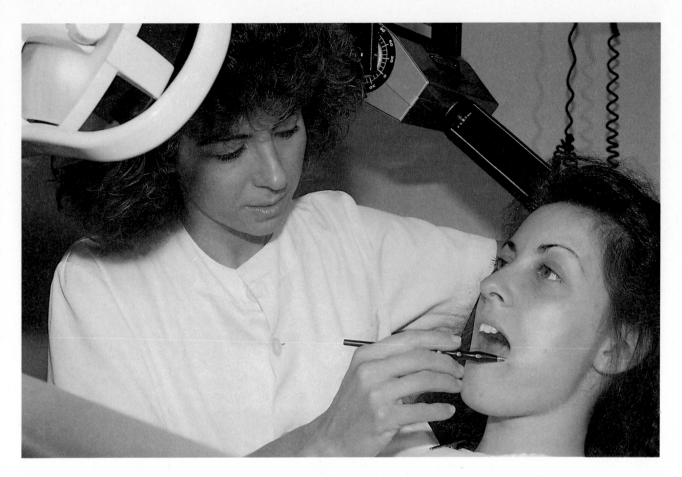

En la última edición de la *Obstetricia* de Williams, cuyos autores son los doctores Jack A. Pritchard, Paul C. MacDonald y Norman F. Gant, se afirma: «Carece de fundamento la creencia de que el embarazo agrava la caries dental.» El embarazo no tiene por qué producir caries ni empeorar las ya existentes. Eso no significa que la embarazada no deba acudir a la consulta odontológica, pues, según estos mismos renombrados tocoginecólogos, «el examen dentario debe incluirse en la exploración física prenatal general». Para evitar un posible efecto negativo de la gestación sobre la dentadura, es necesario seguir una dieta equilibrada rica en calcio, fósforo, flúor y vitaminas.

tos u otros síntomas la embarazada debe acudir al ondontólogo para que le aconseje y, si es necesario, corrija lo antes posible los problemas bucales de la embarazada.

— **Hígado y vesícula.** Aunque el hígado ve sobrecargada su actividad de forma considerable; gracias a su gran capacidad de trabajo, no suele presentar alteraciones.

Durante el embarazo disminuye el tono y el vaciamiento de la vesícula biliar, lo cual puede dar lugar a retenciones, manifestadas por prurito (picores, escozores) en la piel.

— **Acidez.** Las regurgitaciones ácidas, o pirosis, por disfunción del cardias, y el ardor de estómago, son molestias más bien propias de la segunda mitad del embarazo, cuyo tratamiento expondremos en el capítulo siguiente (véase «Hiperexcitabilidad neurovegetativa»).

— **Estreñimiento y hemorroides.** Durante el embarazo, a menudo se produce estreñimiento, debido a la acción de la progesterona. La retención de heces puede dar lugar a la formación de fecalomas (masas duras), favoreciendo también el desarrollo de gérmenes, sobre todo colibacilos, que pueden producir complicaciones en el aparato urinario.

El estreñimiento, unido a la compresión pelviana que produce el feto, son causa frecuente de hemorroides muy molestas, que normalmente desaparecen después del parto.

Para prevenir y corregir estas hemorroides lo primero que hay que hacer es corregir el estreñimiento. Cada día hay que evacuar el intestino. No conviene someterse a la acción de purgantes, que además de su posible toxicidad, sobre todo para el feto, habitúan al intestino a no funcionar por sí mismo. Para prevenir y combatir el estreñimiento es fundamental la ingestión de alimentos ricos en fibra (verduras y cereales integrales, sobre todo). Cuando resulte imprescindible la administración de un laxante, se recurrirá al aceite de parafina.

Aparatos cardiocirculatorio y respiratorio

Tanto el corazón, como todo el aparato circulatorio, al quedar la mujer embarazada, sufren una serie de cambios fisiológicos normales y el riesgo de ciertos trastornos aumenta.

— **Sangre.** Hay un aumento progresivo del volumen sanguíneo desde el segundo o tercer mes. En la semana 35.ª este volumen ha aumentado entre un 25% y un 40%, gracias sobre todo al plasma, más que a las células, lo cual da cifras relativas de glóbulos rojos y de hemoglobina inferiores a los de la mujer no embarazada, a pesar de que los hematíes hayan aumentado globalmente entre un 18% y un 30%. Los glóbulos blancos aumentan así mismo, especialmente en el momento del parto, alcanzado cifras de hasta 15.000 leucocitos por milímetro cúbico. También aumenta el tiempo de sedimentación de la sangre; así como el número de plaquetas, de manera especial inmediatamente después del parto, para volver a la normalidad dos semanas después. Los factores de coagulación también están aumentados, lo cual resulta especialmente importante en el alumbramiento, para detener con eficacia la hemorragia de la herida placentaria.

— **Presión venosa.** La presión venosa, en la parte superior del cuerpo, permanece igual que antes del embarazo, pero en la pelvis y extremidades inferiores va aumentando según progresa el embarazo, debido a la compresión del útero sobre los vasos de retorno. Esto, unido sobre todo a la pérdida de elasticidad de las paredes venosas con motivo de la gestación, hace que aumente la posibilidad de padecer varices, las cuales afectan a una de cada cinco de las embarazadas, particularmente a las que ya han tenido anteriormente un parto. Hay dos clases de varices, las transitorias, que desaparecen posteriormente, y las verdaderas, que persisten después del parto. Con el fin de prevenir en lo posible la formación de varices, la mujer embarazada tendrá que evitar estar mucho tiempo seguido de pie, y no usar ningún tipo de ropa, fajas u otros artificios que presionen las piernas o la pelvis, para que el retorno venoso no se vea dificultado.

En las últimas semanas del embarazo puede presentarse el síndrome de hipotensión supina, que consiste en una caída brusca de la presión arterial, cuando la mujer se tumba boca arriba (decúbito supino), debido a que el voluminoso útero comprime la vena cava inferior, con lo cual se impide el retorno de la sangre al corazón. Esto se evita adoptando la postura decúbito lateral (echada de lado) para descansar y dormir.

— **Corazón.** El embarazo crea una situación de sobrecarga en el corazón, mayor aún en el momento del parto. Aumenta por tanto su volumen, y se pueden detectar soplos

VALORES SANGUÍNEOS DE LA EMBARAZADA (CUADRO COMPARATIVO)

ELEMENTOS ANALÍTICOS	VALOR NORMAL (mujer adulta no embarazada)	TRIMESTRE DEL EMBARAZO		
		1.º	2.º	3.º
Volemia (mg/kg)	50-75	77-81	84-93	94-99
Hematíes (millones/mm³)	4,2-5,4	4,4	4,1-4,4	4,1-4,3
Hematocrito (%)	37-47	38,3	34-39,5	34,1-39
Hemoglobina (g/100 ml)	12,6-16,0	12,5	11-12,4	10,9-11,0
Hemoglobina corpuscular media (MCH) (pg)	27-31	29,3		28,8-30,3
Concentración de hemoglobina corpuscular media (MCHC) (%)	32-36	32-38	34-39	32-39
Volumen corpuscular medio (MCV) (mcm³)	82-92	86	89-90	89-91
Leucocitos (millares/ml)	4,7-10,6	3,1-15	6,3-16,1	5-16,6
Plaquetas (millares/ml)	150-400	180-500	180-500	180-500
Ferritina (mcg/ml)	12-150	12-150	12-150	12-150
Antitrombina III (mg/dl)	21-30		27-29	44-51
Fibrinógeno (mg%)	200-400	200-286	286-315	352-410
Velocidad de sedimentación globular (1.ª hora)	<20	20-60	20-60	20-60

Según *Medical, Surgical and Gynecologic Complications of Pregnancy,* Rovinsky and Guttmacher's.

absolutamente fisiológicos, es decir, que se pueden considerar como normales, en estas circunstancias.

— **Pulmones.** Durante la gravidez aumenta el consumo de oxígeno. La mucosa bronquial se congestiona, lo que supone una predisposición mayor a las infecciones bronquiales, de garganta y nariz.

Aparato urinario

Las molestias vesicales son muy frecuentes entre las mujeres gestantes. La vejiga de la orina sufre presiones y estiramientos que dificultan su función. Al mismo tiempo padece de esa falta de tono que, como hemos visto, afecta también al intestino y paredes venosas. Ello da lugar, sobre todo en el tercer trimestre de la gestación, a un aumento de las necesidades de vaciar la vejiga y, con cierta frecuencia, a sensaciones molestas y desagradables.

Durante el embarazo se manifiesta una mayor tendencia a las infecciones urinarias y a la movilización de cálculos ya existentes. En ocasiones se produce incontinencia, en especial al toser o realizar esfuerzos.

Esqueleto

El centro de gravedad va sufriendo variación a medida que progresa la gestación y aumenta el volumen abdominal. Eso obliga a la mujer encinta a cambiar su postura y su forma de caminar, que se vuelve más lenta y pesada, andando con los pies más separados de lo normal para mejorar el equilibrio.

Las diferentes articulaciones entre los huesos de la cadera adquieren mayor movilidad, lo cual puede producir dolores y molestias en la fase final del embarazo.

A veces se presentan osteofitos (excrecencias óseas) en diferentes huesos: extremidades, esternón, cráneo, etcétera.

Modificaciones psíquicas y sensoriales

Durante la gravidez el sistema nervioso se halla en un estado de mayor excitabilidad. La inteligencia se escla-

MEJORE SU CIRCULACIÓN

Si la embarazada consigue mejorar su circulación sanguínea durante el embarazo, podrá evitar más fácilmente las temidas varices, hemorroides, calambres y pesadez de piernas y pies. Proponemos aquí unos sencillos ejercicios que se pueden realizar en cualquier momento a lo largo del día.

RESPIRACIONES	Escoja un lugar que esté poco contaminado, mejor si es al aire libre; aunque también se pueden hacer en casa o en la oficina, abriendo una ventana. Realice de 6 a 10 respiraciones profundas, expulsando bien el aire cada vez. Hágalo al menos 3 veces al día.
MARCHA	Aunque esté muy ocupada, haga planes para caminar de una hora a hora y media diaria, sin que en ningún caso llegue a fatigarse. Si trabaja fuera del hogar puede acudir a su lugar de trabajo caminando, todo el trayecto o parte del mismo. Si es ama de casa, busque un momento oportuno para salir a caminar.
PIES ELEVADOS	Cualquier momento en que esté sentada, aprovéchelo para elevar los pies. Apóyelos sobre otra silla o banqueta, con las piernas extendidas, pero de forma que se sienta cómoda.
DIBUJAR CÍRCULOS	Cuando esté sentada, como le decíamos antes, o bien cuando ya esté acostada, dibuje círculos en el aire con los pies. No es necesario que eleve las piernas, simplemente mueva los pies alrededor de los tobillos, trazando círculos en un sentido y en otro. También es conveniente hacerlo con las manos, teniendo los brazos extendidos.
FLEXIÓN DE PIES	Estando de pie, apoye las manos en el respaldo de una silla. Elévese hasta quedar de puntillas y baje luego apoyando bien los talones. Repítalo 10 veces, dos o tres veces al día. En la misma posición, pero ahora sin levantar los talones, flexione los pies de forma que la punta de los dedos quede lo más arriba posible, sin despegar los talones del suelo.
ABRIR Y CERRAR MANOS	Con los brazos bien extendidos, abra y cierre las manos con energía, extendiendo bien todos los dedos. Puede hacerlo 20 o 25 veces seguidas, dos o tres veces al día.

rece y aumenta la afectividad. Los deseos pueden llegar a hacerse tan notorios y firmes, que den lugar a los tan conocidos antojos. No conviene, dentro de lo razonable, contradecir a la embarazada. Hay que darle lo que le apetezca y desee, siempre y cuando no vaya en perjuicio suyo o del feto. Quede, no obstante, bien sentado que las manchas y figuras que pueda presentar el niño en su piel al nacer, nada tienen que ver con los antojos que haya teni-

LA MADRE MES A MES

SEMANAS		CAMBIOS MATERNOS	AUMENTO PESO MADRE	TAMAÑO ÚTERO
GESTACIÓN	ÚLTIMA REGLA			
4	**6**	Ausencia de regla y pequeñas molestias en la pelvis. Cansancio, sueño y posibles náuseas. La pared del útero engruesa y aumenta la red vascular.	*	**8 cm**
8	**10**	Aumenta el tamaño de los pechos y la aréola se oscurece. Persisten las náuseas matinales y los frecuentes deseos de orinar. El líquido amniótico protege el embrión y el cordón umbilical lo mantiene comunicado a la madre.	*	**9,5 cm**
13	**15**	La placenta es pequeña pero cumple sus funciones de alimentar al feto, eliminar los desechos y secretar las hormonas necesarias. Aumentan los caprichos y las aversiones a ciertos olores y alimentos.	*	**11 cm**
17	**19**	Desaparecen las náuseas y el cansancio del primer trimestre, pero puede haber molestias gástricas. Empieza a aumentar de peso. La cintura va desapareciendo.	1 kg	**13,5 cm**
21	**23**	Ya se aprecian claramente los movimientos fetales, aunque algunas madres los detectan un mes antes. Hay casi un litro de líquido amniótico, que se renueva constantemente.	3 kg	**16 cm**
26	**28**	El útero supera el nivel del ombligo. El volumen abdominal hace aconsejable adoptar otras posturas para facilitar la relación sexual. La saliva se vuelve más ácida y aumenta el riesgo de caries.	5 kg	**18,5 cm**
30	**32**	Pueden aparecer la molestias del tercer trimestre: hinchazón de piernas, varices, hemorroides, dolor de espalda, estrías, estreñimiento. Riesgo de parto prematuro.	7 kg	**23,5 cm**
34	**36**	Es un mes bastante incómodo. Persisten las molestias. La madre debe hacer pausas en su tarea. El útero ya alcanza los 8 cm sobre el ombligo y pueden empezar las contracciones aunque la madre no lo note.	9 kg	**28,5 cm**
38	**40**	Al final del mes se observa un cierto alivio. Aparecen las contracciones que dilatarán el cuello del útero. Puede haber rotura de la bolsa de las aguas (saco amniótico).	11 kg	**33 cm**

* El aumento de peso indicado tiene sólo carácter informativo. Por lo general, durante el primer trimestre no se produce ningún aumento significativo (véase el subapartado «El aumento de peso» en la página 711).

EL FETO MES A MES

MES	DESARROLLO DEL FETO	PESO	TALLA
1.º	El óvulo es fecundado por un espermatozoide. El huevo empieza a dividirse y se desplaza hasta el útero donde se implanta el 7.º día. Al final del mes el corazón empieza a latir.	0,8 g	0,7 cm
2.º	En el embrión destaca su gran cabeza, cuyo volumen es igual al resto del cuerpo. En ella se va perfilando la cara, con los ojos, nariz y boca. Comienzan a crecer brazos y piernas.	10 g	2 cm
3.º	Se le empieza a llamar feto. Aumenta el desarrollo de los órganos internos y se perciben los orificios nasales y las estructuras genitales. Ya se mueve, pero tan suavemente que la madre no lo aprecia.	35 g	6,5 cm
4.º	Empieza a funcionar el aparato digestivo y urinario. La piel es muy fina y transparente y se recubre en parte por un fino vello, el lanugo. También empiezan a crecer las pestañas y las cejas.	50 g	15 cm
5.º	El volumen de la cabeza supone una tercera parte del total. Se han centrado los ojos y aparece el pelo. Los dedos son más finos, ya tienen yemas y uñas. Los movimientos aumentan y son prácticamente inconfundibles.	250 g	25 cm
6.º	Los músculos se desarrollan y el sistema nervioso va madurando, los cual le permite coordinar mejor sus movimientos. A veces consigue chuparse el dedo favoreciendo así su instinto de succión. Es capaz de abrir los ojos.	700 g	32 cm
7.º	La cabeza ya sólo representa la cuarta parte del cuerpo. Su piel está arrugada y desaparece el lanugo. Si naciera ahora tendría muchas posibilidades de sobrevivir.	1.500 g	38 cm
8.º	Crece el tejido adiposo (grasa) y sus formas se van redondeando. Suele colocarse cabeza abajo para adaptar mejor sus medidas a las del útero.	2.300 g	43 cm
9.º	Se completa la maduración del feto. El crecimiento se hace algo más lento. Es ahora cuando recibe la mayor cantidad de anticuerpos de la madre. Apenas se puede mover, pero da patadas y codazos que se aprecian a simple vista.	3.000 g	50 cm

do la madre, tanto si han sido satisfechos como si no.

El carácter de la mujer grávida puede cambiar en dos sentidos: bien en el de mostrarse más alegre y contenta de lo habitual, en razón del feliz acontecimiento que supone la llegada de un hijo, o por el contrario en el de la melancolía y la tristeza, siendo causa aparente de ello el temor a la nueva responsabilidad que entraña la maternidad, la aparición de molestias, o los temores al embarazo y el parto.

En todo caso es completamente normal la aparición de moderados cambios en el carácter y la conducta. Si esos cambios son muy acusados y se observa insomnio, agitación, vértigos, terrores, u otros síntomas semejantes, es imprescindible consultar de inmediato con el médico.

Un déficit de vitamina B_1 puede ser la causa de dolores neuríticos en los miembros e incluso de parálisis facial.

Durante el embarazo no suele alterarse la visión. El oído, en cambio, acusa una ligera disminución en la percepción de los agudos. Algunos olores, de perfumes, alimentos u otras cosas, que hasta entonces resultaban perfectamente tolerables o incluso agradables, se vuelven repugnantes o insoportables. El gusto puede modificarse, presentando una predilección por los sabores amargos, agrios o ácidos. Algunas gestantes notan una pérdida de sensibilidad táctil.

Sistema hormonal y metabolismo

En general aumenta la producción de hormonas endocrinas, como la insulina, las tiroideas, el cortisol, la prolactina y otras. De ahí que se puedan observar alteraciones en el tamaño de la mayor parte de los órganos o células que producen estas hormonas.

Únicamente el ovario tiene su función ovulatoria inhibida, y aparece el cuerpo lúteo, de gran importancia en el mantenimiento de la gestación en las primeras semanas.

El metabolismo basal de la gestante aumenta. La cantidad de glucosa en sangre es baja, y en ayunas puede darse fácilmente hipoglucemia. El embarazo, sin embargo, desde el punto de vista de los glúcidos constituye una si-

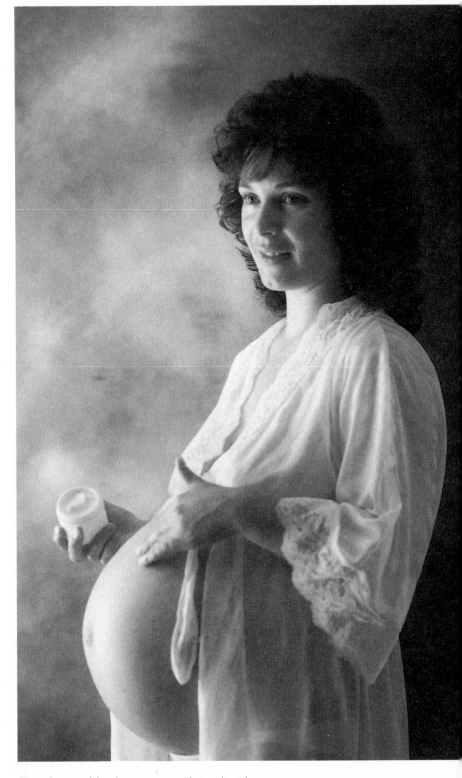

El propio curso del embarazo provoca ciertas alteraciones en la piel, algunas de las cuales desaparecen después del parto. No ocurre así con las estrías abdominales, que, una vez producidas, resultan permanentes. Por eso es conveniente hacer todo lo posible por evitar su aparición. Parece que algunas cremas dermatológicas pueden producir efectos beneficiosos y protectores.

tuación diabetógena para la madre, parece que a fin de facilitar al feto su aporte de la principal fuente de energía de que dispone.

El crecimiento fetal y placentario produce un aumento de los lípidos.

El contenido orgánico de agua aumenta en unos seis litros al final de la gestación, y en caso de edemas esta cifra es mayor.

Las sustancias minerales en la sangre se hallan en cantidades ligeramente inferiores a las normales.

Aunque la proteína que transporta al hierro se encuentra en mayor cantidad y la absorción intestinal se halla triplicada, la concentración en la sangre de este mineral se halla disminuida. El hierro que se ingiere con la alimentación no suele ser suficiente, y a menudo se presenta una anemia ferropénica.

Suele presentarse un déficit de ácido fólico (vitamina B_c), pues las necesidades de esta vitamina aumentan durante la gestación. El resto de vitaminas no suele presentar problemas, pues la ingestión, cuando la dieta es equilibrada, resulta suficiente para suplir las necesidades tanto de la madre como del hijo.

Cambios en la piel

En la piel de la mujer se presentan desde bastante pronto ciertas alteraciones. Consisten en un aumento de la pigmentación en diversas zonas, destacándose la línea alba, que pasa a ser línea negra, la aréola mamaria y el pezón, la vulva, las cicatrices y el rostro.

Podemos encontrarnos con un oscurecimiento mayor del dorso de la nariz, pómulos y frente, lo cual recibe el nombre de cloasma gravídico (vulgarmente «paño»). Este fenómeno es más evidente en mujeres morenas, y después del parto desaparece. Su causa se atribuye al aumento de la hormona estimulante de los melanocitos, las células productoras de la melanina (pigmento de la piel).

Las estrías del embarazo, causadas por la elongación y desgarro de las fibras elásticas de la piel, y fundamentalmente por un factor hormonal, aparecen sobre todo en el abdomen, las mamas y los muslos, por lo común en el tercer trimestre de gestación. La cantidad y el tamaño de las estrías, varía de una mujer a otra, y algunas incluso se libran de ellas. Su color rojo vinoso, después del parto, pasa a blanquecino nacarado. Cuando aparecen estas estrías, permanecen de por vida.

CONTROL DEL EMBARAZO

En las sociedades avanzadas el control médico de la mujer gestante es cada vez más intenso y eficaz, Así se ha conseguido que la mortalidad materna e infantil, secuela del embarazo y el parto, disminuya hasta porcentajes mínimos, y que la gestación transcurra sin que el organismo femenino sufra deterioro. Gracias a ello, el período del embarazo hoy es contemplado sin los grandes temores con que se vivía no hace demasiadas décadas. Esto, que nadie puede dudar que es beneficioso, ha llegado, sin proponérselo, a crear la idea de que el embarazo es una «enfermedad», y por eso necesita una atenta supervisión médica. Ello se debe, primero a que no hemos comprendido todavía que la medicina del futuro es la preventiva, y que no puede haber nada más natural que el desarrollo de una nueva vida en el seno materno.

Para conseguir un embarazo feliz y un parto sin complicaciones, resulta fundamental una buena asistencia médica; pero no menos importante es que la futura mamá siga un estilo de vida salutífero, que incluye como algo fundamental una dieta equilibrada.

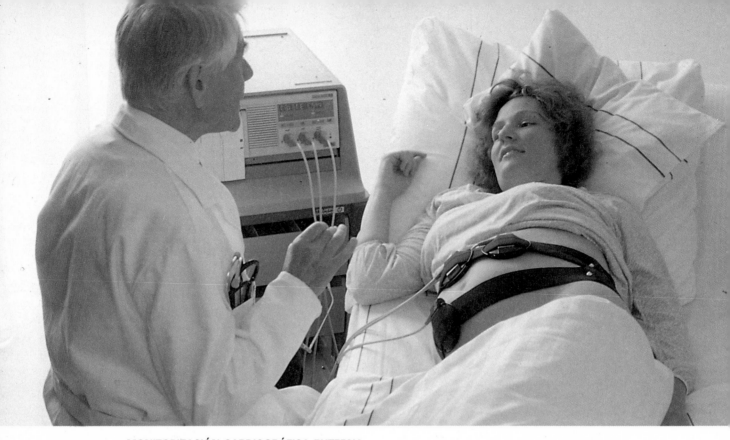

MONITORIZACIÓN CARDIOGRÁFICA EXTERNA: Los modernos cardiotocógrafos, como éste de Hewlett Packard, resultan de gran utilidad cuando existe amenaza de parto prematuro, para comprobar si se están produciendo o no contracciones y para verificar el bienestar fetal. Para la vigilancia y control del parto, cuando no se puede aplicar una monitorización interna, también se usa este sistema. (Véase «Monitorización», cuadro pág. 699.)

La obstetricia de ayer, hoy y mañana

Englobamos bajo el nombre de obstetricia la parte de la ciencia médica que se propone conseguir embarazos y partos normales, con el fin de que la salud de la madre no sufra detrimento y que nazcan hijos sanos.

La obstetricia de ayer perdía muchos hijos, y también muchas madres. Aún en 1940 el riesgo durante el parto era muy grande para cualquier madre. Por eso, el objetivo primordial de la obstetricia, en la primera mitad de este siglo, consistía sobre todo en salvar madres. Se alcanzó esa meta, al lograr que descendieran los índices de mortalidad y morbilidad maternas, gracias a una mayor vigilancia de los embarazos, la asepsia y antisepsia, la mejora de las técnicas obstétricas, la generalización de las transfusiones sanguíneas y el empleo de los antibióticos.

Así las cosas, y con índices de natalidad muy bajos, la vida de los niños cobraba un nuevo valor. Los matrimonios quieren pocos hijos, pero que no se pierda ninguno. Y la obstetricia lucha por salvar la mayor cantidad posible de hijos, esforzándose en disminuir así mismo la mortalidad perinatal, es decir, la que se produce durante el parto y en la primera semana de vida del niño.

La obstetricia de hoy, y la de mañana, se propone, preservadas ya las vidas de madres e hijos, conseguir niños normales en perfecto estado de salud, y con las mejores perspectivas para su futuro. Con el fin de alcanzar estos objetivos y perfeccionar los anteriores, se imponen:

1. Una mejor higiene prenatal de la madre.
2. Un estilo de vida y un régimen alimentario adecuados.
3. Una meticulosa vigilancia del desarrollo del embarazo.
4. Una correcta evaluación de los riesgos del embarazo y del parto.
5. Una adecuada asistencia al parto, incluso monitorizado aun cuando sea normal.
6. Prestar una cuidadosa atención al recién nacido.

Muchas taras infantiles se originan durante el embarazo, el parto o el puerperio. El 48% de los subnormales profundos son de causa obstétrica y necesitan una educación y cuidados especiales, con lo que se convierten en una carga para la familia y para la sociedad.

Factores de riesgo de mortalidad perinatal

Se define la mortalidad perinatal en relación con el número de nacidos muertos, o con los que mueren al nacer o durante los siete primeros días siguientes, por cada mil nacidos que hayan superado los 1.000 gramos de peso.

Para evitar la mortalidad durante el embarazo es preciso, en primer lugar, que el tocólogo ejerza una rigurosa vigilancia del proceso de gestación. Esta mortalidad es la más fácil de conseguir que disminuya. En segundo lugar, durante el parto se puede reducir la mortalidad con la monitorización y una adecuada clasificación de los partos: de alto riesgo y de bajo riesgo. La correcta asistencia al recién nacido evitará la tercera causa de mortalidad perinatal.

Hay tablas que evalúan los distintos factores que llevan al especialista a clasificar embarazos y partos como de alto o bajo riesgo. Cuanto mayor sea el riesgo mayor será el grado de vigilancia a que tendrá que someterse la gestante, durante todo el embarazo y en el momento de dar a luz.

Disminución de los riesgos

Con el propósito de disminuir al máximo los riesgos del embarazo y parto, tanto para la madre como para el hijo, en primer lugar corresponde a ésta seguir un régimen de vida adecuado (alimentación, ejercicio y reposo, equilibrio psicológico), y acudir a la consulta médica oportunamente, observando fielmente las indicaciones que el médico le dé.

La sociedad en general, y las autoridades sanitarias en particular, también tienen su parte en la disminución de los riesgos del embarazo, creando y manteniendo los centros asistenciales precisos, facilitando la formación de los profesionales de la medicina, informando a las madres y promocionando la investigación científica en todo lo que se refiere a la cuestión.

El personal médico que interviene directamente en la asistencia a la embarazada y la parturienta, así como al recién nacido, evitarán o reducirán al mínimo los riesgos, mediante un estudio meticuloso, con todos los recursos técnicos a su alcance, del embarazo y del parto, para que su seguimiento y vigilancia sean de la máxima eficacia.

A partir del tercer mes del embarazo, y por diversas causas, puede aparecer un sufrimiento fetal que determine un menor crecimiento y vitalidad, e incluso la muerte del feto.

El interrogatorio de la mujer, el estudio del ritmo cardíaco fetal, la ecografía midiendo los diámetros abdominal y parietal del feto, la amnioscopia (visión directa del amnios con un aparato especial), la amniocentesis (punción del amnios), las dosificaciones (cuantificaciones) hormonales, y otras pruebas, proporcionan una valiosa información al médico sobre las características y estados fetales.

Ecografía y exploración radiográfica

Entre los medios modernos que han revolucionado la práctica de la obstetricia, contamos con la ecografía ultrasónica, que en los países adelantados ha sustituido al diagnóstico radiológico. Los ultrasonidos tienen una ventaja sobre los rayos X: no son nocivos para el feto. El riesgo ligado al uso diagnóstico de los ultrasonidos es muy bajo, si es que existe, aunque hemos de reconocer que los conocimientos científicos actuales en cuanto a sus efectos biológicos y biofísicos no son todavía completos.

Los aparatos utilizados para reali-

LA ECOGRAFÍA Y SUS APLICACIONES DURANTE EL EMBARAZO

EMBARAZO NORMAL

- Saco ovular en la 5.ª semana de amenorrea.
- Localización de las vellosidades coriales y de la placenta en la 6.ª semana.
- Embrión visible a partir de la 7.ª semana y observación de los latidos cardíacos.
- Hacia la 9.ª semana se constata la movilidad del embrión.
- Apreciación del crecimiento fetal (medición del diámetro biparietal y abdominal).
- Hallazgo de embarazos gemelares y múltiples (a partir de la 6.ª semana uno de los dos gemelos se reabsorbe en gran número de casos).
- Presencia de latidos cardíacos o movimientos activos (en caso de ausencia = embarazo detenido).

DIAGNÓSTICO DE ANOMALÍAS

- Confirmación o exclusión
  - del embarazo ectópico,
  - de un huevo claro,
  - de un aborto o amenazante o incipiente,
  - de un embarazo molar,
  - de una inserción trofoblástica baja.
- Retrasos de crecimiento intauterino, mediante la medición de los diámetros biparietal y abdominal.
- Hallazgos de malformaciones fetales:
  - anencefalia,
  - hidrocefalia,
  - encefalocele,
  - espina bífida,
  - meningocele,
  - atresia esofágica,
  - estenosis duodenal,
  - tumores,
  - malformaciones vasculares y de los miembros,
  - hidramios,
  - etcétera.
- Hallazgo del sufrimiento fetal:
  - Disminución de los movimientos activos del feto o de su calidad (movimientos lentos y perezosos = peligro).
  - Alteraciones del ritmo respiratorio.
  - Muerte fetal.

zar ecografías en ginecología son los llamados de modo B, o bidimensional, provistos de convertidores de imagen, lo cual constituye un neto progreso, al proporcionar una bien contrastada escala de grises, que permiten diferenciar fácilmente las estructuras estudiadas.

El ginecólogo puede observar, por medio de la imagen ecográfica, el útero, los ovarios y sus folículos, pero no las trompas normales, a causa de su pequeño calibre y sinuosidad.

En el diagnóstico de tumores de la cavidad pelviana la ecografía precisa las dimensiones, naturaleza y localización de los mismos, mostrando además si su estructura es líquida, sólida o mixta. Una ecografía proporciona información de malformaciones, fibromas, pólipos, alteraciones de la mucosa y otras afecciones uterinas, así como de la posición del DIU, en su caso, o la presencia de restos placentarios. En los ovarios puede mostrar pequeños o grandes quistes, tumores, endometriosis, etcétera.

Por medio del estudio ecográfico el médico puede descubrir o confirmar un embarazo extrauterino o un engrosamiento de las trompas.

En obstetricia, los ultrasonidos permiten objetivar gráficamente, y por orden cronológico aproximado, contando las semanas de amenorrea, los siguientes elementos y situaciones:

- **5.ª semana:** el saco ovular cuando únicamente mide un centímetro de diámetro
- **6.ª semana:** son visibles las vellosidades coriales, ya se puede verificar si el embarazo es múltiple o no,
- **7.ª semana:** se consigue la visibilidad del embrión, así como de los latidos cardíacos fetales,
- **9.ª semana:** pueden estudiarse la aparición de los movimientos fetales y valorarlos convenientemente.
- **10.ª semana:** la cabeza y el tronco ya son bien visibles,
- **14.ª semana:** se observa el agrupamiento de las vellosidades coriales en un polo del huevo
- **15.ª semana:** se individualiza la columna vertebral y los miembros inferiores, así como el estómago,
- **18.ª semana:** se perciben el cayado de la aorta y las cuatro cavidades cardíacas, al igual que la vejiga.
- **20.ª semana:** ya son visibles los riñones.

Durante la gestación, la ecografía permite comprobar un huevo claro (ausencia de embrión), prever un aborto espontáneo, o descubrir un huevo molar (mola).

Esta técnica es de gran utilidad en el descubrimiento y vigilancia de retrasos en el desarrollo fetal. También facilita la práctica de la amniocentesis tardía o precoz, así como la fetoscopia.

La ecografía pone de manifiesto, cuando se dan, malformaciones fetales nerviosas (anencefalia, microcefalia, espina bífida), cardíacas, de los miembros, u otras.

Los ultrasonidos permiten detectar el sufrimiento fetal en el embarazo y el parto (por ejemplo: movimiento fetales, latidos cardíacos), así como la muerte fetal, sin tener que recurrir a las radiaciones ionizantes, que siempre son un riesgo. Además con la ecografía, al ofrecer la posibilidad de observar directamente al feto en las diversas fases de su desarrollo, se pueden evitar dosificaciones hormonales delicadas y costosas, tratamientos hormonales superfluos y no desprovistos de riesgos, y, en muchos casos, abrevia la hospitalización, casi siempre desagradable y costosa.

Cualquier tipo de radiación es nociva para el ser humano cuando sobrepasa un cierto umbral, pero mucho más para el embrión y el feto, a los que puede provocar malformaciones

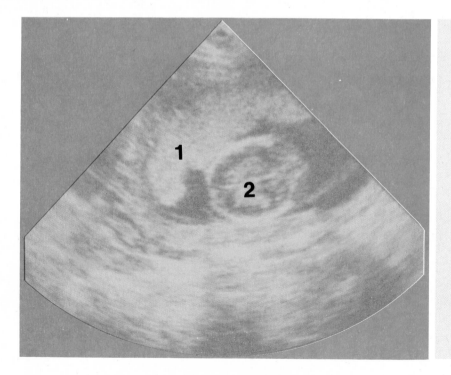

ECOGRAFÍA. La aplicación de los ultrasonidos para obtener imágenes del desarrollo del embarazo, de forma inocua para la madre y el feto, ha sido un gran avance que ha permitido que disminuyan de forma notable los riesgos de complicaciones, tanto en el embarazo como en el parto. La imagen ecográfica se puede ver en una pantalla o fijarse fotográficamente, como es el caso de la que reproducimos. Se trata de un feto en el sexto mes de desarrollo, del cual se puede apreciar la placenta (**1**) y su cabeza (**2**). Aquí se trata de una ecografía por vía abdominal. En la actualidad también se practican ecografías por vía vaginal, sobre todo en ginecología, porque así se visualiza mejor el útero y sus anejos.

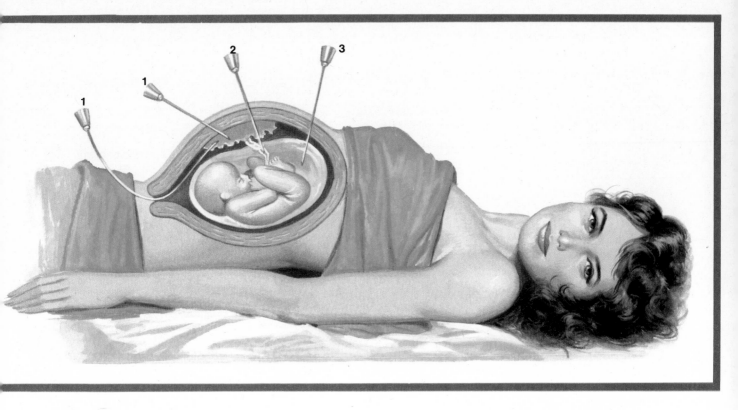

fruto de lesiones o mutaciones genéticas.

El riesgo teratógeno (malformativo) y letal es ya evidente con dosis de 25 roentgen (unidad de medida de las radiaciones). Para hacerse una idea, señalaremos que 10 minutos de radioscopia (rayos X) o 9 clichés radiográficos liberan alrededor de 50 roentgen. Incluso parece comprobado que dosis de tan sólo 3 roentgen, durante el segundo trimestre de gestación, son capaces de provocar mutaciones somáticas de origen radiactivo, como heterocromías (anomalías en la pigmentación) del iris o el fenómeno del mosaico (alteraciones en el reparto cromosómico celular).

De todas las radiaciones a las que se puede someter la embarazada, y que afectan al feto, las más peligrosas son las de cobaltoterapia (tratamiento con radiaciones de cobalto), la roentgenterapia (tratamiento con rayos X), y la exploración radioscópica y radiográfica.

Por todo ello, las radiaciones no se utilizarán, ni aun como forma de diagnóstico, antes de la semana 36.ª de embarazo. La mujer gestante debe evitar la exposición a todo tipo de radiaciones, especialmente de la zona abdominal.

La radiopelvimetría, para valorar con mayor exactitud las angosturas pelvianas y la proporcionalidad fetopélvica, no deben practicarse más que en caso de verdadera necesidad. El diámetro de la cabeza fetal debe medirse mediante ecografía.

Recordemos que, aun sin embarazo, toda mujer debe sufrir el menor número posible de exámenes radiológicos, incluso aunque se le proteja la zona ovárica.

La amniocentesis

La amniocentesis es una técnica ideada para estudiar las características del líquido contenido en la bolsa amniótica. Se practica habitualmente a partir de la 14.ª semana, por punción transparietal del abdomen materno mediante una aguja guiada ecográficamente que llega hasta la cavidad amniótica.

La amniocentesis permite la extracción de 10 o 20 mililitros de líquido amniótico. Analizando este líquido, el especialista puede realizar lo siguiente:

— Descubrimiento de anomalías enzimáticas fetales (de glúcidos, lípidos y prótidos), testigos de enfermedades hereditarias del metabolismo.
— Dosificación de la alfaproteína fetal, en caso de sospecha de anomalía abierta del sistema nervioso.
— Análisis del ADN de las células del amnios, así como el establecimiento del cariotipo y diversas anomalías cromosómicas.
— Determinación del grado de afección del feto en la enfermedad hemolítica perinatal (Rh) intraútero, determinando la concentración de bilirrubina.

RELACIONADOS CON LAS CARACTERÍSTICAS MATERNAS	+	++	+++
Edad: Menos de 18 años	•		
Edad: Más de 35 años	•		
Edad: Más de 40 años		•	
Primípara	•		
Gran multípara (5 o más embarazos)	•		
Embarazos cercanos	•		
Esterilidad anterior	•		
Madre alcohólica	•		
Madre drogadicta		•	
Madre soltera	•		
Bajo nivel socioeconómico	•		
Cardiopatía		•	•
Diabetes			•
Obesidad	•		
Pelvis estrecha	•		

RELACIONADOS CON ANTECEDENTES OBSTÉTRICOS	+	++	+++
Abortos (más de 2)	•		
Cesárea o parto muy difícil		•	
Hemorragia del alumbramiento	•		
Isoinmunización (Rh)			•
Embarazo ectópico (fuera de lugar)			•
Muerte intrauterina		•	
Muerte neonatal precoz		•	
Fetos con malformaciones		•	•
Prematuridad: menos de 32 semanas			•
Prematuridad: menos de 36 semanas		•	
Eclampsia		•	
Hipertensión	•		

RELACIONADOS CON ANOMALÍAS DEL EMBARAZO ACTUAL	+	++	+++
Gestación múltiple		•	
Hemorragia: antes de 20 semanas	•		
Hemorragia: después de 20 semanas		•	
Retraso crecimiento intrauterino		•	
Riesgo de parto prematuro		•	
Anemia: menos de 10 g de Hb	•		
Anemia: menos de 8 g de Hb		•	
Diabetes de la gestación		•	
Expulsión de meconio		•	
Fiebre	•	•	
Hipertensión: 14/9 o mayor		•	
Gestosis (intoxicación gravídica)	•	•	
Toxoplasmosis	•		

El grado de riesgo que supone cada uno de los factores viene indicado por las cruces; cuantas más haya mayor es el riesgo que para el desarrollo del embarazo y el parto ofrece dicho factor.

Según los estudios de Clavero, el 55% de los embarazos no presentan riesgo, lo presentan bajo el 18%, y son de mediano o alto riesgo el 26%.

Cuanto mayor número de factores de riesgo coincidan, y tanto más cuanto más elevado sea éste, mayores tendrán que ser los controles y cuidados a que se deberá someter la mujer, con el fin de prevenir accidentes durante la gestación y el parto. Con ello se conseguirá disminuir la morbilidad y mortalidad materno-fetal y perinatal.

Afortunadamente la mayoría de los factores de riesgo pueden ser corregidos, o cuando menos superados, gracias a la moderna tecnología diagnóstica, farmacológica y quirúrgica; siempre, claro está, que la embaraza acuda al tocólogo tan pronto perciba los primeros signos de embarazo.

— Evaluación del grado de madurez fetal general y pulmonar. El grado de madurez pulmonar permite predecir y evitar el sufrimiento respiratorio en el recién nacido.
— Investigación del estado funcional de la placenta, mediante el estudio de diversos parámetros.
— Búsqueda del meconio, con el fin de confirmar un sufrimiento fetal

Otros métodos diagnósticos

— **La fetoscopia,** aunque ya hemos indicado que es un método muy traumático, puede resultar necesaria en algunos casos, para completar los datos de la ecografía.
— **La embrioscopia** se sirve de un histeroscopio, que se aplica a través del cuello uterino sobre el amnios

fetal. Permite visualizar una buena parte del feto.

— **Exámenes placentarios y fetales:** Hacia el sexto mes de gestación, y con el auxilio de la ecografía, se puede llevar a cabo una punción de las venas placentarias y extraer sangre. Del análisis de esta sangre se puede hacer un estudio de ciertas enfermedades hereditarias como la drepanocitosis, la hemofilia o déficits inmunitarios. Con el auxilio de la fetoscopia se pueden practicar biopsias del feto, para detectar la presencia de ictiosis (escamas en la piel) o del queratoma (tumor córneo), por ejemplo.

Prevención de riesgos

Cada vez se recomienda y se solicita más el consejo genético en las siguientes circunstancias: anomalías hereditarias en la familia, abortos precoces o nacimiento de niños con anomalías cromosómicas o genéticas en embarazos precedentes, en caso de proyecto de casamiento entre parientes próximos, e incluso en otros casos (gestantes mayores de 35-40 años por ejemplo).

Toda mujer debe estar inmunizada contra la rubéola, como ya hemos indicado en el capítulo precedente. La gestante debe acudir al médico ante la sospecha de cualquier enfermedad, pues en algunos casos (determinadas viriasis, toxoplasmosis) un tratamiento precoz puede ser vital.

Durante el embarazo, y sobre todo en el primer trimestre, la futura madre debe evitar el consumo de cualquier medicamento que no haya sido recetado por su médico, ya que incluso la ingestión de algunas vitaminas supone, aunque remoto, un cierto riesgo. Determinadas vacunas están contraindicadas durante la gestación.

La mujer embarazada tiene que procurar no exponerse a traumatismos, que pueden ser perjudiciales para el feto o para el buen desarrollo de la gestación.

Reconocimientos médicos

A la segunda falta de la regla, como tarde, toda mujer debe acudir al médico, para que la someta a reconocimiento; aunque se sienta perfectamente y no haya observado ningún síntoma anormal.

En la primera visita el médico normalmente se informará de todos los detalles que le interesan, así como de la marcha de la gestación: pelvimetría, posibles anomalías uterinas, peligro de aborto, tensión arterial, composición de la orina, análisis de sangre, determi-

Una medida de prudencia elemental indica que la mujer encinta, y tanto más cuando se acerca la fecha del parto, debe estar siempre en situación de ponerse de inmediato en contacto con la matrona y el tocoginecólogo que han vigilado y controlado su embarazo.

697

La mujer gestante conviene que controle su peso para que «los kilos» sean sólo los «del embarazo» (pág. 711). Comer para dos no significa comer el doble. En este mismo capítulo presentamos los principios generales para establecer el régimen alimentario correcto durante el embarazo (págs. 706-711).

VIGILANCIA MÉDICA (I)

CONSULTAS Y REVISIONES

Es aconsejable una visita cada mes de gestación, y dos durante el último; aunque el médico o la matrona indicarán la pauta a seguir en cada caso según las circunstancias. Cada consulta es importante, pero en la primera, el médico tomará nota de sus antecedentes clínicos y ginecológicos, así como de las circunstancias particulares que pudieran influir sobre su embarazo. Por lo tanto, la mujer debe ir bien documentada a la consulta para dar al médico cuántos datos puedan ser de interés (reglas, embarazos anteriores, enfermedades de la familia, etc.). En subsiguientes revisiones, se efectuarán las explotaciones necesarias para controlar el tamaño del útero, aumento de peso, tensión arterial y estado general de la gestante.

CARTILLA DEL EMBARAZO

En España se está generalizando, en los centros hospitalarios y algunos ambulatorios, el uso de la cartilla de la embarazada, donde se hace constar la historia clínica y ginecológica, así como los resultados de todas las exploraciones efectuadas durante el embarazo. Se registrarán también las incidencias del parto y los datos del recién nacido. Se trata de un documento de gran valor, que la gestante debe llevar siempre a todas las consultas, y por supuesto a la clínica maternal en el momento de dar a luz. Algunos hospitales sustituyen esta cartilla por un historial médico en el que se reflejan los datos citados.

ANÁLISIS DE SANGRE

A lo largo del embarazo el médico pedirá tres o cuatro análisis en los que obtendrá información cuantitativa de los diferentes elementos de la sangre: glóbulos rojos y blancos, hemoglobina, hematocrito, hierro, glucemia; así como otros factores que le ayudarán a controlar mejor el embarazo: factor Rh, prueba de rubéola, prueba de toxoplasmosis y reacción de Wasseman. En algunos casos puede pedir también algún examen adicional para confirmar o descartar enfermedades que influyen negativamente en el embarazo: uremia, GOT, GPT, bilirrubina, colesterol, triglicéridos, creatinina, test de Coombs, serología de la hepatitis, alfa-fetoproteína.

ANÁLISIS DE ORINA

Se suelen efectuar tres a lo largo del embarazo. A través de ellos se controlan, entre otros, los niveles de albúmina (prótidos), glucosa, acetona y leucocitos. Permiten detectar infecciones u otras enfermedades que pudieran complicar el embarazo.

ECOGRAFÍAS

Son de gran ayuda para el médico, pues permiten conocer la evolución y posición del feto y placenta con gran precisión (ver cuadro de la página 693). El número de ecografías efectuadas dependerá del facultativo y del desarrollo del embarazo. Por lo general suelen efectuarse tres: una precoz, entre las semanas 8.ª y 12.ª, para determinar la edad gestacional, y detectar un posible embarazo múltiple; otra hacia la semana 20.ª, para descubrir posibles malformaciones; y la tercera entre las semanas 30.ª a 34.ª, para cerciorarse que el ritmo de crecimiento es adecuado.

VIGILANCIA MÉDICA (II)

MONITORIZACIÓN

Esta prueba permite conocer la frecuencia cardíaca fetal y las contracciones uterinas, por medio de ultrasonocardiografía, mediante dos detectores aplicados en el abdomen de la embarazada, uno superior (contracciones uterinas) y otro inferior (actividad cardíaca fetal). Los resultados quedan registrados en dos gráficas paralelas sobre una tira de papel. Por lo general, suelen efectuarse una o dos monitorizaciones a término (semanas 38.ª a 40.ª), aunque también se pueden hacer con anterioridad si las circunstancias lo aconsejan.

AMNIOCENTESIS

Se suele practicar en mujeres de alto riesgo de malformaciones genéticas (mujeres de más de 35 años, mujeres con antecedentes de malformaciones).

PREPARACIÓN PARA EL PARTO

En el tercer trimestre del embarazo la madre debe inscribirse en los cursillos de preparación psicoprofiláctica para el parto, donde aprenderá a conocer mejor las peculiaridades del embarazo y del parto, de forma que cuando se presente cualquier fenómeno sepa reconocerlo y actuar en consecuencia (contracciones, rotura de bolsa amniótica, pérdida de sangre, etc.). Aprenderá también a relajarse y a respirar de forma que pueda controlar las contracciones y colaborar activamente en el parto. La matrona o el médico orientarán a la futura madre para que pueda inscribirse en estos cursillos.

CERTIFICADO

En algunos casos, cuando la gestante ejerce alguna actividad laboral incompatible con su embarazo (centro nuclear, rayos X, fábrica de productos tóxicos), el médico puede extender un certificado en el que indicará los motivos por los que la mujer no puede continuar con su trabajo habitual, aconsejando que sea trasladada a otro puesto.

---

nación del Rh, etcétera. Si lo cree conveniente prescribirá algún medicamento, y en cualquier caso orientará a la mujer sobre el régimen alimentario apropiado y el estilo de vida conveniente a su estado.

Normalmente se aconseja una consulta médica cada mes de gestación, y dos durante el último; aunque, según las circunstancias y el caso, puede ser necesario establecer otras pautas.

En los reconocimientos médicos se toma la tensión arterial a la embarazada, se controla su peso, se revisa su estado general, y con regularidad se procede a un análisis de orina y otro de sangre, y la realización de una ecografía, que permite observar de forma directa el desarrollol fetal.

Después del reconocimiento del tercer o cuarto mes, y los correspondientes exámenes y análisis, el médico quizá proceda a una regulación de la dieta y a recetar algún complemento nutritivo o vitamínico.

En el séptimo mes, el médico, aparte de las medidas habituales, suele dar instrucciones a la gestante para el cuidado de los pechos. Por si el parto se adelantara, especialmente en los embarazos que se sospecha un adelantamiento, se aconseja a la mujer que lo tenga todo preparado, y que la persona que la haya de acompañar a la maternidad esté siempre localizable y dispuesta.

En las últimas revisiones se comprueba la estática fetal y se fijan los preparativos para el parto. Por último, en los días finales de la gestación, el médico realizará un último examen de comprobación de que todo marcha bien.

Duración del embarazo

La duración del embarazo en la especie humana es de 280 días, contando a partir del primer día de la última regla, equivalentes a 40 semanas de amenorrea (falta de regla) y a 38 semanas de gestación. Diferencias de hasta 14 días en más o menos se consideran como normales, según se estableció en el congreso de 1958 de la FIGO (Federación Internacional de Ginecología y Obstetricia) celebrado en Ginebra.

Es necesario establecer criterios uniformes en el cálculo de la duración del embarazo, con el fin de evitar ansiedades, que sufren la mujer y sus familiares, cuando el parto no llega en el momento que habían calculado.

Por lo general la mujer suele indicar el tiempo que lleva embarazada contando como completos los meses que no ha tenido la regla. De modo que, si por ejemplo tenía prevista la llegada de la menstruación para el día 20, dice que en ese momento se halla ya embarazada de un mes, cuando en realidad se trata de la primera falta de la regla.

Entre la regla anterior y la siguiente, que ya no se producirá por causa de la fecundación, se interpone una ovulación, que se produce hacia el 14.º día después del inicio de la última regla (en un ciclo de 28 días), y 14 días antes de la primera falta. De modo que, en la primera falta, el embarazo no es de un mes, sino de dos semanas; aunque haya habido cuatro semanas de amenorrea. De ahí las aparentes discrepancias entre las cuentas de la mujer y el cálculo del médico.

CALENDARIO OBSTÉTRICO

	1	2	3	4	5	6	7	8	9	10	11	12	13	14	15	16	17	18	19	20	21	22	23	24	25	26	27	28	29	30	31
ENERO	1	2	3	4	5	6	7	8	9	10	11	12	13	14	15	16	17	18	19	20	21	22	23	24	25	26	27	28	29	30	31
OCTUBRE	8	9	10	11	12	13	14	15	16	17	18	19	20	21	22	23	24	25	26	27	28	29	30	31	1	2	3	4	5	6	7
FEBRERO	1	2	3	4	5	6	7	8	9	10	11	12	13	14	15	16	17	18	19	20	21	22	23	24	25	26	27	28			
NOVIEMBRE	8	9	10	11	12	13	14	15	16	17	18	19	20	21	22	23	24	25	26	27	28	29	30	1	2	3	4	5			
MARZO	1	2	3	4	5	6	7	8	9	10	11	12	13	14	15	16	17	18	19	20	21	22	23	24	25	26	27	28	29	30	31
DICIEMBRE	6	7	8	9	10	11	12	13	14	15	16	17	18	19	20	21	22	23	24	25	26	27	28	29	30	31	1	2	3	4	5
ABRIL	1	2	3	4	5	6	7	8	9	10	11	12	13	14	15	16	17	18	19	20	21	22	23	24	25	26	27	28	29	30	
ENERO	6	7	8	9	10	11	12	13	14	15	16	17	18	19	20	21	22	23	24	25	26	27	28	29	30	31	1	2	3	4	
MAYO	1	2	3	4	5	6	7	8	9	10	11	12	13	14	15	16	17	18	19	20	21	22	23	24	25	26	27	28	29	30	31
FEBRERO	5	6	7	8	9	10	11	12	13	14	15	16	17	18	19	20	21	22	23	24	25	26	27	28	1	2	3	4	5	6	7
JUNIO	1	2	3	4	5	6	7	8	9	10	11	12	13	14	15	16	17	18	19	20	21	22	23	24	25	26	27	28	29	30	
MARZO	8	9	10	11	12	13	14	15	16	17	18	19	20	21	22	23	24	25	26	27	28	29	30	31	1	2	3	4	5	6	
JULIO	1	2	3	4	5	6	7	8	9	10	11	12	13	14	15	16	17	18	19	20	21	22	23	24	25	26	27	28	29	30	31
ABRIL	7	8	9	10	11	12	13	14	15	16	17	18	19	20	21	22	23	24	25	26	27	28	29	30	1	2	3	4	5	6	7
AGOSTO	1	2	3	4	5	6	7	8	9	10	11	12	13	14	15	16	17	18	19	20	21	22	23	24	25	26	27	28	29	30	31
MAYO	8	9	10	11	12	13	14	15	16	17	18	19	20	21	22	23	24	25	26	27	28	29	30	31	1	2	3	4	5	6	7
SEPTIEMBRE	1	2	3	4	5	6	7	8	9	10	11	12	13	14	15	16	17	18	19	20	21	22	23	24	25	26	27	28	29	30	
JUNIO	8	9	10	11	12	13	14	15	16	17	18	19	20	21	22	23	24	25	26	27	28	29	30	1	2	3	4	5	6	7	
OCTUBRE	1	2	3	4	5	6	7	8	9	10	11	12	13	14	15	16	17	18	19	20	21	22	23	24	25	26	27	28	29	30	31
JULIO	8	9	10	11	12	13	14	15	16	17	18	19	20	21	22	23	24	25	26	27	28	29	30	31	1	2	3	4	5	6	7
NOVIEMBRE	1	2	3	4	5	6	7	8	9	10	11	12	13	14	15	16	17	18	19	20	21	22	23	24	25	26	27	28	29	30	
AGOSTO	8	9	10	11	12	13	14	15	16	17	18	19	20	21	22	23	24	25	26	27	28	29	30	31	1	2	3	4	5	6	
DICIEMBRE	1	2	3	4	5	6	7	8	9	10	11	12	13	14	15	16	17	18	19	20	21	22	23	24	25	26	27	28	29	30	31
SEPTIEMBRE	7	8	9	10	11	12	13	14	15	16	17	18	19	20	21	22	23	24	25	26	27	28	29	30	1	2	3	4	5	6	7

Busque la fecha correspondiente a su última regla en las líneas de números con trazo fino y negro. Inmediatamente debajo, el número de trazo más grueso y de color grana le indicará la fecha probable de parto. Un adelanto o retraso de 10-15 días respecto a la fecha hallada también se consideran normales.

ESTILO DE VIDA DE LA EMBARAZADA

El estilo de vida de la embarazada no sólo le afectará a ella sino también a su hijo, tanto en el buen desarrollo del embarazo y el parto, como para la conservación de la salud de la madre y para favorecer la del ser en formación. Por eso es muy importante tomar en cuenta una serie de recomendaciones que exponemos a continuación.

La preparación para el embarazo y la maternidad, comienza en realidad, no ya durante la infancia, sino incluso antes del nacimiento. Una niña que ha tenido la suerte de haber sido concebida en las mejores condiciones, que ya

nació con suficiente robustez, y si además fue alimentada correctamente durante todo su crecimiento, el desarrollo de su organismo habrá sido óptimo, y se hallará, cuando llegue a ser mujer, perfectamente a punto para un embarazo normal. Si además el varón con el que se casó goza de buena salud, las posibilidades de un feliz embarazo son máximas.

El estilo de vida de la embarazada no debe variar sustancialmente con respecto del que venía siguiendo antes.

La mujer gestante puede seguir ocupándose de su trabajo, siempre que

éste no suponga riesgos para el feto y no le produzca mucha fatiga. A partir de la 32.ª semana de gestación, la mujer debiera abandonar toda tarea impuesta y dedicarse en un ambiente de calma y sosiego a tareas sencillas. La legislación de los países avanzados, de acuerdo con este ideal, concede a la mujer un período de reposo remunerado en las últimas semanas del embarazo, con el fin de que el parto se produzca en las mejores condiciones.

Los paseos al aire libre, siempre que no produzcan cansancio, son ideales por el aporte de aire puro que suponen. En cambio, la permanencia en lugares cerrados, donde el aire se halla viciado, y especialmente si está cargado de humo de tabaco, resulta nociva.

El embarazo no supone la suspensión de la práctica deportiva, siempre que esté debidamente controlada por el médico, aunque se deben evitar los esfuerzos intensos. Hay deportes como la equitación o el motociclismo que resultan contraindicados, así como todos los que supongan movimientos bruscos o violentos, u ofrezcan riesgos de caídas o golpes. La natación, aunque sea practicada de forma suave, está contraindicada durante el último trimestre del embarazo. El deporte ideal para todo el período de gestación es la gimnasia, que además debiera incluir los ejercicios específicos de preparación para el parto (véalos expuestos fotográficamente en las páginas 750 y 751).

Una embarazada tiene que evitar el contacto con todo tipo de enfermos contagiantes.

Si el médico no indica lo contrario, la mujer gestante puede viajar, siempre que lo haga en las debidas condiciones de seguridad y comodidad, evitando, sin embargo, los viajes largos, sobre todo a partir del séptimo mes, pues un parto prematuro en un tren, un barco, un avión, o en un lugar aislado, es un riesgo que no debe correrse.

Es preciso que la actividad física de la mujer embarazada esté debidamente equilibrada con los necesarios períodos de descanso. El ama de casa puede alternar una hora de actividad de pie con otra de actividad sentada, o de reposo. Esos momentos de descanso o de actividad ligera en reposo, deben ser aprovechados para colocar las piernas en sobreelevación, con el objeto de mejorar la circulación venosa de retorno de las extremidades inferiores. La gestante debe dormir de ocho a diez horas diarias.

La mujer embarazada debe evitar todas las impresiones que produzcan alteraciones anímicas importantes. Así que evitará disgustos y emociones fuertes, a causa de problemas personales, o incluso debidos a la asistencia a espectáculos, a lecturas, o a conversaciones. Por el contrario procurará leer, ver y escuchar todo aquello que la alegre y eleve su espíritu, pues esto la beneficia a ella y al hijo que lleva en su seno.

La mujer embarazada no tiene por qué enclaustrarse. Puede realizar viajes cortos en automóvil o en medios de transporte colectivo, si toma las debidas precauciones y no sufre apreturas, agobio, o se ve sometida a temperaturas extremas. Los paseos en bicicleta, menos aún a caballo, y mucho menos en motocicleta, no le están permitidos a la gestante; ya que el traqueteo propio de estos medios de transporte resulta perjudicial para el buen desarrollo del embarazo.

701

SÍ O NO DE LA MUJER EMBARAZADA

SÍ

SALIR DE DUDAS

Cuando tenga sospecha de embarazo, consulte con su médico, o si lo prefiere hágase un test de embarazo.

DESCANSE

Duerma nueve horas diarias mejor que ocho. Hacia el final del día procure relajarse, póngase cómoda y mantenga un buen rato las piernas en alto.

HIGIENE PERSONAL

Ducha diaria, lavado de manos frecuente, cepillado de dientes después de cada comida. Visite al dentista.

ALIMENTACIÓN EQUILIBRADA

Consuma alimentos variados y frescos. En la página 707 encontrará información sobre la cuestión.

HAGA EJERCICIO FÍSICO

Camine o pasee una hora o más, todos los días. Puede seguir practicando deportes que no sean violentos, como la natación. Vea la tabla de gimnasia especial para la mujer embarazada en las páginas 750 y 751.

CULTIVE SU MENTE Y SU ESPÍRITU

Dedique tiempo a leer buenos libros, a escuchar música que le resulte agradable y relajante. Recréese con recuerdos, ideas y proyectos positivos. Confíe en su médico y comadrona (matrona) y acepte de buen grado sus consejos.

NO

AUTOMEDICACIÓN

No es recomendable nunca, pero especialmente ahora. No tome ningún medicamento por muy inofensivo que le parezca, sin el consentimiento de su médico. Evite las radiografías.

CANSANCIO

Procure hacer sus labores sin llegar a agotarse. Deje para más adelante los trabajos pesados y las grandes limpiezas de la casa. Busque a alguien que le ayude si es necesario.

IRRIGACIONES

Para evitar infecciones absténgase de los lavados e irrigaciones intravaginales.

TABACO, ALCOHOL Y DROGAS

Son los grandes enemigos del embarazo. Atraviesan la barrera placentaria y afectan al feto. Rehuya igualmente los ambientes contaminados.

CAÍDAS

Al practicar deportes, caminar, subir o bajar escaleras, evite el riesgo de caídas.

VIAJES

Absténgase siempre que sea posible, sobre todo durante el último período de embarazo. Si es necesario, el tren es preferible al automóvil, y el automóvil es mejor que el avión.

Las relaciones sexuales

Ya hemos dado algunas indicaciones sobre las relaciones sexuales durante el embarazo en el capítulo 14. Aparte de las precauciones allí indicadas, se deben tener en cuenta las siguientes:

— Los senos femeninos pueden estar muy sensibles, por lo que habrá que acariciarlos con delicadeza.

— Cualquiera que sea la posición que se elija para el coito, no debe resultar molesta para la mujer ni comprimir su abdomen, y la penetración debe realizarse con suavidad, de manera que la mujer no sienta malestar.

— El varón debe comprender la situación de su compañera, corresponsabilizándose del embarazo, y aceptar como normal que una mu-

jer pueda perder interés por el sexo durante el primer trimestre de gestación, sobre todo si sufre agotamiento, náuseas o vómitos.

— Aunque durante el segundo y tercer trimestre el deseo sexual generalmente se normaliza, es posible que desaparezca en las últimas semanas de la gestación.

— Si la embarazada tiene antecedentes de aborto espontáneo, es imprescindible que el médico determine si las relaciones sexuales pueden perjudicar la buena marcha del embarazo, y actuar en consecuencia.

Tranquilicemos a todas las parejas aclarando que no es cierto que el pene alcance a perjudicar al feto directamente, si los órganos copuladores son normales y no hay alteraciones físicas o patológicas de ningún tipo; pues la vagina femenina se alarga cuando la mujer se excita sexualmente. Los abortos espontáneos anteriores, partos prematuros, hemorragias, y otros trastornos, que pueden repetirse, y la insuficiencia cervical, que puede facilitar un aborto, y sobre todo el desencadenamiento intempestivo del parto, malograrían la gestación o perjudicarían al feto. En estos casos la práctica del coito debiera ser muy prudente, o incluso suprimida.

Aunque a veces se habla de que las contracciones uterinas provocadas por la excitación sexual y el propio orgasmo, podrían provocar daños en el hijo en formación, no hay ningún hecho científico que avale esta idea, cuando se trata de un embarazo y constitución orgánica completamente normales. Las contracciones uterinas son habituales durante el embarazo, y por supuesto durante el parto, cuando son de mucha mayor intensidad. El orgasmo por sí mismo, aunque no se conoce como afecta realmente al feto, no parece que le produzca ningún perjuicio.

Cuidados higiénicos de la embarazada

Los baños y duchas deben tomarse a unos 32°C. En la última semana de embarazo conviene evitar los baños, por los riesgos de infección que suponen; es preferible la ducha.

Los tratamientos hidroterápicos con agua fría están contraindicados, y únicamente se pueden aplicar localmente, y bajo control facultativo. Téngase en cuenta que el agua fría provoca reacciones intensas, las cuales pueden resultar muy contraproducentes para la mujer encinta.

Los baños en la playa o la piscina son desaconsejables durante todo el embarazo, excepto si el agua se halla bien tranquila y a temperatura agrada-

La mujer, durante el embarazo, debe seguir con los cuidados higiénicos y de belleza de costumbre, y aun extremarlos si cabe. Para la higiene corporal general no resulta, sin embargo, recomendable el baño. La ducha es mejor, pues evita la posibilidad de un contagio por el agua que pudiera introducirse por vía vaginal.

ble, y además se tiene la certeza de que sus aguas se hallan completamente libres de contaminación.

Es aconsejable ampliar las prácticas habituales de higiene genital externa, a causa del aumento de las secreciones. Los lavados externos pueden realizarse dos o tres veces por día. El agua que se use estará bien hervida, para evitar la posible presencia de gérmenes patógenos. El agua puede hervirse con manzanilla u otras hierbas medicinales apropiadas. Para el lavado no es conveniente usar esponja, sino mejor una toallita que se cambiará ca-

da vez y se lavará convenientemente, y mejor si es de un solo uso. La humedad permanente de la esponja favorece el desarrollo y proliferación microbianos. Durante el embarazo no se debe aplicar ninguna irrigación o lavado vaginal si no es por indicación del médico.

Si la higiene bucal con un buen cepillado dental es conveniente siempre, durante el embarazo más si cabe; pero sin olvidar la importante indicación de que debe llevarse a cabo con un cepillo que no sea duro y cuyas fibras no rayen el esmalte.

La ropa de la embarazada debe ser lo más cómoda posible y que no comprima. El sujetador tiene la función de evitar que la mama caiga, pues cuando eso se produce, se ven favorecidos los trastornos en la circulación venosa de retorno. Ahora bien, esta prenda íntima debe, como su nombre indica, sujetar, no comprimir, con el fin de no dificultar los movimientos respiratorios. Hoy en día no se considera imprescindible el uso de faja durante el embarazo, aunque algunos tocólogos recomiendan el empleo de las fajas tradicionales no elásticas, adaptables a la anatomía de cada mujer y al aumento del volumen abdominal. Resultan particularmente útiles en el caso de grandes multíparas con abdomen péndulo.

Cuidado de las mamas

Durante la lactancia resultan frecuentes las grietas en los pechos y sus complicaciones. Para evitarlas conviene exponerlos al aire y al sol durante el período de gestación; pero durante breves períodos de tiempo: una media hora dos veces al día, empezando con cinco minutos y aumentando el tiempo de exposición lenta y progresivamente. Si no se pueden aplicar baños de sol a los pechos, su exposición a la lámpara de cuarzo es un buen sustitutivo. Con esto se consigue la pigmentación y el fortalecimiento del pezón y la mamila areolar.

Al iniciarse el último trimestre del embarazo pueden lavarse los pezones y aréolas con agua, al mismo tiempo que se les aplica un ligero masaje tonificante.

En caso de pezón muy pequeño o aplanado, resulta conveniente la aplicación de un masaje y estiramiento moderado un par de veces por día.

La ropa y el calzado de la embarazada

La mujer gestante debe usar ropa cómoda, que no comprima ninguna parte de su organismo, pero que la abrigue de modo suficiente.

El sujetador deberá evitar que la mama caiga; pues, si eso ocurre, se producen trastornos en la circulación venosa de retorno. La buena sujeción de las mamas nunca debe ser tan fuerte que dificulte los movimientos respiratorios.

Aunque en la actualidad su uso no sea general, algunos tocólogos recomiendan a las gestantes el uso de las fajas tradicionales no elásticas, adaptables a la anatomía de cada mujer y al aumento del volumen abdominal. Son especialmente útiles en el caso de grandes multíparas con abdomen péndulo. Después del parto debe abandonarse el uso de la faja, y proceder a la recuperación de la musculatura abdominal mediante ejercicios gimnásticos y deportivos apropiados (véanse al final de esta sección, en el capítulo 45 dedicado al puerperio, las páginas 812-814).

El calzado tiene que ser cómodo. El tacón debe ser lo más bajo posible.

Tabaco y alcohol

Si la ingestión de cualquier droga resulta nociva para su consumidor, durante el embarazo perjudica directamente a dos seres, al que la toma consciente y voluntariamente, y al que lo hace de forma pasiva: el feto. El tabaco y el alcohol, aunque sean drogas legales, y su uso tolerado, e incluso fomentado, no por eso resultan menos perjudiciales para la madre gestante y para el hijo que lleva dentro.

Las madres fumadoras dan a luz niños con un peso inferior a los de las no fumadoras en 200 gramos como promedio, debido a que la nicotina produce un retraso en el desarrollo fetal. Entre los neonatos de mujeres fumadoras se produce una mortalidad perinatal superior en un 28% en relación con los de no fumadoras.

El riesgo de embarazos ectópicos (fuera de lugar) y de aborto, es mucho mayor entre las mujeres fumadoras que entre las que no consumen tabaco.

El doctor Fernando Bonilla, catedrático de ginecología y obstetricia de la Universidad de Valencia (España) ha dirigido un programa de investigación sobre los efectos del tabaco en el feto, cuyas conclusiones, según sus propias palabras, han sido:

«Hemos podido observar que la nicotina contenida en un solo cigarrillo es capaz de disminuir, hasta en un treinta por ciento, la frecuencia de los movimientos respiratorios fetales. Hemos observado que la nicotina pasa con toda facilidad la placenta y alcanza en el niño niveles semejantes a los de la madre en un tiempo brevísimo. Pero, en el niño, la concentración permanece durante dos o tres horas, cosa que no pasa a su progenitora, que elimina el tóxico mucho antes. El efecto indicado aparece con un solo cigarrillo. Imagínese pues lo que acontece con una fumadora habitual: llegan a anularse los movimientos respiratorios [fetales].

»[Esa anulación], por un lado inhibe el desarrollo de los músculos torácicos de la respiración (...), y por otro imposibilita un correcto desarrollo de los centros respiratorios en el sistema nervioso central. (...) La inhibición pulmonar del niño intraútero puede crearle gravísimos problemas en el momento de nacer.»

Así que el doctor Bonilla, como cualquier médico, no puede dar otro consejo que la abstención total de tabaco en todo momento, pero de forma imprescindible durante el embarazo, para no hacer correr graves riesgos, tanto antes como después del nacimiento, al hijo en formación.

En algunos países las leyes son muy intolerantes con los fumadores,

pero muy permisivas respecto de los bebedores, cayendo así en una tremenda contradicción, pues resulta innegable que el alcohol es una de las drogas duras... Y el alcohol es el mismo si se toma en forma de whisky, vodka, ron o coñac, o bien en forma de vino, sidra o cerveza. Es además uno de los tóxicos que atraviesan la barrera placentaria sin dificultad. El alcohol es nocivo en cualquier cantidad que se ingiera, pero cuando se sobrepasa un determinado límite —variable de un individuo

En los países latinos, y particularmente en España y Latinoamérica, poco gente es plenamente consciente de que el tabaco es una droga, y que el alcohol es la droga común más perniciosa después de la heroína. Cuando alguien consume esos dos productos, incluso en pequeñas dosis, está deteriorando su salud. Cuando los consume la mujer embarazada se perjudica a ella misma y a la inocente e indefensa criatura que lleva en su seno.

a otro— resulta altamente peligroso, por sus propios efectos en el organismo y por los trastornos de la personalidad que produce.

El alcohol provoca pérdida de apetito, debido a lo cual la madre puede sufrir carencias nutritivas. Pero eso no es lo peor. Cuando una mujer embarazada bebe en exceso se llega a producir lo que se conoce como el síndrome alcohólico fetal, que se manfiesta con la aparición de uno o varios de estos trastornos: retraso e inmadurez en el crecimiento prenatal, que sigue produciéndose después del nacimiento; alteraciones cerebrales causantes de una disminución de la inteligencia; alteraciones motoras, y malformaciones cardíacas y renales, o de otros órganos. Además en el momento del nacimiento el niño puede presentar el consabido síndrome de abstinencia con vómitos, diarreas y convulsiones.

Al igual que en el caso del tabaco, con el alcohol en todas sus formas, la única conducta razonable y segura es abstenerse por completo de su consumo durante el embarazo y la lactancia, por el bien del hijo... y antes y después, por el bien propio.

LA ALIMENTACIÓN DURANTE EL EMBARAZO

La alimentación es un factor absolutamente primordial para la conservación de la salud. Y en este caso la dieta de la madre mantiene en buen estado su propio organismo y el del hijo que se está desarrollando dentro de ella. (Véase la TABLA ANALÍTICA DE LOS ALIMENTOS, págs. 897-903.)

El organismo de la mujer durante el embarazo se halla en una situación en que se le exige un rendimiento máximo, por lo que debe cuidar que su nutrición sea óptima. Las necesidades nutritivas de la gestante varían, cuantitativa y cualitativamente, y eso debe ser tenido en cuenta a la hora de elaborar una dieta equilibrada.

El feto extraerá las sustancias nutritivas que necesite allí donde se encuentren, merced a una alimentación adecuada de la madre, o, en caso contrario, las «robará» al organismo de la madre. A esta realidad se la denomina principio de la primacía ovular. En virtud de este principio en épocas o zonas de hambre, nacen niños robustos, pero a expensas de la depauperación materna. Sin embargo, el precario estado de la madre hace que el niño no nazca con las reservas suficientes de hierro, calcio, fósforo y vitaminas B y D, lo cual puede ser causa de diversos trastornos. Si el grado de malnutrición de la gestante es muy elevado, puede producirse un parto prematuro con feto de poco peso y tamaño.

Déficit de nutrientes esenciales

Cuando la embarazada no toma suficientes glúcidos, se produce una aci-

LA ALIMENTACIÓN DE LA EMBARAZADA

1 DIETA VARIADA

Con una dieta ovolactovegetariana variada se consigue un aporte adecuados de glúcidos, lípidos y prótidos, así como un buen equilibrio entre vitaminas, sales minerales y fibra.

2 FRECUENCIA DE LAS COMIDAS

Cuando el embarazo transcurre normalmente se pueden mantener las tres tomas habituales: desayuno, almuerzo y cena. En caso de sufrir náuseas y vómitos persistentes, se puede añadir una cuarta o quinta toma (reduciendo las cantidades de cada una), que se podrían situar a media mañana o a media tarde.

3 CANTIDADES ADECUADAS

«Comer para dos» no significa comer el doble. Las cantidades necesarias para el desarrollo del feto aumentan poco el número de calorías. Sólo necesitará unas 200 o 400 calorías más por día.

4 NIVELES DE AUMENTO DE PESO

El aumento de peso difiere en cada mujer, dependiendo de su constitución y de si estaba o no en su peso ideal al comenzar el embarazo. En general no es aconsejable que la mujer aumente más de un quinto de su peso normal, es decir, no más de 10 o 12 kilos.

5 LÍPIDOS (GRASAS)

Son necesarios, sobre todo para el desarrollo del sistema nervioso fetal, pero no conviene abusar de ellos. Deben consumirse preferiblemente grasas vegetales. Evite el consumo de salsas, fritos y embutidos.

6 DULCES

El consumo de pasteles, caramelos y dulces en general hacen engordar y disminuyen el apetito, en detrimento de los alimentos ricos en proteínas, minerales y vitaminas.

7 FRUTAS Y HORTALIZAS

Es particularmente aconsejable el consumo de frutas, verduras y toda clase de hortalizas. Son la mejor forma de ingerir y asimilar minerales y vitaminas naturales.

8 FIBRA

Para prevenir el estreñimiento, bastante frecuente en muchas mujeres, sobre todo al final de su embarazo, es muy conveniente comer alimentos ricos en fibra, principalmente cereales y harinas integrales, pan integral, y también frutas y verduras.

9 BEBIDAS

Para mantener un buen equilibrio hídrico es conveniente beber suficiente agua: unos dos litros diarios, excepto si presenta edema por retención de líquidos, en cuyo caso tendrá que reducir dicha cantidad según criterio del facultativo. También son recomendables los zumos naturales, sin azucarar, de frutas y hortalizas, así como las infusiones y tisanas. Están totalmente contraindicadas cualquier tipo de bebidas alcohólicas, café, té y otras bebidas estimulantes.

10 REDUCIR LA SAL

Si en general es recomendable reducir el consumo de sal, mucho más lo es en la dieta de la embarazada, para evitar la tendencia a la retención excesiva de líquidos en los tejidos.

dosis, que se manifiesta con la aparición de acetona en la orina.

La falta de lípidos (grasas) es un impedimento para la asimilación de las vitaminas liposolubles (solubles en grasa): A, D, E y K, con los trastornos consiguientes.

Un bajo consumo de prótidos, es decir de elementos formadores, puede ser causa de hipoproteinemia, edemas y anemia.

Vitaminas

— **Vitamina A.** La vitamina A vehiculada por los lípidos, ingresa en el organismo en forma de provitamina A. En el hígado es transformada en vitamina A. Si el hígado materno se halla alterado, se producirá un déficit en la madre, no así en el feto, cuya placenta transforma la provitamina en vitamina. Esta vitamina es protectora de los epitelios y de la función visual. Su déficit da lugar a alteraciones oculares y a la hemeralopía o ceguera nocturna.

— **Complejo B.** La falta de vitaminas del complejo B es también causa de trastornos: polineuritis, estreñimiento, anemia, edemas, trastornos cardíacos y otros. En los países desarrollados, donde no existe el hambre, es muy difícil encontrar estados carenciales graves de vitamina B; aunque no es infrecuente encontrar casos de trastornos nerviosos más o menos importantes, entre cuyas causas se cuenta una insuficiente ingestión de este complejo vitamínico (especialmente de vitamina B_1, llamada también aneurina o tiamina).

— **Vitamina C.** La escasez de vitamina C ocasiona gingivitis, infecciones más fáciles, partos más lentos y estados subescorbúticos del lactante, con trastornos en la formación de los huesos y de los dientes.

— **Vitamina D.** La vitamina D es el agente fijador del calcio en el niño. Su escasez provoca raquitismo y osteomalacia (reblandecimiento óseo generalizado).

— **Vitamina K.** Un déficit de vitamina K es muy importante, sobre todo en relación con la vida del niño después del nacimiento, porque puede ser causa de hemorragias.

MENÚS DE 2.400 CALORÍAS PARA LA EMBARAZADA

MENÚ n.° 1

gramos

DESAYUNO:

Un vaso de leche	200
Pan integral	50
Margarina vegetal	30
Una cucharada de mermelada casera	25
Dos magdalenas	40
Ensalada de frutas con dos cucharadas de nata (crema) líquida	200

ALMUERZO (COMIDA DEL MEDIODÍA):

Ensalada variada	200
Una cucharada de levadura de cerveza	7
Pan integral	50
Lentejas estofadas (o cualquier potaje de legumbre no muy espeso)	300*
Champiñones (o berenjenas) a la plancha	250
Un yogur natural con una cucharadita de miel (melaza) de caña	125
Fruta (una pieza)	150

CENA:

Judías verdes hervidas, con poco aceite (o bien repollo, o borraja, o acelgas)	250*
Tortilla española	125*
Pan tostado	8
Un vaso de leche	200

MENÚ n.° 2

DESAYUNO:

Bircher Muesli: dos cucharadas de copos de avena (puestos a remojo la noche anterior), pasas, orejones, nueces, avellanas, coco (a trocitos o rallado), fruta troceada menuda (manzana, pera, plátano, fresón), 1/2 yogur, una cucharada de miel (melaza) de caña, dos cucharaditas de crema de leche (nata), un poco de agua	400

ALMUERZO (COMIDA DEL MEDIODÍA):

Ensalada con germinados y aguacate	200
Una cucharada de levadura de cerveza	7
Pan integral	50
Sopa de cebolla con queso (o bien sopa de cereales, o sopa de almendras)	300*

gramos

Albóndigas de carne vegetal con salsa de tomate (o croquetas con pisto, o «escalivada»)	250*
Un vaso de leche	200

CENA:

Un vaso de zumo de uva y grosella	200
Coliflor o brécol hervido, con poco aceite	200*
Dos rodajas de carne vegetal empanadas	50*
Dos rebanadas de pan tostado	16
Un yogur	200
Una manzana	150

MENÚ n.° 3

DESAYUNO:

Un vaso de zumo de naranja	200
Una cucharada de miel (melaza) de caña	20
Pan integral	50
Tortilla francesa de un huevo, con poco aceite	60
Queso fresco (tipo Burgos)	50
Una vaso de leche	200

ALMUERZO (COMIDA DEL MEDIODÍA):

Ensalada variada con maíz tierno hervido	250
Una cucharada de levadura de cerveza	7
Macarrones con salsa de tomate, champiñones y queso (o bien otra pasta, o pizza)	300*
Una manzana	150
Un yogur	125

CENA:

Consomé de verduras con picatostes	250*
Una cucharada de germen de trigo	10
Dos salchichas de soja	70
Pan integral	25
Uva	200
Un vaso de leche	200

MENÚ n.° 4

DESAYUNO:

Arroz con leche	300*
Una cucharada de germen de trigo	10
Una pera	150

ALMUERZO (COMIDA DEL MEDIODÍA):

gramos

Gazpacho andaluz	200*
Aceitunas	50
Paella (o bien arroz al horno, o arroz integral con espinacas, o arroz a la cubana)	300*
«Escalivada» (pimientos, berenjenas, tomate y cebolla asados, con aceite y sal)	200*
Pan integral	50
Flan o natillas	125

CENA:

Hervido: patata, judías verdes, cebolla y alcachofa, con una cucharadita de aceite	300*
Una cucharada de levadura de cerveza	7
Pan integral	25
Queso manchego	40
Fresas con yogur y miel (melaza) de caña	250

MENÚ n.° 5

DESAYUNO:

Dos crepes (con una cucharada de miel o mermelada cada uno)	120
Dos cucharadas de almendra triturada para espolvorear sobre la miel o la mermelada	10
Uva	150
Un vaso de leche	200

ALMUERZO (COMIDA DEL MEDIODÍA):

Ensalada variada con aceitunas y huevo duro	200
Una cucharada de levadura de cerveza	7
Patatas guisadas (o bien patatas en salsa verde, o purrusalda, o patatas asadas)	300*
Espárragos a la crema (con nata y queso)	250*
Pan integral	25
Queso para extender	30
Fruta	150

CENA:

Un vaso de zumo de manzana y zanahoria	200
Sopa de alcachofas	250*
Una cucharada de germen de trigo	10
Una hamburguesa de carne vegetal	70*
Pan integral	25
Queso fresco (tipo Burgos)	50
Melón	150
Un vaso de leche	200

NECESIDADES NUTRITIVAS DIARIAS DE LA MUJER
cantidades recomendadas*

	NO GESTANTE	GESTANTE	LACTANTE
Calorías	2.100	2.400	2.600
Julios	8.770	10.000	10.870
Proteínas (g)	44	75	64
Vitamina A (UI)	4.000	5.500	6.000
Vitamina B$_1$ (tiamina) (mg)	1,1	1,5	1,6
Vitamina B$_2$ (riboflavina) (mg)	1,3	1,6	1,8
Vitamina B$_6$ (piridoxina) (mg)	2	2,6	2,6
Vitamina B$_{12}$ (mcg)	3	8	6
Vitamina B$_c$ (ácido fólico) (mg)	0,4	0,8	0,6
Niacina (factor PP) (mg)	14	16	19
Vitamina C (ácido ascórbico) (mg)	60	80	80
Vitamina D (mcg)	7,5	12,5	12,5
Vitamina E (mg ET)	12	15	15
Calcio (mg)	800	1.400	1.400
Fósforo (mg)	800	1.400	1.400
Yodo (mcg)	150	180	200
Hierro (mg)	18	Suplemento**	Suplemento**
Potasio (mg)	3.000	3.100	3.100
Magnesio (mg)	300	450	450
Cinc (mg)	15	20	25

mcg = microgramos.

* Estas cantidades son las que se consideran adecuadas para una mujer de 1,65 m de altura y unos 55 kg de peso.
** La cantidad necesaria de hierro durante la gestación y período de lactancia no es cubierta con una dieta normal, razón por la cual se suele administrar un suplemento a criterio del facultativo.

Elementos minerales

El déficit de hierro en la madre provoca frecuentemente anemias tardías en el niño.

El déficit de calcio es causa de descalcificaciones.

Los médicos suelen prescribir hierro y calcio a todas las embarazadas. También les conviene fósforo, ya que el feto lo utiliza en gran cantidad.

Efectos de un régimen inapropiado

Los efectos de un régimen alimentario insuficiente o desequilibrado, pueden manifestarse con diversos trastornos y enfermedades en la mujer: anemias, edemas, polineuritis, descalcificaciones, partos prolongados y predisposición a las enfermedades, sobre todo a partir del tercer mes.

Cálculo de las necesidades nutritivas

Las necesidades alimentarias de la grávida aumentan únicamente un 5%-10%, según la actividad. Esto significa que, durante los cuatro primeros meses de gestación, la mujer deberá tomar unas 100-150 calorías (420-630 julios) más por día, y 300-400 calorías (1.230-1.675 julios) en los siguientes meses.

Para satisfacer las necesidades calóricas diarias de la embarazada, y cubrir además todas las necesidades nutritivas equilibradamente (glúcidos, lípidos, prótidos, vitaminas y minerales), debe seguirse una dieta equilibrada como la expuesta en la página 708.

De lípidos se suelen recomendar 1,1 gramos por kilo de peso corporal diariamente.

La cuestión de las necesidades pro-

● El valor energético de estos menús es de 2.400 calorías (10.000 julios) diarias, cantidad recomendada para una mujer sana, embarazada, de mediana estatura y actividad moderada. La mejor forma de saber si las cantidades que se toman son adecuadas en cada caso, consiste en el control del peso. Si aumenta de forma insuficiente o excesiva, o bien si se siente débil o cansada, deberá incrementar o reducir las cantidades indicadas (véase el apartado «El aumento de peso», en la página 711). Recomendamos tomar siempre los zumos naturales, y si es posible de reciente obtención.

● Si el tiempo se lo permite tómese el zumo media hora antes de las comidas indicadas, o bien a media mañana o a media tarde; se asimilan mejor y no entorpecen las digestiones.

● Los pesos indicados corresponden al alimento crudo y sin desperdicio. Cuando se trata de alimentos cocinados, se indica con un asterisco (*), y el peso incluye los alimentos preparados, con su caldo, salsas o el complemento que corresponda en cada caso.

● La preparación de los platos de este menú, así como su valor nutritivo y el de cada alimento, figura en el Recetario de *La salud por la nutrición*, obra publicada por esta misma editorial y distribuida también por el Servicio de Educación y Salud.

Los zumos naturales de fruta sin adición de azúcar, resultan ideales para conseguir un aporte vitamínico, mineral y de agua biológicamente pura, con una ingestión calórica mínima. Su consumo es altamente recomendable en todas las épocas de la vida, y muy especialmente durante la gestación.

teínicas ha sido muy debatida. Durante mucho tiempo se consideró que era necesario, para el adulto sano, un mínimo de un gramo de prótidos por kilo de peso cada día. La OMS (Organización Mundial de la Salud) llegó a recomendar, para la embarazada, 1,5 gramos por kilo y día. Posteriormente la FAO (Organización para la Alimentación y la Agricultura de la ONU) y la OMS han preconizado unos niveles de seguridad de 0,57 y 0,52 gramos para el hombre y la mujer respectivamente. Actualmente las autoridades sanitarias de los Estados Unidos aconsejan para la mujer embarazada 1,20 gramos de prótidos por kilo de peso y día. (Véase en este mismo tomo el cuadro «Las proteínas. Aminoácidos esenciales», página 843.)

Las necesidades de vitaminas aumentan durante el embarazo. Las de vitamina A pasan de unas 4.000 a unas 6.000 UI (unidades internacionales) diarias; las de B_1, de 1 miligramo a 1,5; las de la D, de unos 7 a unos 12 microgramos (equivalente de tocoferol).

Según la OMS la gestante debe ingerir diariamente 1,5 gramos (1.500 miligramos) de calcio y suficiente cantidad de fósforo. Por eso, si la embarazada no toma suficiente leche, habrá que complementar el aporte de calcio y fósforo.

La alimentación ideal

Cada día existe un mayor consenso entre los especialistas en nutrición: el régimen alimentario de las personas sanas debe ser básicamente vegetariano: cereales, fruta, verduras, hortalizas, legumbres, frutos secos oleaginosos. Esta dieta, complementada con leches y sus derivados, y un consumo ocasional de huevos, proporciona todos los nutrientes necesarios, y no ofrece los inconvenientes de las dietas basadas sobre todo en la carne y los pescados, propias de las sociedades ricas.

El doctor McCallum, director de la Escuela de Higiene y Salud Pública de la famosa universidad norteamericana John Hopkins dice: «No tengo la menor duda en afirmar que un régimen vegetariano, en el que se incluya una buena cantidad de leche, es el más satisfactorio que se puede seguir.»

La embarazada, que debe cuidar su alimentación de forma especial, no consumirá carnes ni pescados, o lo hará en poca cantidad. La carne es de difícil digestión, y además recarga el hígado y los riñones, que tienen que proceder a la eliminación de los productos de desecho que deja en el organismo, tales como la urea y el ácido úrico. En la actualidad, además, los animales son tratados con hormonas y antibióticos, que luego los seres humanos reciben de segunda mano en exceso. Por su elevada toxicidad el cerdo y los mariscos debieran ser proscritos.

El café y el té, por su efecto tóxico y excitante, no debieran ser consumidos nunca, pero menos aún durante el embarazo. El chocolate, elaborado básicamente con cacao que contiene teobromina, también es inconveniente, pues, especialmente en personas sensibles, provoca excitación nerviosa.

Aunque la embarazada debe abstenerse de todo tipo de bebidas alcohólicas, en cambio hará muy bien en tomar abundantes zumos de frutas naturales.

Las especias deben ser suprimidas, tanto más cuanto más irritantes sean.

Las frutas desecadas (higos, ciruelas y uvas pasas, orejones, etc.) son muy nutritivas, y constituyen una excelente fuente de azúcares naturales, aunque igual que los frutos secos oleaginosos (nueces, almendras, avellanas, etc.), no se debe olvidar que tienen un alto contenido calórico, y por tanto deben consumirse con moderación.

Lo ideal es suprimir completamente el consumo de azúcar blanco y tomar miel o melaza de caña (miel de caña). El azúcar blanco es sacarosa pura y por tanto sus calorías son vacías. Además parece demostrado que el azúcar blanco es descalcificante, lo cual es un grave inconveniente durante el embarazo, pues ya de por sí la gestante tiene aumentadas sus necesidades de calcio y el riesgo de descalcificación que corre es grande.

El pan conviene que sea integral, por su alto contenido en fibra que evitará el estreñimiento y su mayor riqueza en minerales y vitaminas, especialmente del grupo B. Si los cereales que se consumen no son integrales, será conveniente tomar un suplemento de salvado, cuyo aporte calórico es despreciable, pero que servirá para regular la función intestinal, y evitará tener que recurrir a los laxantes.

El aumento de peso

El aumento de peso de la embarazada depende de varios factores, entre los que destacan:

— si la mujer se encontraba o no en su peso ideal al comenzar el embarazo,
— el peso del útero,
— el peso del feto,
— la mayor o menor tendencia de la mujer a retener líquido y sales minerales, así como los lípidos (grasas),
— e incluso otros factores.

Estos factores, evidentemente, están influidos por la dieta que siga la gestante.

Por lo general, durante el primer trimestre no suele haber aumento de peso. Algunas mujeres pueden incluso llegar a perder algún kilito. En los sucesivos meses, lo normal es que la mujer aumente 1,5-2 kilos por mes. El aumento total no debiera sobrepasar un quinto del peso normal total de la madre, lo que supone unos 9-12 kilos en las mujeres de tamaño medio. Esto no significa que una ligera diferencia, por encima o por debajo, tenga que causar preocupación. Un aumento de peso desproporcionado puede, sin embargo, crear problemas a la hora del parto.

Un gran porcentaje del aumento de peso (40%-45%) corresponde al feto, el líquido amniótico y la placenta. Todo este porcentaje se pierde automáticamente en el momento del parto. El resto, correspondiente al mayor volumen sanguíneo, la retención de líquidos y lípidos, y al aumento de útero, se va perdiendo paulatinamente en el postparto.

LOS KILOS DEL EMBARAZO

Bebé	3,000	3,500
Placenta y membranas	0,500	0,750
Líquido amniótico	0,700	0,900
Útero	0,900	1,000
Mamas	0,400	0,450
Sangre	1,100	1,300
Líquido retenido ..	0,900	1,700
Reservas maternas	1,500	2,400
AUMENTO TOTAL DE PESO	9,000	12,000

ENFERMEDADES, MEDICACIÓN Y EMBARAZO

Hasta mediados de este siglo no se logró establecer una relación entre algunas malformaciones y las agresiones externas, considerándose todas ellas como de origen genético.

En los años cuarenta se asoció la rubéola con distintas afecciones fetales, pero aún tuvieron que transcurrir dos décadas más para asociar la exposición a un medicamento, como la talidomida, con graves trastornos en el desarrollo del feto.

El efecto de los fármacos en el embarazo se basa, en primer lugar, en las propiedades bioquímicas del producto. Así, cuanto mayor sea su capacidad de disolverse en grasas y menos se ionice, con más facilidad llegará al feto. También es importante considerar el momento de su acción dentro de la cronología del desarrollo del nuevo ser. Tampoco es desdeñable la constitución genética del embrión, ni el estado de salud o enfermedad de la madre.

LOS MEDICAMENTOS DURANTE EL EMBARAZO

FÁRMACOS	?	EFECTOS	FÁRMACOS	?	EFECTOS
ANTIBIÓTICOS			Nitroglicerina	PERMITIDO	
Penicilinas	PERMITIDO		Nifedipino	PERMITIDO	
Cefalosporinas	PERMITIDO		Antihipertensivos:		
Tetraciclinas	CONTRA-INDICADO	Si se administran a partir del 4.º mes, pueden afectar el desarrollo óseo y dental (pigmentaciones amarillas, hipoplasia del esmalte y caries dental) del feto.	– hidralacina	PERMITIDO	Íleo meconial neonatal. En el feto puede producir microcefalia, hidronefrosis, etc.
			– metildopa	PERMITIDO	
			– reserpina	CONTRA-INDICADO	
Aminoglucósidos:			Diuréticos:		
– estreptomicina	CONTRA-INDICADOS	Afectan al nervio auditivo del feto, provocándole hipoacusia o sordera.	– mercuriales	CONTRA-INDICADO	Nefrotoxicidad (toxicidad renal). Sordera fetal.
– kanamicina			– ácido etacrínico	CONTRA-INDICADO	
– gentamicina	PERMITIDO		– tiacidas	PERMITIDO**	Pueden producir en el feto trombocitopenia y bilirrubinemia.
Macrólidos:					
– eritromicina	PERMITIDO				
– espiramicina	PERMITIDO				
Sulfamidas	CONTRA-INDICADO	Administradas inmediatamente antes del parto, producen en el recién nacido ictericia y anemia hemolítica.	**SNC (SISTEMA NERVIOSO CENTRAL)**		
			Anticonvulsivantes	CONTRA-INDICADO*	Malformaciones fetales.
Cloramfenicol	CONTRA-INDICADO*	Si se administra durante el último trimestre del embarazo, puede provocar el «síndrome gris» del neonato.	Fenitoína	CONTRA-INDICADO	En el feto puede provocar anomalías craneofaciales, retraso del crecimiento, retraso mental, hipoplasia ungueal y digital, hendidura palatina y cardiopatía congénita.
ANALGÉSICOS Y ANTIINFLAMATORIOS			Carbamacepina	CONTRA-INDICADO	
Paracetamol	PERMITIDO		Benzodiacepinas	CONTRA-INDICADO	Si se administran al final del embarazo pueden ser causa de hipotonía, letargia, hipotermia, dificultad respiratoria y de succión del recién nacido.
Ácido acetilsalicílico (aspirina)	PERMITIDO**	Cierre prematuro del conducto arterioso. Gestación prolongada. Aumento de la duración del parto. Aumento de la hemorragia materna durante el parto.			
Corticoides	PERMITIDO**	Insuficiencia placentaria. Retraso del crecimiento e insuficiencia suprarrenal en el recién nacido.	Antipsicóticos:		
			– haloperidol	PERMITIDO	
			– fenotiacidas (a excepción de la procloroperacina)	PERMITIDO	
PATOLOGÍA DIGESTIVA			Antidepresivos:		
Antihistamínicos	PERMITIDO**		– amitriptilina	PERMITIDO**	
Antiácidos:	PERMITIDO		– imipramina	PERMITIDO**	
– hidróxido de aluminio y trisilicato magnésico			– desimipramina	PERMITIDO**	
			– litio	CONTRA-INDICADO*	Puede provocar malformaciones cardíacas y de grandes vasos en el feto.
PATOLOGÍA VASCULAR			Hormonas:		
Digoxina	PERMITIDO**		– estrógenos	CONTRA-INDICADO	En fetos varones producen quistes testiculares y oligospermia.
Antiarrítmicos:					
– quinidina	PERMITIDO**		– progestágenos	CONTRA-INDICADO	En fetos femeninos provocan masculinización.
– amiodarona	CONTRA-INDICADO				
– propanolol	CONTRA-INDICADO	Abortos y partos prematuros.			

NOTA IMPORTANTE:
CONTRAINDICADO = Fármaco, o tipo de fármacos, que no debiera ser empleado por ninguna embarazada, salvo en casos excepcionales, que tiene que determinar el médico.
PERMITIDO = Fármaco, o tipo de fármacos, que se considera, de acuerdo con los conocimientos actuales, que, aplicado a dosis terapéuticas, no produce efectos nocivos para el feto.

* Se puede administrar en casos excepcionales bajo prescripción facultativa.   ** Se administra en caso necesario bajo prescripción facultativa.

TRASTORNOS DEL EMBARAZO
TRATAMIENTOS NATURALES

TRASTORNO	TRATAMIENTO
Acidez estomacal (hiperexcitabilidad neurovegetativa)	Dieta ligera. Infusiones de anís, hierbabuena, manzanilla, menta, romero, salvia y tila.
Angustia, depresión, insomnio	Infusión de melisa, azahar, tila y valeriana, con miel.
Arritmias	Infusión de tila, saúco y ajenjo.
Asma	Baño de piernas y brazos a temperatura progresiva. Inhalación de esencias balsámicas. Cura climática (mar o alta montaña, según el caso).
Avitaminosis	Dieta equilibrada con abundante consumo de hortalizas y frutas frescas, así como de productos lácteos.
Avitaminosis, enfermedades óseas	Baños de sol, vitamina D (aceite de hígado de bacalao) y productos lácteos.
Colecistitis (inflamación de la vesícula biliar)	Infusiones de manzanilla y menta. Dieta a base papillas, zumos y compotas. Cuando no hay fiebre, compresas frías en la región lumbar.
Colelitiasis (cálculos biliares) **Cólico biliar**	Baños de asiento a temperatura progresiva, fomentos en los riñones, caldos de verduras; infusiones de manzanilla, boldo, cardo mariano y achicoria.
Dolores reumáticos	Decocción de manzanilla, milenrama, corteza de sauce, harpago, cola de caballo e hinojo.
Estreñimiento	Semillas de linaza, salvado, ciruelas pasas, cereales integrales y pan integral.
Fiebre	Compresas de agua fría y friegas de alcohol en las extremidades.
Hipertensión, edemas	Reducir la sal, natación, descansar con las piernas elevadas. Régimen hipotóxico.
Infecciones de las vías respiratorias	Tila y envolturas de mostaza.
Infecciones de las vías urinarias	Infusión de gayuba y escaramujo.
Infecciones bacterianas (respiratorias, intestinales, urinarias)	Infusión de gayuba y escaramujo, y para el intestino, además, ajo (puede ser en forma de comprimidos).
Náuseas, vómitos	Infusión de manzanilla y unos días de dieta exclusiva de papilla de avena y manzanas hervidas.
Trombosis	Hamamelis, viburno, arándanos, compresas calientes, vendajes elásticos, ejercicio.
Varices	Hamamelis, hidrastis, viburno, arándanos, natación, descansar con las piernas elevadas. Chorros a temperaturas alternas en las piernas.

Cabe señalar que, por lo que se refiere a la cronología, cuanto más precoz sea la acción de un producto el daño suele ser más grave.

Del total de las malformaciones congénitas, pueden relacionarse con la medicación el 1%-3%, el 65%-70% pertenecen al apartado de causas no determinadas, el 25% al de anomalías genéticas, y el 5%-10% a factores ambientales.

La embarazada debe evitar la automedicación, no utilizando más que los medicamentos prescritos por el médico y en las dosis indicadas.

Los tratamientos naturales alternativos que ofrecemos en este cuadro, simplemente pretenden informar de que existen remedios no farmacológicos, que pueden resultar eficaces sin hacer correr riesgos a la madre o al feto. Algunos son coadyuvantes y no pueden sustituir al tratamiento medicamentoso, como en el caso de las infecciones, la fiebre (es necesario tratar sus causas) o las trombosis profundas. En los respectivos apartados dedicados a cada trastorno se ofrecen más detalles.

Antes de aplicar cualquier tratamiento natural, no se debe olvidar que alguno de ellos (determinadas plantas medicinales, ciertas aplicaciones de hidroterapia y fisioterapia, por ejemplo) está contraindicado para la mujer embarazada o enferma.

Así que ningún tratamiento, por natural que sea, debiera ser aplicado sin control facultativo.

Lo habitual en la especie humana es que cada embarazo dé origen a la formación de un solo ser. No obstante, se dan mellizos cada 90 partos, trillizos cada 8.100, cuatrillizos cada 729.000 y quintillizos cada 65.610.000. La literatura médica sólo señala cinco partos quíntuples documentados en que todos los niños sobrevivieron, y dos de partos séxtuples en los que todos los recién nacidos también sobrevivieron. De los partos de siete en ningún caso han sobrevivido todos los recién nacidos.

Lo más frecuente es que los partos múltiples no se repitan en la misma mujer. Sin embargo se cita el caso de una con 11 embarazos gemelares, y el de otra que tuvo 32 hijos en 11 partos:

dos partos de cuatro hijos, seis de tres y tres de dos.

Causas y mecanismo

Entre las causas de la gemelaridad, parece destacar la influencia hereditaria por vía paterna.

Hoy en día son mucho más frecuentes los embarazos múltiples a causa del empleo de los inductores de la ovulación (clomifeno, HMG) en el tratamiento de la esterilidad. Son también más frecuentes en las multíparas, y después de los treinta años de edad, época en la que se completa la maduración diencefálico-hipofisaria de la mujer.

Según las estadísticas, los partos gemelares son más frecuentes en España que en otros países occidentales.

El mecanismo de la fecundación, en el caso de los embarazos múltiples, no siempre es el mismo. Pueden deberse a la fecundación de dos óvulos procedentes del mismo folículo, o de dos folículos distintos del mismo ovario, o de óvulos procedentes de más de dos folículos de uno o de los dos ovarios.

Es posible, pues, que dos gemelos sean hijos de diferente padre, como se ha demostrado de forma palpable por el nacimiento de mellizos de diferente raza. A partir de un óvulo pueden originarse dos gemelos, pero no más de dos, en la especie humana.

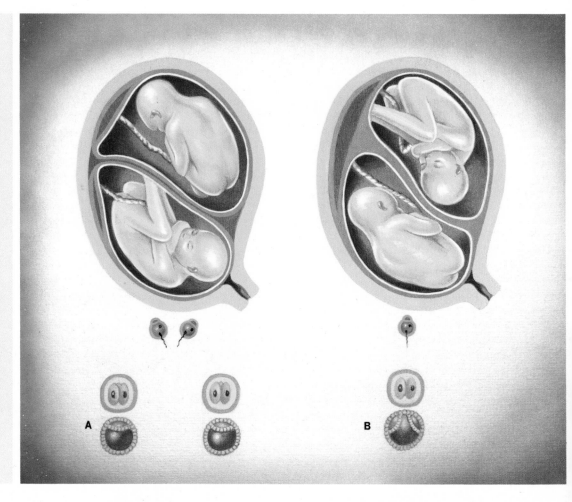

EMBARAZO GEMELAR. Los embarazos múltiples han aumentado considerablemente en los últimos tiempos debido a la extensión de las modernas prácticas de concepción dirigida. **A.** Los «falsos» gemelos, proceden de dos óvulos diferentes, y por eso no tienen mayor parecido entre sí que cualesquiera otros dos hermanos; incluso pueden ser de sexo distinto. **B.** Los gemelos «verdaderos» proceden de un solo óvulo. Son los típicos hermanos mellizos prácticamente indistinguibles. Ahora bien, por muy parecidos que sean nunca son idénticos. En el texto de la página siguiente se da una relación de todos los casos de gemelaridad que se pueden dar en la especie humana.

Aunque algunos distinguen entre **mellizo** y **gemelo** como dos términos con significado distinto, el diccionario académico no establece tal distinción, pues en ambos casos da la misma definición: «Nacido del mismo parto». Curiosamente, aunque las dos palabras parecen a primera vista muy distintas, ambas tiene la misma raíz etimológica: gemelo viene del latín culto, *gemellus*, y mellizo del latín vulgar, *gemellicius*.

Se pueden dar los siguientes casos:

— **Poliembrionía:** Formación de gemelos de un mismo óvulo.
— **Polifecundación:** Fecundación simultánea de varios óvulos.
— **Superfecundación:** Fecundación de diferentes óvulos por diferentes padres.
— **Superfetación:** Se trata de dos fecundaciones bastante alejadas una de otra, que provocarán también dos partos a término con un intervalo sensiblemente inferior al mínimo posible en condiciones normales. Aunque se conocen varios casos, la superfetación es extremadamente rara.

Si los gemelos proceden de un mismo óvulo se habla de embarazo monocigótico. Los hermanos son forzosamente del mismo sexo y físicamente son indistinguibles. Su grupo sanguíneo es el mismo, sus características psicológicas son muy parecidas e incluso sus huellas dactilares, pero nunca serán dos seres idénticos.

Cuando los gemelos proceden de dos óvulos distintos, el embarazo es llamado dicigótico. Los hermanos no se parecen entre sí más que cualquier otra pareja de hermanos, y pueden ser de igual o diferente sexo.

Recientemente se ha descubierto que puede haber gemelos dicigóticos procedentes de un sólo óvulo y de espermatozoides diferentes. Ello es debido a la fecundación de un corpúsculo polar portador de la misma masa cromática que la del óvulo del que procede (véase «Ovogénesis» en el capítulo precedente).

Características especiales

Actualmente los embarazos múltiples se pueden detectar desde muy temprano, gracias a la ecografía. A partir de la 5.ª o 6.ª semana de amenorrea ya se puede asegurar si el embarazo es único o múltiple.

En el caso de gemelos, su peso al nacer suele ser bastante menor que los neonatos de embarazo único. Las malformaciones son más frecuentes en los embarazos gemelares que en los normales, así como es mayor el riesgo de aborto. Un embarazo múltiple somete además al organismo materno a una sobrecarga mayor. Por eso el médico establece en estos casos medidas especiales de control de la gestación, pues los embarazos múltiples son siempre considerados de alto riesgo.

El parto gemelar suele iniciarse unas dos semanas antes que el de feto único. La dinámica del parto suele ser menor, porque el útero se halla sobredistendido. Tras la expulsión del primer feto, hay un período de latencia hasta que se reanudan las contracciones para la expulsión del segundo.

En los partos múltiples suelen ser más frecuentes las hemorragias del alumbramiento y las del postparto inmediato.

TRASTORNOS PROPIOS DEL EMBARAZO

ABORTO 718
Aborto amenazante 720
Aborto diferido 720
Aborto incipiente 720
Aborto retenido 720
Acidez gástrica* 730
AFECCIONES DERMATOLÓGICAS 721
Alteraciones de la placenta 723
Alteraciones de las membranas .. 723
Anomalías del cordón umbilical .. 723
ALTERACIONES DEL DESARROLLO
  FETAL 721
ALTERACIONES DE LOS ANEJOS
  FETALES 723
Anomalías de la forma [de la
  placenta] 723
Cáncer 727, 737
Cordón umbilical corto/largo* ... 723
Corioadenoma 727
Coriocarcinoma gravídico 727
Corioangioma* 723
Desarrollo fetal retrasado 721
Desarrollo [fetal] excesivo 723
DESPRENDIMIENTO [PRECOZ]
  DE LA PLACENTA 724
Eclampsia* 728

EHE 728
EHP 724
EMBARAZO ECTÓPICO 724
Embarazo extrauterino 724
Embarazo prolongado 729
Embarazo tubárico* 724
ENFERMEDAD HEMOLÍTICA
  PERINATAL: El Rh 724
ENFERMEDAD TROFOBLÁSTICA 727
EPH-gestosis 728
ESTADOS HIPERTENSIVOS DEL
  EMBARAZO 728
Falso nudo del cordón
  umbilical* 723
GESTACIÓN PROLONGADA [a
  postérmino] 729
Gestosis 728
Gigantismo fetal 723
HIDRAMNIOS 729
HIPEREMESIS GRAVÍDICA 730
HIPEREXCITABILIDAD
  NEUROVEGETATIVA 730
Hipertensión 728
Hipo* 731
Isoinmunización y Rh 724
Líquido amniótico, exceso 729
Macrosomia 723
MALFORMACIONES CONGÉNITAS ... 731
  Véase el capítulo 54 (tomo 4) .. 961

Mola hidatídica 727
Mola invasiva 727
Mola vesicular 727
Nudos del cordón umbilical* 723
Piel, afecciones 721
Pirosis* 730
Placenta, alteraciones y
  anomalías 723
Placenta, desprendimiento
  precoz 724
PLACENTA PREVIA 732
Placenta, tumores 723
Placentas adherentes 723
Procidencia del cordón
  umbilical* 723
Prolapso del cordón umbilical* .. 723
[Quistes y] tumores [de la
  placenta] 723
Retraso del desarrollo fetal 721
Rh, incompatibilidad 724
Rotura de la bolsa (saco)
  amniótica 723
Rotura de membranas 723
Tensión arterial elevada 728
Toxemia 728
Trofoblasto, degeneración 727
Tumores [de la placenta] 723
Vómitos 730

PADECIMIENTOS QUE COMPLICAN LA GESTACIÓN

ACCIDENTES AUTOMOVILÍSTICOS ... 733
AFECCIONES
  CARDIOCIRCULATORIAS 734
AFECCIONES ENDOCRINAS 735
ANEMIA 735
Anemia ferropénica 735
Anemia megaloblástica 736
APENDICITIS 745
ASMA BRONQUIAL 737
Cálculos en la vesícula biliar 737
CÁNCER 737
Cáncer de tiroides* 735
Cardíacas, enfermedades 734
Cardiopatías 734
Cardiovasculares, afecciones 734
Citomegalovirosis 741
COLECISTITIS Y COLELITIASIS 737
Contusión abdominal* 733
Corazón, afecciones del 734
CHOQUE SÉPTICO 738
Depresión 747

DIABETES 738
Drogadicción 745
Estreñimiento* 740
ETS (tomo 2, cap. 28) 455
Fracturas y luxaciones* 733
Gonococia 739
Gonorrea 739
Gripe 743
Hepatitis B 742
Heroinomanía 745
Herpes 742
Hierro, anemia por falta de 735
Hipertiroidismo* 735
Hipotiroidismo* 735
Indiferencia* 747
INFECCIONES 739
Infecciones bacterianas 739
Infecciones por protozoarios:
  toxoplasmosis 741
Infección urinaria 740
Infecciones víricas 741
Insomnio* 747
Melancolía* 747
OBESIDAD 743

Paperas 743
Parotiditis 743
PATOLOGÍA ABDOMINAL DE URGENCIA:
  APENDICITIS 745
Pelvis renal, inflamación 740
Pielonefritis 740
Psíquicos, trastornos 747
Rubéola 742
Sarampión 743
Shock séptico 738
Sífilis 739
Suprarrenales [glándulas] 735
  hiperfuncionamiento* 735
  hipofuncionamiento* 735
Tiroides [glándula] 735
  hiperfuncionamiento* 735
  hipofuncionamiento* 735
TOXICOMANÍAS 745
Toxoplasmosis 741
TRASTORNOS PSICÓGENOS 747
Tuberculosis 741
Varicela 743
VARICES 748
Vesícula biliar, inflamación 737

Véase la nota que figura al pie del «Sumario» del capítulo 43, página 780.

40

TRASTORNOS DEL EMBARAZO

Cuando hablamos de trastornos del embarazo, conviene distinguir entre los que son propios de dicho estado, y los que pueden ser padecidos por toda mujer, pero que cuando afectan a la gestante son causa de complicaciones para el buen desarrollo del feto. Como en todos los capítulos que abordan trastornos y enfermedades hemos procurado una clasificación sencilla y lo más fácil posible de consultar. De ahí que en la primera parte de este capítulo, titulada «Trastornos propios del embarazo», hayamos optado por la ordenación alfabética; en cambio, en la segunda, «Padecimientos que complican la gestación», hemos preferido agrupar las distintas dolencias por grupos, salvo en algunas enfermedades específicas. Todo esto se comprende fácilmente observando el «Sumario» de la página contigua, que además facilita la búsqueda de los diferentes trastornos, enfermedades y dolencias.

No podemos abordar todos los procesos que pueden perturbar el curso del embarazo e incidir sobre la madre, el feto o ambos, sean propios del estado gestacional o no. Únicamente incluimos los más frecuentes. Y los que estudiamos, advertimos que lo vamos a hacer con la mayor brevedad y sencillez compatibles con la comprensión de todas las cuestiones. Nadie debe sorprenderse de que la descripción de una enfermedad ofrezca muy poca información acerca de sus síntomas, pues en determinados casos no nos parece conveniente entrar en detalles, que lo único que harían sería confundir a los lectores y lectoras no profesionales de la medicina. Esta obra pretende dar consejos prácticos... y a veces lo único práctico es, sencillamente, acudir al médico y seguir fielmente sus prescripciones.

Queremos indicar también, que no repetiremos aquí, si no es en casos muy particulares, enfermedades (sífilis, gonococia, hepatitis B, por ejemplo) que, a pesar de poder coincidir con el embarazo, ya se hallan descritas en el capítulo 28 consagrado a las ETS (enfermedades de trasmisión sexual).

Cuando la mujer alberga una nueva vida en su seno, debe, más que nunca, procurar que su organismo funcione lo mejor posible. Por eso conviene que combine adecuadamente el necesario ejercicio con el no menos necesario reposo.

TRASTORNOS PROPIOS DEL EMBARAZO

ABORTO

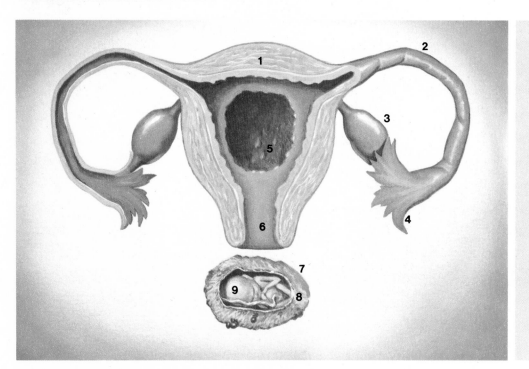

ABORTO PRECOZ: El aborto precoz, es decir, el que se produce antes de cumplido el tercer mes de gestación, suele ser completo y no provocar más que una pequeña hemorragia. (Véase ABORTO TARDÍO, pág. 721.) **1** Fondo uterino. **2** Trompa de Falopio. **3** Ovario. **4** Pabellón de la trompa. **5** Cavidad uterina. **6** Cuello uterino dilatado, consumado ya el aborto. **7** Huevo completo recién expulsado de la cavidad uterina. **8** Envolturas del embrión y anejos (véase página 660). **9** Cuerpo del embrión.

SEÑALES DE ALARMA DURANTE EL EMBARAZO

SÍNTOMAS	POSIBLES CAUSAS
Fiebre	–infección
Trastornos urinarios: frecuentes deseos de orinar, dolor al hacerlo	–infección urinaria –ETS
Pérdidas vaginales con escozor, picazón o dolor genital	–infección vaginal –ETS
Náuseas persistentes o vómitos	–hiperemesis gravídica
Mareos, destellos de luz en los ojos	–preeclampsia –descenso súbito de la tensión –infección
Dolor de cabeza fuerte y persistente	–preeclampsia (toxemia)
Aumento anormal de peso e hinchazón de cara, pies y manos	–preeclampsia (toxemia)
Dolor en el bajo vientre	–apendicitis
Dolor agudo de vientre acompañado de gran palidez o desvanecimiento	–hemorragia uterina –rotura uterina –embarazo ectópico
Desaparición o importante reducción de los movimientos del feto	–sufrimiento fetal
Pérdida de sangre	–lesión del cuello del útero –aborto espontáneo –placenta previa –parto prematuro
Contracciones dolorosas a intervalos regulares y frecuentes, con endurecimiento del útero	–contracciones prematuras de parto
Pérdida de líquido acompañada de contracciones	–rotura de la bolsa amniótica –parto prematuro
Retraso de más de dos semanas en la fecha para el parto dada por el médico	–gestación prolongada (postérmino)

Algunos de estos trastornos pueden ser pasajeros y no tener repercusiones. Otros, sin duda, pueden resultar incluso graves. En cualquier caso, si usted nota algunos de los síntomas indicados, u otros, actúe de forma racional: Informe en seguida a su médico y siga sus instrucciones. Es mejor acudir al médico por una falsa alarma, que no, por no parecer hipocondríaca, ignorar unos síntomas que pueden ser una señal de advertencia de que algo serio está ocurriendo.

ahora tiene una mayor pérdida de sangre; cuando en realidad ha padecido, sin darse cuenta, un aborto precoz.

Causas del aborto

En la mitad de los abortos ovulares se observan alteraciones cromosómicas, causantes de anomalías incompatibles con la vida en el desarrollo embrionario.

La interrupción involuntaria del embarazo puede ser debida a causas maternas:

1. **Anomalías hormonales.** Cuando el cuerpo amarillo no produce suficiente progesterona, el trofoblasto ve impedida su correcta implantación, lo cual determina un aborto ovular. Ésta es una causa poco frecuente.

2. **Infecciones.** La mujer gestante puede sufrir diversas infecciones que provocan el aborto espontáneo:

   — la listeriosis, cuando se padece por vez primera, pues al no poseer anticuerpos contra la bacteria causante (*Listeria monocitogenes*), puede provocar malformaciones fetales;

   — la toxoplasmosis, que es poco

Se considera aborto a la interrupción del embarazo antes de la 20.ª semana de gestación. Será precoz cuando se produzca antes de la 12.ª semana, y tardío si ocurre después (de la 13.ª a la 20.ª inclusive). Tomando como criterio el peso, se considera aborto cuando el peso del feto expulsado es inferior a 500 gramos.

Aquí únicamente vamos a considerar la interrupción involuntaria del embarazo, pues el capítulo 32 aborda ampliamente el tema del aborto voluntario.

Entre un 10% y un 15% de embarazos resultan frustrados por aborto. Este porcentaje puede variar notablemente de unas fuentes a otras, ya que la mayor parte de las interrupciones del embarazo se producen dentro de las seis primeras semanas (aborto ovular). En estos casos la mujer ni tan sólo consulta con el médico, al ignorar que estaba embarazada. Cuando se produce la pequeña hemorragia provocada por el aborto ovular, ella cree que únicamente se le había producido un retraso en la regla y como consecuencia

frecuente y grave en el primer trimestre, resulta más frecuente, pero menos grave, en el tercero;
— la rubéola, en especial durante el primer trimestre de gestación;
— la sífilis;
— citomegalovirosis y micoplasmosis, etcétera.

3. **Enfermedades graves.** Hay algunas enfermedades graves de la madre, como una diabetes no tratada debidamente, el hipotiroidismo, y algunas cardiopatías (enfermedades del corazón) y alteraciones renales acompañadas de hipertensión, que pueden desencadenar un aborto.

4. **Causas orgánicas locales.** Puede darse, de forma localizada, diversos trastornos o anomalías que impidan el normal desarrollo del embarazo. Por ejemplo: malformaciones y tumores del útero, útero hipoplásico (matriz infantil), adherencias uterinas, insuficiencia cervical. La insuficiencia cervical produce abortos tardíos, pues se trata de la falta de cierre del orificio cervical uterino.

5. **Otras causas.** La malnutrición, cuando la carencia de ácido fólico (vitamina B$_c$) es manifiesta, puede ser causante de aborto. Traumatismos, sobre todo por accidentes de tráfico, exposición a radiaciones, y aun otras causas pueden ser determinantes de un aborto. La fiebre, por sí misma, cuando es muy elevada, puede ser perjudicial para el embrión y conducir al aborto.

Manifestaciones y tratamiento

El aborto en general se produce con hemorragia de origen uterino, más o menos abundante, según ya esté en curso o se trate de una amenaza de aborto. Además se produce dolor cólico (intermitente) en el bajo vientre. Conviene que distingamos entre aborto amenazante y aborto incipiente, cuando ya nada se puede hacer para detenerlo.

— **En el aborto amenazante** se presentan contracciones uterinas, que provocan pequeños desprendimientos del corion y escasa hemorragia. Si la situación no empeora, se puede evitar el aborto.

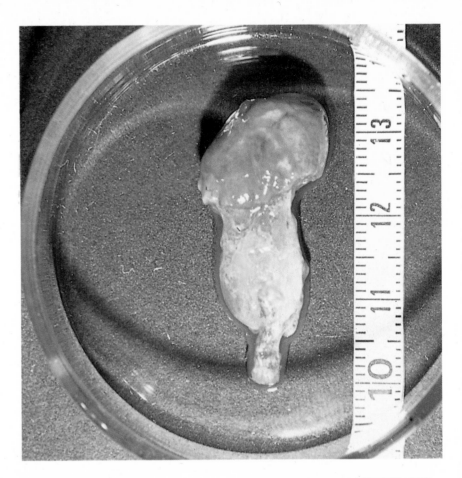

— **En el aborto incipiente,** el proceso evoluciona con desprendimiento de la mitad o más de la inserción del huevo, hemorragia mayor, ligera dilatación del cuello uterino, por donde comienza a insinuarse el polo inferior del huevo, el cual acabará siendo expulsado. La expulsión puede ser completa, o se producirá primeramente la del embrión, tras la ruptura de la bolsa amniótica.

— **En el aborto diferido o retenido,** es decir cuando el embrión muere pero no es expulsado, puede haber una mínima pérdida de sangre. En esta circunstancia, es absolutamente imprescindible el diagnóstico y la evacuación de los restos ovulares por parte del médico, para evitar posibles y graves complicaciones.

Una vez que el médico haya realizado el examen y hecho el diagnóstico de la fase evolutiva, si se trata de una

Las anomalías cromosómicas pueden ser causa de abortos, pues algunas de ellas incluso no son compatibles con la vida, como se indica en la página 645. En la fotografía vemos un huevo sin estructuras embrionarias expulsado en un aborto que se produjo a las siete semanas de gestación a causa de una trisomía 16. Su tamaño se puede apreciar comparativamente con la cinta métrica situada junto a él.

amenaza de aborto, normalmente ordenará que la mujer permanezca en reposo absoluto. Cuando el aborto está en curso o es diferido, puede ser necesario un legrado uterino, que en caso de fiebre obligará a la administración de antibióticos.

En abortos tardíos, por el volumen fetal, es posible la administración de fármacos que produzcan el «parto» del feto muerto.

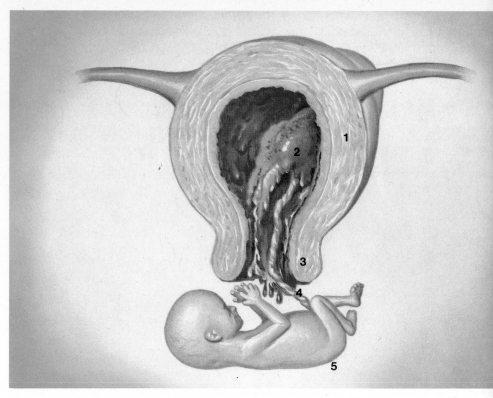

ABORTO TARDÍO: El aborto tardío, desde el tercer mes de gestación, transcurre como un parto en miniatura. Tras la dilatación del cuello y la rotura del saco amniótico (bolsa de las aguas), se produce la expulsión del feto, seguida de la expulsión de la placenta y de las membranas. (Véase ABORTO PRECOZ, pág. 718.)
1 Cuerpo uterino. **2** Plancenta fetal y membranas.
3 Cuello uterino. 4 Cordón umbilical. 5 Feto recién expulsado.

Cuando durante un primer embarazo se presentan síntomas de aborto, no es recomendable la administración de hormonas ni ningún otro tratamiento conservador, pues se corre el peligro de afectar al embrión, si el embarazo luego acaba evolucionando favorablemente, o de provocar un aborto diferido. Cuando se repiten los abortos espontáneos, es el médico quien habrá de juzgar y prescribir.

Después de cualquier aborto es necesario realizar un estudio de los restos obtenidos, con el fin de dilucidar la causa del accidente.

AFECCIONES DERMATOLÓGICAS

Durante el embarazo se producen afecciones específicas de la piel, que desaparecen después de él, y de las que ya hemos hablado en el capítulo anterior (pág. 691).

La mayor parte de las afecciones cutáneas propias de la mujer gestante cursan con intensos picores y con lesiones en la piel de tipo variable, e incluso con ninguna. La causa de algunas es atribuible a mecanismos autoinmunes, u otras también definidas. En la mayor parte de los casos, sin embargo, el origen de la afección es desconocido, y por eso el tratamiento será sintomático. Algunas de ellas (esclerodermia, lupus eritematoso) presentan riesgo maternofetal.

El tratamiento de algunas enfermedades de la piel durante la gestación puede resultar problemático, debido al potencial peligro que para el feto pueden tener los fármacos empleados, que atraviesan la barrera placentaria. De ahí la importancia de consultar con el médico y no automedicarse, especialmente durante el embarazo.

ALTERACIONES DEL DESARROLLO FETAL

Durante el desarrollo y crecimiento intrauterino el feto puede presentar dos alteraciones fundamentales: retraso o desarrollo excesivo.

Retraso del desarrollo fetal

Se habla de retraso del crecimiento intrauterino cuando el niño al nacer ha presentado un peso considerablemente inferior al correspondiente a su edad gestacional. Se trata de lo que también se llama un recién nacido de bajo peso. No hay que confundirlo con el prematuro, que puede presentar un bajo peso, pero adecuado a su edad gestacional.

El diagnóstico intrauterino se inicia por la sospecha clínica, y se confirma por determinaciones cuantitativas del crecimiento fetal mediante ecografías. Existen además técnicas de análisis del líquido amniótico, que pueden aportar al médico datos de interés para el diagnóstico. Este diagnóstico debe ser lo más precoz posible, a fin de corregir las causas del retraso. Si ello

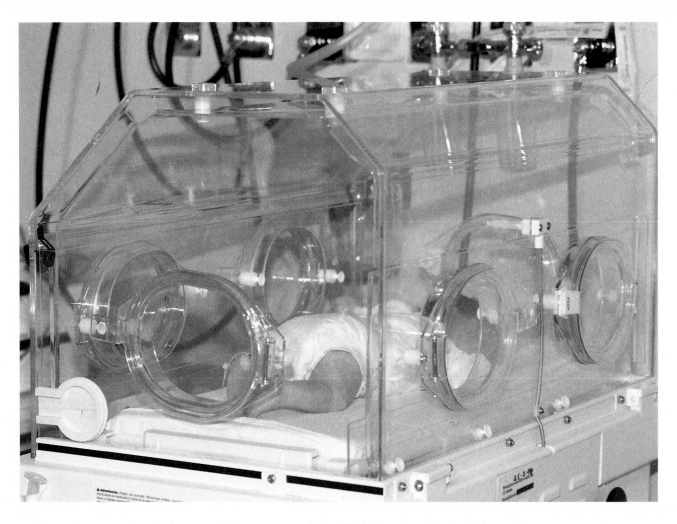

Cuando se produce un retraso en el desarrollo fetal, suele resultar necesario que el recién nacido continúe su crecimiento extrauterino en una incubadora, donde precisamente se dan unas condiciones ambientales perfectamente controladas, y que, de algún modo, intentan asemejarse lo más posible a las del seno materno.

no es posible, se procede a la extracción del feto en el momento en que haya llegado a la viabilidad.

Las causas de un desarrollo fetal retrasado pueden ser enfermedades de origen genético o infeccioso, alteraciones en la función placentaria (envejecimiento prematuro de la placenta), o hábitos o enfermedades de la madre, entre los que cabe destacar el alcoholismo, el tabaquismo, la drogadicción, estados prolongados de estrés, la hipertensión y la diabetes.

El tratamiento preventivo es el mejor, y, por supuesto, consiste en la eliminación de los factores de riesgo indicados en el párrafo precedente. En el caso de que la prevención no sea ya posible la embarazada debe guardar reposo, cumpliendo fielmente con todas las prescripciones médicas.

Es fundamental que la gestante cuyo hijo presenta retraso en el desarrollo fetal, siga una dieta con abundante contenido en proteína completa. Proteínas completas son las que poseen todos los aminoácidos esenciales en proporciones adecuadas. Las legumbres, aparte de la soja, no poseen todos los aminoácidos esenciales en las proporciones adecuadas. Ahora bien, si las legumbres se combinan con cerea-les (trigo, centeno, avena, maíz) proporcionan proteína completa, que puede ser asimilada de forma óptima. La proteína ideal, además, sería aquella que el organismo humano la aprovechara completamente, en cuyo caso se le daría el valor 100. La proteína de la clara de huevo tiene un valor biológico de 83, las carnes oscilan entre 65 y 70, el de la soja es 61, los garbanzos 43, las judías secas 38, y las lentejas 30.

Nosotros recomendamos en este caso, como para la embarazada sana, un régimen ovolactovegetariano, por ser el más salutífero y no presentar riesgo de carencias nutritivas.

Macrosomia

La macrosomia (*macros*, grande, y *soma*, cuerpo, en griego) es la posesión de un cuerpo excesivamente grande. La macrosomia, es pues el desarrollo excesivo que puede afectar al feto. Se considera feto macrosómico a término a partir de los cuatro kilos de peso (el 5% de los neonatos pesan más de 4.000 gramos, o un 0,5% más de 4.500).

Las causas más comunes de macrosomia fetal son la diabetes materna, la incompatibilidad Rh, la herencia genética, la alfatalasemia (trastorno sanguíneo debido a una hemoglobina anómala) y la hidropesía fetal de causa no inmune.

El tratamiento, como en el caso del retraso, consistirá en primer lugar en la prevención, cuando ello sea posible, de las causas mencionadas.

Las complicaciones asociadas a la macrosomia fetal son: para la madre, traumatismos vaginales, y para el feto, distocia de hombros (dificultad para la extracción fetal por estancamiento de los hombros en los estrechos pelvianos) con fractura de clavícula del recién nacido, lesiones nerviosas del brazo y asfixia. A la vista de todos estos riesgos el especialista puede recurrir a la cesárea como medio de evitarlos.

ALTERACIONES DE LOS ANEJOS FETALES

Hay diversas alteraciones que pueden producirse en los anejos fetales: placenta, cordón umbilical y membranas.

Alteraciones de la placenta

— **Anomalías de la forma:** En lo que se refiere a la placenta, podemos encontrarnos con anomalías en la forma, que, en vez de ser circular (torta placentaria), puede hacerse irregular o lobulada. A veces la placenta puede ser bipartita, con riesgo de retención de una de las partes. Estas anomalías pueden ser causa de hemorragias e infecciones en el momento del parto.

— **Placentas adherentes:** Son placentas adherentes aquellas que en el alumbramiento no se desprenden de forma adecuada. La causa está en una anormal penetración de las vellosidades coriales en la pared uterina. La forma más leve es la de la placenta acreta, en la que las vellosidades penetran hasta la capa muscular del útero. En la placenta increta las vellosidades invaden la capa muscular uterina. En la percreta la atraviesa, llegando al peritoneo que recubre la matriz. Después del parto estas placentas pueden quedar adheridas en toda su extensión o en sólo una parte de ella, originando hemorragia, infección y complicaciones, que pueden

ser graves, como la rotura espontánea del útero grávido.
El tratamiento puede llevar incluso a la histerectomía (extirpación de la matriz).

— **Tumores:** Los tumores de la placenta, son rarísimos. El más frecuente es el corioangioma, que se relaciona con la presencia de hidramnios. A veces, en la cara fetal de la placenta, se ven pequeños quistes sin ninguna trascendencia.

Anomalías del cordón umbilical

El cordón umbilical puede presentar varias anomalías, de las que reseñaremos el falso nudo, pues presenta un bucle sin mayor importancia. Ahora bien, debe tenerse la seguridad de que es un falso nudo, pues el verdadero, si es apretado, puede comprometer la vida del feto, ya que dificulta el flujo sanguíneo entre éste y la placenta. La circulación sanguínea fetoplacentaria también resulta dificultada por una torsión del cordón provocada por los movimientos fetales, que raramente llega a tener consecuencias graves. El cordón umbilical, aunque no es nada frecuente, puede verse afectado por estrechamientos, quistes y edemas.

Si el cordón es demasiado largo (más de 50-60 cm) favorece los prolapsos, nudos y circulares (enrollamiento del cordón alrededor del feto). Si, por el contrario, es corto (20-30 cm) difi-

culta el descenso del feto, y puede darse rotura y desprendimiento precoz de placenta. Aunque son realmente excepcionales, se dan casos de acordia (ausencia de cordón), o, en el extremo opuesto, de cordón de hasta 3 metros de longitud.

El prolapso (caída) consiste en la salida del cordón umbilical antes que el feto. Cuando esto ocurre, pero las membranas permanecen íntegras, se denomina procidencia, en cuyo caso puede rechazarse el cordón hacia arriba, y permitir un parto vaginal. Si las membranas se han roto, el cordón no se puede reintroducir en su lugar, y entonces se debe proceder a realizar una cesárea urgentemente. Tanto el prolapso como la procidencia son dos situaciones graves, ya que pueden comprimir bruscamente la circulación del cordón y llevar a la muerte fetal.

Alteraciones de las membranas

La rotura prematura de membranas es la rasgadura del saco amniótico, con la pérdida de su líquido vía vaginal antes de iniciarse el parto. Esta pérdida de líquido es evidente la mayor parte de las veces, pero en algunas ocasiones es tan escasa que requiere una cuidadosa observación. La complicación más importante en este caso, es la infección, que puede ser muy grave para el feto y para la madre, por lo que siempre requerirá la hospitalización.

DESPRENDIMIENTO DE LA PLACENTA

Se habla de desprendimiento precoz de la placenta que estaba normalmente inserta, cuando se produce antes de la expulsión del feto, a partir de la semana 28.ª, durante el parto, y sobre todo en el período expulsivo. Es grave en el uno por mil de los casos, y leve en el uno por ciento. Además puede repetirse en posteriores partos.

El desprendimiento precoz de la placenta conlleva un riesgo grave de mortalidad para la madre y para el feto, tanto menor cuanto más precoz sea el diagnóstico y el tratamiento.

Sus causas pueden ser muy diversas: traumatismos uterinos, caídas accidentales, cordón umbilical muy corto, maniobras externas sobre el feto, descompresión brusca del útero (después de expulsar al primer gemelo, por vaciamiento brusco de hidramnios, etc.), hipertensión crónica o inducida por el embarazo, compresión brusca de la vena cava inferior, carencia de ácido fólico (vitamina B_c).

El tratamiento, siempre según evaluación médica, atendiendo al momento de la instauración y la gravedad del caso, podrá ser la cesárea.

EMBARAZO ECTÓPICO

Cuando el huevo no se desarrolla en su lugar habitual dentro del útero, sino en otro lugar, fuera o dentro de él, hablamos de un embarazo ectópico. Cuando el embarazo ectópico se da fuera del útero, a veces también se habla de embarazo extrauterino. La ectopia se presenta en uno de cada 200-300 embarazos. El huevo, en estos casos, se localiza de forma preferente en la trompa, especialmente en la sección llamada ampolla tubárica.

Entre los factores que favorecen la ectopia del embarazo, podemos encontrar un volumen mayor del cigoto, obstrucciones de la trompa, disminución de la movilidad de la misma, y otros que afectan a su configuración normal, como pueden ser tumores o intervenciones quirúrgicas anteriores.

En las primeras fases de un embarazo extrauterino es difícil sospechar su existencia, ya que se desarrolla sin presentar síntomas especiales. Es posteriormente, debido a que las estructuras en que ha anidado el huevo se muestran insuficientes para sostener el embarazo, cuando aparecen las primeras manifestaciones clínicas.

La paciente suele acudir al médico alegando una alteración menstrual: unas veces adelanto, otras retraso, o variaciones en la cantidad y la duración. Al mismo tiempo se pueden presentar antecedentes de amenorrea. La sangre que sale es roja brillante, y normalmente lo hace en pequeñas cantidades y de forma intermitente. Otro síntoma típico son los dolores localizados lateralmente. A veces la mujer nota molestias en la vejiga y el recto.

En ocasiones el embarazo tubárico rompe la trompa. Entonces el huevo puede salir al abdomen junto con sangre. El dolor aumenta y se añaden otros síntomas más generales (dolor, palidez, hipotensión, sensación de enfermedad grave) que orientan el tratamiento.

La solución siempre es quirúrgica. En caso de choque (*shock*) o anemia aguda habrá que proceder a la reposición de la sangre perdida, mediante una transfusión.

ENFERMEDAD HEMOLÍTICA PERINATAL: EL RH

La isoinmunización y el Rh

Isoinmunización significa la producción de anticuerpos contra un antígeno que no está en el propio cuerpo, pero sí en el de otro individuo de la misma especie.

La enfermedad hemolítica perinatal (EHP), se define como la anemia hemolítica que sobreviene al feto en los últimos meses del embarazo, debido a una isoinmunización de la madre por diversos antígenos de los glóbulos fetales, que, al entrar en contacto con la sangre de ella, provocan la formación de anticuerpos (aglutininas) que atacan a los glóbulos rojos fetales. No sólo es provocada por el factor Rh, también llamado D, sino además por los factores A y B, y otros de la sangre del feto. Nos ocuparemos principalmente del factor Rh, llamado así por los estudios acerca del mismo que se realizaron con el *Macacus rhesus* (mono que se utiliza en las investigaciones clínicas). En realidad, en el Rh clásico entran toda una serie de más de 40 antígenos diferentes.

HERENCIA DEL FACTOR Rh

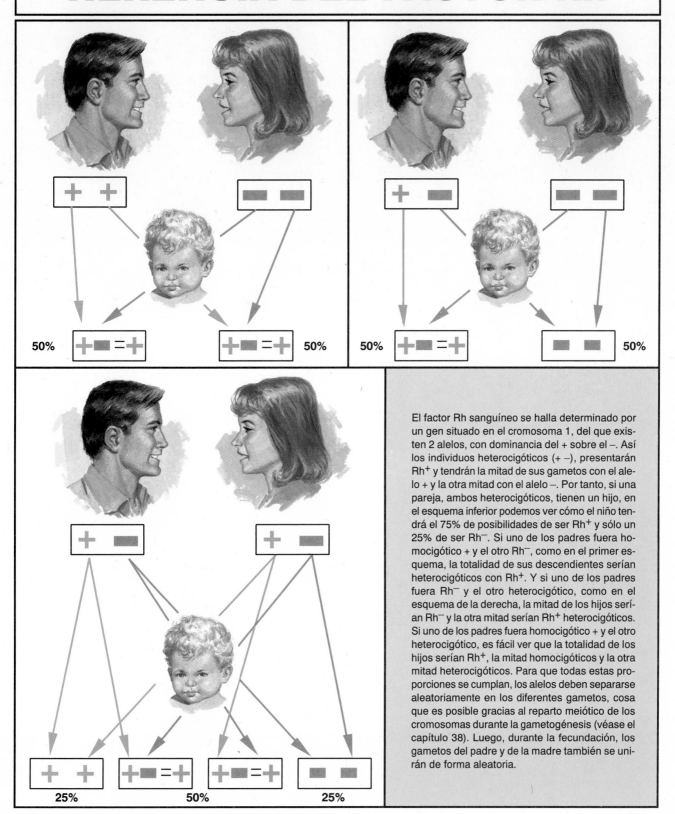

El factor Rh sanguíneo se halla determinado por un gen situado en el cromosoma 1, del que existen 2 alelos, con dominancia del + sobre el –. Así los individuos heterocigóticos (+ –), presentarán Rh⁺ y tendrán la mitad de sus gametos con el alelo + y la otra mitad con el alelo –. Por tanto, si una pareja, ambos heterocigóticos, tienen un hijo, en el esquema inferior podemos ver cómo el niño tendrá el 75% de posibilidades de ser Rh⁺ y sólo un 25% de ser Rh⁻. Si uno de los padres fuera homocigótico + y el otro Rh⁻, como en el primer esquema, la totalidad de sus descendientes serían heterocigóticos con Rh⁺. Y si uno de los padres fuera Rh⁻ y el otro heterocigótico, como en el esquema de la derecha, la mitad de los hijos serían Rh⁻ y la otra mitad serían Rh⁺ heterocigóticos. Si uno de los padres fuera homocigótico + y el otro heterocigótico, es fácil ver que la totalidad de los hijos serían Rh⁺, la mitad homocigóticos y la otra mitad heterocigóticos. Para que todas estas proporciones se cumplan, los alelos deben separarse aleatoriamente en los diferentes gametos, cosa que es posible gracias al reparto meiótico de los cromosomas durante la gametogénesis (véase el capítulo 38). Luego, durante la fecundación, los gametos del padre y de la madre también se unirán de forma aleatoria.

El 15% de la población carece del antígeno D, es decir su factor Rh es negativo: Rh^-. El resto (85%) lo posee: Rh^+. Entre los individuos de raza amarilla y los de raza negra, el 90% son Rh^+. Entre los de raza blanca el porcentaje de sujetos Rh^+ es del 85%; aunque, por ejemplo, entre los vascos únicamente el 60% lo son, debido a lo cual entre ellos la frecuencia de incompatibilidades Rh es mucho mayor.

Si los glóbulos rojos Rh^+ del feto entran en contacto con la sangre Rh de la madre, el sistema inmunitario materno los reconocerá como extraños y producirá anticuerpos anti-D, que recubrirán a los eritrocitos fetales, los cuales serán destruidos a su paso por el bazo.

La madre puede estar sensibilizada contra el antígeno D desde antes del embarazo, como consecuencia de una transfusión de sangre Rh^+. Durante el embarazo el contacto ha podido tener lugar en el primer trimestre, en el curso de un aborto posterior a las semanas 6.ª-7.ª (antes no aparece el factor antigénico), o durante una intervención por embarazo ectópico. También puede haberse producido el contacto entre la sangre fetal y la materna durante una intervención como la amniocentesis, cuando ha habido lesión placentaria. Otras ocasiones de inmunización son la hemorragia transplacentaria, espontánea, por maniobras obstétricas o por causas patológicas.

Efectos sobre el feto y el neonato

Los anticuerpos sintetizados por la madre causan diferentes daños en el feto, dependiendo del momento de la sensibilización, de la cantidad de anticuerpos que lleguen al feto, y de la resistencia que éste oponga al paso de dichos anticuerpos. Puede entonces suceder que la afectación del feto sea tan importante que se produzca su muerte intrauterina.

En un grado de afectación menor (hidropesía fetal) el feto está edematoso, encharcado prácticamente, con anemia e insuficiencia cardíaca. En este caso puede también morir dentro del útero o poco después de que se haya producido su nacimiento.

Se puede presentar la afectación como una ictericia grave al nacimiento (ictericia grave familiar del recién nacido) y la anemia llamada idiopática (de origen desconocido o espontáneo). Aparecen en las primeras 24 horas de vida, ya que en el útero era el hígado materno el que colaboraba en la metabolización de la bilirrubina (sustancia de desecho de la destrucción de los glóbulos rojos fetales).

La gravedad que suponen estos cuadros es la aparición del querníctero, o ictericia nuclear, por fijación de la bilirrubina en las neuronas de los núcleos cerebrales con lesión irreversible de las mismas, lo cual es causa de subnormalidad profunda.

En casos más leves se presenta anemia y un cierto grado de ictericia, la cual debe distinguirse de la fisiológica que se da en un 60% de los recién nacidos y en el 80% de los prematuros, sin que suponga ninguna anomalía.

Prevención y tratamiento

La mejor prevención de la enfermedad hemolítica perinatal (EHP) consiste en que toda mujer Rh⁻, antes de mantener relaciones con un hombre Rh⁺, consulte con el médico, para que

éste le indique las pautas a seguir en evitación de todas estas complicaciones. Por todo ello, antes de tener un hijo, cualquier pareja debe averiguar cuál es su factor Rh, mediante un sencillo análisis sanguíneo.

En segundo lugar toda mujer Rh⁻, debe evitar la sensibilización no sometiéndose a ninguna transfusión incompatible de sangre Rh⁺.

En caso de parto o aborto de una mujer Rh⁻ se le debe administrar gammaglobulina anti-D antes de las 72 horas, lo cual impide el estímulo antigénico de su sistema inmunitario.

En caso de sospecha de afectación intrauterina, confirmada mediante la determinación de la cantidad de bilirrubina en el líquido amniótico, si el

feto está gravemente afectado y puede sobrevivir, el médico quizá decida su extracción. Otra posibilidad consiste en hacer una transfusión de sangre del grupo O y Rh⁻ en el interior del abdomen fetal a través de la pared abdominal de la madre y el feto, o mediante una punción del cordón umbilical.

En el recién nacido, si la afectación es grave, la única medida eficaz es la práctica de la exanguinotransfusión, consistente en un cambio completo de la sangre del niño por otra compatible.

Si la ictericia no es grave, se puede estimular la metabolización hepática con fármacos adecuados, o la eliminación de la bilirrubina por descomposición en la piel mediante fototerapia (exposición a la luz solar o artificial).

ENFERMEDAD TROFOBLÁSTICA

Mola vesicular

La mola vesicular o hidatídica, recibe este calificativo, porque da lugar a vesículas. Consiste en una degeneración del trofoblasto (parte del huevo que dará lugar a la placenta) sin formación de embrión.

La incidencia de la mola es muy variable según las zonas geográficas, siendo máxima en el Lejano Oriente: un caso cada 200 embarazos; mientras que en Europa tan sólo se da un caso cada 1.000-2.000 embarazos, según los países.

Diagnóstico y tratamiento

Puede manifestarse como un sangrado sin dolor, aunque ocasionalmente éste pueda presentarse. El útero crece desproporcionadamente. A pesar de haber habido fecundación en este caso, por lo general, no hay embrión, el cual no ha podido desarrollarse ahogado por la degeneración (crecimiento masivo) del trofoblasto. Falta, por tanto, el latido cardíaco. Los ovarios pueden crecer por estímulo hormonal, y también por esta causa pueden presentarse de forma exagerada las manifestaciones propias del embarazo, como

son la hiperemesis (vómitos) y la sialorrea (producción excesiva de saliva).

En ausencia de expulsión de vesículas, se sospecha la presencia de esta enfermedad por el crecimiento exagerado del útero con ausencia de latido cardíaco fetal; sospecha que se confirma mediante análisis de sangre y orina, que determinan la presencia de la hormona gonadotrófica corial (HCG), y, sobre todo, por la visión ultrasónica (ecografía) de la llamada «imagen en copo de nieve». Cuando hay expulsión de vesículas, el diagnóstico resulta inequívoco.

El mejor tratamiento consiste en esperar el aborto de la mola, excepto en el caso de hemorragia o toxemia (autointoxicación de la madre) grave, en cuyo caso hay que eliminarla por procedimientos médicos o quirúrgicos. Se somete a la paciente a un control hormonal, con el fin de verificar que ha eliminado todo el tejido trofoblástico degenerado, que era el productor de la HCG. Se le desaconseja quedar embarazada al menos durante un año. Cuando en ocasión del control hormonal se detecta de nuevo la presencia de HCG, lo cual es indicio de persistencia de tejido trofoblástico, se impone un tratamiento con citostáticos (medica-

mentos que detienen el crecimiento de células tumorales).

Corioadenoma y coriocarcinoma

— **El corioadenoma, o mola invasiva**, es una mola vesicular que invade el miometrio (pared uterina). Posee un potencial maligno que en algunos casos se extiende por metástasis a otros órganos.

El corioadenoma puede provocar rotura uterina, acompañada de hemorragia intraabdominal e invasión de las estructuras pelvianas adyacentes, dando lugar a sepsis (infección generalizada) y muerte en algunas ocasiones.

— **El coriocarcinoma gravídico** es una degeneración altamente maligna del trofoblasto, que produce metástasis con facilidad. La degeneración maligna puede darse en el útero o trompas, o cuando el tejido trofoblástico benigno alcanza la circulación materna.

Por fortuna es un cáncer muy poco frecuente, que tan sólo se da en uno de cada 20.000 o 30.000 embarazos.

Los estados hipertensivos del embarazo (EHE) son una enfermedad exclusiva de la gestación, que ha recibido diversos nombres: toxemia, gestosis, EPH-gestosis (EPH: siglas de edema, proteinuria, hipertensión). Actualmente se prefiere la denominación de estado hipertensivo del embarazo. Es una afección importante por las graves complicaciones que puede provocar, tanto para la madre como para el feto.

El EHE se presenta en uno de cada 15-20 de todos los embarazos que se producen mundialmente, pero esta proporción varía notablemente de unos países a otros, e incluso dentro de ellos de unas zonas o estratos sociales a otros, dependiendo de diversos factores.

El EHE se manifiesta, como su nombre indica, por hipertensión, que al revés de lo normal presenta las cifras más altas por la noche, y además

con edema típico, sobre todo en las manos y cara, persistiendo aun con reposo. El edema (hinchazón) es un signo que no siempre se presenta. El tercer signo típico es la proteinuria (más de 1 g/l).

La situación más grave a que puede abocar el EHE es la eclampsia o estado convulsivo, difícilmente distinguible de una crisis convulsiva epiléptica (crisis epiléptica de «gran mal»). La eclampsia puede ser mortal por hemorragia cerebral, edema pulmonar, insuficiencia cardíaca, o grave acidosis respiratoria o metabólica de la madre, que ineludiblemente repercutirá en el feto. En esos casos el tratamiento debe ser rápido y enérgico.

Dependiendo del momento de la aparición del EHE, puede acarrear un grave peligro para el feto. Cuando la afectación es leve, el control ambula-

torio, el reposo, la tranquilidad y la dieta adecuada, son suficientes.

El régimen alimentario excluirá todos los elementos tóxicos (mariscos, embutidos, salazones, bebidas cafeinadas) y las grasas de origen animal. Para ello lo mejor es seguir una dieta lactovegetariana baja en sal.

En casos graves el médico decidirá la hospitalización de la embarazada para someterla a una estricta vigilancia, pues el feto puede verse afectado de sufrimiento por insuficiente oxigenación, o padecer un retraso en el crecimiento intrauterino por insuficiente aporte de nutrientes. En algunos casos será necesario proceder a la extracción fetal antes de término, para evitar complicaciones.

La curación definitiva de esta afección se logra únicamente cuando la gestación finaliza.

El embarazo en algunas mujeres puede provocar un aumento de la tensión arterial, que conviene controlar. Para ello es necesario seguir una dieta adecuada de la que se deben excluir todos lo productos tóxicos y las grasas de origen animal. Los mariscos, embutidos y salazones, aunque resultan gratos a muchos paladares, tienen más inconvenientes que ventajas, desde el punto de vista nutritivo, y en caso de EHE (estados hipertensivos del embarazo) no deben consumirse.

GESTACIÓN PROLONGADA

Cuando una mujer embarazada cuyos cálculos han sido bien hechos, no ha dado a luz a la 42.ª semana, se considera que su gestación es prolongada o a postérmino, y debe ser controlada de cerca por el médico.

Se estima que más del diez por ciento de los embarazos duran 42 semanas, sin que ello pueda considerarse, en principio, como anormal. Según las estadísticas occidentales, poco más

del siete por ciento de las gestaciones duran más de 43 semanas.

Una gestación prolongada puede afectar de dos maneras: dificultades en la salida de un feto demasiado voluminoso (cabeza grande, hombros muy anchos), y el envejecimiento de la placenta, con los consiguientes efectos nocivos para el feto (falta de oxígeno e inadecuada nutrición). Afortunadamente en la mitad de los embarazos

prolongados el feto no se ve afectado, pero el otro cincuenta por ciento sufre efectos indeseables, que incluso pueden resultar importantes.

El médico después de los exámenes y pruebas oportunas, valorará la situación y, en algunos casos, esperará hasta que se produzca el parto de forma natural, pero en otros lo provocará o procederá a la extracción del feto, por vía vaginal o mediante cesárea.

HIDRAMNIOS

El hidramnios consiste en un exceso de líquido amniótico, es decir, que su volumen supera los dos litros. Se dan hidramnios en los que se llegan a sobrepasar los cinco. En los casos leves la solución consiste en reposo en cama y seguir una dieta pobre en sal.

Se considera que existe hidramnios, es decir, exceso de líquido amniótico, cuando su volumen alcanza más de dos litros.

En condiciones normales las fuentes del líquido amniótico son: la secreción del amnios, la exudación de suero materno y la orina fetal. Estas fuentes producen una cantidad de líquido que ronda el medio litro diario cuando la gestación alcanza la 38.ª semana. El volumen del líquido amniótico permanece prácticamente constante, porque se produce una reabsorción del mismo a través de la piel y del cordón fetales, y sobre todo por la deglución fetal.

El hidramnios produce molestias abdominales, disnea (dificultad para la respiración), edema (hinchazón) de la pared abdominal y piernas, y dificultades para el desplazamiento.

En la mayoría de los casos de hidramnios la única medida que el médico debe tomar es una atenta vigilancia del desarrollo de la gestación, pues en el sesenta por ciento de los casos este trastorno no afectará negativamente ni al embarazo ni al parto.

El hidramnios no suele responder a los tratamientos con diuréticos; además de que estos fármacos pueden tener efectos secundarios indeseables, tanto para la madre como para el hijo. En algunos casos la solución consiste en reposo en cama y un régimen alimentario bajo en sal.

Los grados leves de hidramnios pueden ser tolerados, En los más graves, puede ser necesaria la extracción de líquido amniótico, mediante la inserción de un catéter intravenoso en la bolsa amniótica; después de localizada la placenta mediante una ecografía, para no pincharla. Este catéter se conecta a un sistema de infusión intravenosa. Una evacuación de 1.500-2.000 mililitros mejora los síntomas; aunque el hidramnios suele persistir y se hace necesario volver a extraer líquido. Este tratamiento a veces provoca el parto, y en raras ocasiones puede propiciar el desprendimiento de la placenta.

Cuando después de los correspondientes exámenes ecográficos, y radiológicos si es necesario, se comprueba que el feto ha sido afectado de algún modo por el hidramnios, el médico procederá en consecuencia. En los casos extremos puede ser necesario incluso proceder a la interrupción del embarazo. En otros casos simplemente será necesario tomar algunas precauciones durante el parto y postparto, y aplicar los cuidados necesarios al recién nacido.

Si el proceso del hidramnios es agudo, es decir, que se manifiesta en pocos días (máxime dos semanas), a menudo resulta de graves consecuencias para el feto. Suele producirse entre las semanas 21.ª a 28.ª, y puede provocar la rotura prematura de membranas y parto prematuro.

HIPEREMESIS GRAVÍDICA

Cuando los vómitos típicos del embarazo son muy intensos y frecuentes se habla de hiperemesis gravídica.

Los vómitos, cuando son escasos y no muy frecuentes, pueden considerarse como algo completamente normal; pero, si son permanentes, pueden llegar a provocar la desnutrición de la embarazada, o su deshidratación, lo cual puede ser grave.

Entre las causas de la hiperemesis gravídica hay que tener en cuenta el aumento de la hormona HCG, pero sobre todo el tipo de personalidad de la mujer. El típico vómito de la mujer embarazada puede tener un fondo de ansiedad y de necesidad inconsciente de llamar la atención, con el fin de no perder el protagonismo que ella como persona tenía, y que normalmente se desplaza hacia el embarazo y el futuro hijo.

Son aconsejables las infusiones de manzanilla (*Matricaria chamomilla* L.), las papillas de avena y la manzana hervida, como alimentación exclusiva, durante un par de días. Las compresas calientes (más bien tibias; en ningún caso fomentos, que se preparan con agua hirviendo) en la región estomacal pueden ser útiles en las primeras semanas del embarazo.

Si los vómitos no desaparecen no hay que dudar en acudir al médico, pues en algunos casos su correcto tratamiento puede requerir incluso la hospitalización.

La mujer no debe ingerir ningún medicamento, que no haya sido recetado por su médico, pues algunos fármacos contra los vómitos resultan perjudiciales para el feto.

HIPEREXCITABILIDAD NEUROVEGETATIVA

Durante el embarazo frecuentemente se presenta una hiperexcitabilidad neurovegetativa, que se manifiesta como pirosis o acidez gástrica. Es una molestia muy común en el segundo y tercer trimestre del embarazo.

Una dieta adecuada, y en ocasiones antiácidos, suele ser un tratamiento suficiente. Son recomendables las infusiones medicinales a base de anís (*Pimpinella anisum* L.), hierbabuena (*Mentha sativa* L.), manzanilla (*Matricaria chamomilla* L.), menta (*Mentha piperita* L.), romero (*Rosmarinus officinalis* L.), salvia (*Salvia officinalis* L.) y tila (*Tilia platyphylos* Scopoli).

El régimen alimentario conveniente es el general recomendado en el embarazo (págs. 706-711), procurando restringir la ingestión de alimentos de origen animal, o mejor suprimiéndola, ya que sus productos de desintegración metabólica (urea y ácido úrico) son tóxicos y excitantes del sistema nervioso. La leche, que aporta proteínas del más elevado valor biológico, es más bien sedante, gracias al calcio que contiene; no así los quesos curados y extragrasos, debido a su propia composición modificada con la fermentación, y algunos aditivos que suelen emplearse en su elaboración. Para que las verduras y hortalizas sean bien toleradas, deben cocinarse perfectamente, así como las frutas, que se tomarán en forma de compotas. Los purés, las papillas y las sémolas, más bien espesos, son los platos mejor tolerados por los estómagos débiles.

A veces la excitabilidad exagerada del diafragma puede producir hipo. En este caso tomar cinco comidas diarias ligeras, en lugar de las tres habituales, suele solucionar el problema.

La acidez estomacal, así como otros trastornos de la gestante, pueden ser corregidos con infusiones medicinales carentes de contraindicaciones (véase cuadro, pág. 713).

MALFORMACIONES CONGÉNITAS

Se entiende como malformación congénita toda alteración morfológica o bioquímica presente en el recién nacido. De acuerdo con esta definición nos encontramos con una anomalía congénita por cada 16 recién nacidos. Estas anomalías son las responsables del 15 % de las muertes durante el primer año de vida.

Entre las causas que las provocan, encontramos factores genéticos hereditarios o adquiridos por mutaciones, y factores ambientales que inciden en el desarrollo del nuevo ser. Aquí podemos incluir los fármacos y agentes químicos ambientales, trastornos metabólicos de la madre, infecciones, radiaciones y otros. Una de cada diez anomalías se atribuye a factores ambientales.

Para diagnosticar las malformaciones congénitas es preciso identificar

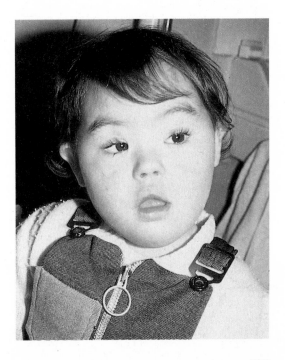

Una de las malformaciones congénitas más conocidas, por los efectos visibles que produce es el síndrome de Down o mongolismo. En este caso se trata de una anomalía de origen cromosómico. Véase el capítulo 37, primero de este mismo tomo, y especialmente las páginas 645, 650 y 651.

pacientes que, por su edad, antecedentes o exposición a agentes nocivos, tengan un mayor riesgo. Mediante el estudio del cariotipo se pueden detectar anomalías cromosómicas. Otros estudios permiten detectar diversas anomalías, que llevarán a determinar si la gestación resulta aconsejable, según que haya bajo o alto riesgo de malformación.

En varios capítulos de Vida, amor y sexo (especialmente el 37, «Fundamentos de una descendencia sana», y el 54, «Malformaciones y enfermedades congénitas») se abordan las causas de las malformaciones congénitas y su posible prevención. A ellos remitimos al lector.

Métodos de diagnóstico

Entre las técnicas no invasivas, o incruentas, de diagnóstico de las malformaciones fetales, contamos con la ecografía, los marcadores bioquímicos en sangre materna, y la separación de células fetales del suero materno, aún por perfeccionar.

Como técnicas invasivas contamos con la amniocentesis precoz, de la que se obtiene una cantidad de células más bien escasa. La biopsia corial proporciona mayor cantidad de células, y se puede realizar más precozmente; por eso es el medio de diagnóstico por excelencia. La punción directa del cordón umbilical bajo control ecográfico permite la extracción de sangre fetal para su análisis. La fetoscopia hace posible la visualización directa, la obtención de sangre fetal y de pequeñas biopsias; pero por sus peligros es un sistema en desuso. La embrioscopia, que parece una técnica bastante segura, consiste en la introducción de un sistema óptico por el cuello uterino, a partir de la 9.ª semana de embarazo, para poder ver al embrión a través de las membranas.

PLACENTA PREVIA

Se habla de placenta previa cuando ésta toma su lugar en el útero en la zona baja (segmento inferior), y muy cerca o en contacto con el orificio interior del cuello uterino, por delante del camino que el feto deberá recorrer en su salida al exterior. Se manifiesta por sangrados en la segunda mitad del embarazo.

La placenta previa se presenta en uno de cada 100-200 embarazos, y se produce con mayor frecuencia en las multíparas que en las primíparas.

Actualmente, gracias a la ecografía, es fácil descubrir esta anomalía ya en la primera mitad del embarazo.

La actuación médica para la resolución del embarazo, lleva, en la mayoría de los casos, a la cesárea, habiendo pasado antes por una vigilancia estrecha y reposo absoluto durante la gestación.

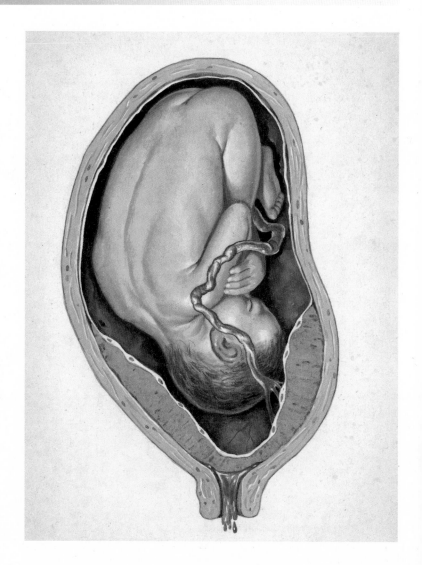

En la figura se observa una placenta previa, unida por el cordón umbilical al feto, la cual está ocluyendo por completo los orificios del cuello uterino, impidiendo, en este caso, la salida del niño. La placenta previa suele manifestarse con pérdidas sanguíneas, ya durante el embarazo. En el caso representado, placenta previa central, el feto habrá de ser extraído mediante una cesárea para evitar graves hemorragias maternas y la muerte fetal; no así obligatoriamente en otros tipos de placenta previa, en los que el feto puede nacer por la vía natural.

PADECIMIENTOS QUE COMPLICAN LA GESTACIÓN

ACCIDENTES AUTOMOVILÍSTICOS

Debido al constante aumento del parque de vehículos motorizados, cada día son más las mujeres embarazadas que sufren lesiones a causa de los accidentes de tráfico.

En los accidentes de circulación es frecuente que se produzcan lesiones contusas o penetrantes. No es fácil, en cambio, que se produzca una lesión directa del feto, gracias a la protección que le proporciona el líquido amniótico, que actúa como almohadilla de amortiguación.

Las fracturas de los huesos de la pelvis o las luxaciones, pueden provocar lesiones en las estructuras fetales, especialmente en la cabeza por aplastamiento.

La causa más frecuente de muerte fetal en los accidentes automovilísticos es el desprendimiento prematuro de la placenta, cuando la madre sobrevive al traumatismo.

Hay varias lesiones muy graves, tanto para el feto como para la madre, las cuales a veces no presentan demasiados síntomas (contusión abdominal), como son la rotura de los vasos de la cara fetal de la placenta; o la rotura de los vasos de la pelvis materna, consecuencia de un incremento brusco de la presión intraamniótica. El aumento de la presión intrauterina puede desencadenar un parto prematuro.

Cuando se viaja en automóvil hay que tener en cuenta que, si bien el cinturón de seguridad salva muchas vidas y evita los golpes frontales, la mujer embarazada debe colocárselo de modo

Cuando se sube a un automóvil a veces se ha cargado todo menos lo más importante: una buena dosis de prudencia... doblemente necesaria cuando lo que está en juego es una nueva vida en período de formación.

que en caso de choque o frenazo brusco, no le produzca una gran compresión abdominal. Esta compresión puede provocar la rotura uterina, e incluso, dependiendo de la intensidad, la rotura de la cabeza del feto, que suele deberse al aplastamiento de la misma contra la columna de la madre.

Cuando una mujer gestante ha sufrido un accidente de circulación, aunque no se aperciba de ningún síntoma especial, debe acudir de inmediato al médico, para que la examine y compruebe si su embarazo se ha visto afectado.

Por supuesto que el tratamiento de las secuelas de un accidente de tráfico siempre corresponde al médico, que en cada caso (traumatismos, roturas óseas, hemorragias, afectación fetal) aplicará las medidas oportunas.

En este caso, como en tantos, lo mejor es la prevención. Si los viajes largos no son oportunos en caso de embarazo, razón de más para desaconsejarlos el hecho de un posible accidente. La mujer gestante que necesita circular en automóvil, debe actuar siempre, como cualquier conductor, con la máxima prudencia y a una velocidad moderada, con lo cual le será más fácil maniobrar en caso de peligro; y si se produce cualquier tipo de accidente, las consecuencias serán mínimas, tanto para ella misma como para el hijo que está esperando.

AFECCIONES CARDIOCIRCULATORIAS

Una de cada cien embarazadas padece alguna cardiopatía, y en uno de cada 100.000 embarazos la enfermedad cardíaca provoca la muerte de la madre. Sin que supongan una situación grave, el noventa por ciento de las gestantes presentan síntomas como fatiga, o un soplo cardíaco, debido a los cambios fisiológicos inducidos por la propia gestación. Todo eso desaparece después del parto.

Para un corazón enfermo el embarazo supone una sobrecarga con tres momentos críticos: el primero, hacia la semana 28.ª; el segundo, durante el período expulsivo del parto, y el tercero es el puerperio inmediato.

Las enfermedades cardíacas influyen desfavorablemente en el desarrollo del embarazo. Por eso, toda mujer que padezca alguna enfermedad importante del sistema cardiocirculatorio, antes de quedar embarazada debiera consultar con su médico, y la gestación debe ser controlada con especial atención, así como el puerperio.

Como norma general la mujer cardiópata se la considerará de riesgo elevado. El parto debe ser lo más breve posible, y para ello el especialista actuará en consecuencia, extrayendo el

En muchos casos, el padecimiento de ciertas trastornos del corazón o el sistema circulatorio, no impide que llegue a feliz término un embarazo. Para ello la gestante debe someterse a la adecuada vigilancia médica, y evitar los esfuerzos físicos y las emociones intensas.

feto por vía vaginal mediante la técnica más oportuna en cada caso (ventosa, espátulas, fórceps), para abreviar el período expulsivo, con el fin de evitarle al máximo la sobrecarga al corazón de la parturienta.

Las normas generales que debe cumplir la embarazada con problemas cardiovasculares importantes son:

— Evitar los esfuerzos físicos y las emociones intensas.
— No aumentar más allá de 7-8 kilos de peso durante todo el embarazo.

— Vigilar cuidadosamente otros aspectos de la salud para no sufrir complicaciones: infecciones, hipertensión, anemia.
— Descansar de modo suficiente.
— Tomar la medicación prescrita por el médico con absoluta fidelidad.

AFECCIONES ENDOCRINAS

Las suprarrenales

Las glándulas suprarrenales, como su nombre indica, están situadas encima de los riñones, y producen diversas hormonas, entre ellas la cortisona.

El diagnóstico de las enfermedades que afectan a estas glándulas durante el embarazo, es difícil, pues su función se ve afectada por la propia gestación. Muchas veces se diagnostica una hiperfunción suprarrenal porque es una afección que presenta síntomas comunes con los del propio embarazo: estrías abdominales, edema, aumento de la pigmentación cutánea y disminución de la tolerancia a la glucosa.

No obstante, en las verdaderas hiperfunciones suprarrenales es infrecuente que la mujer quede embaraza-

da. En los trastornos menos severos, si la mujer queda encinta, se producen a menudo abortos y partos prematuros en mujeres no tratadas.

En el caso contrario, el hipofuncionamiento de las suprarrenales, también es difícil que una mujer pueda llegar a concebir sin un adecuado tratamiento.

La tiroides

El diagnóstico de la enfermedad tiroidea en el embarazo es difícil, pues está alterada la función de la glándula. Parece que en el embarazo normal el metabolismo fetal es independiente del materno.

El hipotiroidismo es a menudo causa de esterilidad. No obstante, algunas pacientes que sufren hipotiroi-

dismo pueden quedar embarazadas, siendo en ellas frecuentes los abortos, malformaciones y otras anomalías. El pronóstico mejora muchísimo si la madre es tratada adecuadamente con extracto tiroideo.

En la terapia del hipertiroidismo en la mujer gestante están prohibidas las sustancias radiactivas y los fármacos capaces de atravesar la barrera placentaria, debido a sus efectos nocivos sobre el feto.

En caso de cáncer tiroideo incipiente, el embarazo no modifica su curso, ni su presencia contraindica la gestación, si el estado general de la mujer es bueno. Ahora bien, la mujer gestante que padece cáncer tiroideo, no debe recibir tratamiento con radioisótopos del iodo.

ANEMIA

Hay fundamentalmente dos tipos de anemia, la ferropénica y la megaloblástica, que pueden afectar a la embarazada.

Anemia ferropénica

La anemia ferropénica o debida a la falta de hierro, es la más frecuente durante el embarazo.

Una dieta equilibrada, en la que no falten las hortalizas ricas en hierro

(verduras, legumbres) contiene suficiente cantidad de él para una mujer sana. Pero durante el embarazo, especialmente a partir del 4.º-5.º mes las necesidades de hierro son mayores; lo cual, unido a otras circunstancias (gemelaridad, mala absorción, aumento del volumen sanguíneo), junto al hecho de que la absorción intestinal está limitada, pueden provocar un déficit importante. Por eso conviene que la ingestión de hierro se complemente

con un suplemento. Se recomienda pues, a todas las embarazadas, después del tercer mes de gestación, la ingestión de preparados a base de hierro, con controles analíticos para el tratamiento o prevención.

Para una mejor absorción de los fármacos férricos, éstos deben tomarse con un vaso de zumo de naranja o limón en ayunas, ya que esto impide su oxidación, forma en la que el hierro no puede ser absorbido por el organismo.

en miligramos por 100 gramos de parte comestible

Espirulina	53
Sangre	52
Morcilla	36
Almejas y berberechos	25
Levadura de cerveza	17,6
Soja	10
Levadura de tórula	10
Semillas de calabaza	9,2
Polen	9
Habas secas	8,5
Hígado de distintos animales	8
Perdiz	7,7
Pistachos	7,3
Carne de caballo	7
Lentejas	7
Miel (melaza) de caña	6,7
Alubias (fríjoles)	6,6
Ostras	6,4
Levadura láctica	6,2
Riñones de distintos animales	5,7
Foie-gras y patés	5,5
Piñones	5,2
Salsa de soja (tamari)	5
Germen de trigo	5
Pavo	5
Sardinas	5
Chocolate sin leche	5
Garbanzos	4,8
Guisantes (chícharos) secos	4,7
Avena	4,5
Cebada	4,5
Trigo	4,3
Almendras	4,1
Higos secos	4
Salchichón	4
Mejillones	4
Alfalfa	3,9
Avellanas	3,8
Cacahuetes (maní) tostados	3,5
Coco, pulpa seca	3,5
Yema de huevo	3,5
Nueces del Brasil	3,4
Soja verde	3,1
Caviar en conserva	3,1
Ciruelas pasas	3
Uvas pasas	3
Chufa seca	3
Espinacas	3
Almidón de maíz (maizena)	3
Pan integral	3
Chorizo	3
Acelgas	2,7
Arroz	2,6
Bacalao salado	2,6
Caqui americano	2,5
Maíz	2,5
Carne de ternera	2,5
Salmón fresco	2,3
Escarola	2,2
Zumo de manzana	2,2
Berros	2
Chuletas de cordero	2

Anemia megaloblástica

La anemia megaloblástica es poco frecuente. Su aparición durante el embarazo se debe a la carencia de ácido fólico (vitamina B_c), propia del embarazo y puerperio. También puede deberse a una falta de vitamina B_{12}, así como a la carencia del factor de Wills.

Debe combatirse esta anemia con la ingestión de preparados vitamínicos, pues la carencia de ácido fólico (vitamina B_c) puede ser causa de trastornos en el desarrollo embrionario y fetal, que pueden provocar malformaciones o abortos.

El ácido fólico, como su nombre indica, se encuentra en abundancia en las hojas verdes. Así que una dieta rica en verduras es la mejor prevención de su posible carencia, y el mejor tratamiento cuando se ha presentado la deficiencia.

en microgramos por 100 gramos de parte comestible

Levadura de pan	930
Levadura de cerveza	922
Germen de trigo	271
Hígado de diferentes animales	192
Garbanzos	180
Acelgas	140
Espinacas y grelos	140
Yema de huevo	127
Avellanas	110
Almendras	96
Remolacha	90
Coles	79
Guisantes (chícharos) y habas	78
Riñones de diferentes animales	77
Coliflor	69
Judías verdes	60
Boniato y batata	52
Quesos curados (Cabrales, Roquefort)	50
Turrón y mazapán	48
Cacao en polvo azucarado	38
Naranja	37
Lentejas	35
Lechuga y escarola	34
Guisantes (chícharos) secos	33
Melón	30
Espárragos	30
Tomate	28
Salmonete	26
Huevos	25
Pizza	24
Champiñones y setas (hongos)	23
Harina de trigo y pan, integral	22
Plátano	22
Mandarina	21
Dátiles	21
Quesos semicurados (manchego, Gruyère)	20
Fresas y frambuesas	20
Centollos y cangrejos	20

* Ácido fólico = vitamina B_c

La mujer con tendencia a la delgadez y la anemia debe someterse a un estricto control médico durante el embarazo. Aunque es cierto que algunas mujeres propensas a la anemia, durante sus gestaciones presentan datos analíticos sanguíneos mejores que antes de quedar embarazadas; pues durante la gestación el organismo femenino funciona «a tope».

ASMA BRONQUIAL

El asma bronquial incide en una de cada cien gestantes, y en la mitad de las que la padecen no se observan cambios a causa del embarazo. Entre la otra mitad de mujeres asmáticas se dan los dos casos: unas mejoran y otras empeoran. El asma influye poco en el desarrollo de la gestación, aunque se ha dado algún caso de muerte fetal en el momento del ataque asmático.

El tratamiento que la paciente asmática seguía antes del embarazo, puede verse modificado, por el hecho de la posible repercusión negativa sobre el feto de algunos fármacos utilizados en el tratamiento de esta afección, como son los corticoides.

Aunque los tratamientos naturales demasiado enérgicos no deben aplicarse a la embarazada, hay algunos que carecen de contraindicaciones importantes y pueden ayudar a la gestante asmática a superar o minimizar las crisis. Por ejemplo en ocasiones da muy buen resultado un baño de piernas y brazos a temperatura progresiva (36º-44ºC). También pueden practicarse inhalaciones de vapor con esencias balsámicas (eucalipto, pino, enebro). A ciertas asmáticas lo que mejor les va es un cambio de clima durante una temporada (alta montaña o clima marítimo, según los casos).

Los cuidados obstétricos de la asmática son los mismos que se deben proporcionar a toda mujer encinta.

CÁNCER

En primer lugar la incidencia del cáncer en la edad de gestación es relativamente baja. Por ejemplo los tumores malignos del ovario se dan muy raramente en una mujer embarazada. No obstante, los cánceres que más se observan durante la gestación son los de cuello uterino (uno por cada 2.000 gestantes), mama (al menos uno por cada 3.500), tiroides y el melanoma (tipo de cáncer de piel).

La presencia de uno de estos tipos de cáncer es suficiente motivo como para contraindicar el embarazo, pues la gestación influye poderosamente en su desarrollo, sobre todo en el del cuello del útero, y en el de mama, que pueden evolucionar de forma desfavorable durante el embarazo o el puerperio. El carcinoma mamario puede ser operado durante el embarazo y tratado con radioterapia, sin que ello obligue necesariamente a la interrupción del embarazo. Incluso, de acuerdo con los conocimientos actuales, no parece que algunos quimioterápicos antimetastásicos, aplicados durante el segundo y tercer trimestre de gestación, resulten nocivos para el feto.

La actitud a tomar dependerá de cada caso, cuyas circunstancias deben ser cuidadosamente evaluadas por el especialista.

COLECISTITIS Y COLELITIASIS

Durante el embarazo, la vesícula biliar puede verse afectada por inflamaciones e infecciones (colecistitis), por la producción de cálculos (colelitiasis) y por trastornos neurovegetativos (dificultad de vaciamiento).

Estos trastornos se deben al aumento de la producción de bilis en sus tres elementos esenciales (colesterol, pigmentos y ácidos biliares); a su evacuación en condiciones desfavorables, a causa de las alteraciones neurovege-tativas que repercuten en su motricidad, y por la presencia de gérmenes, que desde el duodeno ascienden y colonizan la vesícula.

Durante el puerperio son frecuentes los cólicos vesiculares.

Tratamiento de la colecistitis

En los casos agudos la ingestión de líquidos debe realizarse con suma prudencia. Son convenientes las infusiones de manzanilla (*Matricaria chamomilla* L.) y menta (*Mentha piperita* L.).

El régimen alimentario consistirá en papillas de cereales, jugos de fruta diluidos y compotas. Después de la fase aguda la alimentación será lactovegetariana, consumiendo todos los producos lácteos descremados. Hay que suprimir completamente el café, el alcohol, las especias, las bebidas frías, las grasas animales y los fritos.

En caso de fiebre no deben aplicarse tratamientos calientes, aunque en los leves el calor resulta aconsejable. La onda corta es el tratamiento más adecuado.

Después de la desaparición de la fiebre y los síntomas agudos, se aplican compresas frías en la región lumbar.

De haber infección están indicados los antibióticos. Si se impusiera la intervención quirúrgica, el hecho de la gestación no la contraindica.

Tratamiento de la colelitiasis

Cuando se inicia un cólico biliar, a menudo es posible frenarlo, si se actúa precozmente, mediante baños de asiento o medios baños a temperatura progresiva, seguidos de fomentos en los riñones, enemas a temperaturas comprendidas entre 37° y 39°C. Después de este tratamiento natural se toma una infusión de manzanilla muy caliente. Con estas medidas se alivia la vesícula y los conductos biliares, lo cual activa la expulsión o la disolución de ciertos cálculos en la vesícula.

En pleno cólico biliar únicamente se deben tomar caldos de verdura, especialmente a base de alcachofa, e infusiones de manzanilla (*Matricaria chamomilla* L.), boldo (*Peumus boldus* Molina), cardo mariano (*Carduus marianus* L. = *Silybum marianum* Gaertn.) y achicoria (*Cichorium intybus* L.)

CHOQUE SÉPTICO

El choque (*shock*) séptico en obstetricia es un grave proceso, que se debe a la entrada de gérmenes en la sangre materna. Las causas más frecuentes son el aborto provocado, la amniositis (inflamación del saco amniótico) y, en menor grado, la pielonefritis.

Se presenta en tres fases que describimos por su orden de aparición y gravedad:

1.º **Fase hipotensiva precoz o caliente:** La piel está caliente, húmeda y enrojecida. Hay fiebre alta (38°-40°C), con taquicardia y escalofríos. La tensión es baja (máxima entre 80-90 mm de Hg). No hay pérdida de conocimiento y la diuresis (producción de orina) es normal. Esta fase puede durar varias horas.

2.º **Fase hipotensiva tardía o fría:** Los síntomas son semejantes a los de un choque hemorrágico: piel fría y viscosa, tensión arterial aún más baja (70 mm de Hg o menos), labios y dedos azulados, pulso débil y rápido. En lugar de fiebre la temperatura desciende por debajo de lo normal (hipotermia). Se manifiestan alteraciones de la conciencia y oliguria (secreción de poca cantidad de orina).

3.º **Fase final o irreversible:** Grave alteración metabólica con anuria (falta de producción de orina por alteración renal), insuficiencia respiratoria y cardíaca, y finalmente coma.

Las dos primeras fases pueden responder a un tratamiento enérgico, mientras que la última hace inútil el tratamiento. En cuanto se presentan los primeros síntomas hay que llevar a la paciente al servicio hospitalario de urgencia más próximo, con el fin de que se aplique la terapia oportuna, y se le administren antibióticos adecuados por vía endovenosa.

DIABETES

Antes de que existiera el tratamiento de la diabetes con insulina, la mortalidad perinatal de los hijos de mujeres que padecían esta enfermedad era del 40%-60%, y la mortalidad materna se aproximaba al 30%; aunque no era frecuente que las diabéticas quedaran embarazadas.

Diabetes y embarazo se influyen mutuamente en sentido negativo. Problemas como la hiperemesis gravídica, la pielonefritis y los estados hipertensivos del embarazo, pueden producir un . agravamiento de la enfermedad diabética, especialmente si hay afectación vascular o renal.

Efectos sobre el embarazo y el parto

La diabetes produce un aumento de los estados hipertensivos y propicia una mayor predisposición a que la gestante contraiga infecciones. El hidramnios (exceso de líquido amniótico) es casi exclusivo de las diabetes mal controladas. Salvo en caso de diabetes grave, los abortos no son frecuentes entre las gestantes que padecen este trastorno endocrino. No obstante, por causa del hidramnios y la macrosomia fetal, puede haber una mayor incidencia de abortos y partos prematuros.

La diabetes puede afectar al feto y al recién nacido, pues entre los hijos de diabéticas se encuentra el doble, y hasta el cuádruple, de malformaciones que entre los del resto de mujeres. Estas malformaciones son, además, la causa de la mitad de las muertes entre los hijos de madres diabéticas.

La mortalidad perinatal de los hijos de diabéticas se produce por insuficiencia placentaria, cuando la afectación vascular es grave, o por hipoglucemia fetal, y, muy especialmente, neonatal.

Las anomalías del crecimiento más frecuentes son la macrosomia por una parte, y el retraso del crecimiento fetal intrauterino por otra, cuando la placenta también presenta un bajo peso.

Hay otras alteraciones de tipo analítico que se manifiestan en el neonato, entre las que destaca la hipoglucemia, la cual se presenta sobre todo a las dos o tres horas de vida. Ello se debe a que el páncreas del recién nacido, acostumbrado a la gran cantidad de glucosa presente en la vida intrauterina, sigue secretando grandes cantidades de insulina.

Precauciones necesarias

Hay diabetes que se manifiestan por primera vez, y a veces de forma exclusiva, con ocasión del embarazo (el 90% de las diabetes gestacionales). De ahí la importancia de los repetidos controles del nivel de glucosa en la sangre de toda embarazada.

Es importante un buen control de la diabetes, porque eso conllevará una disminución de la incidencia de los trastornos antes descritos. El control metabólico tiene que iniciarse antes de la concepción.

El tratamiento de la diabetes es complejo y tiene que ser aplicado con estricta fidelidad, y además tiene que ser individualizado por el especialista, para que sea realmente efectivo. En *La salud por la nutrición,* obra publicada por esta misma editorial, se estudia con todo detalle el tratamiento global de la diabetes, y su dietoterapia en particular.

En algunos casos el control de la embarazada diabética puede exigir su hospitalización.

Si el control metabólico es bueno, y el feto no presenta signos de anomalía, se puede esperar a que el parto se produzca de forma espontánea; de lo contrario, el médico decidirá su interrupción en el momento oportuno.

INFECCIONES

Los agentes patógenos que pueden afectar a la mujer embarazada son principalmente las bacterias y los virus. Vamos a ver los más frecuentes e importantes, y las enfermedades que pueden producir, con sus complicaciones consiguientes.

Infecciones bacterianas

Los gérmenes bacterianos pueden alcanzar al feto por varias vías:

— **Vía hematógena:** Es la más frecuente. De la sangre de la madre las bacterias pasan a colonizar la placenta, y después a la circulación fetal. Esto no es posible antes del cuarto mes de gestación, debido a que todavía no se ha instaurado una buena circulación fetoplacentaria.

— **Vía descendente:** Se introducen en el útero a través de las trompas de Falopio.

— **Vía ascendente:** Por la vagina, sobre todo si ha habido una rotura prematura de las membranas.

Estos gérmenes pueden ocasionar asfixia fetal por afectar a la superficie de intercambio materno-fetal.

Algunas de las enfermedades de origen bacteriano que pueden pasar al feto son la listeriosis y la sífilis, ambas capaces de dejar graves secuelas en él.

Gonorrea

La gonococia (gonorrea) coincidente con la gestación, bien merece un apartado, ya que su peligrosidad durante esta época no es ni mucho menos despreciable.

Las generalidades sobre esta enfermedad se hallan descritas en el capítulo 28, dedicado a las ETS.

Durante el embarazo la infección gonocócica suele producir una cervicitis crónica, que facilita la proliferación de virus (del condiloma acuminado). A veces, sin embargo, se propaga a la decidua y de allí a la madre, al feto o a ambos.

Después del parto, el germen gonocócico, aprovechando la debilidad orgánica que se da durante el puerperio, asciende con facilidad a lugares más altos del aparato genital, causando metritis (inflamación del útero) y salpingitis (de las trompas) gonocócicas, que son bastante frecuentes.

El recién nacido de madre infectada corre un peligro particular, el de la panoftalmía purulenta, origen de muchas cegueras en décadas pasadas.

El tratamiento es posible con los modernos y muy eficaces antibióticos. La profilaxis en el feto consiste en la instilación de colirios en los ojos y genitales de los recién nacidos, sobre todo si el parto ha sido en presentación podálica (de nalgas). También en que la madre cuide de no contagiar con sus manos al hijo.

Sífilis

La sífilis, enfermedad suficientemente estudiada en el capítulo 28, dedicado a las ETS, tiene mucha importancia en la gestación, ya que afecta a la descendencia.

La sífilis de la madre se cura; pero trasmitida precozmente al feto, lo afecta gravemente, pudiendo provocarle incluso la muerte. Un 0,1%-0,3% de las embarazadas son sifilíticas.

La sífilis de la mujer gestante provoca con frecuencia abortos tardíos (del cuarto mes en adelante), y también tempranos, y la expulsión de fetos macerados.

Fetos nacidos vivos pueden presentar estigmas de sífilis: pénfigo luético, coriza, condroepifisitis, hígado y bazo alterados, etcétera

En un estudio científico se comprobó que, de las madres sifilíticas tratadas medicamentosamente durante el embarazo, sobrevivían a los 15 años el 85% de sus hijos; mientras que, en el caso de las no sometidas a tratamiento, sólo habían sobrevivido, pasado ese tiempo, el 5% de los mismos, ya que el 95% se habían malogrado por abortos, partos prematuros, partos a término con feto muerto, o fallecidos por diversas enfermedades facilitadas por sus taras.

Pielonefritis

La pielonefritis es una inflamación de la pelvis renal como consecuencia de una infección bacteriana, que con frecuencia se extiende y ataca también al riñón, de ahí su nombre: pielo-nefritis.

Esta enfermedad aparece en una de cada cinco embarazadas. Es la afección que se da más frecuentemente durante la gestación, favorecida por los cambios fisiológicos que ocurren, principalmente la disminución del tono de las fibras musculares lisas del aparato excretor urinario.

Muchas veces cursa sin molestias, y es diagnostiacada con ocasión de un análisis rutinario de orina, en el que se descubre la presencia de gérmenes bacterianos patógenos en la orina, comúnmente el *Escherichia coli*, del cual existen 149 variedades diferentes.

La causa principal de la pielonefritis reside en el estreñimiento y en el estancamiento urinario. Puede complicarse con un absceso que llega a destruir el riñón. En los casos de evolución grave se presenta pus en la orina, fiebre, escalofríos, vómitos, aceleración del pulso, y dolor violento como de lumbago, principalmente en el lado derecho. Cuando esto ocurre se impone un enérgico tratamiento, en el que los antibióticos son de gran utilidad. Además la paciente debe guardar reposo en cama y aumentar la ingestión de líquidos, con el fin de lograr una buena diuresis (orinas abundantes).

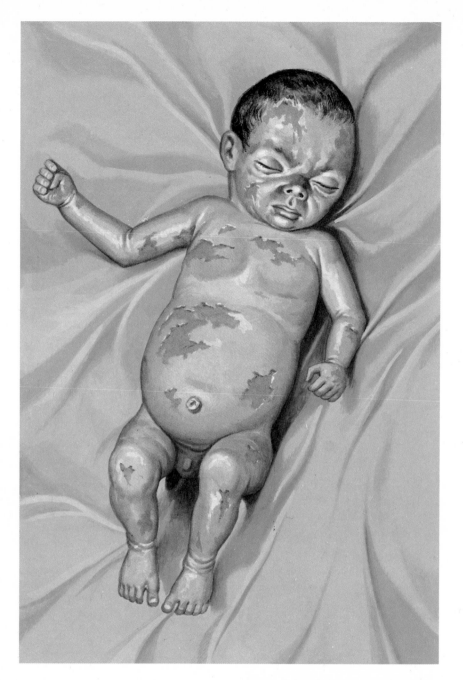

Es fundamental la corrección del estreñimiento mediante una alimentación rica en fibra: verduras, cereales integrales, frutas dulces desecadas (ciruelas pasas, higos secos). Si el estómago lo tolera es de gran utilidad el salvado, así como la miel. Si fuera necesario habría que administrar algún laxante suave del tipo del aceite de parafina.

FETO MACERADO: Es aquel que, muerto en el interior del claustro materno, queda retenido en el interior del mismo durante un cierto tiempo. En la figura se representa un feto macerado a causa de una sífilis materna, de la cual éste se había contagiado durante la gestación, y que provocó su fallecimiento.

Tuberculosis

La tuberculosis de la madre rara vez afecta al feto, por paso del bacilo a través de la placenta. El contagio suele producirse después del nacimiento. Por eso se aconseja vacunar, con la BCG el primer día, a los niños con riesgo de enfermar, como consecuencia de convivir con tuberculosos activos.

El médico aconsejará la separación de la criatura de su madre, con el fin de evitar el contagio, lo cual obligará a una lactancia artificial.

Infecciones por protozoarios: Toxoplasmosis

La toxoplasmosis es una zoonosis (enfermedad animal que puede afectar al hombre) provocada por un protozoario llamado *Toxoplasma gondii*. En los medios urbanos suelen ser los gatos los agentes transmisores, o la carne contaminada no suficientemente cocinada. Es una enfermedad peligrosa porque no suele presentar síntomas al principio. Puede provocar importantes trastornos cerebrales y oculares. Cuando hay síntomas suelen ser: debilidad general, dolores musculares y en las articulaciones, fiebre alta, erupciones cutáneas, vómitos y diarreas.

La mitad de las mujeres en edad de procrear corren el riesgo de contraer una toxoplasmosis, y a su vez la mitad de los fetos tiene la posibilidad de infectarse si su madre la contrae.

Mientras que en el adulto la toxoplasmosis pasa casi desapercibida, por su brevedad e inespecificidad, en el neonato puede originar problemas cardiorrespiratorios; encefalitis, o secuelas de la misma con retraso mental; hidrocefalia, y otras anomalías que se presentan más tarde.

Infecciones víricas

Los virus llegan al feto a través de la placenta. Para ello tiene que darse la circunstancia de que sea la primera vez que la madre entra en contacto con la infección, de lo contrario sus anticuerpos impedirían el acceso a la placenta.

Los virus, por su tamaño, son los únicos microorganismos que atraviesan la barrera placentaria antes del cuarto mes de gestación. Así, en el período embrionario pueden producir

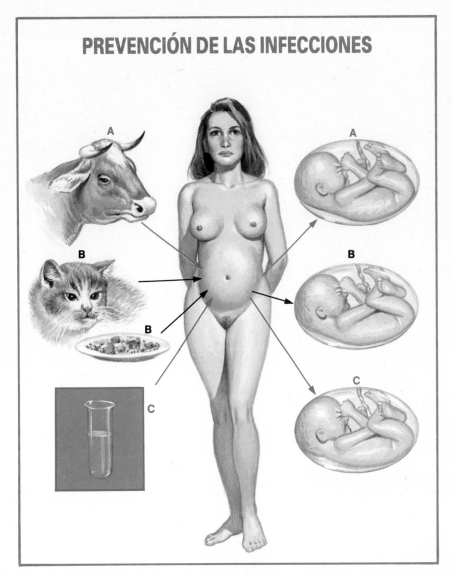

PREVENCIÓN DE LAS INFECCIONES

A. BRUCELOSIS: Infección producida por una especie de *Brucella* (*B. melitensis*, de las cabras; *B. abortus* de los vacunos; *B. suis*, de los cerdos; véase la página 1018) que se cree que puede desencadenar un aborto. La protección consiste en abstenerse de la leche y sus derivados que no hayan sido debidamente higienizados (pasteurización, esterilización), de los productos del cerdo y del contacto con perros, capaces también de contagiar. **B. TOXOPLASMOSIS:** En esta misma página se exponen los peligros que supone esta enfermedad durante la gestación, y en el cuadro de la página siguiente cómo evitarla. **C. RUBÉOLA:** En la página siguiente, así como en otras de VIDA, AMOR Y SEXO, se ponen de manifiesto los peligros de esta infección vírica para el feto durante las primeras semanas de gestación. Afortunadamente existe una vacuna completamente eficaz.

desde malformaciones hasta aborto y muerte. Durante el período fetal ya no provocan malformaciones, porque los órganos están totalmente formados, y el feto responde al ataque vírico de forma semejante al adulto.

En general hay un período de incubación a nivel de la placenta, lo que permite mientras tanto la producción de anticuerpos por parte del sistema defensivo de la madre, que acudirá con las IgG (inmunoglobulinas G) en protección del hijo con una inmunidad aún inmadura.

Citomegalovirosis

Los citomegalovirus (CMV) pertenecen al grupo de los herpes virus. Su infección, por cierto ampliamente di-

PREVENCIÓN DE LA TOXOPLASMOSIS

1 Tómense las carnes bien hervidas o fritas, o en salmuera bien curadas; nunca sangrantes.

2 Cuidadoso y riguroso lavado de las manos después de haber manipulado carnes crudas o haber estado en contacto con perros o gatos.

3 Limpieza cuidadosa en la cocina de todos los elementos que hayan estado en contacto con la carne cruda.

4 Higienización cuidadosa de todas las frutas y verduras antes de consumirlas (para evitar el contagio producido por el contacto con moscas, cucarachas, etc.).

5 Use guantes para manipular los objetos de su perro, su gato, o para trabajar en el huerto o jardín (el toxoplasma se transmite principalmente por las heces de esos animales).

6 Desinfecte con agua hirviente durante cinco minutos los utensilios de su perro y su gato.

7 Hallazgo de las mujeres de riesgo mediante análisis serológicos especiales.

La toxoplasmosis es producida por un protozoario, el *Toxoplasma gondii*. La enfermedad resulta, por lo general, inocua para los adultos. En cambio, cuando se contrae durante la gestación afecta al feto en la mitad de los casos. No presenta síntomas en un 90% de las embarazadas. A veces provoca dolores abdominales vagos, fiebre, inflamación de los ganglios linfáticos y otros síntomas menores. La toxoplasmosis congénita (adquirida por el niño durante el embarazo) puede provocar diversas anomalías fetales como la hidrocefalia, malformaciones cerebrales o lesiones en diversos órganos (hígado, corazón, ojos, piel). El tratamiento de la gestante contagiada consigue reducir en un 50% la incidencia sobre el feto.

---

fundida, normalmente pasa desapercibida, o todo lo más con una ligera fiebre y afectación hepática.

Los CMV pueden provocar en el feto, sobre todo en la fase final de gestación, cuadros graves: bajo peso, hipertrofia (agrandamiento) del bazo y el hígado, ictericia, anemia hemolítica, problemas neurológicos.

El tratamiento es sintomático, pues no se conoce ninguno que sea realmente curativo.

Hepatitis B

El virus de la hepatitis B es capaz de atravesar la barrera placentaria, infectando al feto. Cuando la infección de la madre acontece durante los seis primeros meses de gestación, resulta contagiado el feto únicamente en el 10% de los casos. Si la madre presenta síntomas de hepatitis al final de la gestación el contagio se produce al final del embarazo en el 75% de los casos.

Muchos de los hijos de madres con hepatitis B, nacen aparentemente sanos, pero siendo portadores del virus pueden enfermar al cabo de varios años.

Mujeres que han padecido una hepatitis B pueden contagiar a sus hijos en sucesivos embarazos. Conviene administrar, a los neonatos hijos de estas mujeres, inmunoglobulina antihepatitis B.

Herpes

Más de las tres cuartas partes de las madres que padecen herpes simple tipo II, que dan a luz por vía vaginal, provocan en el feto lesiones graves con una alta mortalidad o lesiones neurológicas importantes. Actualmente hay fármacos para el tratamiento de la fase aguda del herpes, con lo cual se consigue acortar dicha fase y disminuir su intensidad, de modo que se puede evitar el contagio.

En esta afección se impone la cesárea antes de la rotura de la bolsa de las aguas, para evitar el contagio del neonato.

Rubéola

La rubéola es una enfermedad producida por virus, que por su importancia merece estudio aparte. En los períodos no epidémicos una de cada mil embarazadas la padece, pero esta proporción alcanza a 22 o más en caso de epidemia. En la mitad de los casos la afectación al feto se produce durante las ocho primeras semanas de embarazo. La tasa de afectación va disminuyendo hasta ser nula a partir de la semana 24.ª de embarazo.

La rubéola puede afectar al embarazo en la época embrionaria o en la fetal produciéndole al niño: sordera, catarata y cardiopatía congénita.

Cuando una mujer encinta no vacunada contra la rubéola, o no inmunizada por haber padecido la enfermedad, ha estado en contacto con un enfermo, debe acudir de inmediato al médico para que éste indique la oportuna actuación en cada caso.

Toda niña que a la edad de 12 años no haya padecido la rubéola, y que por tanto no se halle inmunizada contra esta enfermedad, debiera ser vacunada.

VACUNAS DURANTE EL EMBARAZO

CONTRAINDICADAS	APLICABLES CON RESERVA
PAROTIDITIS SARAMPIÓN RUBEOLA	**FIEBRE TIFOIDEA:** Por exposición directa con algún enfermo en caso de epidemia. **GRIPE:** En gestantes con padecimientos cardiopulmonares. **POLIOMIELITIS:** En caso de epidemia. **FIEBRE AMARILLA:** En caso de exposición directa al contagio.
NO NOCIVAS	**RABIA:** En caso de sospecha de contagio.
CÓLERA	**TÉTANOS:** En caso de sospecha de contagio.

pués de la vacunación está contraindicado el embarazo durante los tres meses siguientes al menos (el plazo ideal son seis meses).

Viriasis diversas

— **La parotiditis (paperas)** no ha demostrado producir malformaciones a hijos de madres afectadas.

— **El sarampión** puede producir, todo lo más, lesiones típicas en la piel del bebé al nacimiento o poco después.

— **La varicela,** adquirida en los últimos diez días del embarazo, puede provocar una infección fetal grave, con una mortalidad del 34 % al nacimiento. El tratamiento consiste en lociones para aliviar el prurito (picores), y antibióticos por vía general para evitar las infecciones.

— **La gripe,** sobre todo si se padece antes de la 12.ª semana de gestación, puede ser causa de abortos y de malformaciones, sobre todo del sistema nervioso central.

A pesar de sus graves consecuencias la rubéola se puede prevenir con una simple vacuna, que debiera ser aplicada a toda mujer no gestante que no haya padecido la enfermedad. Des-

OBESIDAD

Los doctores Santamaría y Cabero Roure, jefes de servicios ginecológicos hospitalarios españoles, empiezan así su estudio «Embarazo y obesidad»:

«La obesidad es un proceso altamente prevalente en ambos sexos y en cualquier etapa de la vida, registrándose un incremento de peso a lo largo de ésta, siendo más notable entre [los] 20 y [los] 30 años [de edad].

»Según datos de la OMS, el 50% de la población mundial por encima de 40 años, en países desarrollados o en vía de desarrollo, presenta obesidad. En España, según el CNDS se observa un 54,13% de personas con exceso de peso en zonas rurales, siendo mayor la incidencia en la mujer que en el varón. En cuanto al embarazo, dada la diversidad de parámetros diagnósticos, las

estadísticas varían notablemente, oscilando la incidencia, según autores, entre un 6% y un 20%.

»Analizando estos datos, se puede observar que la frecuencia de la obesidad en relación con el embarazo es superior a la de la mayoría de los procesos patológicos que habitualmente se valoran (hipertensión, diabetes, etc.), lo que obliga, dadas las repercusiones que puede suponer, al adecuado tratamiento de este cuadro, cuando se presente en el curso de la gestación.»

La obesa embarazada

Aparte de todas las complicaciones que supone la obesidad, a la mujer puede afectarle de forma especial produciéndole trastornos hormonales, entre los que cabe destacar los que afectan a la fertilidad.

El embarazo de una mujer muy obesa, se valora como de riesgo, y precisa de una vigilancia adecuada.

Cualquier mujer que sobrepase en un 20% su peso ideal se la considera moderadamente obesa, y en caso de embarazo debe ser controlada. Cuando el sobrepeso es superior a un 50% se habla de paciente notablemente obesa.

No existe completo acuerdo entre los autores científicos en cuanto a los efectos peculiares que determina el sobrepeso de la gestante, pero todos afirman que los hijos de madre obesa tienen un peso superior al de las mujeres normales, lo cual puede provocar diversas complicaciones a la hora del parto: asfixia, lesiones neurológicas, lesiones óseas y hematomas.

Otro de los problemas que provoca el exceso de tejido adiposo es que la exploración de la paciente, por parte del tocólogo, se ve dificultada, según los profesores Santamaría y Cabero Roure: «Resulta más difícil [evaluar] la situación, posición y presentación fetal, al igual que la valoración de la dinámica uterina y del ritmo cardíaco fetal por métodos externos.»

Las mujeres obesas sufren con mayor facilidad complicaciones en el postparto, especialmente problemas de cicatrización perineal y abdominal, a causa del exceso de tejido adiposo.

El neonato de madre obesa presenta un importante riesgo de sufrir hipoglucemias; aunque, a diferencia de los hijos de diabéticas, no sufren de hiperinsulinemia.

En el estudio citado se afirma que «la probabilidad de tener hijos obesos es de un 10% si ambos padres tienen un peso normal, de un 50% si uno de los padres tiene exceso de peso y de un 80% si lo tienen ambos». Y añaden algo que a primera vista resulta muy curioso, y que nos parece altamente sig-

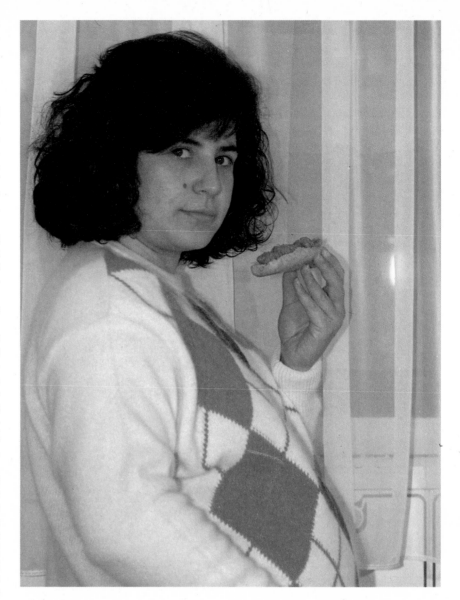

La obesidad no es simplemente cuestión de estética. En realidad es un signo externo de un exceso de grasa en el organismo, con lo cual se produce una alteración del metabolismo que puede afectar de muy diversos modos (aumento del colesterol, problemas cardiovasculares, riesgo de diabetes, etc.) tanto a la propia mujer gestante y al hijo, como al curso del embarazo y el parto.

nificativo: «Los niños adoptados por padres obesos, evidentemente sin relación genética, tienen más posibilidades de desarrollar obesidad que los adoptados por parejas con pesos normales. Estos datos van a favor del hecho de que, salvo excepciones, la obesidad tiene su origen más en un factor social o de aprendizaje (hipernutrición, hábitos, etc.) que en un factor hereditario.»

Tratamiento

Ninguna mujer embarazada debe someterse a una dieta de adelgazamiento sin que su médico lo sepa y

744

la controle. No hay que olvidar que la mayoría de los regímenes de adelgazamiento son desequilibrados y, en este caso, sería peor el remedio que la enfermedad, pues una dieta carencial puede afectar negativamente al desarrollo fetal.

Según los autores que venimos citando, «es evidente que si en la embarazada normal el incremento energético diario debe ser de 300 kilocalorías, en la obesa, dado el exceso de substrato endógeno, este incremento no puede ser similar. En general (...) se aconseja que la gestante obesa tenga un incremento total de peso entre 4,5 y 9 kilos. Esto se logrará mediante una dieta de restricción calórica, adecuada en su composición y nunca inferior a las 2.000 kilocalorías.»

En el capítulo precedente hemos presentado ya con cierto detalle cuál debe ser la alimentación de la mujer gestante, para que no padezca carencias nutritivas ni consuma un exceso de calorías. En la obra del doctor Ernst Schneider, *La salud por la nutrición*, publicada por esta misma editorial, hay un amplio capítulo dedicado a la obesidad, cuya lectura recomendamos. En él se ofrecen dietas equilibradas que permiten una reducción fisiológica del peso.

PATOLOGÍA ABDOMINAL DE URGENCIA: APENDICITIS

El útero de la embarazada, al aumentar de tamaño, desplaza las estructuras abdominales, lo cual hace más difícil la palpación y el diagnóstico de alteraciones internas en esa zona.

En el caso de la apendicitis aguda los signos y la analítica típica, a menudo desaparecen o se enmascaran. Cuando el médico la diagnostica procede a operar, no importa la fase de la gestación en que se encuentre la paciente.

La apendicitis únicamente se presenta en menos de uno de cada 1.500 embarazos; pero, cuando eso ocurre, provoca un porcentaje de mortalidad materna y perinatal elevada. Así que la apendicitis ha de ser considerada como una complicación grave del embarazo. El riesgo es mayor en el tercer trimestre y en el parto, pues un útero grande y activo interfiere en el diagnóstico.

Como algunos de los síntomas más comunes de la apendicitis aguda son anorexia, náuseas, vómitos y dolor abdominal, pueden ser confundidos como indicio de otros padecimientos propios de la gestación. Eso lleva, con cierta frecuencia, a un retraso en el diagnóstico, lo cual puede complicar la evolución de la propia apendicitis y del embarazo. Conviene indicar que a los síntomas indicados la apendicitis en una embarazada se suele manifestar con dolor abdominal ligero, sordo o en forma de calambre, además de fiebre. El cese de los dolores, después de varias horas, no siempre es un buen síntoma, pues puede deberse a una perforación del apéndice, lo cual no hace más que agravar la situación.

Otras afecciones quirúrgicas son menos frecuentes, y, siempre que ello sea factible, se intentará un tratamiento médico antes que el quirúrgico; en razón de los riesgos que toda operación supone.

TOXICOMANÍAS

Desgraciadamente cada día hay más mujeres que padecen algún tipo de toxicomanía o drogadicción, y como consecuencia no cesa de aumentar el número de gestantes consumidoras de drogas (morfinómanas, heroinómanas, cocainómanas, etc.).

Aproximadamente la mitad de las gestantes toxicómanas presentan complicaciones, bien sea por el consumo de la propia droga, como por su estilo de vida. Las más frecuentes son las infecciones: hepatitis, endocarditis, tétanos, celulitis y ETS (enfermedades de transmisión sexual). Las embarazadas drogadictas suelen padecer anemia. Por supuesto que todas estas complicaciones no sólo afectan a la madre, sino también al hijo, durante la gestación y después del parto.

Complicaciones obstétricas

Las complicaciones que suelen presentarse en las embarazadas toxicómanas son las mismas, en general, que suelen darse en las que, sin ser consumidoras de drogas, no observan los cuidados prenatales convenientes. Ello es debido a que las mujeres toxicómanas suelen seguir un estilo de vida contrario a la propia salud, no sólo por la propia ingestión de las drogas, sino en cuanto a la higiene, alimentación y el equilibrio personal.

Más de la mitad de las embarazadas drogadictas presentan infecciones agudas que pueden afectar al feto y al desarrollo del parto.

Los hijos de madres toxicómanas suelen presentar bajo peso al nacimiento.

DROGAS Y EMBARAZO

PADECIMIENTOS PROPIOS DE LAS DROGADICTAS

● Desnutrición, anemia y delgadez, por pérdida de apetito.

● Infecciones por negligencia en la higiene, vida desordenada y compartir jeringuillas:

  –bacteriemias y septicemias,
  –hepatitis,
  –neumonías,
  –tétanos,
  –endocarditis (y otras cardiopatías),
  –infecciones genitourinarias y renales,
  –sida.

● ETS debidas a la promiscuidad:

  –sífilis,
  –gonorrea,
  –herpes genital,
  –condilomas.

● Afecciones bucodentales:

  –gingivitis (inflamación de las encías),
  –piorrea,
  –caries, etc.

Las enfermedades y trastornos que las mujeres adictas a las drogas sufren no sólo afectan a ellas mismas, sino también a los hijos que engendran, ya sea directamente o bien al complicar la gestación y el parto. En este cuadro se presentan los padecimientos más frecuentes y que directa o indirectamente pueden afectar a la gestación.

COMPLICACIONES OBSTÉTRICAS DE LAS DROGADICTAS

● Abortos espontáneos.

● Aparición o agravamiento de la diabetes.

● Insuficiencia placentaria (sufrimiento fetal).

● Desprendimiento prematuro de la placenta.

● Amnionitis (infecciones de la bolsa amniótica).

● Eclampsia.

● Hemorragias postparto.

● Tromboflebitis.

● Partos prematuros.

● Presentación de nalgas.

● Cesárea.

Las malas condiciones de higiene general, el descuido del embarazo y su falta de vigilancia periódica, unido a la desnutrición, las enfermedades propias de las toxicómanas, incluidas las ETS, así como la acción directa de la droga sobre el feto, hacen que las complicaciones obstréticas presenten una evidente mayor incidencia que en las embarazadas no adictas.

Adaptado de «Drogadicción y embarazo», *Jano,* vol. XXXVII, n.º 868; P. Duró / L. Cabero Roura / M. Casas.

Durante el embarazo la mitad de las drogadictas activas, especialmente las heroinómanas, presentan complicaciones médicas importantes. Las consumidoras de cocaína, morfina, heroína y otras drogas ilegales, tienen partos que suelen desarrollarse con dificultades, y sus hijos, aparte de poder sufrir un síndrome de abstinencia, vienen con frecuencia al mundo prematuramente o con bajo peso. Lo dicho para las consumidoras de las ilegales es de aplicación también para las de drogas legalizadas, como el alcohol, y, en menor medida también para las fumadoras (véanse las páginas 704-706).

El síndrome de abstinencia materno provoca contracciones uterinas con obstrucción intermitente del flujo placentario, lo cual determina una insuficiente oxigenación fetal, que según la intensidad puede tener consecuencias graves. El síndrome de abstinencia durante el primer trimestre del embarazo puede provocar el aborto, y en el tercero sufrimiento fetal y parto prematuro.

Las toxicómanas deben ser consideradas, en general, como pacientes con embarazo de alto riesgo.

Aunque siempre es difícil abandonar la drogadicción, y más en el caso de la embarazada por su peculiar situación, no resulta imposible; sobre todo si se cuenta con el apoyo firme e inteligente de la propia familia o de personas experimentadas, como algu-

nas de las que colaboran con el Servicio de Educación y Salud, entidad que distribuye en exclusiva esta obra. Si usted conoce el caso de alguna mujer que se encuentre en esta situación y que desea recibir ayuda, no dude en dirigirse a este Servicio directamente o a través de los editores, que gustosamente y sin ningún compromiso se pondrán a su disposición.

TRASTORNOS PSICÓGENOS

Las afecciones reactivas psicógenas se presentan sobre todo al inicio de la gestación, a menudo en forma de cuadros depresivos. Son situaciones de rechazo del embarazo, que suelen mejorar con el desarrollo del mismo. Pueden aparecer, durante el segundo trimestre del embarazo.

Los trastornos endógenos (melancolía, insomnio, indiferencia) aparecen en el tercio medio del embarazo. El curso del embarazo y el parto no siempre los mejora. Pueden durar meses e incluso años, aunque en general tienen buen pronóstico.

En las alteraciones mentales de causa orgánica (procesos vasculares, tumores, por ejemplo) el embarazo no influye en el curso de la enfermedad psíquica. Su pronóstico, evidentemente, es el de la enfermedad orgánica que lo motiva.

Durante el puerperio se pueden manifestar trastornos del mismo tipo, en cuyo caso tiene importancia el momento de la aparición. En general, si se inician al tercer o cuarto día suelen tener buen pronóstico. Las manifestaciones posteriores suelen ser depresivas, endógenas y esquizofrénicas, y, por lo tanto, de peor pronóstico. Las

Durante el embarazo se pueden presentar una serie de trastornos psicógenos que no precisan de tratamiento específico, pues suelen remitir espontáneamente. No estará de más, sin embargo, ante cualquier estado anímico anormal, consultar con el médico, pues una verdadera depresión, u otro trastorno psíquico, debe ser adecuadamente tratado.

psicosis puerperales no han sido causadas por el embarazo o el parto, sino que se hallaban latentes y el parto no ha hecho más que facilitar su manifestación.

En todo tipo de trastorno psíquico el ambiente en el que se desenvuelva la embarazada será decisivo para paliarlo o agravarlo. En el caso de un embarazo no deseado, por ejemplo, el papel del marido es fundamental, para conseguir que la mujer no sólo acepte la venida de un nuevo hijo, sino que pueda llegar a considerarla lo que en realidad es: un privilegio.

Si en cualquier caso hay que procurar que la embarazada se sienta lo más cómoda y feliz posible durante todo el período de gestación, mucho más si sufre algún trastorno psicológico, aunque sea leve. Su marido y los demás familiares deben apoyarla y complacerla en todo lo que sea razonable y posible, y aquello que no resulte conveniente deben procurar evitárselo de forma que la embarazada no se sienta coaccionada ni maltratada. Lo peor que se puede hacer con una persona que sufre un trastorno psicógeno es culparla de su situación o de no querer salir de ella, pues nadie está enfermo por gusto.

Aunque se sale de los límites de esta obra abordar el tratamiento de estas enfermedades, al menos apuntaremos que lo mejor es prevenirlas, pues su curación, cuando son graves o se prolongan durante mucho tiempo, puede resultar muy problemática. Y la prevención de cualquier enfermedad psíquica sólo es posible cuando una persona se acepta a sí misma y sus propias circunstancias; no con resignación fatalista, pero si con valentía realista, intentando cambiar todo lo susceptible de cambio, pero no angustiándose por lo que no está en nuestras manos variar. Esto nos lleva a indicar que una mujer con tendencia a sufrir depresiones u otros trastornos psíquicos no debiera nunca quedarse embarazada pensando que así mejorará su situación, pues más bien puede ocurrirle al contrario.

VARICES

Como ya hemos indicado las varices se presentan con mucha frecuencia en la embarazada, pero rara vez impiden una vida normal.

Pueden complicarse con inflamación y enrojecimiento de la zona, fiebre y mal estado general.

Ya hemos dado normas generales para prevenirlas (págs. 686, 687).

Un buen tratamiento para las varices son las aplicaciones de chorros de agua fría y caliente alternativamente. Nunca deben producir escalofríos ni una reacción general demasiado brusca o enérgica.

La dieta también es fundamental para fortalecer las paredes venosas. Debe ser rica en frutas y hortalizas, especialmente zanahorias y todos los vegetales que contengan carotenos (provitamina A).

Los preparados naturales a base de tintura de viburno (*Viburnum prunifolium* L.), de hidrastis (*Hydrastis canadensis* L.) y de hamamelis (*Hamamelis virginiana* L.), y el extracto de arándanos (*Vaccinium myrtillus* L.) solos o asociados, son de un efecto muy beneficioso sobre la pared venosa con varices.

Es conveniente, cuando ya han aparecido las varices, emplear medias

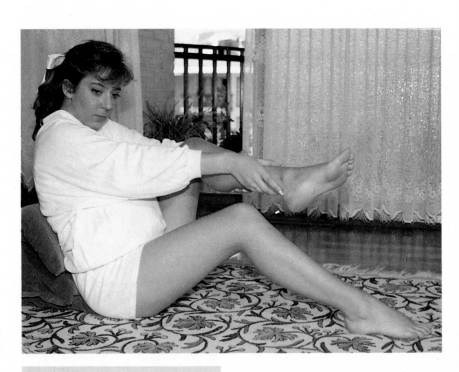

A pesar de que, las varices que se manifiestan durante la gestación, muchas veces desaparecen después del parto, no debe descuidarse su tratamiento, tal como se expone en el texto adjunto.

elásticas, no permanecer mucho tiempo parada de pie sin andar, y colocar las piernas un poco más altas que las rodillas cuando se está sentada.

Después del parto, por lo común, las varices tienden a mejorar y remitir en gran medida.

748

41

PREPARACIÓN PARA EL PARTO

El parto es la culminación natural del embarazo. Ahora bien, como todo fenómeno humano puede sufrir alteraciones en su desarrollo. Para su normal evolución conviene realizar ciertos preparativos, que pueden evitar posibles complicaciones. El primero de ellos es la adecuada instrucción de la propia embarazada. De los demás preparativos hablaremos en el próximo capítulo.

La gestante es la protagonista principal de un parto, pues el niño que va a nacer no participa conscientemente del acto que lo inicia a la vida extrauterina. Para que la mujer pueda superar satisfactoriamente este trascendental momento, conviene que conozca con cierto detalle cómo ha de desarrollarse normalmente. Pero eso no es suficiente. Tiene que saber cuál es la actitud que debe tomar y las acciones oportunas que ella debe realizar en cada momento. De ahí la importancia de una buena preparación para el parto.

Es del todo evidente que el acto del parto, aun cuando sea un acontecimiento normal, entraña una serie de molestias difíciles de enjuiciar y valorar objetivamente.

Las molestias propias del parto son sentidas e interpretadas por la parturienta de muy diversa manera, según cuál sea su constitución física, psíquica y la preparación que haya podido recibir. El medio familiar y el sociocultural, también tienen bastante que ver con el modo que la mujer vaya a vivir el desarrollo de su parto.

El comentario y la pregunta son casi inevitables. Todas las funciones orgánicas, cuando se desarrollan dentro de los límites de la normalidad, se producen de forma sosegada y sin que el propio sujeto por lo común se percate de ellas. Así sucede con la circulación sanguínea, la función respiratoria y la renal, y la actividad de los demás órganos, tejidos y todas las células. El hecho de alimentarse o incluso de vaciar

el intestino u orinar, se llevan a cabo, en condiciones normales, con evidente placer. ¿Por qué no ocurre lo mismo con el parto?

El dolor en el parto

Todos los obstetras recordamos haber asistido a mujeres perfectamente normales, cuyos partos han sido prácticamente indoloros. Lo cierto, no obstante, es que en la actualidad la inmensa mayoría de los partos se producen con molestias o dolores más o menos penosos.

Ante esa realidad no es extraño que se haya intentado liberar a la mujer de esa servidumbre, procurando hacerle el parto lo más llevadero posible. Con ese fin se viene intentando disminuir su duración y la intensidad de los fenómenos subjetivos y objetivos desagradables que acompañan el hecho de dar a luz.

Conocida la tremenda y directa in-

GIMNASIA PRENATAL

Cada ejercicio se realiza 10-15 veces o incluso 20, siempre que no se llegue a la fatiga. Esta tabla debe realizarse completa todos los días de forma tranquila y relajada. Si su médico o instructor le ha indicado otros ejercicios, por supuesto siga su consejo. Los que aquí le presentamos son a título orientativo, pero el personal sanitario que controla su embarazo conoce mejor que nadie las necesidades de su caso particular.

FLEXIBILIDAD Y ACTIVACIÓN CIRCULATORIA

1. Con las piernas abiertas, ponerse de puntillas estirando cuerpo y piernas; a continuación flexionar las rodillas.

2. Con las piernas abiertas y los brazos arriba, estirar primero un brazo y después el otro. Hay que procurar estirar todo el cuerpo: brazo, mano, espalda, etc.

3. De pie, con las piernas abiertas, doblar el tronco manteniéndolo horizontal al suelo y estirando los brazos.

FORTALECIMIENTO DE PECHO Y PIERNAS

4. De cara a la pared y algo separada, dejar caer el cuerpo hacia adelante, apoyando las manos en la pared o sobre una repisa.

EJERCICIOS PARA LA CINTURA

5. Con las piernas abiertas y las manos en la cadera, girar el tronco hacia un lado y hacia el otro.

6. Con las piernas abiertas y los brazos en cruz, inclinarse lateralmente, hacia la derecha y hacia la izquierda.

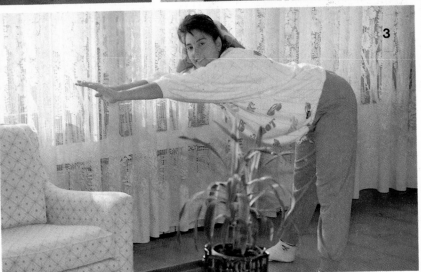

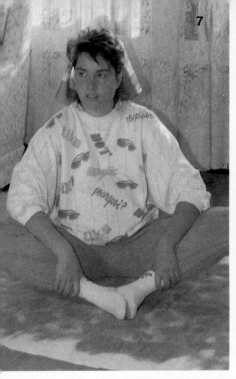

7

8

9

RELAJACIÓN DEL CUELLO

7. Sentada en el suelo y con la espalda recta, girar la cabeza a un lado y al otro.

FORTALECIMIENTO PECTORAL

8. Partiendo de la postura anterior, levantar los brazos cogiendo los dedos de ambas manos por encima de la cabeza. Hacer fuerza intentando separar las manos pero agarrándose fuertemente. Hay que notar que se elevan los músculos pectorales.

FORTALECIMIENTO DE MUSLOS Y NALGAS

9. Apoyar las manos sobre las rodillas presionándolas hacia abajo. Después coger las rodillas por la parte de fuera como para intentar juntarlas, mientras con los muslos intentamos abrir más las piernas.

10. En esta posición, juntar primero las puntas de los pies, separando los talones, y luego juntar los talones y separar las puntas.

ACTIVACIÓN CIRCULATORIA Y PREVENCIÓN DE VARICES

11. Flexionar la pierna levantada y volver a estirar. Cambiar de lado para hacer lo mismo con la otra pierna.

FORTALECIMIENTO DE MÚSCULOS DORSALES Y PELVIANOS

12. Partiendo de esta posición, levantar las nalgas y parte de la espalda, manteniendo apoyados la cabeza, los hombros y los brazos.

10

11

12

fluencia de la mente en la percepción del dolor, se intenta también influir sobre ella, para disminuir tensiones y hacer del parto un acto más soportable. Todos estos propósitos constituyen lo que nosotros llamamos la humanización del parto.

La respuesta a la cuestión de si el parto tiene que ser necesariamente doloroso no resulta fácil, aunque a primera vista pudiera parecer que tendría que ser un rotundo sí. Cierto es que hay consenso universal, en cuanto a la realidad de los dolores de ese acto.

La idea de que el parto no debiera ser doloroso no es contradictoria con el hecho de que sí lo sea. No hay que olvidar la influencia que sobre el psiquismo tienen los conceptos admitidos por todo el mundo sin discusión. La tradición dice que el parto tiene que ser desagradable y doloroso, y toda mujer lo asume así como algo incontrovertible.

El dolor del parto se halla ligado a la intensidad de la contracción de las fibras musculares del útero. El aplastamiento de los vasos sanguíneos que irrigan el órgano son causa del dolor, por la disminución del aporte sanguíneo de oxígeno a las células de los tejidos.

Durante el período de dilatación las sensaciones penosas las refieren la mayoría de las mujeres a «los riñones» (zona lumbar), durando cada vez 35-45 segundos. Se inician cuando la dilatación del cuello uterino alcanza los 4 centímetros de diámetro, hacia el tercio del tiempo total de dilatación, que es de 10 a 18 horas, según se trate de multíparas o de primíparas respectivamente.

Al avanzar la dilatación, aparecen molestias en las regiones pubiana, inguinal y perineal, que aumentan al romperse la bolsa de las aguas.

En el período de expulsión se añaden las sensaciones penosas determinadas por el estiramiento y compresión de las estructuras vaginales y del suelo pelviano.

Métodos para abreviar el parto

Un modo de abreviar el parto consiste en provocarlo o en acelerar su curso, teniendo en cuenta, no sólo el interés de la madre, sino también el de su hijo. El parto se puede provocar, inducir o dirigir.

— **Parto provocado.** Se define el parto provocado como la interrupción del embarazo cuando éste aún no ha llegado a término. Se practica para evitar males mayores a la embarazada o al niño: cardiopatía materna, toxemia gravídica, sufrimiento fetal, etcétera.

— **Parto inducido.** Mediante la práctica de ciertas maniobras, o la administración de fármacos, se puede acelerar el mecanismo de un parto ya iniciado, cuando se halla en su período prodrómico, es decir en su iniciación.

— **Parto dirigido o conducido.** Se dice que un parto es conducido o dirigido cuando se tiene como objetivo el transformar uno ya francamente comenzado en otro más rápido y fisiológico. Últimamente hay una manifiesta tendencia a volver a un parto lo más natural posible, reduciendo las indicaciones del parto dirigido.

Métodos químicos de indolorización

Para hacer más llevaderos los dolores del parto, y hasta incluso suprimirlos, se utilizan en obstetricia diversas sustancias analgésicas, que provocan la supresión de la sensibilidad al dolor.

Los analgésicos pueden actuar por vía general, respiratoria o endovenosa, sobre los centros cerebrales (fluotano, pentotal); por vía regional, sobre los troncos nerviosos (anestesia epidural, raquianestesia); y por vía local, sobre las terminaciones nerviosas.

Debe tenerse muy en cuenta que ciertos analgésicos suponen riesgos para el feto. Por eso el médico no los utiliza más que cuando lo cree imprescindible, y siempre bajo su atento control; pues la mayoría de estos fármacos atraviesan la barrera placentaria, pudiendo provocar la depresión del centro respiratorio cerebral del feto.

Actualmente se usa con frecuencia la analgesia peridural, ya que procura un parto sin dolor y en plena consciencia, sin que tenga efectos secundarios nocivos para la madre ni para el feto. Su principal defecto estriba en su aparatosidad y en lo engorroso de su empleo, si se utiliza la vía caudal por el hiato sacro (zona del pliegue interglúteo). Por eso se prefiere la vía lumbar, practicando la inyección intrarraquídea y peridural, entre las vértebras L_2 y L_3, más práctica que la caudal, con la mujer en posición decúbito lateral izquierdo. En la actualidad es la anestesia local más utilizada en obstetricia. Da lugar a una zona de insensibilidad en forma de «silla de montar», que indoloriza completamente el segmento inferior del útero, las partes bajas del canal del parto y el periné, respetando completamente la conciencia.

Métodos psicosomáticos

Existen una serie de métodos que usan la influencia que evidentemente tiene la mente (psique) sobre el cuerpo (*soma*) —de ahí su calificación de psicosomáticos—, para aliviar todos los dolores y molestias que acompañan al acto de dar a luz.

En primer lugar digamos que desaconsejamos el hipnotismo como medio para vencer los dolores del parto, pues aparte de su alto índice de fracasos (30%), creemos que, el hecho de tener que entregar completamente la voluntad a otra persona, puede traer secuelas negativas importantes.

El hipnotismo conduce a un sueño, o estados afines, provocados por diversos medios que exaltan la sugestionabilidad. No hay que confundir el hipnotismo con la sugestión, que no supone en ningún momento la anulación de la personalidad propia.

Aclaramos que la sugestión consiste en una insinuación, inspiración o imposición de una idea o acto, en la mente del sujeto que experimenta las sensaciones sugeridas, o cesa de percibirlas cuando se le dice que no las siente.

El método que hemos aconsejado a nuestras pacientes, seguido con éxito en la inmensa mayoría de los casos en que se han llevado a cabo fielmente sus indicaciones, es el que vamos a exponer. Incluye una preparación psicológica, orgánica y fisiológica.

LA RESPIRACIÓN DURANTE EL PARTO

RESPIRACIÓN PROFUNDA (RP)

Se inspira profundamente por la nariz, llenando bien los pulmones. Coloque una mano sobre el pecho y otra sobre el abdomen; primero debe elevarse el abdomen y luego el tórax. A continuación se espira suavemente, expulsando el aire por la boca. Para finalizar, y antes de coger aire de nuevo, oprima su abdomen al tiempo que sopla dos o tres veces seguidas, forzando la salida del aire residual.

RESPIRACIÓN SUPERFICIAL NARIZ-BOCA (RS)

Con esta respiración se llenan parcialmente los pulmones, aunque resulta un poco más profunda que la habitual. Se la llama también torácica, pues no interviene el abdomen, sino sólo el tórax.
Siempre que se pueda se tomará y expulsará el aire por la nariz, para preservar la humedad de la boca. Cuando la contracción vaya siendo más intensa, podrá tomar el aire por la nariz y expulsarlo por la boca.
Debe mantener un ritmo lento y relajado el mayor tiempo posible. Cuando las contracciones se van sucediendo con menor frecuencia y con mayor intensidad, se irá aumentando el ritmo de la respiración, hasta llegar a la respiración de jadeo.

RESPIRACIÓN RÁPIDA DE JADEO (JAD)

Se trata de una respiración superficial, más rápida que la anterior, en la que el aire se toma y expulsa por la boca semiabierta. Es importante no abrir demasiado la boca para evitar que se reseque excesivamente.
Este tipo de respiración suele ser bastante efectivo, pero también agota más que los anteriores; por lo que debe reservarse para las contracciones finales, más intensas y duraderas.

RESPIRACIÓN RÁPIDA SOPLANTE (SPL)

Es una variante de la anterior. Cada 4 o 5 respiraciones de jadeo se intercala una espiración lenta, a modo de soplo, como para apagar una vela. Este tipo de respiración es muy útil durante las últimas contracciones, cuando sobrevienen las ganas de empujar pero todavía no es aconsejable hacerlo.

BLOQUEO DE LA RESPIRACIÓN (BLQ)

Durante el transcurso de la contracción, cuando aparecen las ganas de empujar, y el médico permite que lo haga, inspire y detenga su respiración durante unos segundos, al tiempo que empuja agarrándose con las manos a las barras de la cama de parto, o al lugar que la matrona o enfermera le indiquen. Continúe con sus respiraciones y bloquee de nuevo cuando sienta las ganas de empujar.

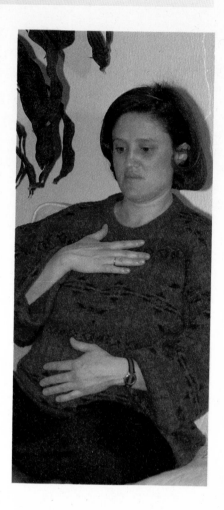

La preparación psicológica

La instrucción de la embarazada acerca de los fenómenos de la función generativa y de la naturaleza de los fenómenos propios del parto, son fundamentales. Así la mujer es consciente de lo que le va a suceder, no tendrá que enfrentarse a lo desconocido.

La mentalización de que el parto no es un acto anormal, ni tiene por qué ser tremendamente desagradable ni doloroso, es fundamental. Hay que hacerle comprender a la gestante que muchas mujeres gustan de sobredimensionar los dolores del parto, como si con ello se atribuyeran más méritos a la maternidad.

El miedo innecesario y exagerado al parto es una de las principales cau-

LA RELAJACIÓN DURANTE EL EMBARAZO

Si usted ya practica alguna técnica de relajación con buenos resultados, puede seguir con ella durante su embarazo. Dedique 20 o 30 minutos cada día para obtener unos efectos realmente óptimos.

Si no sabe cómo relajarse, siga las instrucciones que aquí le damos, y estamos seguros de que en poco tiempo podrá gozar de los beneficios de una buena relajación.

PREPARACIÓN

Busque un lugar solitario y tranquilo. Si lo hace al aire libre —lo cual resulta ideal—, escoja un lugar sin contaminación atmosférica, y sobre todo sin ruidos. El murmullo del agua y el canto de las aves, en cambio, favorecen la relajación.

Si lo realiza en el interior de su casa, colóquese en una habitación tranquila y asegúrese de que no la interrumpan hasta que no haya concluido sus ejercicios. Si lo cree necesario, solicite la colaboración de su marido, su madre o una amiga de confianza, para que atienda puerta, teléfono, y niños, si los tiene.

Baje las persianas o corra las cortinas para que la luz sea tenue, y para aislarse del posible ruido de la calle.

Resulta útil poner música de fondo, muy suave y melodiosa. Le ayudará a relajarse y, si la puede programar, le indicará el principio y final del ejercicio.

Quítese cualquier prenda que oprima o moleste. Póngase ropa deportiva amplia y cómoda, o bien el camisón de dormir.

COLOCACIÓN

La posición adecuada para relajarse es acostada boca arriba sobre una manta o alfombra, en el suelo, o bien sobre una fina colchoneta de gimnasia. Colóquese un pequeño cojín o almohadita bajo la nuca, y otro debajo de las rodillas, que permanecerán semiflexionadas.

También puede efectuarlo sobre un sillón cómodo pero no demasiado blando, apoyando las piernas elevadas sobre una silla o mesita con un cojín. Y, si lo va a hacer inmediatamente antes de dormir, lo puede llevar a cabo sobre la cama, siempre que el colchón no sea excesivamente blando.

Cuando el vientre empieza a ser voluminoso, probablemente le resultará más cómoda la posición de acostada sobre un lado. Flexione un brazo colocando la mano cerca de la cabeza y el otro algo más abajo. Una pierna permanecerá extendida, y la otra se flexiona apoyando la rodilla sobre una almohada.

EJERCICIOS

Una vez acostada y bien acomodada, cierre los ojos. Procure borrar de su mente toda idea o preocupación. En esos momentos no hay nada ni nadie importante, únicamente está usted. Se halla sola y tranquila, y debe concentrarse en los músculos de su cuerpo.

En el cuadro de la página contigua se encuentran todos los ejercicios por orden de realización.

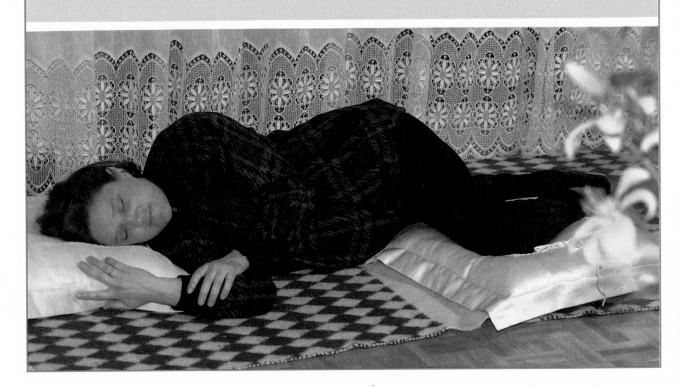

Pies y piernas

Primero piense solamente en su pie izquierdo. Está muy pesado. Con su mente vaya pasando poco a poco del pie a la rodilla, y luego al muslo, y diga para sí misma: «Mi pierna está muy blanda y relajada. Está muy pesada. Toda la pierna está muy pesada.» Pase luego al pie derecho y repita la misma operación.

Manos y brazos

Ahora concentre sus pensamientos en la mano izquierda y, poco a poco, vaya deslizando su imaginación por todo el brazo hasta el hombro, repitiendo siempre, mentalmente: «Mi brazo está muy pesado. Muy pesado.» Y repítase lo mismo para la mano y brazo derecho.

Vientre y glúteos

Concentre su atención ahora en el vientre y glúteos. Repita varias veces: «Mis músculos están muy blandos. Blandos y pesados. Siento como se amoldan al suelo, porque están muy pesados.» Al tiempo que lo repite puede hacer un pequeño movimiento de vaivén como para pegar todavía más sus músculos contra el suelo.

Pecho y espalda

Ahora desplace su pensamiento a su pecho y espalda. Concéntrese en el ritmo pausado de su respiración y en los latidos de su corazón. Hay que conseguir una respiración lenta, profunda y suave. El aire penetra suavemente en los pulmones. La sangre fluye y se distribuye por todos los rincones del cuerpo. Piense en los músculos de su espalda. Repita: «Mis músculos están muy blandos. Blandos y pesados. Se están pegando al suelo.»

Cabeza

Ya no le queda más que la cabeza. Todo su cuerpo se encuentra relajado. Afloje los músculos de la nuca y el cuello. Si es necesario haga un pequeño movimiento con su cuello hasta que note que ha cesado toda tensión muscular. Pase ahora a las mandíbulas. Pesan tanto que su boca se entreabre ligeramente. Las mejillas, la frente, todos los músculos se hallan blandos y relajados. Repita mentalmente: «La cabeza me pesa mucho. Todos mis músculos pesan mucho. Mi cuerpo entero está blando y pesado. Me siento bien, muy bien.»

Relax total

Esta sensación de paz y bienestar que invade su cuerpo, procure mantenerla unos 10 o 15 minutos más, mientras se oye, suave, lejana, la música.

Terminación del ejercicio

Cuando deje de sonar la música, o cuando la avisen de que ha pasado el tiempo, no se levante de inmediato. Empiece por mover los dedos de las manos y de los pies. Flexione suavemente las rodillas y los codos. Abra entonces los ojos e incorpórese despacio hasta quedar sentada. Estire sus brazos y piernas, y balancee el cuerpo a uno y otro lado. Necesita un tiempo para volver a la realidad.

La relajación ha concluido. Puede levantarse y reiniciar sus tareas; o bien, si ha decidido hacer el ejercicio en la cama, y desea prolongar su relax durmiendo, cúbrase con la ropa de la cama y ... ¡felices sueños!

CONSTANCIA

Si es usted una persona activa y nerviosa, es posible que no consiga relajarse plenamente el primer día, y quizá le cueste hacerlo durante una semana o más; pero ¡lo va a conseguir! La relajación exige un entrenamiento regular. No deje de practicarla cada día y pronto notará sus evidentes efectos benéficos.

---

sas de exacerbación de los dolores y de tensiones inútiles, y hay que intentar superarlo por todos los medios. En la actualidad la mujer no tiene por qué temer el parto, pues son muy pocos los casos en que las posibles complicaciones pudieran resultar irremediables. Muy a menudo las mujeres esperan con aprensión el parto porque sus madres, o más bien sus abuelas, les han hablado de los riesgos del parto... riesgos hoy en día enormemente disminuidos gracias a los avances médicos y tecnológicos.

La práctica de los ejercicios gimnásticos, y los respiratorios de modo particular, así como los de relajación, que vamos a indicar, producen también excelentes efectos en la esfera psíquica, además de los inmediatos en la física, pues dan seguridad a la futura parturienta.

En el aspecto de la preparación psíquica, la confianza general y personal que quienes preparan a la embarazada consiguen infundirle, así como la personalidad de ella misma, son factores capitales en la obtención de los mejores resultados.

Preparación orgánica y fisiológica

Para que un parto se desarrolle de la mejor manera, el estado físico de la mujer tiene que ser también el mejor posible.

Las mujeres bien preparadas físicamente, bien sea por la adecuada práctica deportiva o por el ejercicio físico a que las obligan sus tareas cotidianas, tienen partos mucho más fáciles que las de una constitución física más bien deficiente por culpa del sendentarimo al que nos somete la vida moderna.

La mujer embarazada debe caminar todos los días cuando menos durante una hora, sin llegar, eso sí, en ningún caso a la fatiga.

La gestante puede conseguir mejorar su condición física incluso durante el propio embarazo mediante ejercicios adecuados, como los que se muestran en la tabla gimnástica de las páginas 750 y 751.

Tan importante como la gimnasia son los ejercicios de relajación cuya técnica exponemos de la forma más sencilla posible en la tabla de esta misma página y la precedente. Para facilitar el aprendizaje existen grabaciones magnetofónicas en cinta casete que resultan una inestimable ayuda.

La educación neuromuscular que se consigue con los ejercicios de relajación, se propone la descontracción física muscular y el cese de la tensión psíquica. Durante la relajación, la circulación sanguínea general, la del útero y la de la placenta, se producen con mayor facilidad, lo cual conlleva una mejor oxigenación muscular y fetal, así como una más fácil llegada al niño de las sustancias nutritivas que le aporta la madre por el torrente sanguíneo.

Dentro de la preparación fisiológica son de una importancia capital los ejercicios respiratorios.

La función respiratoria

En el embarazo la función respiratoria y su consecuencia —el aporte de oxígeno a las células y la eliminación del dióxido de carbono— adquieren su máxima importancia, debido a la existencia del feto en formación con incremento de su propio peso, y a la necesidad de evitar el aumento del peso de la madre que tiene tendencia a la acumulación de grasas, cuando el ejercicio o la oxigenación son insuficientes.

Durante el parto, la mayor necesidad de oxígeno por parte del músculo uterino en plena actividad, exige una buena función respiratoria. El oxígeno además favorece el óptimo funcionamiento cerebral de la madre, y protege al hijo durante el trabajo del parto.

La embarazada debe practicar los ejercicios respiratorios que figuran en la tabla adjunta, hasta que su realización le resulte automática. Además la mujer debe tener también muy claro cómo debe respirar durante el parto. Por supuesto que lo ideal es que asista a los cursillos de preparación para el parto que se dan en todas las instituciones clínicas modernas.

El punto de vista psicoanalítico

Según la escuela psicoanalítica las impresiones que el feto recibe durante la vida intrauterina y en el transcurso del parto son de suma importancia.

Los niños nacidos de embarazos y partos preparados adecuadamente, parece que son más tranquilos y sosegados. Y es que el niño, no sólo es producto de su herencia genética y de las condiciones ambientales en que se desarrolla, sino también de las impresiones que ha vivido en el claustro mater-

CONTRACCIONES Y RESPIRACIÓN

PERÍODO DE DILATACIÓN

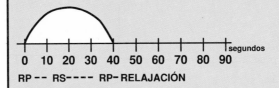

RP — — RS — — — — RP — RELAJACIÓN

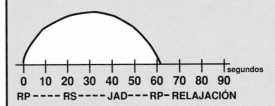

RP — — — — RS — — — — JAD — — — RP — RELAJACIÓN

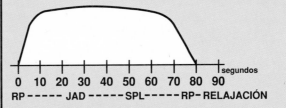

RP — — — — — JAD — — — — — SPL — — — — RP — RELAJACIÓN

PERÍODO EXPULSIVO

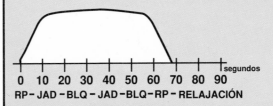

RP — JAD — BLQ — JAD — BLQ — RP — RELAJACIÓN

Respiración profunda: RP; respiración superficial nariz-boca: RS; respiración rápida de jadeo: JAD; respiración rápida soplante: SPL; bloqueo de la respiración: BLQ. (Ver cuadro, página 753.)

Primeras contracciones: Al principio las contracciones son bastante suaves y espaciadas. Empiece y termine siempre con una respiración profunda. La respiración superficial por nariz, o por nariz y boca, serán suficientes para controlar estas contracciones.

Contracciones medias: Las contracciones tienen una duración aproximada de un minuto y se suceden cada 5 o 10 minutos. Se empieza como en el caso anterior, pero, según va aumentando la intensidad, será necesario introducir la respiración de jadeo. Al notar que llega la contracción respire profundamente, y también al finalizar la misma. Relájese a continuación hasta la próxima contracción.

Contracciones finales: Son las más prolongadas y dejan poco margen de reposo entre una y otra. Se empieza, como es norma, con una respiración profunda; aunque hay contracciones que se inician con tal intensidad (como las de goteo), que es preferible prescindir de la respiración profunda y pasar directamente a la de jadeo. En estas contracciones pueden aparecer los deseos de empujar, pero no debe hacerlo hasta que el médico se lo indique. En este caso efectúe la respiración soplante y termine con una profunda.

Últimas contracciones: El trabajo está prácticamente terminado. El médico le indicará que puede empujar. Alterne las respiraciones con el bloqueo y empuje con todas sus fuerzas. Se experimenta un gran alivio al poder empujar y sentir que la cabecita va saliendo, por lo que no debe temer a este último período. Procure relajarse entre las contracciones y disfrute de esos breves momentos.

no y de las trascendentales vivencias del parto.

No olvidemos que aparte de las agresiones físicas que puede recibir el feto por vía sanguínea u otras, también puede recibirlas por vía nerviosa, pues parece demostrado que el feto reacciona a los sonidos —positivamente a la música melódica, y negativamente a la estridente, por ejemplo— y a la angustia de la propia madre (véase en este mismo tomo «Psicología prenatal», pág. 668).

Una reflexión final

Visto todo esto, ¿no sería más fácil y práctico que la mujer se dejara anestesiar en el momento del parto?

Así lo llegaron a pensar algunos, pero en la actualidad los médicos están de acuerdo en que es necesario que la mujer colabore en el parto, y para ello no puede estar inconsciente. Tal colaboración, inducida y sostenida por el asistente al parto, lo activa, evita inhibiciones y acorta su duración.

Además la anestesia es peligrosa para el feto, al afectar su sistema nervioso, si se lleva a cabo con anestésicos generales, que pueden llegar hasta su cerebro.

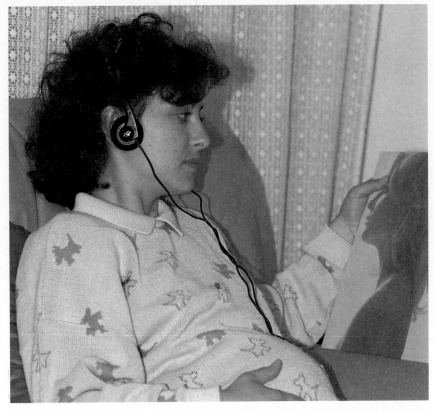

Si la futura madre no puede pasarse sin escuchar música estridente, debe ponerse los «cascos», con el fin de evitar que su futuro hijo se altere al oírla. En cambio, si le apetece la música clásica, melódica y suave, es mejor que no se los ponga, pues el hijo que lleva en su seno también disfrutará y se relajará oyéndola.

EL MÉTODO DE LEBOYER

En un laudable deseo de humanizar el parto en lo que concierne sobre todo al feto, pero también a la familia y al ambiente, Leboyer ha ideado el método que recibe su nombre. Lo exponemos en sus líneas básicas, tanto en lo que concierne a sus hipotéticas ventajas, como a sus posibles inconvenientes.

El método que propugna Leboyer para un parto mejor, se basa en reconocer que el recién nacido es un ser dotado de personalidad, y por tanto susceptible de padecer miedo y angustia, y no de un ente vivo pero prácticamente insensible.

El método de Leboyer pretende estrechar los lazos afectivos entre la madre y el hijo. Propugna un nuevo ambiente en las salas de parto, donde reine el silencio, la penumbra y la calma y el sosiego.

El padre asiste al parto para crear un ambiente familiar. Al niño se le evita el trauma de las voces, la iluminación intensa y las maniobras bruscas. Para cortar el cordón se espera a que éste deje de latir, entre tanto que el neonato se va adaptando a la respiración atmosférica. Entre tanto el niño se halla echado sobre el vientre de la madre, que lo acaricia, y con la cabeza más baja que el resto de su propio cuerpo, con el fin de favorecer al máximo el drenaje de las secreciones del recién nacido.

Una vez seccionado el cordón se baña al niño en agua tibia (37°C) durante diez minutos.

Este método, que pretende ser un parto natural, tiene algunos inconvenientes que no se pueden dejar de mencionar:

— Posibilidad de contraer infecciones oculares graves, por no proceder a la desinfección de los ojos del recién nacido.
— Complicaciones infecciosas generales, por las diferentes manipulaciones del niño.
— Riesgo de anemia por colocarlo en posición más alta que la placenta, con paso de sangre a la misma por la ley de los vasos comunicantes.
— Enfriamiento del recién nacido sobre el vientre de la madre o con motivo del baño.
— En un ambiente de penumbra puede pasar desapercibida una cianosis, y en ese caso no aplicarle la reanimación necesaria, que con frecuencia resulta salvadora.

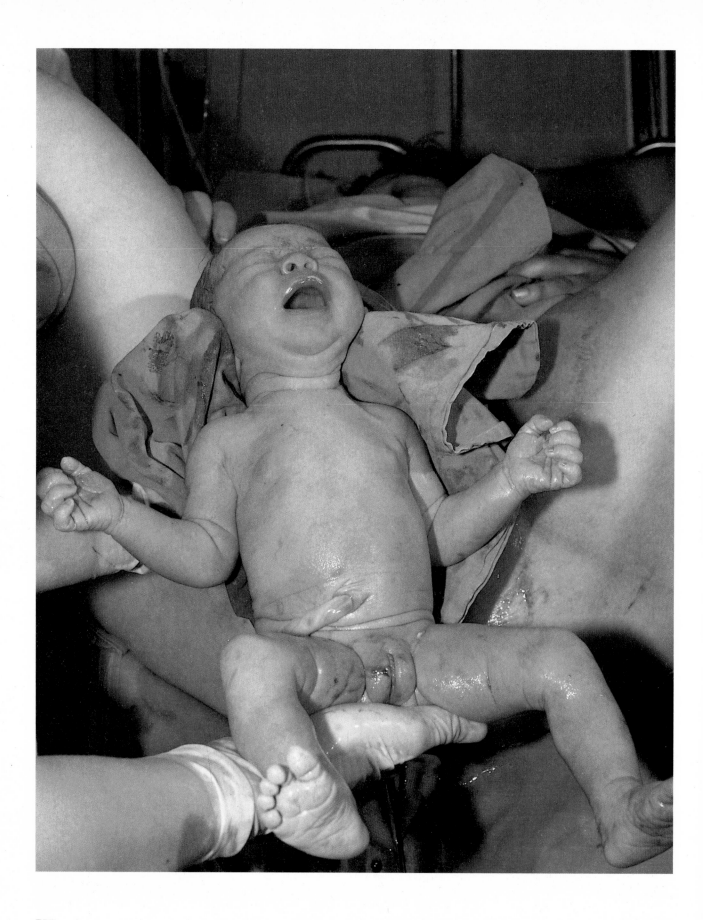

42

EL PARTO

Aún son bastantes, y relativamente jóvenes, quienes en los países desarrollados pueden decir que nacieron en casa. No obstante, por lo general hoy se da a luz en un medio hospitalario, que si bien presenta la desventaja de no ser el habitual donde se ha venido desenvolviendo la gestante, y puede resultarle poco acogedor, ofrece la gran ventaja de una máxima seguridad en caso de complicaciones.

Parto en la clínica

Gracias al estrecho control ejercido en las modernas maternidades durante el desarrollo de todas las fases del parto, se ha reducido de forma radical la morbilidad y mortalidad, tanto para la parturienta como para el recién nacido. Esto se debe a que las maternidades cuentan con servicios de anestesia, de transfusión sanguínea, de quirófano, de laboratorio, de ecografía y radiología, de monitores obstétricos y del personal especializado necesario.

Para superar los inconvenientes que supone el parto en una materni-

dad, existen centros que preconizan una mayor humanización de este trascendental acto. Para ello han creado las llamadas salas familiares dentro de la propia institución sanitaria. En estas salas, concebidas como si de la propia habitación personal de la mujer se tratara, se desarrollan todas las fases del parto en compañía de sus seres queridos, asistida por una comadrona. En caso de que surja cualquier complicación, no se necesita más que el traslado a las salas especializadas contiguas.

Hay países, como Holanda, que van más allá y preconizan la vuelta al parto domiciliario. Si una mujer desea dar a luz en su propio hogar, en cualquier caso la última palabra la tendrá el médico que de forma exhaustiva haya controlado la gestación, y conoce el estado real de la gestante y las auténticas posibilidades de que el parto se vaya a desarrollar sin dificultades. En la actualidad casi la mitad de las embarazadas holandesas escogen dar a luz en su propia casa.

Aunque en muchos de los países donde va a circular esta obra el parto

hospitalario es el más practicado, sino el único, no es menos cierto que en otros, por no disponer de una red hospitalaria suficiente, todavía es común que muchos niños nazcan en el propio domicilio. Así que vamos a dar las indicaciones precisas para que el parto en casa pueda desarrollarse en las mejores condiciones.

Parto en el domicilio

Decidido el parto en el propio domicilio, o ante la eventualidad de que allí se produzca, hay una serie de indicaciones generales que se deben tener en cuenta, para una correcta preparación de la propia parturienta, de la habitación donde éste se vaya a desarrollar y del material necesario.

Todos los preparativos deben realizarse con antelación, y sólo dejar para el último momento lo mínimo posible, pues el parto puede adelantarse sobre la fecha calculada. La comadrona debe estar sobre aviso y localizable por si se produjera un adelantamiento del momento previsto para el parto.

La habitación donde vaya a tener lugar el parto debe haber sido escogida con suficiente antelación y todos los utensilios preparados y dispuestos de manera que en pocos minutos se puedan colocar apropiadamente.

La habitación y el mobiliario

Para el parto domiciliario conviene disponer de una habitación amplia y bien ventilada.

Se aligerará el cuarto de muebles innecesarios, y se cubrirán los restantes con lienzos blancos.

La temperatura ambiente de la habitación debe estar entre 15º y 20º C, evitando las corrientes de aire.

Es necesario disponer de una buena fuente de luz directa e intensa.

La parturienta debe estar acostada en un cama preferiblemente algo alta, para facilitar el parto y los cuidados posteriores.

Si el colchón y el somier son blandos, habrá que interponer entre ambos una tabla rígida.

Se usará ropa de cama limpia, mejor si ha sido esterilizada, o al menos secada al sol y planchada. Se tendrán preparadas dos telas impermeables, para colocarlas, una entre la sábana inferior y el colchón, otra entre dicha sábana y otra sábana plegada en cuatro, que se sitúa en contacto directo con las nalgas y espalda de la parturienta.

Material y utensilios

Se dispondrá de una mesita sólida y suficientemente amplia para colocar todo el material necesario, entre el que no puede faltar: una cubeta con alcohol, un frasco de tintura de yodo, dediles y guantes estériles, cubeta con pinzas, tijeras y pinza o cordonete para el cordón umbilical.

Excepto el instrumental de corte (bisturí, tijeras), que se esteriliza por inmersión prolongada en alcohol, el resto de los instrumentos será sometido a ebullición, y, los recipientes no

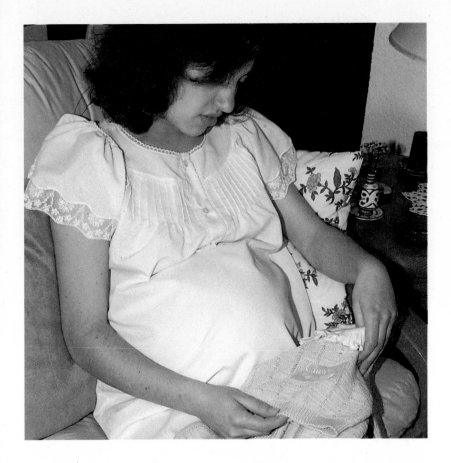

En los servicios farmacéuticos proporcionan equipos de parto, que contienen todo el material necesario para una correcta asistencia en el domicilio: algodón, gasas, vendas, antisépticos, colirio, etcétera.

Preparación de la parturienta

Al acercarse el parto conviene que la parturienta se recoja y se cubra bien el cabello.

Cuando ya se constata su inminencia, hay que vaciar el intestino mediante la aplicación de un enema jabonoso. La vejiga, que llena inhibe la contracción uterina, debe ser vaciada de modo natural o por sonda.

Toda la zona vulvar se debe lavar perfectamente con agua tibia sola o con un desinfectante, y dejarla cubierta con una compresa estéril hasta el momento del parto.

Vestuario y canastilla

Para la madre, además de todo el material de aseo personal, habrá que tener varias mudas completas a punto, tres camisones, dos mañanitas, un salto de cama o bata, zapatillas, y varios sujetadores apropiados para madres lactantes.

En un parto todo está destinado a que un nuevo ser, completada su formación en el seno materno, vea la luz. Es necesario pues, tenerle preparada la canastilla, con su ropita y demás accesorios, y una camita o cesta adecuada, tal como se detalla en este mismo tomo, en el primer capítulo de la Quinta Parte, es decir, el 46.

La futura mamá prepara con ilusión el cuarto y la canastilla de su hijito. Disfruta eligiendo bonitos enseres, simpáticos muñecos, preciosa ropita... sin olvidar el sentido práctico, pues no se trata de meros adornos, sino de objetos necesarios, útiles, y algunos imprescindibles. En la actualidad existen comercios especializados en ropa y utensilios para bebés, entre los que no hay que olvidar los que, como se ve en la foto inferior, resultan necesarios y de gran utilidad para llevar a cabo cómodamente los cuidados higiénicos, tanto en casa como cuando se sale fuera.

previamente esterilizados, a un flameado con alcohol de quemar.

Se preparan así mismo tres palanganas previamente esterilizadas y dos recipientes para agua caliente y fría respectivamente.

Es preciso disponer de un irrigador para la aplicación de enemas con su correspondiente tubo de goma y las cánulas adecuadas, así como de una cuña u orinal plano de cama.

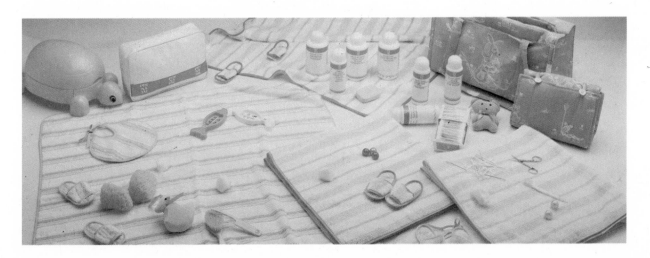

El período de tiempo del embarazo y el momento del parto debe de obedecer a una programación genética inscrita en los cromosomas celulares. Ahora bien, como la biología no es una ciencia matemática, tal determinación puede sufrir variaciones fruto de la acción de factores íntimamente relacionados entre sí, que hacen que si el parto se produce entre la semana 37.ª y la 42.ª de gestación, puede considerarse normal.

Parto prematuro

El parto antes de su término natural es el causante de más de la mitad de las muertes perinatales. Del 4% al 15% de los embarazos concluye antes de la fecha normal.

No siempre es posible determinar las causas de la prematuridad. Sí está demostrado que se da más a menudo en gestantes menores de 20 años, así como en primigrávidas y en gestantes con una alimentación deficitaria en proteínas. Influyen igualmente las deficiencias del cuello cervical, y las malformaciones y tumoraciones uterinas. Entre las gestantes diabéticas el índice de prematuridad también es mayor, así como en las hipertensas, y cuando concurren circunstancias infecciosas. Las gestantes fumadoras están así mismo sometidas a un índice superior de prematuridad.

El parto prematuro puede verse favorecido además por diversas causas fetales como el embarazo múltiple, el feto grande, el hidramnios, las presentaciones anómalas; o por causas ovulares: rotura prematura de membranas, desprendimiento de placenta y placenta previa. También los factores ambientales tienen importancia, ya que existe una relación entre prematuridad y ambiente socioeconómico desfavorable, así como con el control insuficiente de la gestación y con situaciones de estrés psicológico.

Embarazo prolongado

En un 4%-8% de los embarazos se produce una prolongación del mismo. Se cree que este porcentaje incluye pequeños errores de cálculo en la fecha de la última regla o pequeños retrasos en la ovulación.

Aparte de estas dos excepciones, el embarazo prolongado se puede deber a malformaciones fetales graves, como la anencefalia (falta del encéfalo fetal), a un exceso de producción de progesterona placentaria, u otras causas.

En caso de embarazo prolongado, y bien valoradas las circunstancias por el facultativo, lo más lógico es proceder al desencadenamiento del parto.

Factores desencadenantes

Se consideran como factores desencadenantes del parto: las fibras elongadas del útero, que se han vuelto más excitables, la presencia de prostaglandinas, el desequilibrio entre las hormonas estrógenas y la progesterona, estímulos nerviosos periféricos y centrales, coito, tacto intracervical, compresión de la cabeza, emoción, estrés, etcétera.

Vemos pues que los factores desencadenantes del parto, aparentes e inmediatos, pueden ser varios; pero, salvo las causas mecánicas extrañas (coito o tacto, por ejemplo), se debe a fenómenos fisicoquímicos coincidentes, hormonales sobre todo. Y, desde luego, hay un factor fundamental: la programación biológica del propio organismo femenino.

El canal del parto

El canal del parto, que conduce al feto al exterior en el momento del mismo, consta de dos porciones, que se superponen: el canal óseo y el canal blando.

— **El canal duro, u óseo,** acodado en ángulo de 90°, está formado por los huesos ilíacos y sacro, prolongado por el coxis.

— **El canal blando,** superpuesto al primero está formado por el segmento inferior, o parte más baja, del cuerpo uterino, por el cuello de este órgano, y por la vagina que le sigue. Rodeando a las porciones anteriores se hallan los órganos y tejidos pelvianos: vejiga, recto, músculos y aponeurosis perineales, y ligamentos. Estos órganos son aplastados por el paso del feto. Si la presión es muy fuerte o prolongada, puede producirse mortificación de los tejidos y órganos, que dará lugar a fístulas urinarias y rectales.

En el momento del parto el canal blando se dilata progresivamente para permitir la salida de la criatura. Primero se dilata el cuello, después la vagina, y por último el periné.

El canal del parto no es recto, sino que sigue la llamada curva de Carus, que el feto habrá de recorrer para salir al exterior.

El calibre del canal materno no es uniforme en todas sus porciones, de modo que el feto tendrá que adaptarse a sus variaciones.

El objeto del parto

Para ocupar el menor espacio posible, durante el embarazo y con el fin de luego salir más fácilmente, el feto se pliega sobre sí mismo, adoptando la forma de un cilindro que, articulado en diversos puntos, recorrerá sin grandes dificultades el canal del parto.

Los diámetros más importantes del feto son, en la cabeza:

— el frontooccipital: 12 centímetros,
— el biparietal: 9,5 centímetros,
— el bitemporal: 8-8,5 centímetros,
— el mentooccipital: 13 centímetros, y
— el suboccipitobregmático: 9,5 centímetros.

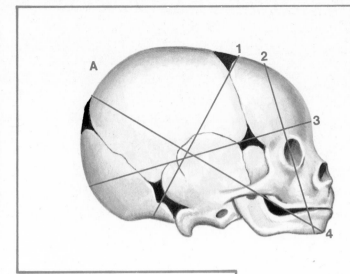

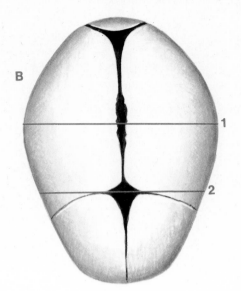

En el tronco son:

— el biacromial: 12 centímetros, y
— el bitrocantéreo: 12 centímetros.

Estos diámetros, especialmente el biparietal, son medidos por la ecografía y sus cifras son muy útiles para calcular y deducir la edad de la gestación y el desarrollo del feto.

Llegado el trascendental momento del parto es muy útil conocer cuál es la posición del niño en el claustro materno; es decir, de que manera se presenta. Así se puede, al menos en parte, prever cuál será la evolución del parto en sus diversos mecanismos y períodos.

Situación, presentación, posición, variedad

El modo de estar del niño se define primeramente por su situación, que puede ser:

— longitudinal, en el 99,5% de los casos,
— transversal u oblicua, en el 0,5%.

Según su presentación será:

— cefálica (de la cabeza) en el 96% de los casos,
— podálica (de nalgas) en el 3,5%, y
— acromial (del hombro) en el 0,5%.

La posición se define según el dorso fetal se encuentre a la derecha o a la izquierda. La variedad depende de

DIÁMETROS FETALES

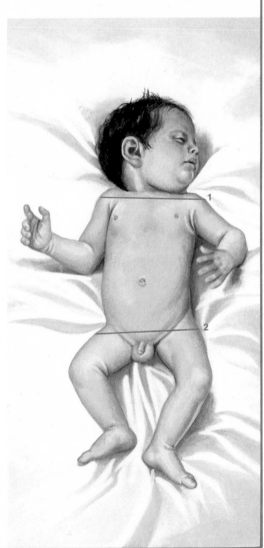

DIÁMETROS DE LA CABEZA. Los diámetros de la cabeza del feto son de gran importancia en la dinámica del parto, para que éste llegue a una feliz culminación tanto para la madre como para el hijo. A continuación damos los nombres de los principales con su medida promedio en el feto a término: **A. 1** suboccipitobregmático (9,5 cm). **2** frontomentoniano (8,5 cm). **3** frontooccipital (12 cm). **4** sincipitomentoniano (13,5 cm). **B. 1** biparietal (9,5 cm). **2** bitemporal (8,5 cm).

DIÁMETROS CORPORALES. El feto a término presenta unos diámetros que, además de los fundamentales de la cabeza, también resultan de interés en la mecánical y evolución del parto. Son: **1** el biacromial (12 cm) y **2** el bitrocatéreo (12 cm).

que el dorso esté orientado hacia adelante o hacia atrás.

El diagnóstico de la situación general del feto, y otros detalles, puede realizarse mediante la inspección externa (presentación longitudinal, hidramnios, por ejemplo), por la palpación (cabeza, nalgas, etc.), por la auscultación de los tonos cardíacos con el estetoscopio (método clásico), o mediante la fonocardiografía, y por los ultrasonidos (ecografía); método éste sin duda el más satisfactorio, que ha desplazado casi completamente a la radiología, por los peligros que suponía, especialmente para el hijo.

El motor del parto

El motor del parto se halla constituido por el músculo uterino, que es muy potente, y por los músculos de la pared abdominal, que constituyen la prensa abdominal.

Cada contracción dolorosa, a partir de una cierta intensidad, tiene tres fases:

— ascendente,

— de acmé, y

— de descenso o relajación.

Las contracciones se van haciendo más intensas a medida que progresa el parto. Pueden ser objetivadas y evaluadas mediante tocografía externa, que mide el endurecimiento del útero a través de la pared abdominal. También pueden medirse mediante una tocografía interna, a través de un catéter introducido en la cavidad amniótica, o un microbalón introducido en la pared uterina. El primer método, sin embargo, es el más usual.

PERÍODOS DEL PARTO

El parto se divide en tres períodos —dilatación, expulsión y alumbramiento— precedidos por el prodrómico, que presentan una serie de características peculiares que vamos a describir a continuación.

Período prodrómico

La fase del parto denominada prodrómica (del latín *prodromus,* y éste del griego *pródromos,* que precede), se caracteriza por un conjunto de molestias que suelen sobrevenir antes del período de dilatación, y cuya duración varía entre algunas horas y a veces hasta dos días.

Los signos del período prodrómico suelen ser bien percibidos por la mujer, ya que consisten, sobre todo y por lo general, en una inestabilidad psíquica e intranquilidad, que se traduce en nerviosismo e insomnio; sofocos en la cara y miembros. Se empiezan a producir así mismo una serie de molestias, que, iniciándose en la región sacra, se van irradiando hasta la zona del pubis.

En estos primeros momentos del parto se produce una pérdida de peso que alcanza los 500-1.000 gramos, debido al aumento de la excreción hídrica (pérdida de líquidos orgánicos).

De modo más o menos claro, pero evidentemente ligado a estos fenómenos, se inicia el período de dilatación.

La mujer debe llamar al médico o la comadrona y advertirle la aparición de estos signos previos para que determine el curso de acción y si es necesario acudir a la clínica. Se avisará también a la clínica o maternidad, y sobre todo se pondrá sobre aviso a la persona que haya de trasladar a la parturienta.

Período de dilatación

El período de dilatación se inicia, al menos subjetivamente, por unas desagradables molestias, caracterizadas por su ritmo, correspondientes al hecho objetivo de las contracciones uterinas.

Las contracciones son primeramente poco intensas y muy espaciadas, de modo que se presentan progresivamente cada 20-30 minutos, luego cada 15 minutos, cada 10, y por fin cada 5. A mayor frecuencia de las contracciones, corresponde así mismo una mayor intensidad, que se pueden medir tocográficamente, como hemos indicado.

Las contracciones, que duran en este período 30-40 segundos, se hacen visibles ya desde el comienzo, pues el útero tiende a enderezarse. Por palpación se toca un vientre más duro y un útero de consistencia leñosa, casi pétrea.

El cardiotocógrafo, o monitor obstétrico, permite la vigilancia y el registro gráfico de la contracción uterina y del funcionamiento cardíaco fetal.

El número de contracciones en esta fase, y en todo el parto, varía mucho de una mujer a otra, y de una manera también notoria según la primi o pluriparidad de la mujer.

Durante los primeros esfuerzos o contracciones para lograr la dilatación del cuello uterino, se produce, a causa de la resistencia que él mismo ofrece a la dilatación, la elongación del istmo uterino. Precisamente es en este segmento donde modernamente se incide o corta el útero para extraer al niño, mediante cesárea, dadas las condiciones óptimas que presenta para ello, como su delgadez y la práctica ausencia de vasos sanguíneos.

Cuando se manifiesta el período de dilatación, es el momento de dirigirse a la clínica o maternidad donde se haya hecho la previsión de dar a luz. Nada impide el que se acuda antes, en el caso de que la sintomatología del período prodrómico se hubiera acentuado, o por experiencia anterior de partos rápidos, o también en caso de incidentes, como la rotura de aguas u otras.

El período de dilatación dura de 10 a 18 horas, en multíparas y primíparas respectivamente. No hay tampoco inconveniente, durante esta fase, en que la embarazada —ya en la clínica o aún

PRIMÍPARA	MULTÍPARA

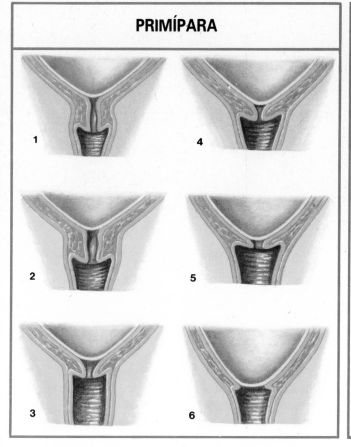

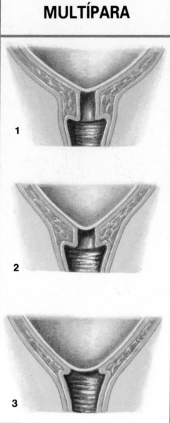

en su casa— ande o esté sentada, en tanto no se haya producido la rotura de la bolsa de las aguas. Conviene que se acueste en el momento en que la dilatación alcance los 2-3 centímetros y la bolsa se haya roto o hecho prominente.

En esta fase, y cuando las contracciones son ya bien patentes, resulta de gran ayuda que la mujer haya aprendido a controlar su respiración de forma adecuada. Al comienzo de cada contracción uterina se iniciará una respiración superficial, y se acabará con jadeo (ver cuadro, pág. 756). Una vez acabada la contracción se respirará dos o tres veces profundamente, para seguir luego con la respiración normal, hasta que vuelva a presentarse una nueva contracción.

Para el control del período de dilatación no es forzoso que el tocólogo o el médico se halle presente, a condición de que la comadrona ejerza una estricta vigilancia, mateniéndolo informado de la marcha del parto.

La dilatación del cuello uterino

Durante las primeras contracciones y siguientes, no solamente se forma el segmento inferior, sino que también se produce la dilatación del cuello del útero, cuya modalidad depende de que la mujer sea primi o multípara. En las mujeres primíparas tiene que dilatarse en primer lugar el orificio cervical interno; es entonces cuando, también de forma paulatina, sobreviene la dilatación del orificio cervical externo. En las multíparas, la dilatación comprende simultáneamente ambos orificios. Finalmente, tanto en las primíparas como en las multíparas se llega a lo que técnicamente recibe el nombre de borramiento del cuello.

Iniciada la dilatación, y en su progresivo desarrollo, tiene lugar la expulsión del tapón mucoso cervical. Al comenzar el parto aparece al exterior acompañado de algo de sangre y secreciones vaginales. Es lo que se designa

diciendo que la mujer «marca» (mancha), porque está marcando el comienzo del parto de una manera muy objetiva.

La dilatación, que se va produciendo de forma progresiva, se evaluaba asimilándola al nombre y tamaño de las monedas al uso. Hoy se indica en centímetros, o, convencionalmente: palma de mano pequeña, grande, y dilatación completa, que es algo mayor que una palma de mano grande.

Rotura de la bolsa de las aguas

La bolsa de las aguas, que primero protegía al feto y hermetizaba la cavidad en que se estaba desarrollando, en el momento del parto ayuda a la dilatación y mitiga las presiones que sobre el feto ejerce la contracción uterina.

— **Rotura normal o tempestiva.** Una vez finalizada la dilatación, el papel de la bolsa de las aguas y de su integridad, disminuye considerablemente. En ese momento acaece normalmente la rotura de la misma, recibiendo el nombre de rotura normal o tempestiva.

— **Rotura retardada.** Cuando la bolsa de las aguas se rompe más tarde, en pleno período expulsivo, se habla de rotura retardada. Hoy en día no llega a suceder esto, pues se procede a su rotura. En ocasiones la bolsa no se rompe hasta después de nacido el niño. Aunque resulta muy infrecuente, también puede ocurrir que, aun habiéndose roto la bolsa de las aguas, no salga líquido amniótico, que finalmente suele aparecer una vez liberada la cabeza durante el período expulsivo (aguas posteriores).

— **Rotura prematura.** En otras ocasiones, por diversas causas, la bolsa puede romperse antes de tiempo. Es la prematura, que acontece antes de que comience el período de dilatación, cuando la mujer no está de parto, o en los pródromos del mismo.

— **Rotura precoz,** es la que sobreviene durante el período de dilatación, antes de que éste termine con la dilatación completa y el comienzo del período expulsivo.

Rota la bolsa de las aguas, no conviene que el período expulsivo sufra retrasos; primero por el peligro de que los gérmenes patógenos asciendan y contaminen, y segundo, por la posibilidad de un sufrimiento fetal por falta de la acción protectora del líquido amniótico.

Período expulsivo

Acabado el período de dilatación, y consumada la rotura de la bolsa de las aguas, sobreviene una pausa en el trabajo, durante la cual, aparte del pequeño reposo que esto pueda suponer —ya que suele durar únicamente 15-20 minutos— se produce la adaptación del útero a su contenido francamente disminuido, como consecuencia de la pérdida del líquido amniótico.

La vía del parto queda libre, al menos en potencia. Suprimido ya el cuello en su formación oclusora, sólo quedan vagina y periné que salvar; formaciones que sabemos están destinadas a

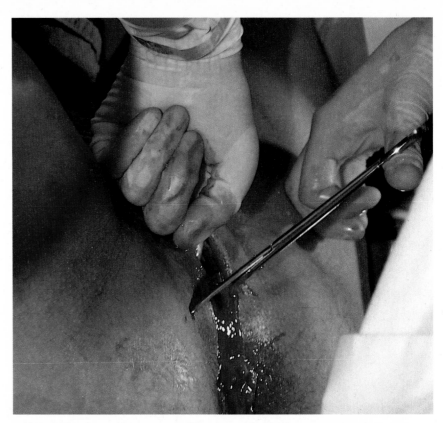

La episiotomía consiste en un corte del periné que se realiza, como se ve en la instantánea, poco antes de que salga la cabeza fetal, con el fin de evitar que se desgarre o sufra una gran distensión, lo cual es causa de prolapsos genitales (véase la página 777).

ceder a medida que el móvil avanza.

Las contracciones que se estaban produciendo al final del período de dilatación ya cada 5 minutos, se van haciendo más frecuentes en esta fase, sucediéndose cada 4, 3, 2, o cada minuto. Además de aumentar su frecuencia cada vez se van presentando con mayor intensidad.

Al iniciarse una nueva contracción, la parturienta ha de respirar profunda y prolongadamente, reteniendo ese aire en el pecho y apretando hacia abajo con fuerza, de manera semejante a como se hace para exonerar el intestino. Vaciado el aire repetirá la misma forma de respirar mientras dure la contracción. Una vez acabada ésta, realizará una inspiración profunda y una espiración lenta. Las siguientes inspiraciones y espiraciones, hasta la siguiente contracción, serán normales y con la boca abierta.

En la primigesta, llegadas las últimas semanas del embarazo, y en la multigesta, al iniciarse las primeras fa-

ses del parto, el feto se sitúa longitudinalmente, presentando la cabeza en actitud indiferente, intermedia entre la flexión y la extensión. Es de esta manera como entra en el canal del parto; pero una vez que comienza su progreso, flexiona la cabeza, ofreciendo su menor diámetro, con el fin de facilitar el paso. La flexión, mentón contra tórax, se hace máxima, y el feto va efectuando movimientos de tornillo, adaptando los diámetros mayor y menor del ovoide que constituye su cabeza a los diámetros del canal del parto.

Para salir del canal, el occipucio se sitúa debajo de la sínfisis del pubis, siendo lo primero que se ve asomar al exterior. Para la expulsión de la cabeza la nuca se apoya en el arco del pubis y la cabeza se deflexiona (extiende), y a medida que va desprendiéndose del suelo perineal, se ven aparecer sucesivamente la frente, ojos, nariz, boca y barbilla. Siguen los hombros y el resto del cuerpo, ya sin demasiada dificultad.

POSICIONES EN EL PARTO

POSICIÓN	LUGAR	PAÍSES	VENTAJAS	INCONVENIENTES
OBSTRÉTRICA **En decubito supino (acostada sobre la espalda)** **Piernas flexionadas y separadas.**	Domicilio		Favorece el aumento diamétrico pelviano. La parturienta se agarra a la cabecera, apoya los talones que están cerca de los muslos, empuja mejor.	No favorece la acción de la gravedad. Riesgo de hipotensión supina.
Piernas flexionadas en alto y separadas, pies en los estribos, nalgas hacia el borde de la mesa.	Clínica	OCCIDENTALES*	Facilita la asistencia al parto y cualquier intervención.	Va en contra de la gravedad. La mujer no puede observar la evolución. Mayor incidencia de calambres.
Semisentada, pies en los estribos, muslos separados, nalgas hacia el borde de la mesa.	Clínica		Se beneficia moderadamente de la gravedad. A la madre le facilita la observación. Intervenciones facilitadas.	Contraría los movimientos amplificados del sacro. Mayor incidencia de calambres.
DE SIMS **En decubito lateral (acostada de lado).** **Piernas flexionadas.**	Domicilio o clínica	ANGLOSAJONES*	Impide el efecto Poseiro: compresión aorta e iliaca. Mejor oxigenación materna y fetal. Mejor control de la expulsión y protección del periné. Mejor descanso entre contracciones expulsivas.	Desfavorable para acelerar el parto.
EN SEDESTACIÓN **Sentada sobre un tapiz o alfombra, sostenida por detrás y asida a una cuerda.**	Domicilio	MUSULMANES**	Mejores esfuerzos en la contracción. No produce compresión de la vena cava: mejor oxigenación materna y fetal. Mejor descenso de la cabeza y desprendimiento de la placenta. Mejores relaciones con los asistentes.	Dificultad en la observación y exploración del curso del parto. Difícil protección y reparaciones perineales.
EN CUCLILLAS **Simple sin ayuda.**	Domicilio	AFRICANOS*	Mejor aprovechamiento de la gravedad. Aumento de los diámetros pelvianos. Menor esfuerzo de expulsión. Ayuda a la rotación y descenso fetal. Favorece el deseo de expulsión.	Fáciles desgarros del periné, que no puede ser vigilado fácilmente.
Con ayuda, apoyo de espalda y sujección por auxiliar.	Domicilio		Suprime toda presión externa. Beneficiosa acción de la gravedad. Aumento de los diámetros pelvianos.	Dificultad en la observación y exploración del curso del parto, y en las posibles reparaciones del periné.
DE RODILLAS **Apoyo sobre los cuatro miembros.**	Domicilio		Facilita la evolución de la presentación. Disminuye la presión sobre las hemorroides. Alivia el dolor de espaldas.	Desfavorable en partos lentos que necesiten ser activados.

* En alguno de ellos.   ** Las escuelas obstétricas uruguaya y brasileña han llamado la atención sobre esta postura, a causa de algunas ventajas notorias.

Las contracciones de este período se caracterizan por su mayor intensidad, haciendo que la mujer experimente fuertes deseos de empujar (pujos), prácticamente incontenibles e independientes de su voluntad. Estos deseos se convierten en realidad mediante la contracción de los músculos de la pared abdominal, que de modo tan eficiente y notorio ayudan a la expulsión fetal.

Posición de la mujer

Para que las contracciones sean más cómodas y potentes, la mujer puede adoptar varias posiciones.

Entre nosotros, así como en la mayoría de los países occidentales, la posición obstétrica más usual es aquella en que la mujer se halla acostada de espaldas sobre la cama, y en el momento de la contracción apoya los talones fuertemente contra el lecho. Para ello habrá retraído los talones hasta cerca de la nalgas, bien dobladas las rodillas y separando bien los muslos, que se hallan rotados hacia afuera. Al mismo tiempo la mujer se agarra a la cabecera de la cama o a cualquier artificio que se haya dispuesto para tal fin, cerrando la boca o mordiendo algo, de modo que el aire no escape, y pueda así aumentar la presión que impulsará al feto.

Hoy en día en las secciones de maternidad se dispone de mesas de tocoginecología que permiten disponer las piernas flexionadas en alto, con lo cual se evita el cansancio de la parturienta y se facilita la labor de la comadrona.

En algunos países, sobre todo en Inglaterra, las mujeres dan a luz en la llamada posición de Sims; es decir, acostadas sobre un lado, con los miembros inferiores flexionados. Esta posición lateral parece más ventajosa para el feto, sobre todo en los partos prolongados, pues evita la compresión de la arteria aorta e ilíacas comunes, y permite una mayor llegada de sangre al feto, atenuando o suprimiendo un posible sufrimiento fetal.

En otros lugares, los países musulmanes en particular, la mujer se encuentra sentada en el suelo, frecuentemente sobre una piel de cordero, a la vez que se halla asida con las manos de una cuerda que pende del techo. Entre tanto, otra mujer, la madre por lo común, la sujeta por detrás. La persona que asiste el parto también tiene que sentarse y esperar. Hemos tenido la ocasión de asistir a partos en esta posición en tierras magrebíes. Las escuelas obstétricas uruguaya y brasileña, han llamado la atención sobre esta forma de dar a luz. Posee ventajas indudables: la mujer puede empujar mucho mejor, el útero no comprime la vena cava inferior, el descenso de la cabeza fetal y de la placenta resultan más rápidos, la oxigenación materna y fetal son también mejores, así como la rela-

EVOLUCIÓN NORMAL DEL PARTO: En el dibujo superior vemos la situación durante el período preparatorio (duración: 4-48 horas). En la fase siguiente (10-18 horas) la parte fetal presentada va evolucionando y el cuello de la matriz va abriéndose hasta su completa dilatación (página 765). Sigue el período expulsivo. En la primera de las figuras de la página siguiente, la cabeza del feto se halla casi completamente en el exterior, gracias a las contracciones, cada vez más frecuentes y potentes. Una vez salida la cabeza, tal como se aprecia en el otro dibujo, siguen los esfuerzos expulsivos que conseguirán hacer salir al resto del cuerpo fetal. El período expulsivo suele durar de 30 a 90 minutos, según se trate de primíparas o multíparas.

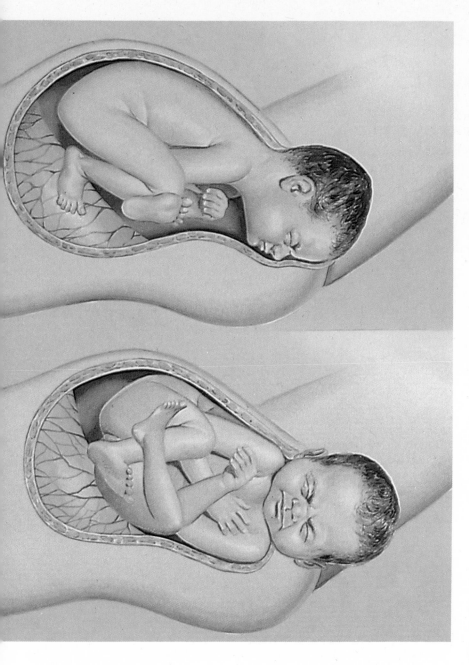

muy abombado, y el orificio anal notablemente aumentado, hasta alcanzar un diámetro de unos tres centímetros, mostrando la mucosa rectal al mismo tiempo que unas venas turgentes y muy azuladas, fruto de la dificultad del retorno de la sangre por la misma compresión.

En esto, ya la cabeza, o más bien una porción del cráneo fetal cubierta de pelo, se abre paso a través de la vulva. Ésta, hendida, se va dilatando más y más, a medida que se suceden las contracciones. Los labios mayores acaban por borrarse, en tanto que los menores se adelgazan sobremanera.

Salida de la cabeza

La cabeza avanza en cada contracción, retrocediendo un poco después de ellas; aunque llega un punto en que ya no retrocede.

Se dice que la cabeza ha coronado, cuando su diámetro mayor ha atravesado el anillo vulvar. Entonces se deflexiona, apareciendo sucesivamente el occipucio, el sicipucio, la frente, los ojos, la nariz y el mentón.

Ya en el exterior, queda mirando a uno de los muslos de la madre. Entonces el diámetro transversal de los hombros coincide con el anteroposterior del estrecho inferior, lo cual facilita su salida.

El feto ha conseguido, con su movimiento de tornillo, salvar todos los obstáculos y alcanzar el exterior, ya que liberados cabeza y hombros, el resto no ofrece ninguna dificultad.

El período expulsivo dura normalmente entre 30 y 90 minutos, según se trate de una multípara o una primípara respectivamente.

Durante el parto, proporcionalmente al tamaño de la cabeza y a la duración del mismo, se le produce una deformación, que tiende a atenuarse con el tiempo: es el tumor de parto, que se presenta en la parte más avanzada de la cabeza, bajo su piel, producido por una infiltración serosa que desaparecerá completamente. El cefalohematoma, que no hay que confundir con el tumor de parto, corresponde a una extravasación de cierta cantidad de sangre y a la rotura de la galea (membrana aponeurótica entre los huesos y la piel del cráneo).

ción entre el asistente y la parturienta, y entre ésta y su familia.

Efectos del parto

Cerca del momento final del parto, la cabeza del feto ejerce compresión sobre los órganos vecinos: por delante, el cuello de la vejiga, y por detrás, el recto. En ellos las molestias son acentuadas.

A algunas mujeres les sobrevienen calambres muy desagradables en las pantorrillas.

En el punto álgido de la contracción uterina y de los músculos abdominales, la cara se torna azulado-violeta y las venas del cuello se hinchan, por la dificultad del retorno venoso.

La mujer busca dónde apoyarse y sostenerse para mejor empujar y liberarse de toda aquella masa que percibe como ocupadora de todos sus espacios y causante de esa situación, que por momentos es angustiosa y parece insoportable. Es sobre todo entonces cuando la mujer generalmente grita.

El periné en ese momento se halla

DESPRENDIMIENTO Y EXPULSIÓN DE LA PLACENTA: Después del parto y tras un breve reposo, tiene lugar el desprendimiento y la expulsión de la placenta (figura de la derecha).
1 Hueso pubis. **2** Cara fetal de la placenta. **3** Vagina. **4** Periné anterior. **5** Cordón umbilical. **6** Orificio anal. **7** Periné posterior. **8** Punta del coxis. **9** Hueso sacro. **10** Promontorio. **11** Cara materna de la placenta.

EL GLOBO DE SEGURIDAD: Después del parto del feto y de la expulsión de la placenta y membranas, tiene lugar la retracción del útero (figura inferior). Éste disminuye considerablemente de tamaño, como puede apreciarse por comparación con el útero lleno de antes del parto. La retracción de las fibras musculares, al comprimir los vasos (ligaduras vivientes de Pinard) evita la aparición de hemorragias.

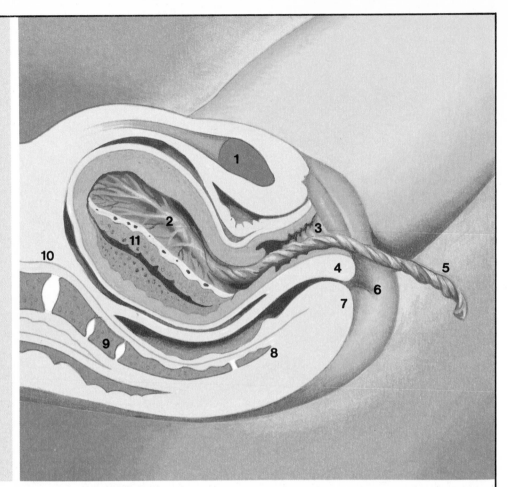

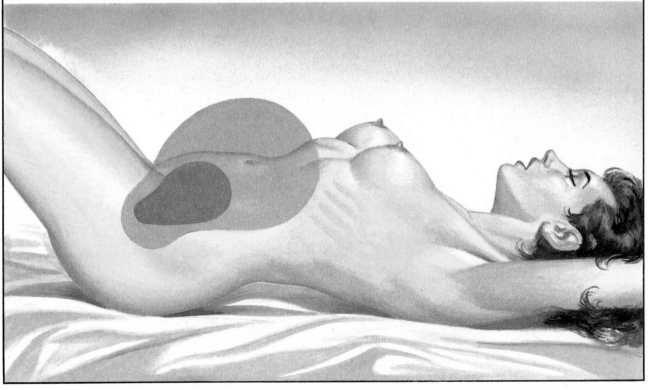

770

Período de alumbramiento

Nacido el hijo, la mujer experimenta una gran sensación de alivio y bienestar, al mismo tiempo que cesan las contracciones durante 15-20 minutos, con el mismo objetivo de readaptación al contenido modificado, que después de la rotura de la bolsa de las aguas.

Durante esta pausa, los asistentes al parto vigilan atentamente tanto a la madre como al recién nacido, en previsión de una posible hemorragia de ella, o un fallo cardiorrespiratorio del niño.

Expulsión de la placenta y recuperación uterina

El alumbramiento tiene lugar a expensas de nuevas contracciones uterinas que prácticamente pasan desapercibidas para la mujer. Estas contracciones provocan la expulsión de la placenta, junto con el cordón umbilical y las membranas envolventes del feto.

El desprendimiento placentario se acompaña de una mayor o menor pérdida de sangre, que puede calcularse normalmente en unos 400 mililitros (centímetros cúbicos).

La placenta puede quedar retenida, ya sea en el útero o en la propia vagina. Los profesionales sanitarios saben cómo averiguar si la placenta se halla desprendida y retenida, o si aún no se ha despredido. En caso necesario se procede a la extracción manual de la placenta por parte del médico.

Expulsada la placenta, el útero desciende aún más, unos centímetros por debajo del ombligo, y se endurece a la vez que disminuye de tamaño, de modo que su fondo, que con el feto llegaba a los arcos costales, ha descendido considerablemente.

ALGUNAS PRESENTACIONES ANÓMALAS

Durante el comienzo del parto, la posición de la cabeza fetal es indiferente (no flexionada por el cuello, hacia el tórax). Avanzando el parto, y con las contracciones que empujan a la cabeza, ésta adopta una posición ligeramente flexionada a la entrada del canal del parto. Así se encuentra al iniciarse el período expulsivo. Lo normal es que la cabeza evolucione adoptando una flexión total sobre el tórax. Pero, aunque menos frecuente, alguna vez evoluciona de diferente manera. Resultan así mismo anómalas o infrecuentes las presentaciones transversa y oblicua, y la de nalgas.

Presentación de frente

El feto, en lugar de evolucionar hacia una flexión de la cabeza, la extiende, presentándonos la frente. El diámetro que ofrece la cabeza para su evolución por el canal es el que va desde el mentón hasta el occipucio, de 13,5 centímetros, lo cual hace imposible su tránsito por el canal del parto; a no ser que la dinámica uterina aumentase en la lucha contra la desproporción, lo cual provocaría un sufrimiento fetal o una rotura uterina. Por tanto en este caso se debe realizar la cesárea.

Presentación de cara

Aunque el feto puede presentarse de cara desde el momento del inicio de su salida por el canal del parto, lo más frecuente es que se coloque en esta posición como consecuencia de la evolución de una presentación de frente.

La cabeza se deflexiona (extiende) al máximo. Presenta el feto la cara de lleno, el diámetro submentobregmático es de 9,5 centímetros, por tanto es posible atravesar el canal, siempre y cuando el mentón lo descienda por la parte anterior, bajo la sínfisis del pubis, siendo imposible de otra manera; en cuyo caso está indicada la cesárea.

En el momento de la expulsión lo primero que sale es la cara, la barbilla remonta el pubis y apoyando el cuello hiperextendido en él, lo flexiona y según va desprendiéndose el suelo del periné, aparecen consecutivamente la frente, la fontanela mayor y el sincipucio. El parto final de la cabeza se realiza siguiendo la flexión. En cuanto al resto del cuerpo, tiene lugar su expulsión como en el parto normal en presentación de vértice, que es la más frecuente. En esta presentación aparece en primer lugar la fontanela menor, o lambdoidea, de la parte posterior de la cabeza.

Presentación transversa y oblicua

Cuando el eje longitudinal del feto es perpendicular al de la madre, estamos ante una presentación transversa.

Si es oblicuo, se habla de presentación oblicua.

En ambos casos el parto vaginal es imposible y se impone la cesárea.

Parto de nalgas

Hasta la semana 32.ª el feto adopta la postura de nalgas, que después generalmente varía. Esto explica la frecuencia de la presentación de nalgas en los partos prematuros.

En algunas ocasiones la presentación de nalgas se ve favorecida por situaciones que dificultan el acomodamiento fetal, como son el embarazo gemelar, malformaciones fetales, tumoraciones uterinas, oligoamnios, hidramnios, placenta previa o inserción placentaria en el fondo uterino.

El feto, en situación longitudinal, presenta las nalgas en el estrecho superior de la pelvis. A veces son las nalgas y los pies lo que aparece.

La progresión del feto por el canal del parto puede transcurrir sin problemas hasta el momento de la expulsión de la cabeza, que tiene lugar después de que todo el cuerpo ha sido exteriorizado, y que puede tornarse problemática si no se ha hecho una adecuada valoración de las posibilidades de éxito de un parto, que de por sí ya resulta muy arriesgado.

Si el pronóstico no es seguro, está indicada la cesárea.

PRESENTACIONES FETALES MÁS FRECUENTES

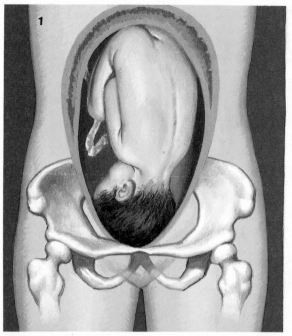

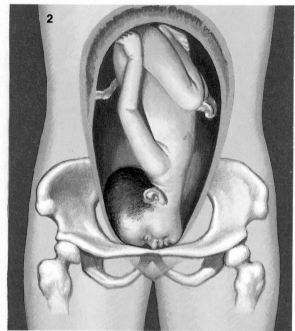

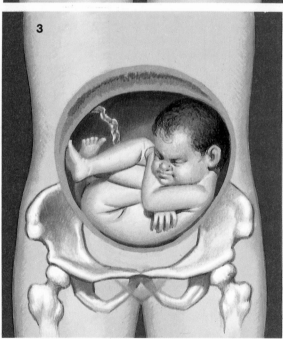

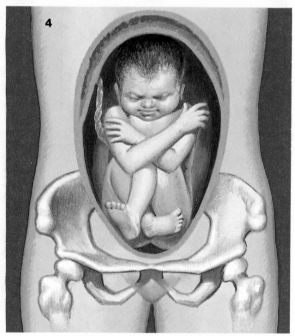

Según cuál sea la manera de presentarse el feto, el parto tendrá lugar con mayor o menor facilidad. La presentación cefálica, o de cabeza, es la que se da en la inmensa mayoría de los casos, y la que supone menos complicaciones. Las presentaciones fetales transversales, las de nalgas y la deflexiones cefálicas, obligan a diversas intervenciones obstétricas, que pueden ir desde la simple ayuda manual o mecánica (fórceps, ventosa) hasta la cesárea.

1. PRESENTACIÓN CEFÁLICA: Cuando el feto a término se halla colocado cabeza abajo se considera que está en situación óptima para que el parto se desarrolle felizmente. Esta presentación se da en el 96% de los casos.

2. PRESENTACIÓN DE CARA: El feto está cabeza abajo, pe-ro en lugar de presentar la cabeza, el cuello se halla flexionado y en primer lugar presenta la cara. En esta situación, que se da en un 0,3% de los partos, el parto puede producirse por la vía normal. En cambio si la presentación es de frente, se impone la cesárea.

3. PRESENTACIÓN TRANSVERSA: Existen diversas variantes de esta presentación, que se da en un 0,7% de los casos, y que obliga a una cesárea.

PRESENTACIÓN DE NALGAS: Cuando el feto a término se halla cabeza arriba, permitir que nazca por vía vaginal puede resultar muy arriesgado. Por eso ante una presentación de nalgas, que se da con relativa frecuencia (3%), en la actualidad casi siempre se opta por la cesárea.

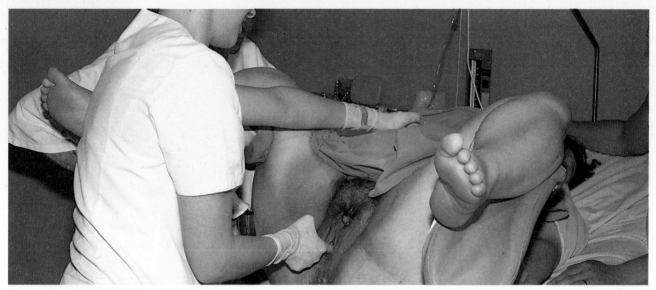

Como en todos los aspectos de la práctica médica los avances científicos y tecnológicos han hecho mucho más eficaz, segura y fácil, la asistencia al parto. Eso no quiere decir que el médico y el personal de enfermería desempeñen ahora un papel menos importante. La decisión y la intervención humana siguen siendo determinantes.

Los aparatos más sofisticados, de momento, lo único que son capaces de indicar —con gran precisión y rapidez, eso sí— es lo que está sucediendo o es previsible que suceda, pero no son capaces de tomar decisiones ni reemplazar la sensible y versátil mano humana. (Véase la página 775.)

Lo ideal es, sin duda, que el parto sea asistido por el tocólogo o médico especializado en esta materia. En caso de no ser posible la presencia de un especialista, es el médico de cabecera o la comadrona (matrona) quienes se hallan cualificados para prestar asistencia. En caso de parto fuera del hospital, y si no se puede contar con la presencia de un médico o una comadrona, un enfermero o una enfermera puede salvar la situación. En el peor de los casos, una persona de buena voluntad, y con experiencia, puede ser quien asista al parto, aunque habría que evitar al máximo esta última eventualidad.

La familia

Aunque pudiera parecer lo contrario, no siempre la presencia de la familia es beneficiosa para la parturienta. Muy a menudo la presencia de familiares perturba, por la ansiedad que exteriorizan, y pueden transmitir a la propia parturienta, e incluso al personal sanitario que la está asistiendo.

Lo dicho anteriormente no quita reconocer que, por el contrario, hay esposos que son razonables y madres que aconsejan bien a sus hijas, constituyendo así una consoladora ayuda en momentos tan especiales.

Por eso la correcta preparación para el parto incluye también la de los familiares, especialmente la del marido. En los cursillos de preparación para el parto que se imparten a las embarazadas, en determinadas sesiones se solicita la asistencia del esposo. Además se evalúa su capacidad para una presencia y actuación positiva durante el parto. Y si se constata que, por su personalidad o estado anímico, el marido no será capaz de autocontrolarse y mantener una actitud positiva, se le recomendará que no presencie el parto aunque él lo desee.

La parturienta

Puesto que el parto es un acto natural, no debe sorprendernos que haya parturientas que lo soporten bien, sin apenas quejarse, e incluso sin lamentación alguna.

Cierto es que dar a luz no siempre es fácil, pero cuando todo se desarrolla dentro de los límites de lo normal, puede ser llevado con naturalidad, de manera tranquila y sosegada.

Vigilancia y control del parto

El facultativo —médico, matrona o comadrona— se sirve de diversos medios para seguir la evolución del parto, y determinar si todo se desarrolla normalmente o se está produciendo o se puede producir alguna anomalía.

Practicando el tacto rectal o vaginal, cubriéndose con un dedil o guante estéril, se puede conocer directa y fácilmente la situación: parte fetal presentada, altura de la misma, grado de dilatación del cuello uterino, presencia o no de la bolsa de las aguas, etcétera.

Seguirán el estado del feto mediante la auscultación de sus latidos cardíacos, valiéndose del estetoscopio, del fonocardiógrafo o de los ultrasonidos.

La auscultación se realiza cada dos o tres contracciones. Los intervalos entre contracciones son diferentes según cada período del parto, siendo tanto más frecuentes e intensas cuanto más se acerca el desenlace del mismo. Durante el período de dilatación las contracciones duran de 20 a 10 minutos, aumentando su frecuencia cuando se acerca el período expulsivo, durante el cual aparecen cada 5 minutos y menos.

La vigilancia del feto debe intensificarse durante el período expulsivo, ya que, rota la bolsa de las aguas, puede sufrir presiones perjudiciales. La auscultación se realiza durante e inmediatamente después de las contracciones, para detectar con mayor facilidad cualquier posible sufrimiento fetal.

Durante el parto, el sufrimiento fetal se debe a una hipoxia (insuficiente oxigenación) fetal. La hipoxia puede ser pasajera, sin consecuencias, o provocar sufrimiento cardiorrespiratorio, alteraciones cerebrales, e incluso la muerte fetal. Los sonidos del corazón se modifican y el meconio fetal tiñe el líquido amniótico, situación detectable mediante una amnioscopia.

Para descubrir o confirmar el sufrimiento fetal agudo se dispone del registro ultrasonoro (ecografía) del ritmo cardíaco fetal, que no debe bajar de 120 latidos por minuto, ni sobrepasar los 160. También se utilizan los monitores obstétricos.

La telemetría para la vigilancia del parto a distancia, y el registro continuo del pH fetal son procedimientos de avanzada, aplicados por el momento en contados centros médicos.

La vigilancia del parto con todos estos modernos medios tecnológicos, permite la detección precoz de los estados de sufrimiento fetal, y, en consecuencia, una pronta y eficaz intervención de los asistentes al parto.

La monitorización electrónica

Los monitores (*monitoring*) obstétricos electrónicos son instrumentos que permiten la vigilancia del parto, registrando gráficamente en papel milimetrado los datos que, por su relación con la parturienta, reciben de la madre y del feto. El sistema es semejante al que se sigue en la recepción y registro de los electrocardiogramas o encefalogramas, que registran los fenómenos cardíacos y cerebrales.

Los modernos monitores obstétricos registran simultáneamente la situación del útero, advirtiendo gráficamente los estados de hipodinamia, causa de los partos lentos o que se detienen, y de los casos de hipertonía uterina, que pueden conducir al sufrimiento fetal y a la ruptura uterina.

Informan así mismo del estado cardíaco del feto, detectando sufrimientos fetales acusados, mediante la inscripción gráfica de los latidos cardíacos, que por debajo de los 120-100, o por encima de los 160, por minuto, denotan un sufrimiento fetal. Los monitores detectan otras características anormales del corazón fetal, mediante el registro e inscripción de su electrocardiograma.

La telemetría

La telemetría consiste en la transmisión a distancia de los datos de los monitores electrónicos. Se están extendiendo y haciéndose cada vez más

TELEMETRÍA. El último gran avance en la tecnología médica, para el control del embarazo y la fase previa al parto, consiste en la monitorización cardiotocográfica a distancia. La embarazada, como se aprecia claramente en la instantánea, puede levantarse de la cama y desplazarse sin trabas. Eso gracias a que las señales de los sensores que se le han aplicado son transmitidas a distancia mediante un emisor —en este caso de Hewlett Packard— que lleva colgado en el bolsillo de su bata.

conocidas las unidades de telemetría de instalación central. Permiten la observación del patrón de frecuencia cardíaca fetal y de la contracción del útero durante el trabajo del parto.

Este sistema presenta la ventaja de la observación a distancia y el inconveniente de que justamente por la distancia no se observen y se descuiden otros aspectos de la vigilancia intraparto también importantes.

Registro del pH

El registro del pH, o equilibrio ácido-básico del feto, sirve, junto con el registro de la frecuencia de los latidos fetales y la detección del meconio, para juzgar del estado del feto en el transcurso del parto.

Su estudio puede realizarse mediante la toma de micromuestras de sangre fetal en el polo (zona) fetal presentado a través de la vagina materna a partir de los dos centímetros de dilatación del cuello uterino.

El registro continuo permite observar fehacientemente la vitalidad del feto durante el parto y descubrir enseguida los estados de sufrimiento fetal.

Al comienzo del parto el pH del feto es de 7,30-7,35 (el de la madre es de 7,40). En el período terminal llega a alcanzar 7,20, que se debe admitir como tope, a pesar de que hay casos en que con pH de 7,15 los fetos eran normales. Este desequilibrio refleja una acidosis causante de daños celulares en el feto, especialmente en el cerebro, y en última instancia ocasiona un paro cardíaco y la consiguiente muerte fetal.

Valoración de estos métodos

Es evidente que todos estos modernos métodos electrónicos, han ayudado a mejorar la asistencia al parto, pues permiten un control exhaustivo, sonoro, visual y gráfico, de todo lo que le acontece tanto al feto como a la madre, especialmente en los embarazos y partos de medio y alto riesgo. No obstante, esto no quiere decir que no se pueda controlar y asistir un parto normal sin todos esos medios técnicos.

Se han realizado interesantes estudios en los Estados Unidos y el Reino Unido respecto a la eficacia real de la monitorización electrónica durante el parto, con respecto al simple control clínico del mismo. En esos estudios, que recoge la acreditada *Obstetricia* de Williams en su última edición (1988), se llegó a la conclusión de que, en la vigilancia de los partos de bajo riesgo, los resultados de ambos sistemas eran semejantes, e incluso mejores en el de la cuidadosa vigilancia clínica humana. Además la monitorización, que requiere dedicación, conocimientos e interpretación prudente, así como la determinación del pH fetal, conducen, según dichos estudios, a una frecuencia de cesáreas de dos a tres veces mayor que por el sistema tradicional.

Preparativos previos inmediatos

Al terminarse la dilatación en las multíparas, o al hacerse patente el próximo afloramiento de la cabeza por el abombamiento que determina en el periné de las primíparas, el asistente se dispone para actuar preparando su instrumental.

En primer lugar se lava las manos con agua estéril o hervida y jabón, y a continuación vuelve a lavárselas con una solución desifectante o en su defecto con alcohol.

José Luis Peset, en la *Historia universal de la medicina* de Laín Entralgo, afirma que después de la victoria sobre el dolor mediante la anestesia, «el segundo gran hallazgo, sin duda el más importante respecto a la supervivencia de los enfermos, fue la antisepsia y la asepsia»... que, evidentemente, comienza por las manos del personal médico.

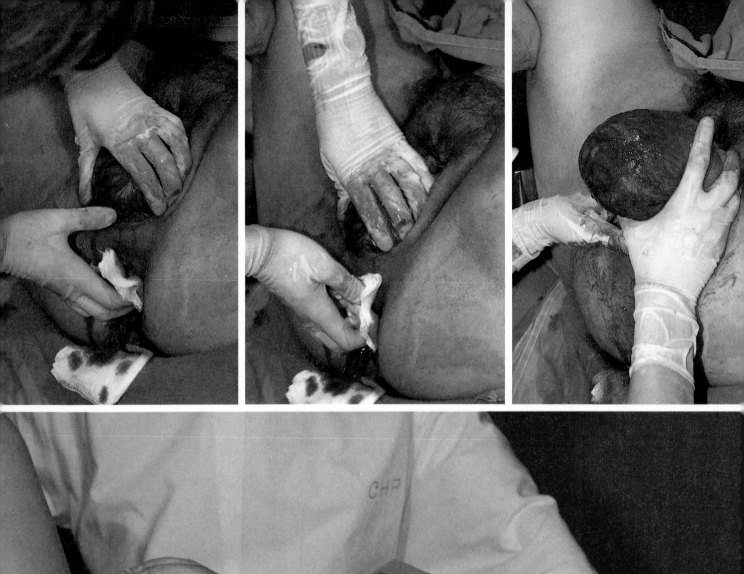
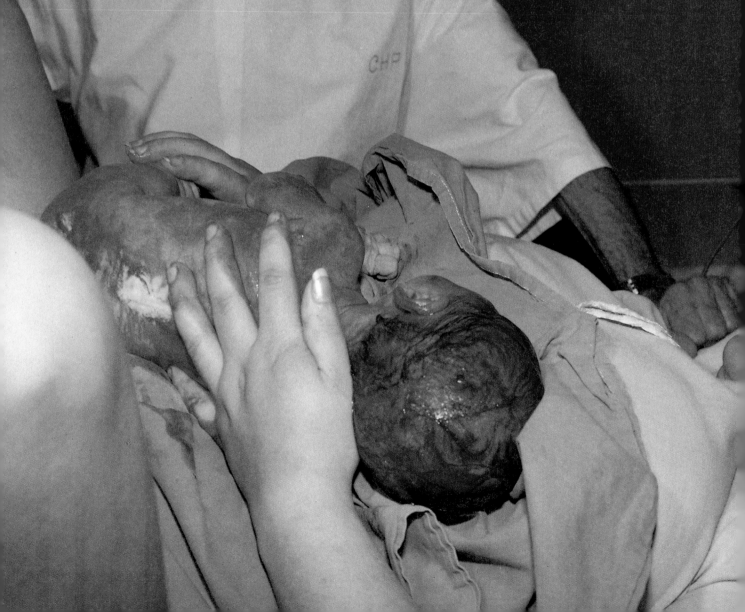

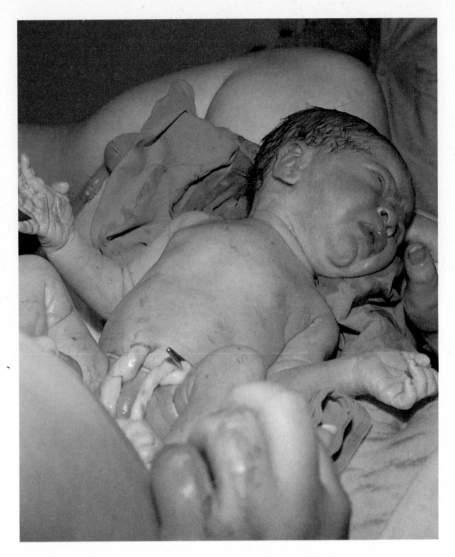

Los médicos y matronas o comadronas disponen de dos pares de guantes: uno para las diversas exploraciones, y otro para la asistencia al parto.

Desinfección del campo

Llegado el fin del período expulsivo, deben lavarse cuidadosamente los genitales externos y zonas limítrofes con agua previamente hervida, a la que se habrá añadido una tableta de oxicianuro de mercurio. Para ello se utilizará un irrigador y accesorios perfectamente esterilizados por ebullición, y torundas (bolas) de gasa o algodón.

La limpieza siempre hay que realizarla empezando por el pubis e introito vaginal y terminando por el ano, es decir, de arriba hacia abajo, y en ninguna pasada se debe volver para atrás. Esto es muy importante con el fin de evitar el seguro arrastre de gérmenes patógenos del ano hacia la zona genital. Hay quienes prefieren un enyodado de la zona, 10-15 minutos antes de la expulsión, como única medida de limpieza y antisepsia.

Protección del periné

En el momento en que la cabeza del feto, cerca ya del desenlace del parto, abomba el periné, es necesario protegerlo para evitar que se desgarre. Para ello se comprime o sujeta, con graduada intensidad la parte posterior del periné sobre la zona que corresponde a la fontanela mayor del feto. Se obliga así a la cabeza a que fuerce su flexión natural y salga luego más fácilmente, cuando se disminuye la presión y las contracciones del útero siguen forzando al feto hacia la salida.

Cuando, a pesar de esta maniobra, se ve que el periné va a desgarrarse o sufrirá una gran distensión, causas ambas de prolapsos genitales (descenso de órganos), se recurre a la episiotomía, o corte del periné, que después es reparada con una sencilla sutura. Muchos médicos practican sistemáticamente la episiotomía para evitar posibles complicaciones.

El corte se realiza en el momento de una contracción y cuando la zona está siendo abombada por la parte fetal que se presenta, de modo que no suele sentirlo la mujer. Posteriormente al alumbramiento el corte es suturado, y, bien cuidado, cicatriza sin mayores consecuencias.

Expulsión fetal y placentaria

Una vez que ha salido la cabeza sigue todo el cuerpo, del cual no conviene tirar, sino dejar que salga espontáneamente. Así el feto expulsa mejor las mucosidades y líquidos que pueda haber en su árbol respiratorio, y el útero, además, no se vacía de forma demasiado rápida.

Tras una pausa de 5 a 30 minutos (generalmente 15-20), se reanudan las contracciones, que normalmente pro-

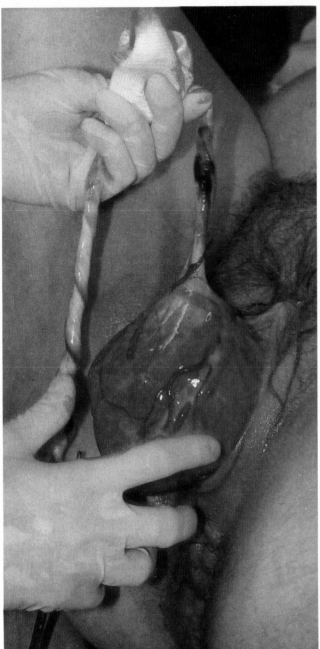

vocan el desprendimiento de la placenta, que aparece al exterior acompañada de las membranas que envolvían al feto. Si la salida de la placenta se difiriera, nunca hay que tirar del cordón. Una vez fuera, hay que revisarla, así como las membranas, pues una retención parcial en el interior podría ser origen de hemorragias o infección.

También conviene revisar el periné, para suturar eventuales desgarros

El alumbramiento, no es una fase que se considere perteneciente al parto propiamente (páginas 769 y 771). Ahora bien, hasta que no se ha superado esa fase, no se puede decir con toda propiedad que el parto ha concluido. Durante el alumbramiento se produce la expulsión de la placenta (instantánea de la izquierda, véase página 786), que luego es examinada (imagen de la derecha) con la máxima atención, fundamentalmente para comprobar que no ha quedado ninguna porción retenida en el interior.

o el corte de la episiotomía, si es que se realizó.

Una vez expulsada la placenta, el útero entra en contracción permanente, endurenciéndose y pudiendo ser palpado como una masa muy dura debajo del ombligo. Si el útero se descontrae, se ablanda y asciende en el abdomen, da lugar a una hemorragia que puede incluso ser grave. Por eso es necesario vigilar a la parturienta, al

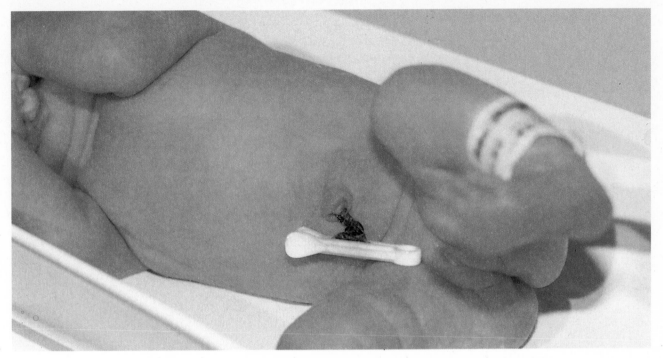

En la fotografía vemos con toda claridad cómo quedan colocadas las pinzas del material plástico que se utilizan para la ligadura del cordón umbilical, y el aspecto que éste presenta inmediatamente después de haberlo seccionado.

menos durante un par de horas después del alumbramiento.

Ligadura del cordón y profilaxis ocular

Aún no hace muchos años se procedía a la ligadura inmediata del cordón umbilical. No conviene, sin embargo, cortarlo mientras esté latiendo, ya que así se permite que el feto reciba más sangre de la madre. Cuando cesan los latidos del cordón, puede procederse a cortarlo. Para ello se colocan dos pinzas o ligaduras situadas entre sí a unos 2-3 centímetros de distancia. Seguidamente se ata con hilo de seda esterilizado, o bien con clips, metálicos o de plástico, que están almacenados en envases estériles.

Para evitar posibles infecciones en los ojos del niño, contraídas al atravesar el canal del parto, se procede a la instilación en sus ojos de un colirio. Esta medida profiláctica evita posibles cegueras, que en otro tiempo eran muy frecuentes. Esta prevención de infecciones, en este caso genitales, también se realizará en las niñas instilándoles unas gotas en la vulva.

SUMARIO CAP. 43: COMPLICACIONES DEL PARTO

COMPLICACIONES DEL PARTO

ALTERACIONES DE LA DINÁMICA UTERINA 782

Bradicardia* 787

Constricción [fetal] 782

Coagulación, trastornos 784

Contracciones, alteración de las 782

Cuello uterino resistente [a la dilatación] 782

Desgarro o estallido vaginal espontáneo 783

DESGARROS DEL CANAL DEL PARTO 783

Desgarros del cuello uterino 783

Desgarros vulvares o del periné 783

DESPROPORCIÓN FETOPÉLVICA 783

Desproporción pelvicofetal 783

Dilatación, alteraciones 782

Estallido vaginal espontáneo 783

Hemorragias 783

Hiperdinamias 782

Hipodinamias 782

Incarceración placentaria 786

Incoordinación [de las contracciones] 782

Inversión uterina 784

Matriz, inversión (vuelta del revés) 784

Matriz, rotura 786

Muscular, alteración del tono 782

PATOLOGÍA DEL ALUMBRAMIENTO 783

Periné, desgarros 783

Retención de restos [de la placenta] 786

ROTURA UTERINA 786

SUFRIMIENTO FETAL 787

Tono muscular, alteración 782

Trastornos de la coagulación 784

Útero, inversión del (vuelta del revés) 784

Útero, rotura 786

Vulva, desgarros 783

MANIOBRAS Y OPERACIONES OBSTÉTRICAS

Activación del parto 787

Cesárea 787

Espátulas 790

Fórceps 790

Inducción y activación del parto 787

Legrado uterino 786

MANIOBRAS Y OPERACIONES OBSTÉTRICAS 787

Oxitocina, [administración] 789

Prostaglandinas, [administración] 789

Raspado de matriz 786

«Vacuum» extractor 790

Ventosa obstétrica 790

Versión externa 789

Versión interna 789

LETRA MAYÚSCULA: Todas las enfermedades y trastornos que figuran en este sumario con letra mayúscula, también aparecen así en el capítulo, y además van impresas sobre una franja azul o grana. Ejemplo: DESPROPORCIÓN FETOPÉLVICA.

LETRA MINÚSCULA REDONDA: Las afecciones que aparecen en el sumario con letra inicial mayúscula y las demás minúsculas y en tipo normal (letra redonda), son las dolencias que en el capítulo figuran en letra negrita como subtítulos de primer o segundo nivel. Ejemplos: Desgarros del cuello uterino, Hiperdinamias, Incoordinación.

LETRA CURSIVA: Las enfermedades y trastornos que en el sumario aparecen en letra cursiva, llamada también bastardilla, son los sinónimos o distintas denominaciones, que, empleados o no en el texto, pueden facilitar al lector el hallazgo. Ejemplos: *Vulva, desgarros, Raspado de matriz.*

ASTERISCO (*): Las dolencias que vienen indicadas con un asterisco, aunque se abordan dentro del texto, su nombre no aparece ni en los títulos ni en los subtítulos. Ejemplo: Bradicardia*.

CORCHETES: Los términos que figuran entre corchetes no aparecen en los títulos o subtítulos del capítulo, pero sirven para aclarar el concepto. Ejemplo: Retención de restos [de la placenta].

43

COMPLICACIONES DEL PARTO

El parto es un acto biológico normal, que de ordinario transcurre sin ninguna complicación; aunque por diversas circunstancias, de orden físico o funcional, puede verse dificultado o impedido mecánicamente, como por ejemplo en el caso de un feto grande, de desproporción fetopélvica, de situaciones podálicas o transversas, etcétera. También pueden presentarse dificultades funcionales, por alteraciones orgánicas maternas, lo cual perturba el desarrollo del parto: debilidad general, dinámica uterina alterada o diversos procesos patológicos.

En otras ocasiones, el parto puede complicarse con accidentes físicos, del tipo de las roturas uterinas, cervicales, vaginales o perineales, o a causa de trastornos patológicos, tales como hemorragias durante el parto o después de él.

Esta variedad de estados y circunstancias pueden llevar al tocólogo a actuar. Su intervención puede ser de tipo físico o químico: La química recurre a medicamentos, generalmente muy potentes, como la oxitocina, para acelerar un parto o cohibir una hemorragia del alumbramiento. La física se sirve

EVOLUCIÓN DEL ÍNDICE DE MORTALIDAD MATERNA

PAÍS	Mortalidad materna por 100.000 nacidos vivos		Evolución	Último índice de mortalidad conocido
	1965	1975		
Checoslovaquia	35	18	−49%	8 (1982)
Francia	23	20	−13%	13 (1980)
Rep. Fed. de Alemania	69	40	−42%	11 (1983)
Grecia	46	19	−59%	12 (1982)
Japón	88	29	−67%	15 (1983)
Portugal	85	43	−48%	15 (1984)
Rumanía	86	121	+41%	149 (1984)
Rumanía (excl. el aborto)	65	31	−52%	21 (1984)
Estados Unidos	32	13	−59%	9 (1980)

La prévention des décès maternels, E. Royston / S. Armstrong, OMS, 1990.

El porcentaje de madres que fallecen como consecuencia de las complicaciones del parto ha disminuido notablemente en toda Europa y en Norteamérica. Ello se debe, evidentemente, a un mejor control del embarazo y una mejor asistencia al parto, gracias a los constantes progresos tecnológicos y sanitarios. En el único caso en que ha habido aumento se debe evidentemente a la liberalización del aborto, que, aun realizado en buenas condiciones sanitarias, siempre supone un riesgo.

de pequeñas intervenciones, para resolver algunos accidentes, tales como desgarros del canal del parto y del periné; aunque en ocasiones hay que recurrir a grandes intervenciones, para salvar la vida del feto, de la madre, o de ambos a la vez. El caso típico de intervención mayor es el de la operación cesárea en caso de sufrimiento fetal, de imposibilidad del parto por vía natural, de desprendimiento prematuro de la placenta o una inserción anormal de la misma, con riesgo gravísimo e inminente para la madre y el feto.

También vamos a referirnos a otras intervenciones, tales como la extracción instrumental del feto, por medio de fórceps, espátulas o ventosas, y a otras como la versión externa e interna, cuyas indicaciones son bien precisas, y que exigen no pocos conocimientos y no menor habilidad por parte del asistente al parto.

Debido a que las complicaciones por alteraciones físicas o fisiológicas conducen inevitablemente a las intervenciones farmacológicas o quirúrgicas, hemos agrupado en un solo capítulo las complicaciones e intervenciones necesarias para resolver los problemas del parto. Para ello hemos seguido, como en otros capítulos semejantes, el orden alfabético que facilita su hallazgo, además de la ayuda que supone el «Sumario» (pág. 780).

De acuerdo con los criterios generales de esta obra, sólo vamos a abordar los problemas más comunes, extendiéndonos únicamente lo necesario para una suficiente comprensión de cada uno de ellos con sus posibles soluciones.

ALTERACIONES DE LA DINÁMICA UTERINA

Las alteraciones de la dinámica uterina engloban toda una serie de trastornos del funcionalismo de la musculatura uterina durante el parto. Pueden ser de varios tipos, como veremos a continuación.

Hipodinamias

Las alteraciones pueden consistir en hipodinamias, si hay una disminución de la frecuencia o de la intensidad de las contracciones, o de ambas a la vez. El término hipodinamia significa que el trabajo del parto es poco eficaz para producir la dilatación y la expulsión del feto, lo cual es causa de parto prolongado.

Las hipodinamias, por sí mismas, no afectan al feto, aunque sí por lo que supongan de prolongación del parto.

La mayor parte de las veces se desconoce su causa, pero en ocasiones son consecuencia del agotamiento del útero después de un trabajo de parto prolongado y sin éxito, posiblemente por desproporción fetopélvica (véase **DESPROPORCIÓN FETOPÉLVICA** más adelante, en este mismo capítulo). Si éste fuera el caso, será necesario finalizar el parto mediante cesárea. Si no, se administra oxitocina, hormona que favorece y regula la contractilidad uterina, u otros oxitócicos, es decir, fármacos de acción estimulante sobre la fibra muscular uterina, como cardiotónicos o prostaglandinas.

Hiperdinamias

El caso contrario al anterior son las hiperdinamias. Una hiperdinamia es un aumento de las contracciones uterinas, que puede ser en frecuencia y en intensidad. La hiperdinamia puede deberse a un aumento de la motilidad primitiva del útero, y también, como en el caso de la hipodinamia, a una desproporción fetopélvica, en la que el útero al principio lucha por vencerla.

Igual que en la anterior alteración, conduce a un parto lento, ya que, bien sea por defecto o por exceso, siempre que el motor del parto padece una alteración, ocasiona un mal rendimiento.

Las hiperdinamias son debidas, en ocasiones, a una excesiva medicación. Actualmente son muy frecuentes debido a la «manipulación» de los partos: partos dirigidos, partos en día y hora señalados. En este caso desde luego hay que suspender la medicación, y en general se coloca a la paciente tendida de lado (decúbito lateral), con lo que disminuye el tono y la frecuencia de las contracciones y aumenta su intensidad y coordinación.

El tratamiento de las hiperdinamias lo determinará el médico en función de las causas.

Otras alteraciones

— **Tono muscular.** A veces la alteración dinámica del útero se debe a trastornos del tono muscular. Una hipertonía muscular puede provocar sufrimiento fetal.

— **Incoordinación.** En ocasiones puede haber una incoordinación de las contracciones uterinas, o comenzar la oleada de las mismas en sentido inverso, es decir en vez de ir desde el fondo del útero hacia el istmo, van desde éste hacia el fondo, lo cual impide la progresión fetal.

— **Constricción.** Las contracciones pueden producirse de forma anular y aisladamente, de tal manera que evolucionen formando anillos que lleguen a constreñir al feto provocándole el consiguiente sufrimiento.

— **Cuello uterino resistente.** Hay casos en que el causante de alteraciones es el cuello del útero, que se resiste a la dilatación, por causas desconocidas o lesiones previas, que han dado lugar a cicatrices fibrosas; a pesar de ser correcta la dinámica uterina.

El tratamiento de todas estas alteraciones compete exclusivamente al médico, pero el apoyo psicológico y la calma resultan esenciales, ya que una de las causas de incoordinación es la excitación nerviosa y la ansiedad maternas.

DESGARROS DEL CANAL DEL PARTO

En este apartado vamos a referirnos a los desgarros del canal blando del parto. Los desgarros importantes del canal del parto cursan con hemorragia antes o después de la salida de la placenta.

Puede tratarse de:

— **desgarros del cuello uterino,** por causa de cicatrices anteriores de éste, o por partos rápidos;

— **desgarro o estallido vaginal espontáneo,** debido a la presencia de un feto grande, a un parto rápido, a una fragilización del órgano, o a la acción de instrumentos quirúrgicos empleados para extraer el feto (fórceps, espátulas u otros);

— **desgarros vulvares o del periné,** espontáneos o debidos a la prolongación de una episiotomía, con eventual rotura del esfínter anal y del recto.

Todos los desgarros deben ser bien localizados y suturados, con el fin de evitar hemorragias y ulteriores complicaciones, tales como: modificaciones del cuello, causa de abortos posteriores; fístulas rectales o vaginales, con salida de orina o heces; disfunciones coitales; y prolapsos genitales.

DESPROPORCIÓN FETOPÉLVICA

Se dice que existe una desproporción fetopélvica o pelvicofetal, cuando el tamaño del feto no guarda la debida proporción con las medidas del canal del parto, y entonces le resulta imposible el paso.

Esto se puede deber a que el canal del parto esté alterado en su forma o estructura, o cuando la presentación, hablando de un feto normal, adopta una forma viciosa, ofreciendo al estrecho superior diámetros mayores de los habituales.

La desproporción fetopélvica se diagnostica fácilmente en grandes deformidades de la pelvis ósea, aunque hoy en día sean poco frecuentes. Puede sospecharse, en el caso de fetos grandes, en mujeres que hayan padecido raquitismo, fractura de pelvis, que sean muy bajas, o que padezcan deformidades de la columna o las piernas.

El médico sospechará también desproporción fetopélvica cuando la embarazada tiene antecedentes de cesárea sin causa justificada, de partos muy laboriosos, o de fetos muertos o con lesiones permanentes.

El tratamiento consistirá siempre en la práctica de una cesárea.

PATOLOGÍA DEL ALUMBRAMIENTO

La patología del alumbramiento es la que se refiere al tercer período del parto. Recordemos que el parto tiene tres fases: dilatación del cuello uterino, expulsión del feto y alumbramiento (expulsión de la placenta).

Durante este tercer período, cuando por lo general la familia, y a veces también los asistentes al parto, se hallan contentos, celebrando el feliz acontecimiento de la llegada de un nuevo ser, a veces se presentan sorpresas muy desagradables, y aun en ocasiones trágicas. Efectivamente, si el útero se descontrae se produce una hemorragia, que puede ser considerable. De ahí que el postparto inmediato deba ser intensamente vigilado, cuando menos durante las dos o tres primeras horas.

Hemorragias

Los problemas del alumbramiento son fundamentalmente hemorrágicos. Se habla de hemorragia del alumbramiento cuando la sangre perdida supera los 500 mililitros (centímetros cúbicos), y cuando se presenta inmediatamente, o en las 24 horas que siguen al alumbramiento.

La repercusión de la hemorragia sobre el estado general de la mujer impone un tratamiento de urgencia.

Las causas más frecuentes de las hemorragias postparto son:
— tracciones sobre el cordón;
— presiones violentas sobre el útero a través de la pared abdominal;

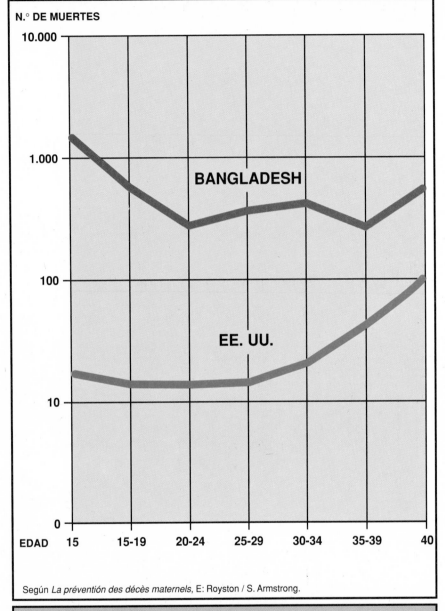

MORTALIDAD MATERNA SEGÚN LA EDAD
POR CADA 100.000 NACIDOS VIVOS

N.° DE MUERTES

BANGLADESH

EE. UU.

EDAD 15   15-19   20-24   25-29   30-34   35-39   40

Según *La préventión des décès maternels*, E: Royston / S. Armstrong.

Considerando en este gráfico la mortalidad materna por cada 100.000 nacidos vivos, vemos cómo en EE. UU. (1968-75) el índice es mucho menor que en un país menos desarrollado como Bangladesh (1968-70), para todas las edades de las madres. Adaptando las escalas de la fuente original, podemos comprobar que el índice con respecto a la edad también es diferente en ambos países. Así las madres menores de 15 años en Bangladesh tienen el índice más elevado (casi 1.800), mientras que en EE. UU. el más elevado es para las mayores de 40 años, con algo más de 100. En ambas poblaciones coinciden los mínimos para los 20-24 años, con poco más de 10 en EE. UU. y un índice superior a 300 en Bangladesh.

— desprendimiento incompleto de la placenta, consecuencia de anomalías de inserción o de adherencia patológica;
— inercia uterina (agotamiento del útero por abuso de oxitócicos, trabajo de parto prolongado);
— sobredistensión del útero (gigantismo, gemelaridad, hidramnios);
— anestesia general;
— estado general deficiente (obesidad, diabetes, cardiopatía, etc.);
— trastornos de la coagulación.

La hemorragia se reconoce por la sangre que aflora a la vulva, por el tamaño y blandura del útero (debería estar duro y pequeño) y por el mal estado general de la mujer (angustia, palidez, somnolencia, taquicardia, etc.).

La profilaxis estriba en una correcta asistencia al parto, respetando la fisiología del alumbramiento; en la vigilancia de la parturienta, y en la corrección de los más mínimos trastornos que pudieran presentarse durante o después del parto.

El tratamiento consiste en verificar la vacuidad del útero, obrando en consecuencia; en asegurar una buena contracción del mismo, y en compensar la expoliación sanguínea mediante transfusión.

Trastornos de la coagulación

Las trastornos de la coagulación pueden deberse a varios factores:

— muerte del feto intraútero,
— desprendimiento precoz de placenta normalmente inserta,
— embolia de líquido amniótico por paso del mismo a la sangre materna,
— maniobras traumáticas sobre el útero,
— estado hipertensivo del embarazo, o
— placenta previa.

Afortunadamente estas alteraciones de la coagulación, de pronóstico grave, cuyas hemorragias son de difícil tratamiento, resultan muy poco frecuentes.

Inversión uterina

La inversión uterina consiste en una vuelta del revés de la matriz, de

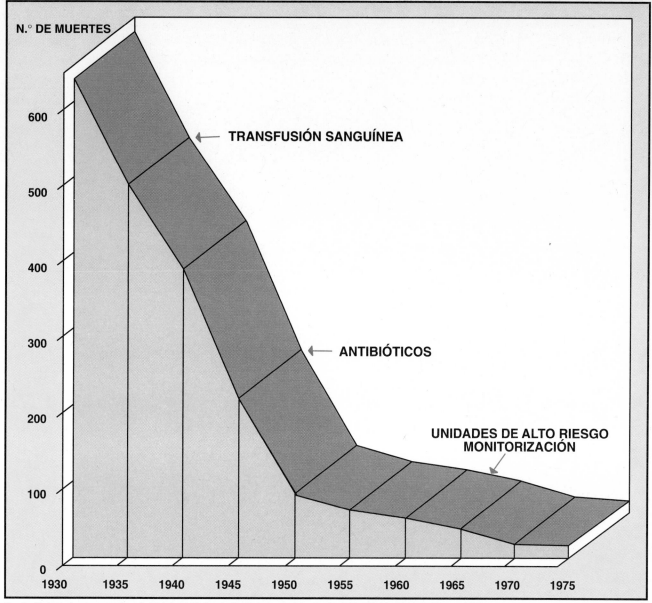

MORTALIDAD MATERNA EN LOS EE. UU.
POR CADA 100.000 NACIMIENTOS

N.° DE MUERTES

TRANSFUSIÓN SANGUÍNEA

ANTIBIÓTICOS

UNIDADES DE ALTO RIESGO
MONITORIZACIÓN

600

500

400

300

200

100

0

1930 1935 1940 1945 1950 1955 1960 1965 1970 1975

Según *Tratado de ginecología y obstetricia*, Ρ N. Danforth; Tratado de ginecología, J. Botella Llusiá / J. A. Clavero Núñez.

En la gráfica se pone de manifiesto el constante y espectacular descenso de la mortalidad materna. «La mortalidad materna se define como la muerte durante el embarazo, o como resultado del embarazo o sus complicaciones» (Danforth). De las 630 madres que morían por cada 100.000 nacimientos que se producían en 1930, en Estados Unidos, se ha pasado a 9,7 en 1977. La mortalidad materna ha ido descendiendo a lo largo del siglo XX gracias a los avances de la medicina. Tres grandes descubrimientos permitieron que el índice de mortalidad materna disminuyera de forma notable: la transfusión sanguínea, los antibióticos y la creación de las unidades de alto riesgo con monitorización. Desgraciadamente, aunque en los países desarrollados las cifras de mortalidad materna son semejantes a las norteamericanas, en el resto del mundo las cifras de mortalidad materna siguen siendo altas (véanse los cuadros de las páginas 781, 784 y 995).

modo semejante a lo que ocurre con un calcetín; de manera que la superficie externa se convierte en interna y viceversa. Es un cuadro grave, consecuencia de maniobras incorrectas al querer extraer la placenta, sobre todo tirando del cordón, cosa que nunca debe hacerse. Puede acompañarse de choque (*shock*) y hemorragia.

785

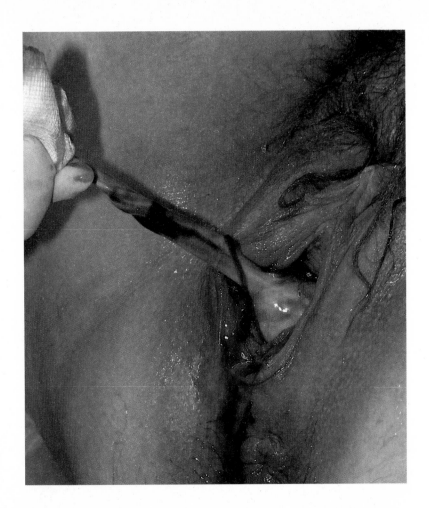

Incarceración placentaria y retención de restos

Otras circunstancias, como retención de restos placentarios, placenta adherida o incarceración de la misma, inserción baja de la placenta, o tumores uterinos de gran tamaño, producen también hemorragias en la fase de alumbramiento.

El legrado uterino

El legrado consiste en el raspado quirúrgico de la mucosa uterina para liberarla de adherencias placentarias u otras, causantes de hemorragias.

Antes del descubrimiento de la ecografía, en algunas ocasiones se procedía a un legrado que no siempre resultaba indispensable, y que podía provocar una mayor hemorragia, lo cual obligaba a una histerectomía (extirpación del útero). Gracias a la exploración ecográfica se puede conocer mejor la causa de la hemorragia, y en muchos casos proceder a controlarla farmacológicamente, evitando así el raspado con todos sus riesgos.

En la instantánea se puede apreciar perfectamente el momento de la expulsión de la placenta, después del parto, en el período llamado de alumbramiento (véase página 778).

ROTURA UTERINA

La rotura uterina consiste en el desgarro de una porción de la matriz, órgano que contiene el feto en gestación. Según su localización en ocasiones da pocos síntomas; pero es una situación grave que puede incluso causar la muerte del feto o de la madre.

Existen diversos factores que favorecen la rotura uterina:
— multiparidad,
— cicatrices uterinas por intervenciones anteriores,
— partos prolongados,
— fetos grandes.

Las causas que determinan este accidente son la desproporción fetopélvi-ca, las hiperdinamias, así como los traumatismos mecánicos y quirúrgicos.

Cuando se presenta una rotura del útero, la parturienta acusa un intenso dolor en la zona de rotura, que se agudiza al tocarle el abdomen, el cual aparece contraído. Se produce una interrupción brusca de la dinámica uterina. Suele producirse una hemorragia vaginal, que, dependiendo de su intensidad, puede llevar al choque (shock) hipovolémico (descenso brusco del volumen de sangre). Se acompaña así mismo de sufrimiento fetal por caída de la tensión arterial materna, con la consiguiente disminución del aporte sanguíneo a la placenta. En casos extremos, y muy raros en la actualidad gracias al control que se ejerce sobre todas las embarazadas, cuando se produce una rotura completa del útero, el feto queda retenido en la cavidad abdominal, pudiendo palparse a través de la pared anterior del abdomen. Esta situación casi siempre provoca la muerte fetal.

El tratamiento de la rotura uterina debe ser quirúrgico e inmediato, procediendo a extraer el feto. Según el tamaño de la rotura, el cirujano procederá a suturarla, o bien practicará una histerectomía (extirpación del útero).

SUFRIMIENTO FETAL

El sufrimiento fetal se origina en una alteración del equilibrio ácido-básico a consecuencia de una disminución del aporte de oxígeno, lo cual puede ocasionar daños graves al sistema nervioso del feto, e incluso su muerte. Por eso es importante y necesario llegar a un diagnóstico y tratamiento lo más precozmente posible.

Causas y diagnóstico

Las causas del sufrimiento fetal pueden encontrarse en la madre, en la placenta o en el niño. Por ejemplo, todos los procesos provocantes de una caída brusca de la tensión arterial de la embarazada, producirán a su vez sufrimiento fetal. Por lo que se refiere a la placenta, su envejecimiento o desprendimiento prematuro impide el adecuado aporte nutritivo al feto y su correcta oxigenación.

Entre las causas de sufrimiento fetal atribuibles al niño, citaremos los nudos y el prolapso del cordón umbilical (véase pág. 723).

Al diagnóstico de sufrimiento fetal se llega comúnmente mediante varios métodos:

— visualización, mediante el amnioscopio, del líquido amniótico teñido de meconio (heces fecales),
— rotura de la bolsa y comprobación de la presencia de meconio en el líquido amniótico,
— bradicardia, es decir, alteración de la frecuencia cardíaca fetal en el sentido de la desaceleración, ya sea espontáneamente o bien provocada por las contracciones uterinas,
— determinación del equilibrio ácido-básico (pH y concentración de O_2 y CO_2) fetal, mediante un análisis de la sangre fetal obtenida del cuero cabelludo.

Estos síntomas los resumía un viejo aforismo obstétrico: «Bradicardia y meconio son cosas del demonio.» Con ello se daba a entender la gravedad que supone la coincidencia de ambos síntomas.

MANIOBRAS Y OPERACIONES OBSTÉTRICAS

Cesárea

La cesárea es una intervención quirúrgica que se realiza con el fin de extraer el feto por vía adbominal, por ser imposible o arriesgada la vía vaginal. Para ello el cirujano realiza una incisión en la pared abdominal y otra en el útero. Esta operación, que viene practicándose desde tiempo inmemorial, ha salvado, y sigue salvando, muchas vidas, tanto de madres como de hijos. En la actualidad se realiza con gran frecuencia; en ocasiones, con demasiada.

Ya se habla de la cesárea en los papiros del antiguo Egipto y en el Talmud hebreo. En éste se excluyen de la purificación ritual a las mujeres que habían parido por vía abdominal. En la llamada *Lex Regia* promulgada por el segundo rey de Roma, Numa Pompilio, se ordenaba la práctica de una incisión abdominal en toda mujer muerta con feto desarrollado, al objeto de intentar extraer al niño con vida. Esta ley, quizá tan legendaria como el rey que la promulgó, pasó luego a llamarse *Lex Caesarea*, durante el reinado de los césares; y de ahí parece que vino el nombre de esta antiquísima intervención quirúrgica. No existe ninguna evidencia histórica fiable que justifique la creencia, ampliamente divulgada, de que el nombre de la operación se debe a que gracias a ella viniera al mundo Julio César. La cesárea se aplicaba únicamente a mujeres muertas o agonizantes, y durante muchos siglos aplicarla a una mujer viva suponía su fallecimiento, y la madre de Julio César vivió muchos años después del nacimiento de éste.

Hasta 1878 en Estados Unidos sólo se tiene noticia de unas ochenta cesáreas; de las cuales únicamente sobrevivieron menos de la mitad de las mujeres, a causa de las infecciones sobre todo.

Desde entonces las cosas han cambiado mucho y la cesárea se practica a menudo y casi sin riesgo alguno; gracias a los grandes avances en las técnicas quirúrgicas, la asepsia (ausencia de infección) y la antisepsia (lucha contra la infección), así como en la anestesia.

De todas maneras no hay tampoco que minimizar la importancia de los riesgos que supone. A los propios de cualquier intervención quirúrgica (embolismo, infección, deshicencia o rotura de la cicatriz, fístulas, etc.), se unen los riesgos de la operación en sí, que son principalmente las hemorragias y la lesión de la vejiga.

Inducción y activación del parto

Sucede con frecuencia que, un parto ya iniciado, transcurre perezosamente o con características anormales,

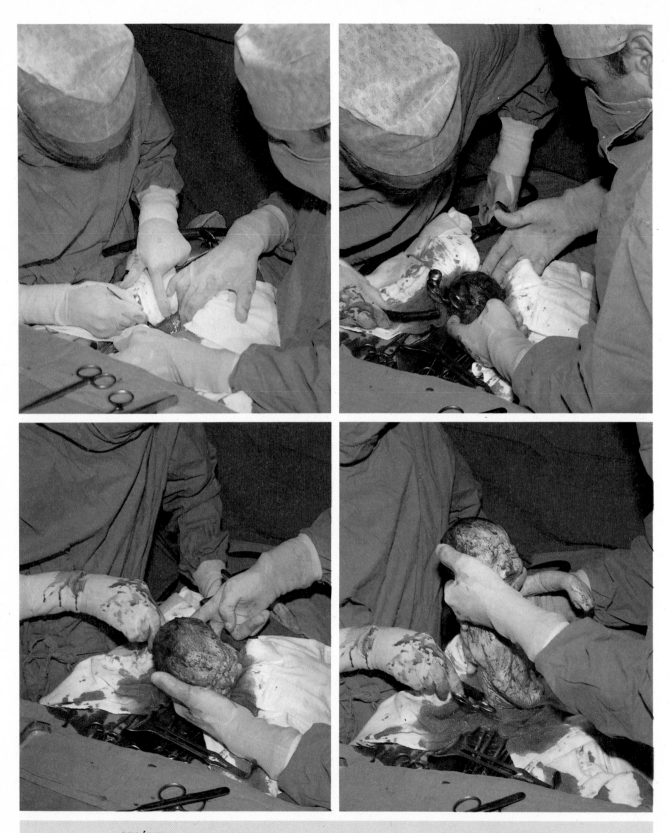

CESÁREA. Las cinco instantáneas (cuatro en esta página, una en la siguiente) reflejan diferentes fases de una operación cesárea, desde su inicio hasta la culminación cuando se ha extraído el feto. El doctor Isidro Aguilar, autor de VIDA, AMOR Y SEXO, aparece en todas las fotografías a la izquierda del lector.

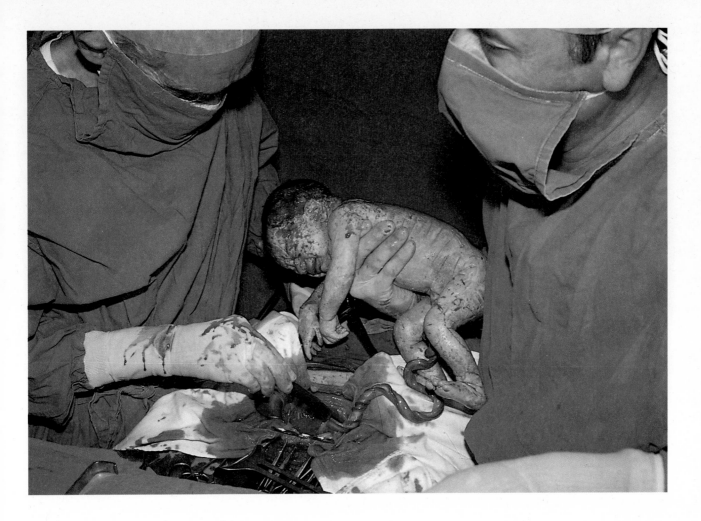

—tales como: contracciones débiles, escasas o irregulares—, o que incluso desarrollándose normalmente, el asistente al parto considera necesario activarlo o regularizarlo. Estos objetivos se alcanzan con diversos medios interesantes y de gran utilidad, dos de los cuales vamos a comentarlos:

— **Las prostaglandinas**. El complejo grupo de sustancias no hormonales constituido por las prostaglandinas fue descubierto por Von Euler y Goldblat en el líquido seminal del varón en los años treinta, y posteriormente por Pickles en el flujo menstrual.

De momento, su aplicación principal es la del desencadenamiento del parto en depósito intravaginal en forma de gel. Las prostaglandinas también son eficaces por vía oral o intramuscular. Estas sustancias se han revelado como verdaderos oxitócicos, es decir, estimuladores de la actividad contráctil de las fibras musculares uterinas.

— **La oxitocina**: Es una sustancia producida en el lóbulo posterior de la hipófisis. Tiene la propiedad de contraer las fibras uterinas. Por eso se la utiliza en el parto con el fin de iniciarlo, activarlo, regularizarlo, abreviarlo, o para cohibir hemorragias, generalmente en forma de goteo intravenoso de oxitocina.

También sirve al médico para determinar mucho más pronto que antes si el nacimiento podrá realizarse por las vías naturales, o requerirá una operación quirúrgica. Gracias a la utilización de la oxitocina para la reducción, aceleración o regularización de las contracciones uterinas, se pueden evitar muchas aplicaciones de fórceps y no pocas cesáreas, logrando casi siempre partos reglados y rápidos.

La administración de oxitocina se hace por vía endovenosa (intravenosa) mediante goteo simple o con ayuda de bomba de infusión (aparato que mantiene constante la inyección del producto de acuerdo con la programación establecida). Actualmente se ha abandonado el uso de oxitocina, u otros derivados suyos, por vía bucal e intramuscular. Se utiliza únicamente la vía intravenosa, por resultar ésta la de más fácil y correcto control de la dosificación.

Versión externa e interna

Recibe el nombre de versión externa una intervención que se practica con el objeto de dar la vuelta al feto.

Esta maniobra puede llevarse a cabo durante el embarazo y en la misma consulta, cuando la cabeza no ocupa su posición inferior normal. Se lleva a

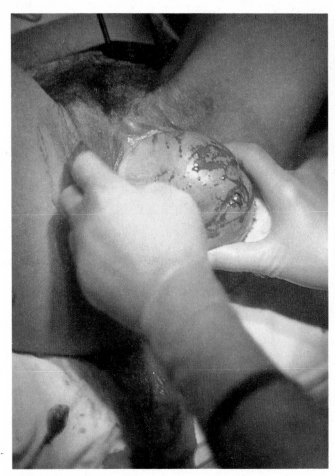
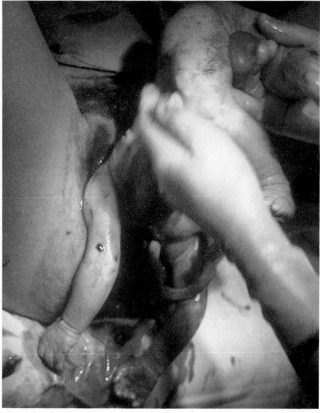

Un parto de nalgas siempre supone un riesgo elevado, que el médico debe valorar cuidadosamente, para permitir que el parto se produzca por vía normal, como el caso que recogen las dos fotografías, o bien practicar una cesárea.

cabo manipulando el feto con las manos a través de las paredes abdominales de la madre. Con ella se intenta convertir una presentación que venía de nalgas en otra de cabeza.

En los casos de partos gemelares, cuando después de haber nacido el primer feto, el segundo se halla en situación transversa, el tocólogo puede intentar una versión interna, o una versión combinada, es decir, interna y externa combinada. La versión interna actualmente no se usa más que en este poco frecuente caso. El tocólogo la practica introduciendo su mano en el interior del útero.

Instrumental especial para extracción

— **El fórceps:** Es un instrumento constituido fundamentalmente por dos cucharas capaces de rodear y aprehender la cabeza fetal, que sir-

ven para tirar de ella y, por tanto, del cuerpo fetal, acelerando su salida, cuando, por razones diversas, convenga que el parto acabe rápidamente.

La cuchara del fórceps tiene unas aberturas laterales que se conocen con el nombre de «ventanas».

Cuando los fórceps son aplicados de forma completamente correcta no suponen ningún peligro para la madre ni para el feto.

Su aplicación suele hacerse bajo leve y corta anestesia. El uso de fórceps hoy día se limita a casos muy concretos y determinados. Normalmente se recurre al fórceps en caso de agotamiento materno, cuando las contracciones del útero se debilitan mucho, en casos de infección materna, de enfermedades del corazón, y en otras circunstancias menos frecuentes. También se aplica el fórceps en interés del feto, si

está sufriendo por el hecho del parto o por una prolongación del mismo.

— **Espátulas.** Las cucharas de las espátulas de Thierry no tienen ninguna abertura. Son completamente lisas y macizas. Esto es debido a que su mecanismo de acción es diferente al del fórceps, pues mientras éste aprisiona la cabeza fetal para tirar de ella, las espátulas efectúan un movimiento semejante al del calzador, empujando suavemente y favoreciendo el deslizamiento de la cabeza fetal hacia el exterior en el canal del parto.

— **El *vacuum* extractor o ventosa obstétrica,** es un aparato en forma de pequeña campana, que se aplica sobre la cabeza del feto, a la que se adhiere por vacío. Queda así fuertemente sujeta. Tirando de ella resulta posible la extracción del feto.

44

EL RECIÉN NACIDO

Las condiciones que existían en el claustro materno son completamente diferentes de las que el neonato (recién nacido) se encuentra al salir al mundo exterior.

El alimento y el oxígeno, que le eran constantemente suministrados por la madre a través de la placenta, se ven abruptamente interrumpidos al nacer. Son pues necesarios una serie de cambios que logran la adaptación del recién nacido a las nuevas circunstancias.

Cambios en el sistema circulatorio

Por las variaciones de la temperatura, estímulos táctiles sobre el cordón umbilical, o alteraciones en la presión de oxígeno, las arterias umbilicales se cierran. El flujo a través de la vena umbilical permanece más tiempo, permitiendo el retorno de la sangre de la placenta hasta el niño, mientras no se produce la ligadura o pinzamiento del cordón. Con el cierre de los vasos umbilicales cesa la circulación sanguínea placentaria.

En el feto, según vimos en el capítulo 38, la circulación se desviaba desde la aurícula derecha, por el agujero de Botal, a la aurícula izquierda; y la sangre, que en este primer paso no se dirigía a la circulación general, sino que iba al ventrículo derecho, y a partir de él a la arteria pulmonar, pasaba a la aorta por el conducto arterioso. Esto era posible, además de por las comunicaciones existentes, por las diferencias de presión entre los distintos espacios vasculares. La sangre procedente de la aurícula izquierda pasa directamente al ventrículo del mismo lado, y de allí a la aorta.

Con la supresión de la circulación placentaria, y especialmente al producirse la primera respiración, las diferencias de presión se modifican. Así pues, en el corazón, la comunicación entre aurículas (agujero de Botal), se cierra de manera instantánea, debido a la estructura de doble membrana que permitía el paso en un sentido y ahora lo impide en el otro, llegando a fusionarse ambas en forma de tabique único. Por su parte, el conducto arterioso, por las mismas razones, deja de funcionar y se cierra al cabo de dos o tres semanas.

Cambios en el sistema respiratorio

Recordemos que el aparato respiratorio, no funcionante en el feto, contenía el llamado líquido pulmonar. Se percibían con la ecografía movimientos respiratorios que eran signo de vitalidad fetal. El líquido amniótico no penetraba al trayecto bronquial, más que en una pequeña proporción (15% de la capacidad del recién nacido) sin consecuencias.

En el momento final del parto vaginal, por expresión (compresión del canal del parto) del tórax, el niño expulsa más de la mitad del líquido pulmonar. La mayor parte del restante se reabsorbe, y queda una pequeña capa rica en una sustancia llamada surfactante, que es imprescindible para la respiración, pues provoca la expansión pulmonar al iniciarse los movimientos respiratorios después del parto.

Los factores estimulantes de los centros respiratorios cerebrales, para que el neonato comience a respirar por sí mismo, son el cambio en la presión de oxígeno y dióxido de carbono, así como la variación del equilibrio ácido-básico (pH).

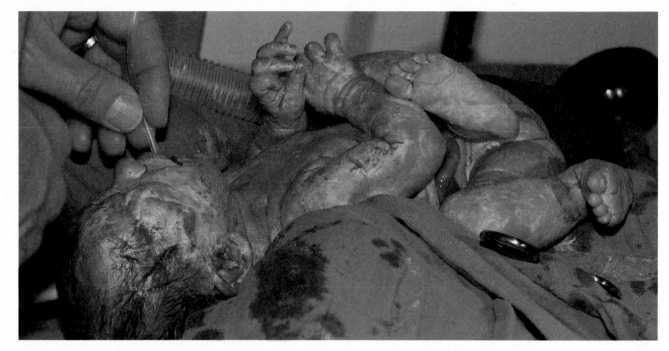

Después de haber seccionado el cordón umbilical, se procede de inmediato, por medio de una sonda estéril, a aspirar las mucosidades y secreciones de la nariz, boca y garganta, si es que aún quedan.

Cuando han salido la cabeza y los hombros del niño, el resto se procura que salga con suavidad, sin prisas ni maniobras bruscas. Una vez totalmente fuera, la cabeza debe quedar por debajo del cuerpo, permitiendo que las mucosidades que hubiera en nariz, boca y garganta, salgan por sí mismas.

A continuación, se mantiene al recién nacido al mismo nivel que el plano donde se halla acostada la parturienta, para evitar el paso de sangre de la placenta al niño y viceversa. Cuando, finalmente, el cordón deja de latir, es seccionado.

Inmediatamente se le limpia la cara y aspiran las mucosidades y secreciones de nariz, boca y garganta, si es que aún quedan. Para ello se emplea una sonda estéril. Es importante hacerlo así, porque en las primeras inspiraciones estas sustancias pueden llegar a los pulmones y producir un cuadro grave de asfixia.

Mientras se van realizando estas maniobras, el niño comenzará a respirar por sí mismo adaptándose progresivamente a la vida extrauterina.

A continuación se puede valorar su estado mediante el llamado test de Apgar. La pruebas de este test se realizan en el 1.º, 5.º y 10.º minutos de vida, para comprobar la adaptación del niño. El test de Apgar permite realizar una rápida valoración de la situación clínica del recién nacido, ya que detecta en poco tiempo la frecuencia cardíaca, el modo de respirar, la respuesta ante los estímulos, el tono muscular y la existencia o no de cianosis (falta de oxígeno en la sangre)

Se toma sangre del cordón, de la parte que queda en la placenta aún no desprendida. Analizándola se obtienen datos del estado inicial metabólico, grupo sanguíneo, células y otros factores.

Es importante que en el transcurso de las primeras 24 horas el neonatólogo o el pediatra examine al recién nacido, a fin de que detecte cualquier posible anomalía neurológica. Este examen hay que repetirlo a las 48 horas.

El chequeo neonatal

El examen de salud o chequeo del recién nacido es fundamental para descartar una serie de anomalías y enfermedades que, con el fin de que no dejen secuelas irreparables, pueden y deben ser descubiertas precozmente.

Todos los detalles y observaciones del chequeo deben ser anotados cuidadosamente en la cartilla o libreta de salud del niño. En esta cartilla se irán anotando posteriormente las diversas incidencias de la vida del niño: chequeos periódicos, fecha de las vacunaciones, enfermedades sufridas y trata-

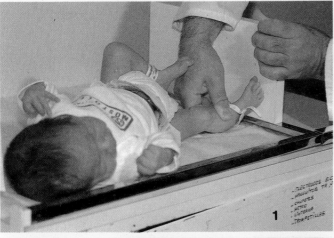

1

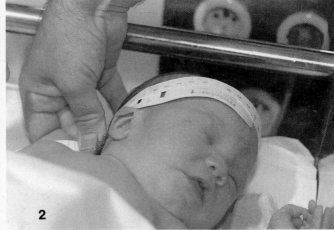

2

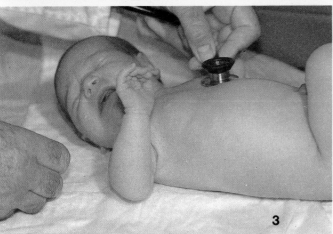

3

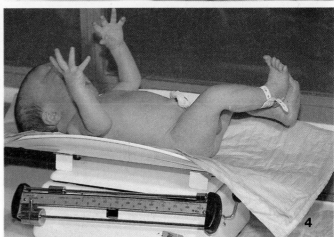

4

EXPLORACIÓN SISTEMÁTICA DEL RECIÉN NACIDO

En esta página y las tres siguientes ofrecemos un amplio reportaje fotográfico que permite conocer los principales exámenes a que se somete a un recién nacido, con el fin de comprobar su estado de salud.

1. Medición de la talla: Junto con el peso, la talla es un parámetro imprescindible de la exploración neonatal.

2. Tamaño craneal: La medida del perímetro cefálico permite detectar precozmente algunas anomalías cerebrales.

3. Auscultación cardíaca: Debe practicarse esta exploración a todos los recién nacidos con el fin de descartar la existencia de soplos o alteraciones del ritmo cardíaco.

4. Determinación del peso: El peso del niño recién nacido constituye el dato de más valor por su relación con el pronóstico evolutivo.

5. Huella plantar: Además de la pulsera de identificación, que puede apreciarse en la fotografía, la huella plantar, junto con la dactilar de la madre, permiten evitar errores de identificación.

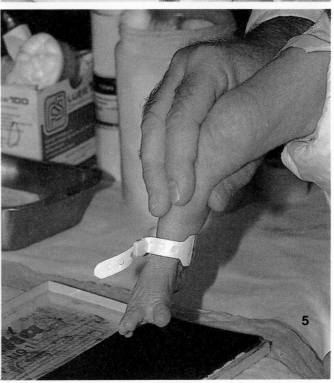

5

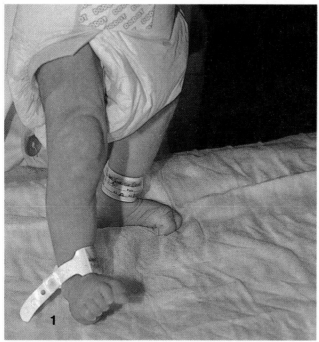

1

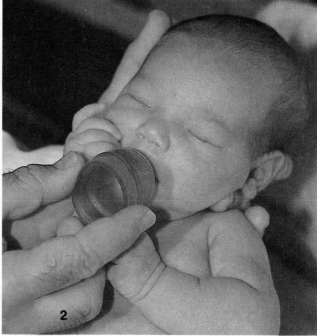

2

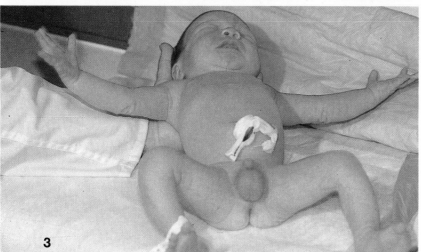

3

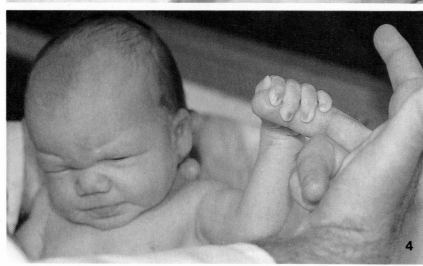

4

1. Reflejo de la marcha: Apoyando las extremidades sobre un plano, el niño tiende a flexionarlas, dando la sensación de movimientos de marcha.

2. Reflejo de succión: Se trata de uno de los reflejos más importante del recién nacido. La introducción en la boca del niño de una tetina despierta los movimientos de succión. El reflejo de succión se conserva durante mucho tiempo, y únicamente se halla ausente en procesos patológicos graves o en prematuros de muy bajo peso.

3. Reflejo de Moro: Se denomina así a una respuesta integrada ante diversos estímulos. El neonato responde abriendo los brazos y aproximándolos a continuación (reflejo de abrazamiento).

4. Reflejo de presión palmar: El estímulo de las palmas de las manos produce de inmediato una flexión de los dedos, que se mantiene durante un tiempo.

5. Reanimación del recién nacido: La primera medida en la reanimación del neonato consiste en la liberación de secreciones de las vías respiratorias mediante una sonda introducida por la nariz.

6. Reflejo de presión plantar: De la misma manera que el reflejo de presión palmar, el estímulo de la planta del pie produce una inmediata flexión de los dedos.

7. Reflejo de reptación: Colocado el recién nacido con las extremidades inferiores flexionadas y en decúbito supino (boca abajo), el estímulo de las plantas de los pies, produce un movimiento de arrastre o reptación.

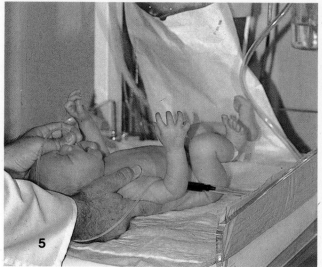

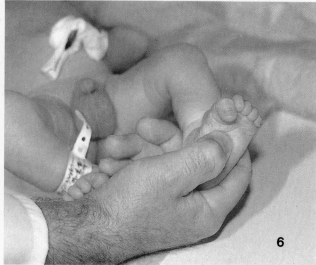

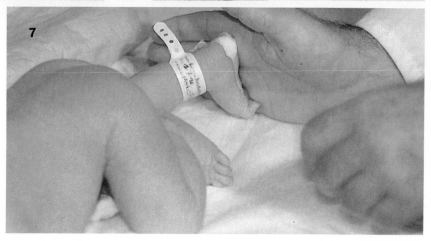

miento aplicado, y otros detalles de interés. Esta cartilla debe estar siempre a mano, y es elemento imprescindible que hay que llevar en todos los viajes. Gracias a ella, cualquier médico puede, de un solo vistazo, conocer el historial clínico del niño y posibles alergias o contraindicaciones a determinados medicamentos.

En el examen del neonato, además de la talla y el peso, se miden los perímetros craneal y torácico, se valora el aspecto general, el del cordón umbilical, el tipo de respiración, la forma del cráneo, y la consistencia y dimensiones de las fontanelas. También se ausculta el corazón y se palpan las arterias, buscando posibles anomalías circulatorias y malformaciones del corazón.

Vienen luego toda una serie de exámenes neurológicos, tales como el del reflejo de Moro (llamado así por su descubridor, E. Moro, pediatra alemán fallecido en 1951), el de la marcha automática y otros. El médico verifica también la hipertonía de los miembros inferiores comprobando el ángulo entre muslo y pierna, y observa el tono activo haciendo enderezar al bebé en posición vertical.

Así mismo hay que comprobar que el niño no sufre luxación congénita de cadera, y se buscan posibles anomalías congénitas: espina bífida, deformaciones de los pies o manos, fisura del pa-

ladar, hernias, malformaciones genitales y otras. No debe faltar la búsqueda sistemática de enfermedades congénitas del metabolismo, como son la fenilcetonuria (véase cap. 54), y el hipotiroidismo, que provoca crecimiento defectuoso y retraso en la maduración ósea. En la actualidad, en España como en todos los países sanitariamente avanzados, se investiga la posible existencia de estas dos enfermedades en todos los niños que nacen. Con este fin se envían al laboratorio unas gotas de sangre y otras de orina, impregnadas en unos impresos, que incluso se pueden enviar por correo. De este modo se pueden detectar antes de que estas enfermedades se manifiesten clínicamente, y se les puede aplicar un tratamiento precoz.

En los países desarrollados está establecido que todo niño desde su naci-

miento debe ser controlado por el pediatra una vez al mes cuando menos durante el primer año.

Los exámenes de salud más importantes son:
— Los que han de realizarse en los primeros días después del nacimiento.
— Posteriormente, durante los seis primeros meses, el niño debe ser examinado mensualmente por un pediatra.
— De los seis meses al año, el pediatra practica un reconocimiento médico del niño cada dos meses.
— En el segundo año de vida es conveniente que el médico examine al niño cada seis meses.
— De los tres años hasta la pubertad, aunque un niño esté aparentemente sano, debiera ser examinado por su médico al menos una vez al año.

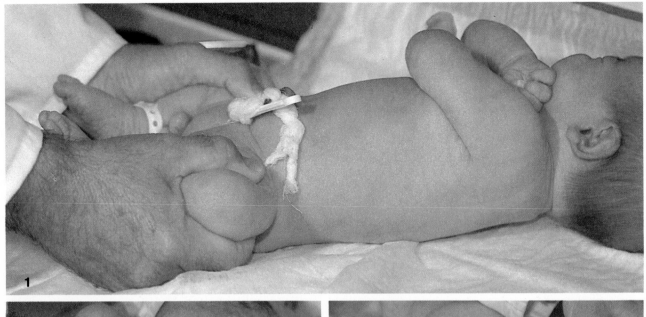

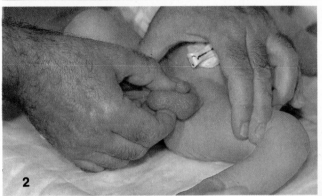

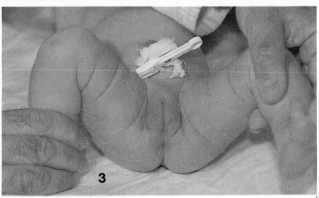

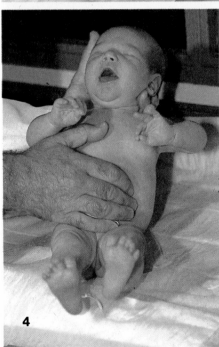

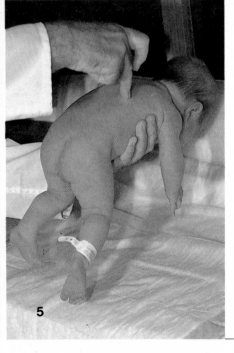

1. Maniobra de Ortolani: Permite la exploración de las caderas del recién nacido para descartar la existencia de una luxación congénita.

2,3. Exploración de los genitales: En el varón debe comprobarse la presencia de los dos testículos en la bolsa escrotal. La ausencia de uno de ellos o de los dos, se denomina criptorquidia (pág. 51) y exige estudios específicos. En la hembra deben explorarse los genitales externos para descubrir posibles anomalías congénitas u otras alteraciones que exigen tratamiento precoz.

4. Palpación abdominal: La palpación detenida del abdomen puede descubrir la existencia de masas o agrandamientos patológicos del bazo y del hígado.

5. Reflejo de presión dorsal: La presión a los lados de la columna vertebral produce una flexión lateral del tronco. La ausencia de este reflejo, puede ser indicativa de alteraciones graves del sistema nervioso.

SÍNTOMAS DEL SÍNDROME DE ABSTINENCIA NEONATAL

SÍNTOMAS COMUNES

- Temblores
- Llanto continuo agudo
- Hipertonía muscular
- Succión frenética del puño
- Estornudos
- Regurgitación
- Dificultad para conciliar el sueño después de las tomas de alimento
- Respiración agitada
- Deposiciones blandas
- Reflejo de Moro hiperactivo

SÍNTOMAS OCASIONALES

- Transpiración abundante
- Erupciones
- Dificultad respiratoria
- Bostezos frecuentes
- Fiebre
- Vómitos en escopetazo
- Deposiciones líquidas
- Deshidratación
- Convulsiones generalizadas

Los recién nacidos de madres toxicómanas con frecuencia nacen deprimidos, hipotróficos (desnutridos y poco desarrollados) o hipoglucémicos. La midriasis (dilatación de la pupila) denuncia la impregnación fetal por la droga. Los signos de abstinencia en el neonato no suelen presentarse hasta pasadas unas seis horas del parto. Un recién nacido que sufre un síndrome de abstinencia debe recibir atención médica urgente, de lo contrario podría incluso fallecer.

Adaptado de «Drogadicción y embarazo», *Jano,* vol. XXXVII, n.° 868; P. Duró / L. Cabero Roura / M. Casas.

En cada uno de estos exámenes el médico puede extender un certificado por escrito o realizar las anotaciones pertinentes en la cartilla infantil de salud que todo niño debiera poseer.

Depresión neonatal

El test de Apgar puede poner de manifiesto una depresión al nacimiento, cuando la puntuación ha sido inferior a 6 (3-6: ligera depresión, 0-2: depresión intensa).

Las causas de la depresión pueden ser de origen materno, por hemorragias, alteraciones cardíacas o pulmonares, anemias, EHE (enfermedad hipertensiva del embarazo), diabetes o infecciones. Todos estos trastornos repercuten en la placenta y su funcionalismo, y por lo tanto en el feto.

Las causas fetales pueden ser malformaciones, trastornos anémicos, retrasos del crecimiento, enfermedades trasmitidas por la madre, u otras. Además podemos incluir la inmadurez pulmonar (carencia de surfactante), propia de los recién nacidos prematuros, así como la inmadurez de los centros respiratorios.

Las maniobras realizadas durante el parto, como versiones externas y grandes extracciones, pueden ser causa de depresión, aunque es difícil valorar la influencia de estas maniobras, pues hay otros factores implicados (a-

PRODUCTOS CAUSANTES DE ABSTINENCIA NEONATAL

- Heroína
- Morfina
- Alcohol
- Barbitúricos
- Anfetaminas
- Bromuros
- Diazepam (válium)
- Etilclorovinol
- Pentazocina
- Imipramina
- Clorhidrato de propoxifeno
- Clorhidrato de difenhidramina
- Clordiacepóxido

«Drogadicción y embarazo», *Jano,* vol. XXXVII, n.° 868; P. Duró / L. Cabero Roura / M. Casas.

El consumo habitual por parte de la embarazada de drogas como la heroína, morfina o alcohol, puede determinar un síndrome de abstinencia del recién nacido. Este síndrome también puede ser fruto del consumo no controlado, por parte de la madre, de diversos productos farmacológicos usuales inventariados en este cuadro.

nestesia, estado materno y fetal previos, etc.).

La administración a la madre de ciertos fármacos (analgésicos, sedantes, anestésicos), sobre todo durante el parto, puede ser causa de depresión fetal.

Los fallos humanos, que a veces se producen en la asistencia o manipulación del recién nacido, pueden ser también factores causantes de una depresión fetal o agravación de la existente.

Reanimación del recién nacido

La primera medida en caso de depresión neonatal consiste en liberar las vías respiratorias del bebé de secreciones y mucosidades, como se ha descrito más arriba.

Si el recién nacido no respira, o lo hace de manera insuficiente, puede ser necesaria la administración de oxígeno, a veces con intubación laríngea (introducción de un tubo por la laringe, con el fin de facilitar la entrada de aire a los pulmones). De no ser eso posible, habrá que recurrir a la respiración artificial por el método de boca a boca (véase de forma gráfica cómo realizarla adecuadamente en la página 1.070, tomo 4 de VIDA, AMOR Y SEXO). En caso de fallos del corazón se practicará durante el tiempo necesario el masaje cardíaco, con el objeto de reactivarlo. El masaje cardíaco hay que realizarlo con suavidad, si no se corre el riesgo de provocar lesiones graves (véase su técnica en la página 1.071, contigua a la de la respiración artificial). En caso necesario se corregirán las alteraciones metabólicas, en especial la acidosis. Se transfundirá sangre, o plasma en su defecto, según criterio del médico reanimador.

Es importante en todo caso mantener la temperatura del niño, secándolo bien después del nacimiento y colocándolo bajo una fuente de calor, o bien abrigado en una habitación a temperatura adecuada.

Están totalmente contraindicadas maniobras como el rociado del tórax con alcohol o pegar al niño, pues carecen de fundamento fisiológico, y únicamente producen traumatismos y pérdidas de tiempo.

Será necesario considerar la posibilidad de un síndrome de abstinencia, en el caso de un hijo de madre drogadicta. Según el tipo de droga consumida por la madre durante el embarazo, y otras circunstancias, el porcentaje de neonatos de madre toxicómana que sufren dicho síndrome oscila entre el 60% y el 90%. El recién nacido que presenta síntomas de padecer un síndrome de abstinencia debe ser sometido a tratamiento de forma inmediata.

MORFOLOGÍA Y FISIOLOGÍA DEL RECIÉN NACIDO

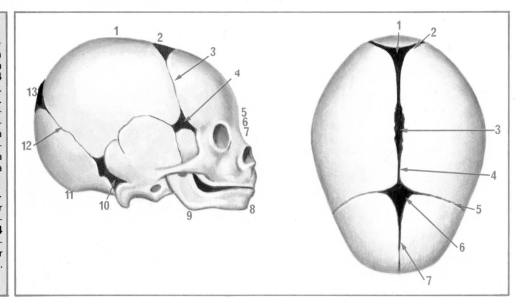

PUNTOS CRANEOMÉTRICOS: 1 Obelion (fontanela obélica). **2** Bregma (fontanela mayor). **3** Sutura coronaria. **4** Pterion (fontanela temporal). **5** Ofrion. **6** Glabela. **7** Nasion. **8** Menton (sínfisis mentoniana). **9** Gonion (ángulo maxilar). **10** Asterion (fontanela mastoidea). **11** Inion (protuberancia occipital). **12** Sutura parietoccipital. **13** Lambda (fontanela menor).

SUTURAS Y FONTANELAS: 1 Fontanela menor (lambda). **2** Sutura parietoccipital. **3** Fontanela obélica. **4** Sutura sagital. **5** Sutura coronaria. **6** Fontanela mayor (bregma). **7** Sutura metópica.

El recién nacido aparece recubierto de una materia blanquecina, llamada vérnix caseosa o unto sebáceo, que no es necesario eliminar, pues parece que contiene sustancias inmunizantes y antihemolíticas.

El niño al nacer ofrece desproporciones corporales. Proporcionalmente la cabeza es mayor que la de un adulto, y las extremidades resultan en cambio más cortas.

La cabeza del recién nacido presenta en el cráneo seis zonas blandas llamadas fontanelas que tienden a cerrarse hacia los 9, 10 y 18 meses. Si no

ocurriera así, o tendieran a aumentar su apertura, es necesario consultar con el médico. Las fontanelas son la confluencia de varios huesos del cráneo no endurecidos aún por la osificación. Este fenómeno, y el de las suturas entre dos huesos, permite deformaciones y encabalgamientos de los huesos craneanos, lo cual facilita la adaptación de la cabeza, con el fin de facilitar la salida de la misma durante el parto, evitando traumatismos tanto en la propia cabeza como en la madre.

La cara del bebé recién nacido se halla poco desarrollada, y los dientes

permanecen incluidos en la masa ósea durante varios meses. El caso de Luis XIV, que nació con varios dientes, aunque no único, es muy excepcional. Los músculos faciales, sobre todo el bucinador, se hallan muy desarrollados, con el fin de facilitar la succión.

Un neonato normal, a término, mide entre 48 y 52 centímetros, siendo los niños por lo general de mayor tamaño que las niñas. El perímetro craneano y abdominal, que es de unos 34 centímetros, es mayor que el torácico, que está en los 32. El tórax, a diferencia del adulto, en el recién nacido tiene forma más bien de tonel, es decir que se estrecha ligeramente por los extremos.

El abdomen del neonato y del bebé es muy voluminoso, a causa del tamaño del hígado y del intestino, así como del aplanamiento del diafragma.

El número de respiraciones de un recién nacido es de unas 45 por minuto. Esta cifra aumenta fácilmente, por ejemplo al tomarlo en brazos.

El tono muscular del niño que acaba de nacer es exagerado, sobre todo en los músculos flexores; hecho que se pone de manifiesto por la resistencia que opone cuando se le quieren poner las piernas en extensión, o al apretar vigorosamente con su manita el dedo que se le ofrece. Esta hipertonía (aumento del tono de los músculos) es completamente fisiológica (normal), e irá cediendo poco a poco durante los primeros meses de vida.

La piel

Después del nacimiento, el color rojizo de la piel del niño toma pronto tintes rosados, cuando la respiración se regulariza.

Los niños de raza negra nacen con un color moreno grisáceo, más marcado en el ombligo, senos y órganos genitales, que son morenos de tono violáceo. El color definitivo lo adquieren a las dos o tres semanas.

Los recién nacidos de raza amarilla nacen algo pálidos, presentando en la espalda la llamada mancha mongólica, de color azulado, que desaparece durante la pubertad.

Con frecuencia nace el niño con manchas rojas en la frente, en la nuca y en los labios. Van palideciendo gradualmente, acabando por desaparecer al cabo de unos meses. Las manchas de color rojo vinoso, en cambio, no desaparecen.

El milio facial, granulación blanquecina de la piel debida a la obliteración del conducto excretor de las glándulas sebáceas, que aparece en la punta de la nariz, en la barbilla o en las mejillas, desparece hacia la cuarta semana.

Los pelos duros y largos que aparecen a veces en la frente o las nalgas de los neonatos, o un vello muy desarrollado por todo el cuerpo, suelen desprenderse al cabo de algunas semanas.

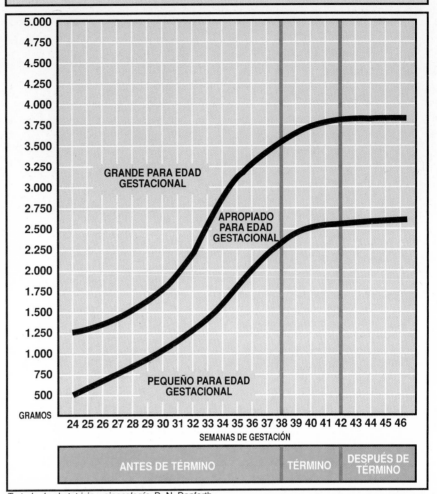

EVOLUCIÓN DEL PESO FETAL

GRANDE PARA EDAD GESTACIONAL

APROPIADO PARA EDAD GESTACIONAL

PEQUEÑO PARA EDAD GESTACIONAL

GRAMOS

SEMANAS DE GESTACIÓN

ANTES DE TÉRMINO — TÉRMINO — DESPUÉS DE TÉRMINO

Tratado de obstetricia y ginecología, D. N. Danforth

En esta gráfica podemos comprobar si el peso de un feto es apropiado para su edad gestacional, viendo si se encuentra entre las dos líneas negras. Pesos por encima de las líneas negras que delimitan el peso apropiado, son excesivos para esa edad y pueden crear problemas durante el parto sobre todo para la madre; pero pesos inferiores a los marcados como normales también pueden generar complicaciones, en este caso para el recién nacido.

Lo mismo ocurre con unos puntos amarillos del tamaño de granos de alpiste o mijo, que aparecen en el centro de la bóveda palatina (cielo del paladar).

El psiquismo del neonato

El recién nacido es un ser con instintos, pero de escasa sensibilidad por la inmadurez de su sistema nervioso que aún no ha concluido su desarrollo.

Hasta después de los quince días, cuando se considera superado el período neonatal, el niño es incapaz de seguir con la vista la trayectoria de un objeto, y sus ojos bizquean con frecuencia. Sin embargo, se halla dotado de reflejos: el de succión y el de cerrar los ojos al acercarles una luz, por ejemplo.

El sueño del niño es casi permanente durante los primeros días de su vida, y únicamente se despertará para reclamar su alimento cada dos horas y media o tres. Después de la toma, ya satisfecho, normalmente volverá a dormirse de inmediato, si no es que se duerme mientras la está realizando. La tendencia actual es de no seguir un horario excesivamente rígido en las tomas de alimento. Aun así, a veces es necesario despertar al bebé, cuando el período de sueño se alarga más de la cuenta, con el fin de evitar que pierda alguna de las tomas.

Fisiología normal

En el momento del nacimiento, o poco después, el recién nacido expulsa el meconio. Esta deposición inodora es de color marrón verdoso y muy espesa. Se produce 3-4 veces por día. A partir de los 5-6 días de vida es reemplazada por las heces color amarillo oro, características de todo el período de lactancia.

La orina, oscura de los primeros días, puede manchar los pañales de un color rojo ladrillo, a causa sobre todo de la elevada proporción de ácido úrico que posee.

La crisis genital que aparece con cierta frecuencia en los primeros días de la vida, se traduce en las niñas por una pérdida sanguínea, como de regla, que puede durar varios días. En los niños puede observarse la congestión de las glándulas genitales, y la presencia de líquido en el escroto, el cual aumenta de volumen.

En los recién nacidos de ambos sexos, hacia el segundo o tercer día, se observa un aumento de los pechitos debido al paso de la hormona estrógena de la madre. Esta leve inflamación puede durar un par o tres de semanas. En ningún caso hay que exprimir los senos, limitándose a cubrirlos con una gasa estéril. Este fenómeno, y el anteriormente descrito de la crisis genital, es la manifestación de una «minipubertad precoz».

En los primeros días que siguen al nacimiento se produce una disminución de peso, que es totalmente fisiológica (normal). Esta disminución se debe a numerosas causas, entre ellas cabe citar la redistribución del agua en el organismo del neonato, y una mayor pérdida de ella a través de la piel y las mucosas. En todo caso la disminución del peso no suele exceder en un diez

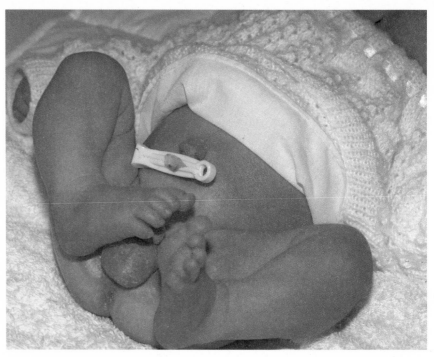

Las heces del lactante presentan un color amarillo oro, que dejan una mancha típica alrededor del orificio anal, tal como se aprecia en la fotografía.

por ciento del que tenía al nacer. La recuperación comienza aproximadamente a la semana de vida, siguiendo el peso, a partir de entonces, una curva ascendente. Por lo tanto, la pérdida fisiológica de peso no debe preocupar a los padres.

A menudo la temperatura del neonato es poco estable, dependiendo de las oscilaciones del medio ambiente.

Posibles anomalías

La descripción que antecede es la del neonato normal. El niño, evidentemente, puede haber nacido con anomalías y defectos. Algunos de ellos son visibles, como el labio leporino (labio de liebre), las ya mencionadas manchas vinosas, la polidactilia (dedos suplementarios) o el albinismo. Otros, sin embargo, pueden pasar inadvertidos para el profano: pie zambo, algunas parálisis (por traumatismos del parto), la fisura palatina (cielo del paladar partido), la fimosis, la espina bífida, la imperforación del ano, y otras. Afortunadamente, muchas de las mal-

formaciones congénitas se corrigen mediante cirugía (véase cap. 54).

Con frecuencia se produce una marcada descamación de la piel del recién nacido, o la formación de la llamada costra láctea (capa grasosa en el cuero cabelludo). Son éstos fenómenos pasajeros y sin importancia. El lanugo (vello fetal) cae y cesa la eliminación de masas blanquecinas en los genitales de la niña.

Debido a la impregnación de los tejidos, por los pigmentos de la hemoglobina de la sangre y la insuficiencia hepática fisiológica, la piel del recién nacido, primero rojiza y rosa, se vuelve rosado amarillenta a partir del segundo o tercer día de vida. La mayoría de las veces este fenómeno se debe a la llamada ictericia fisiológica del recién nacido, completamente normal y sin ninguna repercusión. No obstante, cuando esta ictericia persiste más de una semana o se vuelve muy intensa, es conveniente consultar con el médico, pues en este caso su origen pudiera ser patológico. En este caso el médico hará analizar la sangre del bebé, con el fin de determinar el nivel de bilirrubina (pigmento causante del color amarillento de la piel), y si la cantidad es excesiva, aplicará el tratamiento oportuno. El complejo problema de la ictericia, que en realidad es un síntoma, lo tratamos en el capítulo 55.

Signos de enfermedad

Hay que estar muy atentos a los posibles signos de enfermedad en el recién nacido. Los principales de estos signos son:

— dificultad para respirar,
— fiebre,
— vómitos,
— rostro que refleja sufrimiento o abatimiento,
— muecas que parecen ser señal de que algo le duele,
— ausencia del reflejo de succión,
— tendencia exagerada al sueño,
— color de la piel terroso o azulado,
— rechazo del pecho.

Todos estos son signos de alarma, que obligan a una inmediata consulta con el médico. Destaquemos que, de todos ellos, la fiebre y el rechazo del alimento no deben pasarse por alto; pues, aunque no sea lo más frecuente, pueden ser indicios de algo serio.

CUIDADOS AL RECIÉN NACIDO

Aire puro es la primera de las necesidades de todo ser humano. Pero no sólo es fundamental que la atmósfera que rodea al bebé esté libre de contaminación, sino que también debe tener el grado de humedad suficiente, es decir, no inferior al cincuenta por ciento; para lo cual resultan de gran utilidad los humidificadores eléctricos, sobre todo en invierno cuando la calefacción reseca el ambiente.

Durante los primeros días, el bebé es sumamente frágil. Prueba de ello es que el mayor índice de mortalidad infantil se produce dentro de las dos primeras semanas de vida. Así pues los cuidados que es necesario prodigarle son fundamentales para que supere esos primeros días de vida sin que se produzcan situaciones negativas para su salud, tanto en ese mismo momento como en el futuro.

Vamos a ver cuáles son los cuidados fundamentales, en este caso del recién nacido en los primeros momentos de su vida extrauterina; pues toda la Quinta Parte de esta obra aborda los cuidados que se deben prodigar al niño en las diferentes etapas de su desarrollo, tanto en el aspecto físico como en el psicoafectivo. Así que algunas de las cuestiones que aquí abordamos para el caso específico del neonato, serán tratadas allí de nuevo con mayor amplitud.

El ambiente

El recién nacido tiene necesidad de una atmósfera pura, evitando en lo posible el contacto con muchas personas y el de los mayores o niños que tosan o escupan.

En el caso de que la propia madre se halle resfriada, se acercará únicamente a su hijito con una mascarilla que le cubra boca y nariz, o al menos un pañuelo bien sujeto. En este caso no debe besar para nada el bebé.

Nadie debe fumar dentro de la habitación donde se halle el pequeñín. Por supuesto que el cuarto debe estar libre de todo tipo de humos o vapores que pudieran perjudicarle. La ventilación debe ser directa y suficiente, pero hay que evitar las corrientes de aire. El bebé debe estar suficientemente abrigado, pero no hay que taparlo tanto que se acalore o se sienta oprimido, de modo que le cueste respirar o realizar movimientos.

Hay que cuidar que la temperatura de la habitación sea templada. El calor o el frío excesivos pueden ser muy perjudiciales. En las habitaciones donde hay calefacción es necesario mantener la humedad ambiental a un nivel adecuado, mediante un recipiente con agua hirviendo o un humidificador eléctrico.

Limpieza e higiene

El ombligo debe ser protegido con un apósito o gasa estéril, que se renovará tras el baño diario, o cada vez que se manche. Se lavará con agua hervida y alcohol de 70° y se cubrirá de nuevo. Hacia el 7.° u 8.° día la porción del cordón umbilical correspondiente se ha secado y cae por sí sola, pero es necesario seguir cuidando la herida, lavándola y cubriéndola como antes, durante unos seis días más. La falta de higiene del cordón puede conducir a infecciones, graves inclusive, como la erisipela, el tétanos o la difteria.

El baño completo del recién nacido puede llevarse a cabo desde el primer día de su nacimiento. Las nalguitas se le pueden limpiar con una gasa, simplemente mojada en agua tibia o en una leche limpiadora, o bien mediante las toallitas limpiadoras apropiadas, que ya vienen impregnadas con leche limpiadora.

Para el aseo del bebé el agua tiene que estar templada (34°-36°C). El jabón que se use debe ser el apropiado, neutro o ácido. Lo más cómodo es usar un jabón líquido para bebés, cuya fórmula está estudiada para no perjudicar su delicada piel, y que además no resulta irritante ni aun para los ojos. En la actualidad se desconseja el empleo de los polvos de talco, o al menos se recomienda restringir su uso al máximo. Existen cremas apropiadas para la piel de los bebés, pero antes de aplicarlas conviene consultar al médico, para asegurarnos de su utilidad real y de su inocuidad.

Durante las primeras semanas resulta conveniente pesar al niño cada día, preferentemente después del baño si se dispone de un pesabebés en casa, con el fin de controlar si su desarrollo es normal, y en caso de cualquier anomalía acudir oportunamente a la consulta del pediatra.

Alimentación del bebé

Se aconseja que la alimentación del recién nacido comience lo más pronto posible: a partir de la tercera hora después del parto.

Luego, el recién nacido será puesto al pecho cada tres horas aproximadamente. Cuando sea necesario suministrarle un suplemento de fórmula láctea adaptada, éste debe administrárersele con cucharita y nunca con biberón; con el fin de que no se debilite su capacidad de succión, pues succionar la tetina del biberón exige menos esfuerzo que hacerlo del pezón de la madre.

Conviene subrayar que el calostro, o primera secreción del pecho materno, resulta sumamente conveniente para el lactante, ya que posee una riqueza alimenticia excepcional: abundantes sales minerales, sustancias proteínicas, vitaminas, y algo fundamental: principios antiinfecciosos.

Si la madre, por las razones que fueren, no puede alimentar de forma natural a su hijito, habrá que recurrir a las modernas fórmulas lácteas del primer período, cuya administración se aplicará siguiendo las pautas indicadas en el cuadro de las páginas 866 y 867, o las que en su caso determine el pediatra.

En la Quinta Parte de esta obra se dedican tres capítulos (47-49) a la nutrición y alimentación infantil, donde ofrecemos amplia información sobre las pautas más convenientes en la alimentación del lactante y el niño en las diferentes fases de su desarrollo.

45

PUERPERIO Y RETORNO A LA NORMALIDAD

El puerperio es el período de tiempo que va desde el alumbramiento hasta la desaparición de todas las modificaciones, que, con motivo del embarazo, se habían producido en el organismo femenino.

El puerperio dura aproximadamente 40 días, lo que popularmente se ha dado en llamar la cuarentena. En realidad una duración de seis a ocho semanas, se puede considerar como un puerperio normal.

Se caracteriza este período por dos fenómenos fisiológicos: la vuelta del organismo a su estado anterior y el establecimiento de la lactancia; con la reserva de que la restitución completa nunca se alcanza, pues hay una serie de vestigios que permanecen. Es eso precisamente lo que le permite distinguir al médico la primípara (embarazada que no ha dado a luz anteriormente) de la multípara (embarazada que ya ha tenido al menos otro hijo).

El puerperio fisiológico, es decir normal, se presenta en varias fases:

— **puerperio inmediato,** que comprende desde el primer día hasta el 10.º después del parto;
— **puerperio mediato o tardío,** hasta las 6-8 semanas, cuando reaparecen las reglas;
— **puerperio remoto,** que se extiende hasta los 4-6 meses, en que el organismo recobra por entero la normalidad (hay autores que dan a este período una duración de dos años).

Puerperio inmediato

Durante los diez días del período puerperal inmediato, el útero vuelve a su tamaño normal y se instaura la lactancia.

Las primeras 24 horas que siguen al alumbramiento son cruciales, sobre todo las tres primeras. Durante ese primer día que sigue al alumbramiento la mujer necesita estar sometida a una estricta vigilancia médica, hasta la desaparición de cualquier peligro de hemorragia y la vuelta a la normalidad de todas las constantes fisiológicas. Tanto es así que reputados tocólogos norteamericanos designan a este primer día como «cuarto período del parto», al final de cuyas 24 horas comenzaría realmente el puerperio.

Después del trabajo del parto, la mujer, lógicamente, se encuentra cansada. Hay que prestar atención a su estado general, tomándole la presión arterial, el pulso, la temperatura, y es preciso vigilar la pérdida de sangre. Es así mismo necesario que el médico compruebe que el útero sigue duro, contraído y por debajo del ombligo.

Es normal la aparición de contracciones dolorosas del útero, las cuales reciben el nombre de entuertos, y son más frecuentes en las multíparas que en las primíparas.

Antes se consideraba que la puérpera debía evitar la ingestión de alimentos sólidos durante las primeras 6 u 8 horas. Hoy, si no ha sido anestesiada, se le permite ingerir líquidos a las dos o tres horas del parto, y si tiene hambre puede incluso tomar una comida muy ligera.

Al cabo de unas 12 horas ya puede comer normalmente. Los dos primeros días es conveniente que los alimentos que consuma sean preferentemente vegetales: caldos y purés de verduras y hortalizas. Tomará así mismo zumos de frutas, o frutas asadas o en compota. La abstención de tóxicos ha de ser total, incluyendo tabaco y alcohol, que pasan a través de la leche a la criatura.

Antes de transcurridas 24 horas del parto, salvo indicación en contra del médico, resulta conveniente que comience a moverse y dar pequeños paseos por la habitación, con el fin de prevenir las frecuentes y peligrosas trombosis de este período.

El médico realizará un examen del periné, para asegurarse de su perfecto estado y de la ausencia de complicaciones de la episiotomía, en el caso de que se hubiera practicado.

Involución uterina

Después del alumbramiento, el útero, que ha expulsado la placenta y las membranas ovulares, se retrae formando el llamado globo de seguridad.

El útero se encuentra por debajo del ombligo y tiene un peso de cerca de un kilo. Para que llegue a desaparecer detrás del pubis, a los 12 días, se produce la destrucción de unas fibras musculares y la atrofia de otras.

El cuello uterino toma la longitud y consistencia de circunstancias normales, aunque siempre se podrá diferenciar del de una mujer que no haya

Expulsión de los loquios

Los loquios están constituidos por sangre, secreciones y restos de decidua (caduca). Tienen un olor característico, y son expulsados por vía vaginal en cantidad variable.

Los loquios al principio son rojos por la sangre. Luego pasan a ser de un color más claro, que se compara al del agua de lavar carne. Al 4.º-5.º día se hacen blanquecinos, cremosos y purulentos, donde pululan los microbios saprofitos y también patógenos (estreptococos, estafilococos, gonococos, etc.), pero atenuados. Hacia el 9.º-10.º

Instauración de la lactancia

La mama, destinada entre otras funciones a la alimentación del recién nacido, logra prolongar aun después del nacimiento los estrechos lazos que entre madre e hijo existían durante el embarazo. Para lograr y asumir tales funciones, la mama ha de experimentar un complejo proceso denominado mamogénesis.

La mamogénesis es el desarrollo de la glándula mamaria (en sus diferentes fases: embrionaria, puberal y gravídica), que únicamente lo alcanza de forma completa en el curso de la gesta-

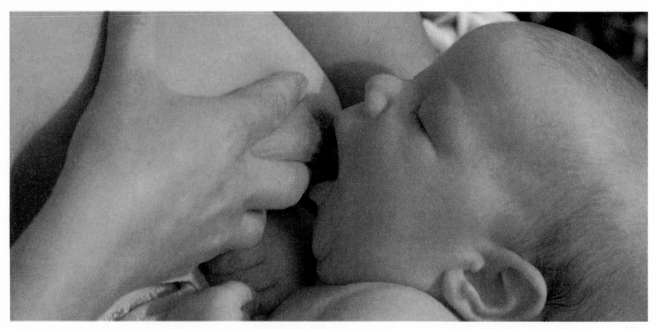

Después del alumbramiento la naturaleza ha previsto una serie de modificaciones hormonales destinadas a que se produzca la lactogénesis (producción de la leche materna). A estas modificaciones debe seguir el máximo estimulante de la producción láctea, que es la succión del lactante. Por eso resulta necesario poner al recién nacido al pecho lo antes posible.

gestado, debido a que persiste una cierta apertura.

La mucosa uterina va reparándose y aprestándose para, llegado el momento, volver a cumplir sus funciones.

Además del útero, también la vulva, deformada en el parto, va volviendo a su forma y tono normales, al igual que la vagina.

día los loquios se hacen numerosos y transparentes, y empiezan a desaparecer paulatinamente.

Hacia el 12.º día después del parto, puede producirse una expulsión repentina de sangre y restos de la decidua uterina. A este fenómeno se lo suele denominar popularmente «partillo», y no dura más allá de 48 horas.

ción, iniciándose aproximadamente hacia la mitad de la misma debido a la influencia de los estrógenos y la progesterona, producidos en la placenta, y al llamado lactógeno placentario, del mismo origen.

En la mamogénesis femenina intervienen, durante el período embrionario, los estrógenos placentarios de la madre y la glándula suprarrenal del propio feto. En la adolescencia y embarazo, intervienen los estrógenos y la progesterona del ovario o de la placenta, la somatotropina y la prolactina, la ACTH de la hipófisis, así como la tiroxina (hormona de la glándula tiroides).

Después de desprenderse la placenta se producen modificaciones hormonales que dan como consecuencia la lactogénesis, o puesta en marcha de la producción de leche. El mayor estímulo para la lactogénesis, sin embargo, es la puesta al pecho del recién nacido. De ahí la importancia de poner el niño al pecho lo antes posible.

Durante el primer y segundo días del puerperio la mama segrega de 10 a 20 mililitros (centímetros cúbicos) de una sustancia llamada calostro, de la que ya hemos hablado en el capítulo precedente, rica en prótidos y pobre en lípidos (grasas) y lactosa (azúcar de leche).

Al final de la primera semana la mama ya es capaz de producir alrededor de medio litro de leche al día; cantidad que irá en aumento hasta llegar a los tres cuartos, el litro, o incluso a un volumen mayor.

Lactopoyesis

A la mamogénesis y la lactogénesis, sigue la lactopoyesis, que no es más que el mantenimiento de la producción láctea. Hay dos factores que contribuyen a ello:

— **Factores mecánicos:** Un lactante normal consume la mitad del contenido de la mama en cinco minutos, y la vacía completamente en unos diez. Es necesario que el bebé vacíe completamente la mama, ya que ello es un estímulo importante para la nueva producción. Cuando se suprime una tetada disminuye la nueva producción. Por el contrario, un vaciamiento extremo aumenta la secreción en un 15%-20%. Cuando el niño no es capaz de vaciar el pecho por completo, conviene usar un sacaleches, con lo cual se evita además una posible mastitis (inflamación de la mama).

— **Factores hormonales:** La succión del pezón supone un estímulo para la liberación, en el hipotálamo, de

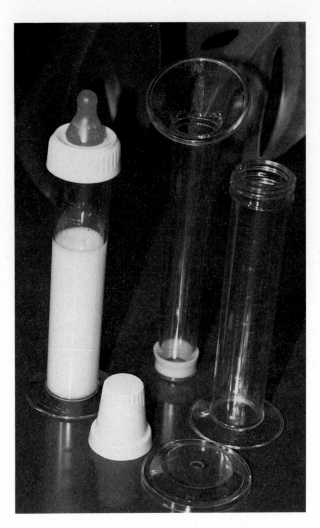

En el mercado existen diversos tipos de sacaleches de probada utilidad en casos especiales: prematuridad, ausencia de la madre, alimentación complementaria. Los hay incluso eléctricos. El de la fotografía es un tipo simple, pero eficaz e higiénico. Aprovechando el vacío que se produce en un cilindro, igual que si fuera una gran jeringa, permite extraer la leche de la mama. Este mismo cilindro donde se recoge la leche, provisto de una tetina apropiada, sirve de biberón.

las hormonas prolactina y oxitocina. Esta última especialmente provoca la eyección de leche a través del pezón. Este reflejo puede estimularse incluso por la simple contemplación del bebé.

— **Factores psicógenos:** Son dignos de ser tenidos en cuenta. Un disgusto puede cortar la leche, lo mismo que la preocupación por no poder amamantar, a pesar de tener los pechos bien constituidos. Los disgustos, el temor, la angustia, o una constitución psíquica especial, pueden hacer que la lactancia fracase.

La producción de prolactina va disminuyendo hasta desaparecer a los 60 días. La secreción láctea se mantiene entonces exclusivamente por el estímulo mecánico de succión del pezón.

Supresión de la lactancia

La supresión de la lactancia puede obedecer a enfermedades maternas graves, tanto orgánicas como psíquicas, o bien al consumo por parte de la madre de fármacos o drogas que pasan a la leche y podrían afectar negativamente al bebé. Por supuesto que la muerte del hijo lactante obliga a dicha supresión. En ocasiones se hace necesario suspender la producción materna de leche, como en el caso de un aborto tardío, y cuando la mujer está siguiendo un tratamiento contra la mastitis. En la inmensa mayoría de los casos la madre puede y debe dar el pecho a su hijo.

Cuando haya razones de peso que obliguen a una supresión de la lactancia, el médico normalmente recetará

bromocriptina. Este fármaco, aunque puede provocar náuseas, vómitos, hipotensión, u otros efectos secundarios, no presenta los inconvenientes de los sistemas anteriores que requerían la administración de dosis elevadas de estrógenos. La bromocriptina facilita un retorno más temprano de la ovulación.

Hubo un tiempo en que muchas madres, por motivos laborales, con el fin de conservar mejor su figura, o por comodidad, y, evidentemente, porque estaban mal informadas, preferían no amamantar a sus hijos, y optaban por la lactancia artificial.

Afortunadamente, ya hace algunos

Muchos de los avances científicos han mejorado la salud y la calidad de vida de la población... y otros indiscutiblemente la han empeorado. Es evidente que las nuevas fórmulas lácteas, muy estudiadas científicamente, permiten una alimentación artificial satisfactoria, pero que no es más que un sucedáneo de la natural. La leche de la madre es el alimento ideal para el bebé, y sólo en casos extremos de carencia de secreción láctica de la madre, o que ésta padezca una enfermedad grave, debe alimentarse artificialmente a los recién nacidos.

años que la tendencia a la lactancia natural va en aumento. A las futuras mamás se les aconseja, en los centros de preparación para el parto, que lo mejor para sus hijos y para ellas mismas es que los alimenten a pecho (véase un poco más adelante, en este mismo tomo, el capítulo 48). Incluso a las madres que trabajan, en España al igual que en otros países, se les dan las máximas facilidades para que puedan amamantar a sus hijos, pues además del período de baja laboral por maternidad, pueden acogerse al derecho de lactancia, que permite reducir la jornada de trabajo o interrumpirla para atender al hijo lactante.

Durante el puerperio pueden presentarse diversas complicaciones. A continuación vamos a exponer las más importantes.

Infección puerperal

Se considera infección puerperal el caso de cualquier mujer que se halle en este período, y que presente durante dos días seguidos una temperatura igual o mayor a los 38°C, excluidas las primeras 24 horas del postparto.

Aunque hoy en día la infección puerperal afecta a menos de un 3% de las mujeres, debe ser tratada con toda atención y de inmediato, pues es grave; ya que un mal tratamiento o su aplicación a destiempo, supone todavía entre el 1% y el 7,2% de las muertes maternas a consecuencia del parto, según las estadísticas de diferentes autores estadounidenses.

Son varios los gérmenes patógenos capaces de producir esta infección. Lo más importante, sin embargo, es que son de procedencia exógena (aportados por el ambiente) en la mayoría de los casos. Los transmisores de dichos gérmenes suelen ser el personal sanitario, el marido o la propia paciente. De ahí lo fundamental que resulta la limpieza y la asepsia más escrupulosa durante la fase previa al parto, en el transcurso del mismo, y durante todo el puerperio.

El foco infeccioso puede estar situado a todo lo largo del tracto genital, desde la vulva y vagina, el cuello, endometrio, miometrio y las trompas, hasta los ovarios y otros órganos pelvianos.

Es ésta una infección grave, por lo que debe ser tratada de inmediato. El tratamiento, que dependerá de cuál haya sido el agente causante, corresponde determinarlo al médico.

Trombosis venosas

Durante el puerperio son relativamente frecuentes las trombosis venosas, favorecidas durante este período por las modificaciones que se produ-

cen en la coagulación sanguínea, la circulación venosa enlentecida, posibles lesiones en las venas pélvicas, y por la liberación de sustancias placentarias que favorecen su formación, así como por afecciones sépticas (infecciosas) puerperales.

Las trombosis pueden ser superficiales, en cuyo caso con tratamientos

La asepsia y antisepsia, practicadas sistemáticamente en todas las maternidades, han conseguido que las otrora temidas complicaciones puerperales resulten en la actualidad una simple referencia histórica. Eso no quita que el puerperio, sobre todo el inmediato, sea una fase en que la mujer debe someterse a vigilancia médica y extremar los cuidados higiénicos.

consistentes en compresas calientes, pomada de heparina, movilización activa y pasiva, vendajes elásticos y antiinflamatorios, evolucionarán pronto favorablemente. Si se trata de una trombosis profunda, requerirá un seguimiento médico más atento y un tratamiento más complejo, consistente en suministrar anticoagulantes, por el peligro de embolización; reposo en cama; ejercicios de flexión y extensión; empezar a andar lo más pronto posible; y, si hay edema, utilización de vendas elásticas.

Patología mamaria

Existen diversos procesos que pueden afectar a la mama durante el puerperio:

— **Hipogalactia:** Producción inferior a los 300 mililitros cada 24 horas al quinto día de puerperio. Se puede deber a un escaso desarrollo del tejido mamario, a desnutrición, a insuficiente estímulo hormonal o a estrés.
Nos encontramos ante unas mamas fláccidas y un lactante con escaso aumento de peso. La solución consiste en darle al bebé raciones suplementarias de una fórmula láctea adaptada.

— **Ingurgitación mamaria:** Este fenómeno se presenta en el 4%-7% de las mujeres que lactan normalmente, y en todas las que rehúsan hacerlo. También se da en los casos de muerte fetal o de aborto tardío. La mama aparece enrojecida, caliente y dolorosa. Básicamente se trata de una repleción láctea (ingurgitación), acompañada de una gran hiperemia (congestión sanguínea).
Este proceso puede degenerar en mastitis, con mayor aumento de volumen del pecho, dolor, fiebre y malestar general. Por eso conviene tratarlo de inmediato. Primeramente hay que enseñar a la madre a dar de mamar correctamente, y cuando sea necesario extraer artificialmente la leche.
También hay que estimular el reflejo de la eyección láctea con un masaje mamario previo a la aplicación de la boca del niño, y con una

Los discos absorbentes para proteger los senos, resultan de gran utilidad para las mujeres con secreción láctea abundante. Evitan que la leche traspase la ropa, con la incomodidad que ello supone. También son recomendables en caso de grietas en los pezones o infecciones en la mama. Hay que cambiárselos después de cada tetada, o cuando ya se hallen muy empapados.

buena adaptación de la boca del niño al pezón de la madre.
El médico puede prescribir medicamentos como la oxitocina, que facilita la eyección láctea, y otros, que disminuyen la inflamación. La mujer debe consumir pocos líquidos y usar un sujetador bien diseñado, lo cual le producirá alivio.

— **Grietas en el pezón:** Son pequeñas heridas que se producen durante los primeros días de la lactancia hasta en el cincuenta por ciento de la mujeres. Se presentan con dolor intenso en el pezón, en el momento cuando el niño comienza a succionar y al retirarlo. El tratamiento es a base de pomadas de aceite de hígado de bacalao, de estrógenos, de bálsamo del Perú y otras. A veces

se pueden poner pezoneras, para evitar la maceración que produce el bebé. Con el fin de evitar infecciones, es fundamental un aseo cuidadoso de manos y mamas, antes y después de cada tetada. Como ya hemos indicado («Cuidado de las mamas», cap. 39), una forma de prevenir las grietas mamarias, es el endurecimiento de las mamas, y especialmente del pezón y su aréola, mediante los baños de sol durante el embarazo o las radiaciones con lámpara de cuarzo.

— **Infecciones mamarias:** Suelen ser consecuencia de las grietas en el pezón, unidas a una limpieza insuficiente. Se manifiestan con dolor mamario, malestar general, fiebre y escalofríos. La mama aparece roja, hinchada y dolorosa cuando se la palpa. El tratamiento consiste en la administración de los antibióticos apropiados y compresas frías en la mama (mejor aún hielo). En el caso de la formación de abscesos, se impone la intervención del cirujano para su drenaje.

Hemorragia puerperal tardía

Recibe el calificativo de tardía la hemorragia que se produce entre los días 2.º y 30.º del puerperio. La causa más frecuente es la retención de restos placentarios (véase pág. 786). En este caso el útero suele no haber evolucionado normalmente.

Cuando se produce una hemorragia puerperal tardía un examen ecográfico es de gran ayuda para el médico, ya que puede descubrir el origen de la pérdida sanguínea.

Para el tratamiento suele ser necesaria la práctica de un legrado uterino.

Si la retención fuese de restos deciduales, que no se hubieran expulsado totalmente con los loquios durante los primeros ocho días, la hemorragia que se pueda presentar suele ser muy ligera —el «partillo» que mencionábamos—, y por eso rara vez precisará tratamiento.

Revisión postparto

Con el fin de evitar todas las complicaciones puerperales mencionadas y otras en el mismo período o posteriores, el médico efectúa un control de la recuperación correcta del organismo, mediante diferentes exámenes y exploraciones.

Esta revisión hay que realizarla unas seis semanas después del parto. Entonces se detectan posibles alteraciones o molestias mamarias, urinarias, vaginales, perineales en la episiotomía, pérdidas de sangre o de loquios, y otros problemas.

El médico realizará también un examen del útero y la vagina, así como una citología. Normalmente establecerá la fecha de los controles ginecológicos posteriores.

Es posible, sobre todo si la mujer es multípara, que se le presente una incontinencia urinaria, que casi siempre se resuelve espontáneamente en el plazo de cuatro o cinco meses. En cualquier caso siempre serán útiles los ejercicios del método de Kegel que refuerzan la musculatura afectada (véanse en el 2.º tomo las páginas 354-358).

Lo normal es que en la fecha de la revisión puerperal ya haya reaparecido la menstruación; pero no es nada anormal, sobre todo si la mujer lacta, que aún tarde dos o tres semanas más en volver. No hay que olvidar que aunque no haya vuelto la regla, la ovulación sí es posible, con el consiguiente riesgo de embarazo.

Es preciso pues que se aplique un medio eficaz de anticoncepción al menos durante los seis —mucho mejor doce— meses siguientes; pues es necesario permitir que el organismo femenino se recupere completamente del embarazo, parto y postparto.

En las primíparas, de forma especial, resulta normal que se presenten molestias en las primeras relaciones sexuales después del puerperio. Estas molestias son debidas a los procesos de cicatrización de las paredes vaginales. Un buen remedio para evitarlas o reducirlas es el empleo de lubrificantes en las primeras relaciones sexuales.

VUELTA AL HOGAR

Pasados los días de estancia en la clínica maternal, la madre vuelve a casa y con ella el nuevo miembro de la familia: el hijo.

Aunque sólo han pasado unos pocos días, a la madre le puede parecer que hace una eternidad que no ha pisado su hogar. Los últimos acontecimientos han sucedido tan rápidamente, y se han vivido experiencias tan peculiares, que se pierde un poco la noción del tiempo.

Ya han desaparecido los temores de los últimos meses: temor al dolor, temor a los riesgos del propio embarazo y sobre todo del parto, temor a posibles defectos físicos del bebé. La gran ilusión y esperanza iniciales, que se han ido incrementando con el progreso del embarazo, se han cumplido. El hijo está en casa. No le falta... ni le sobra nada. La madre lo puede amamantar sin problemas, y todos están felices con el recién llegado.

Las cosas se van desarrollando con normalidad; como estaba previsto. Pero nuevas dudas asaltan a los padres, sobre todo cuando se trata del primer hijo. ¿Sabremos organizarnos en esta nueva etapa de nuestra vida? ¿Sabremos atender correctamente las necesidades del bebé? Parece tan frágil. ¿No le romperé un brazo cuando lo vista o lo coja? ¿No se le hundirá la fontanela cuando le lave la cabeza? ¿Estará comiendo poco? ¿Por qué no se despierta ya? ¿Por qué llora tanto?

La mayoría de dudas y temores suelen disiparse en poco tiempo. Tanto la madre como el padre, después de pocas semanas de tratar directamente con el pequeño, se convertirán en expertos en cambiar pañales, bañar al bebé, alimentarlo y consolarlo. Hasta podrán aconsejar a otras parejas que estén viviendo circunstancias parecidas.

No obstante, la vida cotidiana del hogar ha sufrido grandes cambios, y los primeros días suelen ser difíciles para la pareja.

Para empezar, el rey de la casa se hace notar de forma muy acusada por todos los rincones del hogar: Ropitas limpias y sucias, secas o mojadas, tendidas, amontonadas o bien dobladas, aparecen por todas partes. Cunita, cuco, sillita, parque, bañera, vestidor, juguetes. Todo resulta necesario, pero quién diría que un ser tan diminuto pueda necesitar tanto espacio.

Ahora más que nunca se apreciarán los buenos hábitos de orden y limpieza. La organización y diligencia en hacer las tareas domésticas son esenciales, si no queremos que toda la casa se convierta en un caos.

Conviene reservar un lugar para todas las cosas que vaya a necesitar el bebé. Si es posible tendrá su propia habitación, con su armario y estantes donde todo pueda estar en orden y a mano. De no ser así, habrá que hacer lugar en el armario de los hermanos o de los padres, aunque las otras cosas hayan de quedar algo más apretadas.

Es preciso determinar, no obstante, cuáles son realmente las necesidades del niño, de la madre, del padre y de otros miembros de la familia, con el fin de repartir equitativamente, tanto el espacio disponible como el tiempo. Todos deberán colaborar e intentar adaptarse al nuevo ritmo de actividades y horarios. Y al decir *todos*, se entiende que serán más bien los mayores los que se adapten al ritmo y necesidades del pequeñín. No parece demasiado sensato esperar que sea el bebé quien se adapte, en principio, a las costumbres previas de la familia.

Atención del bebé

En realidad, las necesidades básicas de un bebé sano son bastante simples: siete comidas (tetadas o biberones), cambio de pañales otras tantas veces, un baño diario, un paseo al aire libre, un ratito de juego y dormir muchas horas.

Lo que más tiempo y atención directa de la madre requiere, son las tomas de alimento. El ritmo puede ser irregular al principio, pero el bebé no tardará en ajustar su propio horario, y la madre tendrá que planificar sus tareas en períodos cortos de dos a tres horas, que es el tiempo que podrá disponer entre tetada y tetada (o entre una y otra toma de biberón). Una mujer bien organizada dispondrá de tiempo suficiente para atender a su bebé y a todas las responsabilidades de ama de casa; aunque todas las madres han pasado en algún momento sus apurillos. Quizá tenga que aprender a reali-

zar los trabajos de forma más simple: comidas más sencillas, limpieza más rápida (cortinas, cristales y techos pueden esperar), reducir los planchados de ropa y aplazar las costuras u otras labores muy complicadas para cuando los niños sean mayorcitos.

Al principio a la madre le resultará algo difícil. El lapso que transcurre entre una toma de pecho y otra, pasará rápidamente, y le parecerá que su hijo reclama el alimento antes de tiempo. Pero poco a poco se irá adaptando al ritmo del bebé, y observará que cada vez puede hacer más cosas en el mismo tiempo.

En el capítulo siguiente y sucesivos, encontrará la madre primeriza todo lo que desea saber sobre los pormenores del cuidado del bebé: sueño, paseo, baño, alimentación, etcétera.

Cuidados para la madre

Durante el embarazo, las mujeres suelen recibir del esposo, de la madre, y de familiares y amigas, toda la atención que necesitan, y hasta de más a veces. Se la procura aligerar de sus cargas domésticas. Se insiste en que su alimentación, vestido y reposo sean los adecuados a su estado. La atención médica es regular. La mayoría de las futuras mamás pueden asistir a un cursillo de preparación para el parto, o disponen de libros, revistas o cintas magnetofónicas que la ayudarán a relajarse y a respirar de forma correcta cuando lleguen las contracciones.

En una palabra, la protagonista del embarazo es la mujer.

Después del parto, en los primeros días, las atenciones se dividen entre la madre y el niño. Y por lo general, pasadas dos o tres semanas, casi todos los mimos, esfuerzos y consideraciones se dirigen hacia el bebé. Hasta ella tiende a olvidarse de sí misma ante la sobrecarga que le supone los cuidados del pequeño.

No hay que olvidar, sin embargo, que el puerperio, aunque no es una enfermedad, requiere unos cuidados especiales. El organismo de la mujer ha sufrido importantes cambios físicos y hormonales durante el embarazo y el parto, por lo que necesitará un tiempo para recuperarse. Su rendimiento, por tanto, no puede ser pleno. Los primeros días necesitará ayuda, pues física-

mente no estará en condiciones de hacer frente a todas las tareas del hogar y los cuidados del bebé.

La depresión postparto

Es bastante frecuente que algunas madres sufran una depresión temporal durante el puerperio o inmediatamente después. El organismo debilitado, las necesidades del bebé, la alteración del orden y ritmo habitual del hogar, y principalmente los cambios hormonales que se han producido, parecen ser los causantes de ese bajón anímico. Es conveniente que, tanto la mujer como el marido, y los demás miembros de la familia, tengan prevista esta situación. Un poco de ayuda y mucha comprensión, si las cosas no salen tan bien como todos quisieran, serán esenciales para superar esta etapa en breve. Si la depresión se prolonga durante varias semanas, habrá que consultar con el médico.

Higiene personal

Desde el primero o el segundo día, la madre podrá seguir sus hábitos higiénicos. Podrá ducharse y lavarse la cabeza. Al principio no son recomendables los baños generales, por los riesgos de infección.

El lavado de la zona genital se hará con sumo cuidado, tal como se venía haciendo en la clínica, hasta que la herida perineal haya cicatrizado por completo. Se utilizará agua hervida tibia, un par o tres de veces al día, secando bien la zona con una gasa estéril y aplicando la pomada que haya recetado el médico.

La mujer que amamanta cuidará especialmente la limpieza de sus pechos. Además de la ducha diaria, los lavará con agua hervida antes y después de cada tetada. Será suficiente con pasarse una gasa mojada (las esponjas no convienen), secándoselos bien después.

Alimentación

Si da el pecho a su hijo, la dieta será equilibrada, y deberá aumentar el consumo de calorías en unas 500 diarias, que son las que el niño recibe aproximadamente con la lactancia natural. No es aconsejable, en este caso

ponerse a régimen para perder esos kilos de más que a algunas madres preo-
cupan. Puede y le conviene, eso sí, reducir el consumo de dulces, fritos y
grasas en general.

Debe tomar alimentos ricos en
proteínas, vitaminas y sales minerales:
legumbres (soja especialmente), verduras y hortalizas, fruta fresca en
abundancia, productos lácteos (leche,
yogur, queso no muy curado) y huevos, germen de trigo, levadura de cerveza, melaza (miel de caña).

Para evitar o combatir el estreñimiento, consuma alimentos que contengan fibra: verduras; cereales, pan y
galletas integrales, y si es necesario ciruelas pasas y salvado.

Tome líquidos en abundancia: un
suplemento de medio litro de leche

descremada al día (o su equivalente en
otros productos lácteos), zumos naturales de fruta sin azucarar, y agua pura
fuera de las comidas.

Absténgase totalmente del tabaco,
alcohol u otras drogas, así como del
café, té y otras bebidas estimulantes.
Las sustancias nocivas de estos productos pasan a la leche materna sin dificultad, y el niño se estará intoxicando
aunque de momento no lo pueda apreciar. Si le resulta difícil prescindir de
estos tóxicos, no dude en solicitar ayuda de algún especialista. Hágalo por su
propio bien, y especialmente por el
bien de su hijo.

No tome ningún medicamento que
no le haya sido recetado por el médico, y cuando éste le recete algo, hágale
saber que está amamantando a su hijo.

Recuperar la figura

Durante el parto suelen perderse
unos 6 kilos, que son los que corresponden al niño, la placenta, el líquido
amniótico, las membranas y la sangre.
Como lo normal es ganar de 9 a 12
kilos durante el embarazo, es lógico
que siempre queden unos kilitos de
más, que se irán perdiendo a lo largo
de las semanas siguientes, y que no deben preocupar excesivamente a la joven madre.

El peso, sin embargo, no es lo más
importante. La figura de la mujer queda algo desmejorada durante los días
siguientes al parto. El vientre sigue
siendo algo voluminoso y los músculos
se han quedado fláccidos; igual que
ocurre con los pechos y la zona peri-

GIMNASIA DURANTE EL PUERPERIO

Si el parto ha sido normal, puede empezar con los primeros ejercicios al segundo día (están marcados con un asterisco: *). Para el resto debe esperar unas dos semanas o algo más (se indica en cada ejercicio). Conviene que los realice a diario durante un mes y medio como mínimo, y mejor si continúa hasta los cuatro o seis meses. Después siga practicando su deporte favorito, con la misma intensidad y regularidad que antes de quedar embarazada.

ACTIVACIÓN CIRCULATORIA EN LOS MIEMBROS INFERIORES

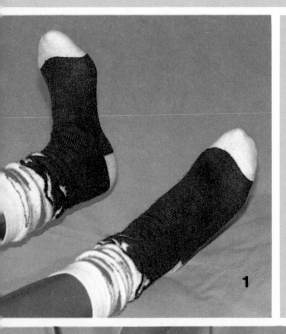

1.* Posición: Acostada sobre la espalda y con las piernas extendidas. Se puede hacer sobre la cama, en la misma clínica. **Ejercicio:** Rotación de los pies en torno al tobillo, describiendo círculos; primero un pie y luego el otro, en un sentido y en el contrario. Repetir varias veces por la mañana y por la tarde.

2.* Posición: Igual que el anterior. **Ejercicio:** Movimientos de extensión y de flexión de los pies. Levantar la punta del pie intentando acercarla hacia la pierna para después extenderlo al máximo. Repetir varias veces igual que el anterior.

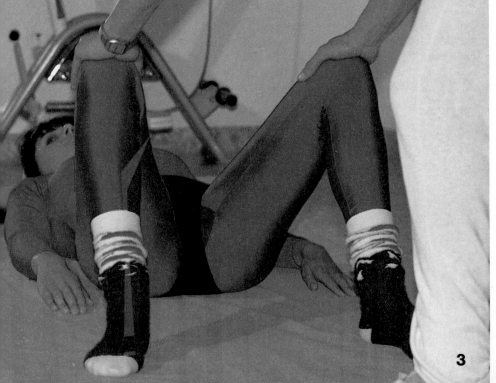

EJERCICIOS PARA LA RECUPERACIÓN DE LOS MÚSCULOS PERINEALE

3.* Posición: Acostada de espaldas con las piernas flexionadas y separadas. El acompañante sujeta las rodillas. **Ejercicio:** Intentar juntar las rodillas, mientras el acompañante lo impide. Empezar con 5 veces al principio, e ir aumentando cada día hasta llegar a 20.

4.* (pág. 356) **Posición:** Acostada o sentada. **Ejercicio:** Contraer rítmicamente los músculos del periné. (Ver el método de Kegel, págs. 354-358.)

En caso de rotura perineal o episiotomía, no se deben practicar los ejercicios **3** y **4**. Esperar hasta una completa cicatrización.

3

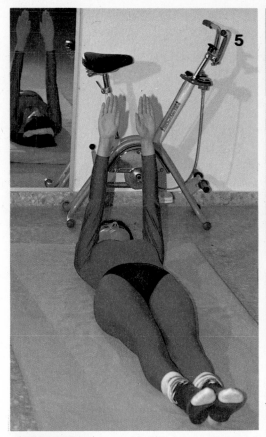

5

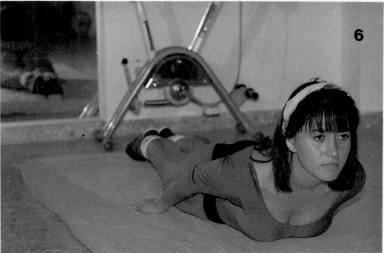

6

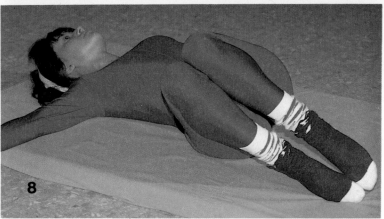

8

7

EJERCICIOS PARA FORTALECER LOS MÚSCULOS ABDOMINALES

5.ª Posición: Acostada de espaldas. **Ejercicio:** Inspirar llenando bien los pulmones, luego espirar lentamente con los labios entreabiertos como para apagar una vela; al mismo tiempo se contraen los músculos abdominales como si se los quisiera aplastar contra la columna; mantener un poco la presión y relajar. A continuación volver a inspirar elevando los brazos hasta formar un ángulo recto con el cuerpo, espirando al mismo tiempo que los descendemos hasta su posición inicial. Repetir 5 veces.

Este ejercicio no se debe practicar cuando ha habido cesárea.

6. Posición: Acostada sobre el abdomen, brazos a lo largo del cuerpo. **Ejercicio (a partir del 4.º día):** Levantar la cabeza y el busto al tiempo que se inspira, bajarlos al tiempo que se espira. Repetir 5 veces al principio e ir aumentando hasta 20.

7. Posición: Acostada sobre la espalda con las piernas extendidas. **Ejercicio (a partir del 12.º día):** Levantar las piernas hasta la vertical; bajarlas juntas y bien extendidas, lo más lentamente posible.

8. Posición: Acostada sobre la espalda, con las piernas flexionadas y brazos abiertos en cruz. **Ejercicio (a partir de la 3.ª semana):** Inclinar las piernas juntas hacia el suelo, primero hacia la izquierda y después hacia la derecha. Mantener el tórax fijo, mientras la pelvis seguirá el mismo movimiento de las piernas, con lo cual, la cintura realizará un movimiento de torsión. Repetir el ejercicio 5 veces al principio e ir aumentando hasta 20.

EJERCICIOS PARA EVITAR LA CAÍDA DE LOS PECHOS

Estos ejercicios pueden practicarse a partir del 15.º día:

9. Posición: Sentada o de pie. **Ejercicio:** Elevar los codos a la altura de los hombros y juntar las manos en ángulo recto. Presionar fuertemente una contra la otra, mientras contamos hasta cinco. Relajar y, sin separar las manos, bajar los codos. Repetir 10 veces.

10. Posición: Igual al ejercicio anterior. **Ejercicio:** Elevar los brazos extendidos hasta la horizontal. Desplazarlos hacia atrás tanto como se pueda, en movimientos rítmicos al tiempo que se cuenta hasta 5. Volver a la posición en cruz y luego bajar los brazos. Repetir 10 veces.

11. Posición: Igual al ejercicio anterior. **Ejercicio:** Extender los brazos en forma de cruz. Mover ambos brazos al mismo tiempo, describiendo círculos en el aire tan amplios como sea posible, mientras contamos hasta 5. Bajar los brazos y relajar. Repetir 10 veces.

9

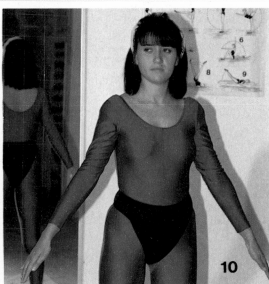

10

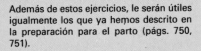

Además de estos ejercicios, le serán útiles igualmente los que ya hemos descrito en la preparación para el parto (págs. 750, 751).

La gimnasia postnatal es muy útil para la restauración anatómica y fisiológica, y al mismo tiempo le ayuda a recuperar la silueta.

neal. Es aconsejable, por tanto, dedicar unos minutos diarios para hacer los ejercicios que le ayudarán a recuperar su figura (véase la tabla de ejercicios).

El paseo es un ejercicio muy recomendable y no requiere un gran esfuerzo. Actualmente, los médicos recomiendan a la mujer levantarse dentro de las primeras 24 horas después

del parto en compañía de alguien que la vigile las primeras veces. Irá aumentando en los días siguientes poco a poco el tiempo que pase sentada en la habitación y los paseítos por la misma.

En los partos normales, y salvo contraindicación, la parturienta puede abandonar la clínica al quinto o sexto día del alumbramiento.

Más adelante, cuando esté en condiciones de hacerlo, puede reservar el momento más apropiado para salir a pasear con su hijito, procurando caminar tanto como pueda, con el fin de que el paseo resulte provechoso tanto para la madre como para el bebé.

Si practicaba algún deporte antes, por lo general podrá volver a hacerlo pasada la cuarentena, o cuando le aconseje su ginecólogo. La maternidad no tiene por que reducir las capacidades físicas femeninas. Muchas deportistas han conseguido superar sus propias marcas después de haber dado a luz.

Cuidados generales

Además de lo que ya se ha dicho, conviene tener en cuenta una serie de detalles que contribuirán a que tanto la madre como toda la familia se sientan mejor:

— **Revisiones médicas:** No las olvide. Pregunte a su médico cualquier cosa que desee saber y no se quede con la duda. Escuche y atienda los consejos de su ginecólogo, igual que atiende los del pediatra.

— **Descanso:** Tómese tiempo para relajarse. Si le da el pecho a su hijo, ése es un buen momento: Siéntese cómoda, procure no pensar en todo lo que le queda por hacer, observe cómo disfruta su hijo mamando, y disfrute usted con él.

— **Sueño:** Duerma lo suficiente. Si el niño la despierta por la noche, intente recuperar esas horas de sueño con una siesta.

— **El físico:** Cuide su imagen. Vaya a la peluquería, si tiene costumbre de hacerlo, depílese, cuide sus uñas y su cutis. Es necesario que use ropa cómoda y que no comprima, lo cual no está reñido con el buen gusto. Si usted se encuentra a gusto consigo misma, su familia y el bebé también lo estarán.

Los hermanos mayores

Si tiene otros hijos, puede suceder que el pequeñín provoque, sin saberlo, un cierto rechazo en sus hermanitos. No le dé demasiada importancia, pero esté atenta a las reacciones de los niños, y tenga presente algunos detalles:

— Un niño no es mayor, por el simple hecho de tener un hermano más pequeño. En ocasiones puede que le resulte estimulante saberse «mayor», pero seguirá necesitando su cariño y hasta sus «mimos» tanto o más que antes.

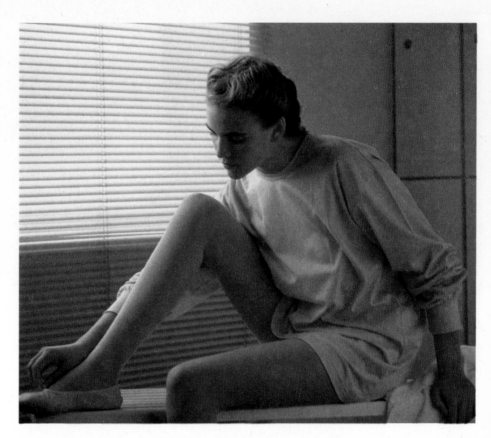

Después del parto, todo vuelve a ser como antes del embarazo... ¡y mejor! Así que si antes practicaba algún deporte vuelva a hacerlo. Cuide su imagen: peluquería, depilación, manicura, cutis, ropa cómoda pero elegante. Usted debe sentirse a gusto consigo misma, para que su familia y el bebé también se encuentren a gusto.

— Al volver de la clínica puede traerles un regalito a sus otros hijos. No es necesario un juguete costoso, bastará con un detalle para que sepan que se acuerda de ellos. Sería igualmente aconsejable que cuando los familiares y amigos traigan su regalo al recién nacido, no se olviden de sus hermanitos.

— Intente involucrar a los niños en la tarea de cuidar al bebé. Hasta los más pequeños podrán accionar un sonajero o una cajita de música para entretener al hermanito. Otros podrán acercarle una toalla, recoger la ropita sucia, observar si sigue dormido, o cantarle una canción para que se duerma.

— Por lo general los celos son pasajeros, y si el niño que los sufre percibe que el cariño de sus padres no ha disminuido hacia él, podrá aceptar mucho mejor las caricias y los mimos que se le hacen al bebé, y hasta él mismo se las hará después, imitando a los mayores.

— Los celos no siempre se traducen en rechazo y conducta inadaptada, muchas veces el niño siente un malestar que no acierta explicar, aunque percibe que está relacionado con la persona de la cual siente esos celos, y que a pesar de ello aprecia profundamente. Un niño mayorcito que quería mucho a su hermanita, definió así sus propios celos: «Mamá, yo creo que celos son lo que siento aquí en mi estómago cuando te llamo y tú no me oyes porque estás con la niña.» Por la importancia y la frecuencia de

nada infrecuente que en algún momento sienta temor de quedar desplazado del círculo afectivo de su esposa.

Ya hemos dicho que la mujer necesita el apoyo y la comprensión del marido, especialmente en aquellos momentos en que las fuerzas parecen fallarle y le parece que no podrá dominar la situación. Pero también el marido necesita el apoyo de su mujer.

Los días en que ella ha estado en la clínica, también habrán sido agotadores para él, que en algunas ocasiones hubiera querido estar en varios sitios a la vez.

Aprovechen cualquier ocasión para dialogar, para manifestarse su amor mutuo, para intercambiar sus sentimientos, preocupaciones, proyectos y todo tipo de inquietudes. Puede que lo tengan que hacer al tiempo que friegan los cacharros de cocina, cuando doblan la ropa del bebé o cuando le cambian los pañales; pero no dejen de hacerlo. Si tienen ocasión de salir a pasear juntos con el bebé, escojan un lugar tranquilo para que puedan hablar libremente.

Cuiden su mutua relación con el mismo esmero con que cuidan de su hijo. La convivencia del matrimonio puede sufrir sus primeras crisis precisamente con la llegada del primer hijo. El exceso de trabajo y la falta de sueño pueden producir una fatiga que se traduce en nerviosismo, irritación, disputas. Cuando salta el «chispazo», es conveniente que uno de los dos —mejor que no sea siempre el mismo— se calle e intente posponer la discusión hasta que los ánimos se hayan sosegado. Si se sienten impotentes ante una situación difícil, no duden en pedir consejo a algún familiar o amigo de confianza que tenga más experiencia; o incluso a un psicólogo o consejero familiar (véase al final del 2.º tomo el capítulo 36, «Los conflictos conyugales y su solución»).

Relaciones sexuales

Uno de los motivos que pueden provocar tensiones, además de los ya mencionados, es la abstinencia sexual.

Durante el período del embarazo, los contactos sexuales habrán sido esporádicos, si no inexistentes, y después del parto todavía pasarán unas semanas antes de que el organismo femeni-

La llegada del bebé al hogar va a suponer un gran cambio para todos. En primer lugar para la mamá, evidentemente, y también para el papá y los hermanitos mayores. Cualquier niño, debidamente preparado se siente feliz por la llegada de un hermanito. Los celos, sin embargo, son algo inevitable. Los padres deben prepararse para esta situación y saber actuar de manera que los efectos nocivos de los celos sean mínimos, o, si es posible, prácticamente nulos.

los celos, les hemos dedicado un apartado específico en el capítulo 64 que figura en el tomo 4.

Relación de pareja

El padre, por su parte, puede que tenga buena disposición y asuma desde el principio su responsabilidad, colaborando activamente en las tareas del hogar dentro de sus posibilidades; es muy probable que siga manteniendo una estrecha relación con su mujer, compartiendo con ella las satisfacciones y también las preocupaciones que conlleva la paternidad; pero no resulta

no esté en condiciones físicas de mantener dichas relaciones. Por si esto fuera poco, algunas mujeres ven disminuido su deseo sexual en esta época; aunque suele ser un trastorno pasajero.

Dada la situación, ambos cónyuges deben mostrarse muy comprensivos y no ser demasiado exigentes con su pareja.

Por lo general no es aconsejable el coito hasta pasadas cuatro semanas, y mejor aún seis. Se pueden buscar, no obstante, otras formas de expresión sexual, sin llegar a la penetración, que sin duda serán más llevaderas que la abstinencia total.

Cuando se intente la penetración habrá que hacerla de forma lenta y suave, para lo cual será preferible la posición de la mujer encima, para que ella misma controle la entrada del pene, y la pueda interrumpir si siente mucho dolor. Respetando el período mencionado, no suele haber problemas; pero si persistiera alguna dificultad, es mejor esperar hasta consultar con el médico. Puede suceder que alguna herida interna no haya quedado bien cicatrizada y produzca dolor.

Métodos anticonceptivos

Aunque todavía no haya llegado la regla, puede haber ovulación, y por lo tanto la mujer podría quedar embarazada. La lactancia natural suele retrasar la ovulación, pero no hay que confiar en ella como método anticonceptivo. Lo mejor para las primeras relaciones será usar un método de barrera, como el preservativo. Más adelante, con motivo de la revisión médica posterior a la cuarentena, puede pedir consejo sobre el mejor método para evitar una nueva concepción.

Ayudas externas

Como se ha visto, la vida en el hogar se altera notablemente, de modo particular durante los primeros días, y la madre no está en condiciones de asumir todas las responsabilidades. La solución que adoptan algunas parejas consiste en pedir ayuda a una de las abuelas, a alguna tía, o bien a una amiga de mucha confianza que disponga de tiempo y esté dispuesta a trasladarse por unos días.

Cuando esa solución no es posible,

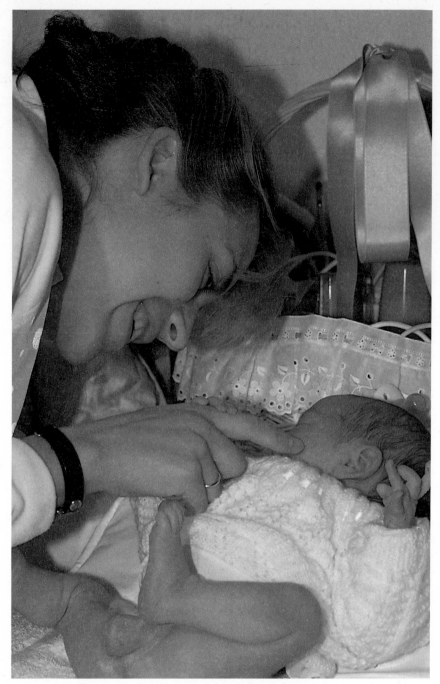

Lo que está claro es que, por pesado que haya sido el embarazo, por molesto que esté resultando el puerperio, la alegría y la inmensa satisfacción de la llegada del hijo, lo compensan todo con creces. Los malos ratos quedan atrás, pero el hijo ahí está... y seguirá estando, como una hermosa y gratificante realidad.

o bien se prefiere obtener una ayuda más profesional y duradera, se puede recurrir a una *baby-sitter* (canguro), en cuyo caso habrá que pedir informes, o tener referencias que ofrezcan garantías de que la persona que se va a contratar merece nuestra confianza.

En cualquier caso, es preferible que la ayuda esté dirigida más bien a las tareas domésticas o de atención complementaria del niño. La madre debe procurar estar al lado de su hijo el máximo tiempo posible, sobre todo durante los primeros meses de lactancia. El bebé es de los padres, y a ellos incumbe la responsabilidad de su edu-

817

cación y desarrollo. Las personas que ayuden tendrán que atenerse a las instrucciones de los padres, y ellos deberán vigilar de cerca el trato que recibe el niño de las diferentes personas con quienes se relaciona.

Si no puede obtener ayuda permanente, no rechace el ofrecimiento que puedan hacerle sus amigos y vecinos. Cualquier colaboración, aunque sea ocasional, puede resultarle muy útil. Si tiene otros hijos que ya van al colegio, quizá una vecina se los puede recoger durante unos días. Otra vecina o amiga se podrá quedar con el pequeñín en el caso de que usted tenga que ir al médico o hacer alguna compra.

Vida profesional

Lo ideal sería que la madre no tuviera que trabajar fuera del hogar, al menos mientras sus hijos son pequeños. El contacto íntimo y continuado de la madre con su hijo beneficia las relaciones futuras de ambos, y proporciona al niño una mayor seguridad en sí mismo.

Pero hay mujeres que no pueden, o no quieren, renunciar a su empleo, porque lo necesitan económicamente o porque se sienten así más realizadas.

Tendrán por tanto que aprender a compaginar la maternidad con su vida profesional.

En España, como en todos los países adelantados, la madre trabajadora tiene derecho a un período de baja por maternidad, que puede iniciar antes del parto, con el fin de prepararse para el mismo. El resto del período de baja laboral podrá disfrutarlo junto con su hijo. Aprovéchelo al máximo, no en limpiezas y labores que otros puedan hacer por usted, sino en estar al lado de su bebé, alimentarlo al pecho y cuidarlo con todo esmero.

Así pues, en principio no debe haber demasiados problemas para que pueda alimentar a su hijo con lactancia natural, incluso después de que haya cumplido los tres meses, acogiéndose al derecho de lactancia.

En estos casos, sí se hace indispensable una *baby-sitter*, o llevar al niño a una guardería o jardín de infancia. Cuando tenga que escoger la guardería de su hijo, no se conforme con cualquier cosa. El niño tendrá que pasar allí muchas horas, y es indispensable que esté bien atendido (véase en el 4.º tomo el capítulo 61, «La educación infantil»).

Al volver de su trabajo, procure dedicar tiempo al pequeño. En la guardería o jardín de infancia puede estar muy a gusto, pero la madre resulta insustituible. Salga a pasear con él, dedique un ratito para jugar, báñelo y acuéstelo usted personalmente; cuéntele una historia o cántele. El niño debe notar que aunque todos lo tratan bien, su madre es diferente.

Las tareas de la casa puede atenderlas otra persona bajo su dirección, quizá una asistenta por horas. El esposo también puede colaborar, además de dedicarle igualmente tiempo al pequeño.

Por lo demás, no se aflija demasiado. Su vida profesional puede ser tan fructífera y gratificante como antes. La maternidad no disminuye las habilidades y capacidades de una mujer. En todo caso las aumenta. Tenemos el testimonio de algunas mujeres (sobre todo maestras, enfermeras, médicas) que dicen disfrutar más de su trabajo después de haber sido madres; quizá porque han adquirido una mayor sensibilidad que les permite identificarse más y comprender mejor a los niños con los que por su trabajo se relacionan.

La maternidad es una experiencia única. No es comparable a ninguna otra que haya vivido con anterioridad. Sea consciente de ello y disfrútela.

EL NIÑO

COMPENDIO DE PUERICULTURA Y PEDIATRÍA

Difícil sería exagerar la importancia que tiene hacer adquirir a los niños buenos hábitos dietéticos (...). Esta educación debe empezar cuando la criatura está todavía en brazos de su madre.

Lo primero que deberían aprender los niños es a conocerse a sí mismos y cómo mantener su cuerpo sano.

La felicidad futura de vuestras familias y el bienestar de la sociedad dependen mayormente de la educación física y moral que reciban vuestros hijos en los primeros años de su vida.

La educación que se imparte en el hogar no debe considerarse como un asunto de importancia secundaria.

Las influencias educativas del hogar son un poder decidido para el bien o para el mal. Son, en muchos respectos, silenciosas y graduales, pero si se ejercen de la debida manera, llegan a ser un poder abarcante para la verdad y la justicia.

ELENA G. DE WHITE

820

46

ENTORNO, CUIDADO
E HIGIENE DEL NIÑO

El desarrollo sano y armonioso de un niño es el resultado de una alimentación equilibrada y satisfactoria, una correcta limpieza e higiene, ejercicio y reposo suficientes, y del afecto que reciba dentro de un ambiente grato y tranquilo. Ninguno de estos aspectos debe ser descuidado.

Es necesario que el medio en el cual se desenvuelve un niño tenga unas determinadas características. Su ropa también debe ser la apropiada para que él se sienta cómodo y satisfecho, y la madre lo pueda vestir y cambiar con facilidad.

Los cuidados higiénicos del niño son básicos, pues existen numerosas vías de penetración que los microbios patógenos pueden encontrar para invadir su organismo: boca, nariz, genitales, orejas. La piel ha de ser cuidada de forma particular, ya que la mínima escocedura puede ser origen de afecciones, con frecuencia difíciles de curar, caso del eccema, por ejemplo.

La tarea de cuidar y limpiar al bebé se ve cada día más facilitada con los modernos productos de higiene infantil, perfectamente adaptados a las necesidades y sensibilidad del bebé.

Es muy deseable que el bebé disponga desde el primer momento de su propia habitación. Aunque para la madre resulte muy grato y cómodo tener la cunita de su hijo junto a su cama en el dormitorio conyugal, el niño tiene que acostumbrarse desde bien pronto, siempre que ello sea posible, a dormir solo, lo cual no quiere decir aislado.

El cuarto del niño debiera estar situado de tal manera que desde el dormitorio de los padres pueda oírse perfectamente cualquier sonido anormal, para acudir de inmediato ante cualquier eventual percance. Es aconsejable acudir a la llamada del niño pues le da seguridad, particularmente en determinadas épocas (a partir de los 2-3 años) en las que son bastante frecuentes las pesadillas y los terrores nocturnos.

En cambio, es conveniente que la cocina se halle lo más alejada posible del cuarto infantil, de modo que no le lleguen al niño ni el humo ni los olores. Por supuesto en esa habitación no se debe fumar nunca, ni en ninguna otra donde el niño se halle.

La pieza debe ser tranquila y mientras el bebé duerme nadie debería permanecer dentro, tanto de día como de noche. No conviene, sin embargo, caer en exageraciones: El bebé ha de acostumbrarse a los sonidos normales que produce la vida cotidiana en casa. Salvo en casos de bebés hipersensibles, los ruidos leves normales no interrumpirán ni alterarán su sueño.

El bebé es un ser humano completo, y como tal influenciable por el entorno. De ahí que resulte importante que su habitación esté situada, pintada y decorada de forma apropiada. La iluminación suficiente, la posibilidad de oscurecer el cuarto, los colores y tonos suaves en la decoración y la ausencia de ruidos estridentes, favorecen el desarrollo sensorial del pequeño.

Características

Es necesario que el cuarto del niño esté bien ventilado, pues el oxígeno es el más vital de los elementos. Aunque debe mantenerse una temperatura agradable, es preciso que el aire de la habitación sea renovado constantemente incluso en invierno.

Para calentar el cuarto, los braseros y estufas de carbón no resultan recomendables, por el peligro que representan sus emanaciones de monóxido de carbono, altamente tóxicas. En las viviendas donde es necesaria la calefacción debe colocarse un humidificador en la habitación infantil, para que el grado de humedad se mantenga como mínimo en el cincuenta por ciento. Por la noche debe apagarse la calefacción, salvo en las zonas de clima extremadamente frío.

Lo ideal es que el dormitorio infantil esté orientado hacia el sur o hacia el este, de manera que por la ventana pueda entrar libremente, y durante el máximo de horas, el sol, cuya radiación ultravioleta destruye numerosos microbios, aunque sin olvidar que los cristales retienen buena parte de ella. Además el sol facilita la transformación en la piel de la provitamina D, indispensable en la fijación del calcio. La luminosidad de la habitación se ve facilitada por el color de las paredes; conviene pues pintarlas de blanco o con tonos claros, pero no brillantes que produzcan reflejos. Resulta necesario que la ventana esté provista de contraventanas, persianas u otro sistema similar, con el fin de poder oscurecer la pieza durante el día, y con ello facilitar el sueño del bebé o la siesta del niño mayorcito. En las zonas cálidas donde haga falta, todas las ventanas estarán debidamente protegidas con telas mosquiteras.

La limpieza del cuarto se realizará siempre en ausencia del niño y con las ventanas abiertas. Las sábanas deben ser sacudidas todos los días y expuestas al sol. El polvo no se quita con plumero, que lo único que hace es trasladarlo, sino con un trapo humedecido. Los suelos no deben ser barridos, sino limpiados con una bayeta o fregona húmeda, o con aspiradora eléctrica.

Mobiliario y complementos

Los ambientes por los cuales el niño tiene que desenvolverse deben estar desprovistos de muebles o adornos poco estables, que fácilmente puedan caerle encima.

Se tomará la precaución de que los enchufes queden fuera de su alcance o estén debidamente protegidos, de forma que el niño no pueda introducir en ellos sus deditos. Hay que prescindir de los cables eléctricos alargadores, cuyos extremos es fácil que el niño toque e incluso se lleve a la boca, con lo cual puede sufrir quemaduras u otros accidentes graves.

La iluminación eléctrica de la habitación tiene que ser indirecta, mediante lámparas con pantalla, de modo que los rayos luminosos no incidan directamente sobre los ojos del niño. Por la noche se apagará la luz, pues el bebé desde el primer momento tiene que acostumbrarse a la oscuridad, necesaria para un perfecto descanso.

El mobiliario debe ser el imprescindible y de líneas sencillas, de manera que no acumule polvo y sea fácil de limpiar. Las alfombras, cortinas gruesas y moquetas no son apropiadas para las habitaciones infantiles, por lo fácilmente que retienen el polvo convirtiéndose en un auténtico reservorio microbiano.

Existen muy diversos tipos de cunas apropiadas. Cada familia puede elegir a su gusto, pero siempre hay que tener en cuenta que sea fácil de limpiar, y que esté provista de una barandilla suficientemente alta para impedir que el bebé pueda caerse. Los barrotes de la barandilla tienen que estar lo bastante juntos como para que en ningún caso el niño pueda introducir la cabeza entre ellos.

El colchón es conveniente que sea de material antialérgico (los de lana o pluma pueden provocar reacciones alérgicas) y que no resulte excesivamente blando. Los colchones más bien duros evitan deformaciones de la columna vertebral. El colchón debe ser protegido por alguna tela impermeable. Actualmente se tiende a prescindir de la almohada, para evitar una posible asfixia. Si se quiere mantener la cabeza del niño elevada, lo mejor es colocar un cojín u otro adminículo debajo del colchón.

En las zonas donde abundan los insectos voladores (moscas, mosquitos) la cuna debe ir provista de los accesorios necesarios para colocar convenientemente una tela mosquitera, con el fin de evitar los contagios a través de esos insectos, que pueden transmitir microbios muy peligrosos.

La ropa de cama será de algodón suave, pero que resista el lavado frecuente. Para que el niño no se destape, las sábanas y las mantas han de ser de un tamaño suficiente, y si fuera necesario se fijan con pinzas especiales, que, sin impedir los movimientos del niño, no le permiten destaparse y enfriarse. Si se carece de calefacción en invierno, se templarán las sábanas, antes de acostar al pequeño, pero no dejando ningún cuerpo caliente dentro de la cama ya que la experiencia enseña que, a pesar de todas las precauciones, las quemaduras son frecuentes.

Accesorios útiles

El mercado ofrece multitud de accesorios más o menos útiles para facilitar los cuidados del bebé y su desarrollo. Vamos a mencionar las características y utilidad de algunos:

— **La bañera:** Es un elemento indispensable en la higiene del niño. Las hay elevadas y plegables, con el fin de permitir una posición cómoda a la persona que lava al bebé, y que luego se puedan guardar ocupando el mínimo espacio posible.

En las casas donde en invierno es necesaria la calefacción, o allí donde el clima es excesivamente seco, el humidificador eléctrico resulta de gran utilidad para mantener un grado de humedad conveniente en la habitación del niño (fotografía de la izquierda). Existen diversos sistemas para evitar que el niño se destape durante la noche. En la fotografía inferior se ve uno sencillo y eficaz para la mayor parte de cunas.

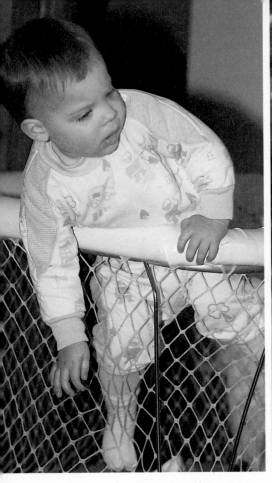

El parque, bien empleado, es un medio cómodo y seguro para que el niño permita a sus cuidadores realizar otras tareas. Ahora bien, no debe dejarse al niño en una habitación solo dentro del parque, pues llegará el día, que como el niño de la foto sea capaz de sacar el cuerpo fuera... y el golpe puede resultar grave. El cochecito resulta un complemento prácticamente indispensable para el transporte del bebé. También existen «bolsas-canguro», que permiten sostener al niño como si fuera en brazos, pero con menos esfuerzo.

Por supuesto que el niño puede ser bañado en cualquier recipiente suficientemente grande. pero no en la bañera de los adultos, donde fácilmente puede resbalar al estar enjabonado, además de que resulta difícil e incómodo sujetarlo.

— **El parque y la «trona»:** Cuando el niño, a los 7-9 meses, es capaz de sentarse, la «trona» (sillita elevada transformable) resulta de gran utilidad: facilita la labor de quien le da sus papillas, mientras el niño se encuentra cómodo y seguro, sin que la misma persona tenga que sujetarlo.

El parque permite al niño una cierta capacidad de movimiento sin peligro. Los parques generalmente son circulares o rectangulares, con el suelo y los bordes acolchados con gomaespuma de alta densidad. Las paredes laterales están constituidas por una red, a cuya malla se

agarra el niño para enderezarse. Dentro del parque se colocan algunos juguetes para que vaya aprendiendo a distraerse él solo. Este práctico accesorio permite que el pequeño participe de la vida familiar directa y libremente sin que haya que tenerlo en brazos. Es conveniente, al principio, disponer de un cojín alto en forma de herradura que sujete al niño por la cintura con el fin de que se mantenga sentado. No conviene tener permanentemente al niño en el parque, pues la limitación de espacio y de movimientos puede perjudicar el buen desarrollo psicomotor. Como tantas otras cosas, resulta positivo si se usa con moderación y el niño da muestras de sentirse a gusto dentro de él.

— **El «taka-taka» (andador):** Este artilugio, que tanta gracia hace a los padres, no es conveniente que el niño lo use más allá de media hora

un par de veces al día, pues con frecuencia es causa de fatiga; y contra lo que pudiera pensarse no facilita el aprender a andar, ya que no favorece que el niño mantenga el equilibrio por sí solo. También propicia defectos como el pie plano o las piernas en varo (curvadas).

— **El transporte:** Hay diversos tipos de cochecito que facilitan el transporte del bebé acostado. Es importante que vayan provistos de una suspensión adecuada y de algún sistema de sujeción que impida cualquier caída. Las sillitas rodantes no deben emplearse más que a partir de los doce meses y su uso, salvo casos particulares, no conviene que se prolongue más allá de los tres años.

Los artilugios para llevar al niño sobre la espalda, el pecho o en un costado, no han de emplearse mientras no sea capaz de mantener bien erguida la cabecita.

El andador, conocido como «taka-taka», resulta muy útil e interesante cuando el niño ya se sostiene derecho pero no es capaz de andar solito, siempre que no lo use más de media hora un par de veces al día. Las mochilas u otros artilugios para llevar el niño a la espalda permiten a los padres un transporte fácil y cómodo del bebé incluso en excursiones por el monte; pero no deben ser empleados mientras el niño no sostiene la cabeza erguida.

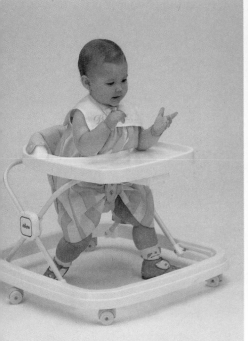

En los desplazamientos cortos en automóvil, bastan los brazos de la madre. A partir del medio año son recomendables los asientos que se fijan sobre los del vehículo y van provistos de cinturoncitos de seguridad. En cualquier caso los niños menores de doce años están obligados por el código de circulación a viajar en el asiento trasero, lo cual puede evitar golpes fatales contra el salpicadero o el cristal delantero, en caso de choque.

— **La bolsa y el vestidor:** Estos son dos accesorios realmente útiles para el bebé. Hasta el punto que donde vaya él, la bolsa y el vestidor irán también. En la bolsa se guardan, además de los útiles de aseo (toallitas humedecidas, crema, colonia, cepillo para el pelo, pañuelos

de papel, etc.), unos cuantos pañales, ropita de recambio y una chaquetita o prenda de abrigo por si durante el paseo refresca el tiempo. El vestidor es una pieza de tela acolchada e impermeable por uno de los lados, y sirve para cambiarle al niño los pañales en cualquier sitio. Se suelen vender juntos, y hasta los hay que hacen juego con el tapizado de la sillita y del capazo o la ropita del mismo.

— **Utensilios para comer:** Los platos, vasos y tazas personales del niño han de ser de material irrompible y no de porcelana o esmaltados, por el peligro de que se quiebren o salten pedacitos. El niño tiene que disponer de baberos o servilletas y cubierto para su uso exclusivo. Los aparatos calientabiberones son

muy útiles, aunque no resultan imprescindibles.

El chupete

En primer lugar hay que aclarar que el chupete no resulta indispensable. Estamos convencidos de que muchos niños a quienes les cuesta mucho abandonarlo, no tenían realmente necesidad de él. La «adicción» al chupete a menudo es inducida, especialmente por las abuelas.

Algunos lo consideran como un mal menor, pues el bebé, si no tiene en la boca el chupete, podría meterse los dedos... Y superar el hábito del chupete es difícil, pero más lo es el de chuparse los dedos.

El hecho de succionar constantemente actúa de modo desfavorable, no sólo sobre el estómago que se llena de aire, sino también sobre la configuración anatómica de la mandíbula, que se deforma, dando después lugar a una defectuosa implantación de los dientes, lo cual, aparte de antiestético, resulta muy caro de resolver. Hay chupetes, llamados anatómicos, que presentan menos inconvenientes.

El chupete no debe ensuciarse. Para ello resulta útil, cuando el niño permanece despierto y vigilado, colgárselo al cuello o de la ropita con una cadenita apropiada. No obstante, nunca

El chupete y el calientabiberones eléctrico... el primero, de toda la vida; el segundo, de la vida moderna. Resultan útiles, pero desde luego no son indispensables. El chupete ha sido muy discutido, e incluso en otras épocas algunos médicos puericultores lo rechazaban de plano. Hoy, si se siguen las recomendaciones higiénicas que damos en esta misma página, en muchos casos resulta útil y positivo.

se acostará al niño con ella puesta, ya que podría provocarle problemas e incluso asfixia. Si el chupete cae al suelo hay que lavarlo perfectamente antes de que lo vuelva a usar. Por supuesto el chupete no debe chuparlo jamás un adulto y luego dárselo al niño, aunque lo haga con la buena intención de «limpiarlo» cuando se ha ensuciado. Es una pésima costumbre mojar el chupete en agua azucarada o en otros jarabes dulces, con lo cual se habitúa al niño a los sabores demasiado dulces, algo verdaderamente negativo, pues los azúcares favorecen las caries dentales.

Si el niño emplea chupete, conviene que lo tenga en la boca el menor tiempo posible. Cuando llega al año, únicamente se le dará para dormir si lo exige. Y tan pronto como se pueda hay que retirárselo definitivamente. Lo mejor es hacerlo hacia los dos años de forma radical. Poniendo como ejemplo al hermanito u otro niño mayor, en la mayoría de los casos, no es difícil conseguir que, por propia iniciativa, tire él mismo el chupete a la basura.

LA ROPITA DEL BEBÉ

El ajuar del bebé dependerá mucho de la época del año en que nazca, del presupuesto de los padres, y de las costumbres del lugar. Ofrecemos, no obstante, una lista, a título de información, sobre todo para las madres primerizas, que se podrá aumentar o reducir según sus propias necesidades.

2 docenas de gasas (aunque se usen pañales desechables, es aconsejable tener, al menos, una docena de gasas para cualquier emergencia)

4 vendas o fajitas umbilicales

6 camisitas de batista, o *bodies* de algodón

6 braguitas de rizo o tejido elástico, que no opriman al bebé

4 faldones o conjuntos de vestir, de lana o algodón

4 jerseys de lana o de perlé

2 gorritos de lana (para el invierno)

8 baberos (4 de rizo para las comidas y 4 de hilo o ganchillo para vestir)

4 pijamas, tipo ranita, de algodón

1 toquilla de lana o hilo

2 arrullos

2 toallas grandes para el baño

1 saco o nana (para el invierno)

1 mono de abrigo (para el invierno)

3 juegos de sabanitas para el capazo

1 colchita para el capazo

4 juegos de sábanas para la cuna

2 mantas

1 colcha para la cuna

2 hules impermeables

4 empapadores

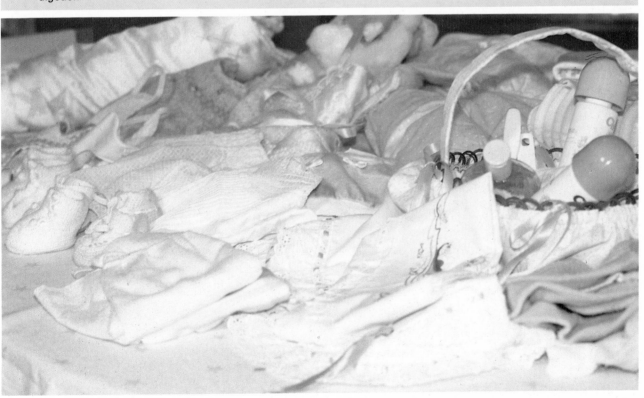

La forma de vestir al recién nacido y al bebé no siempre ha sido la misma. Al igual que sucedía con los niños ya más crecidos y con los adultos en general, costumbres, tradiciones, e incluso modas, imponían sus criterios.

Las madres egipcias envolvían los cuerpecitos de sus pequeñuelos dejándoles mucha libertad de movimientos. En cambio las romanas tenían la costumbre opuesta, como aún sucede hoy en algunos países musulmanes. Esta tendencia a envolver completamente al bebé con ropa bastante ajustada ha predominado hasta hace bien poco en los países latinos.

En la actualidad se tiende a dejar libres los movimientos del niño. Ninguna prenda debe comprimir, para facilitar la respiración y la circulación sanguínea.

No se utilizarán agujas o alfileres para fijar la ropa del bebé. Incluso los imperdibles deberían ser sustituidos por botones o por los modernos sistemas adhesivos de cierre, más cómodos y seguros.

Toda la ropa del bebé será de tejido suave —el algodón es preferible a los tejidos sintéticos—, resistente y fácilmente lavable. Conviene lavarla separada de la ropa de los adultos. Si se usan pañales de gasa u otro tejido semejante, es preciso lavarlos perfectamente después de cada uso; y, si es necesario, desifectarlos con algún producto apropiado, pero no con lejía. Por supuesto, resultan mucho más higiénicos y cómodos los modernos pañales desechables de un solo uso.

A la hora de vestir al bebé hay que evitar que en invierno se le enfríen las extremidades y la cabeza.

Los pies a partir de los ocho meses conviene que vayan protegidos por unas botitas adecuadas, fabricadas con cuero muy suave, que sujeten los tobillos sin apretar en exceso. Se evitará poner al niño un par de zapatos ya utilizados por otro, y por lo tanto, deformados.

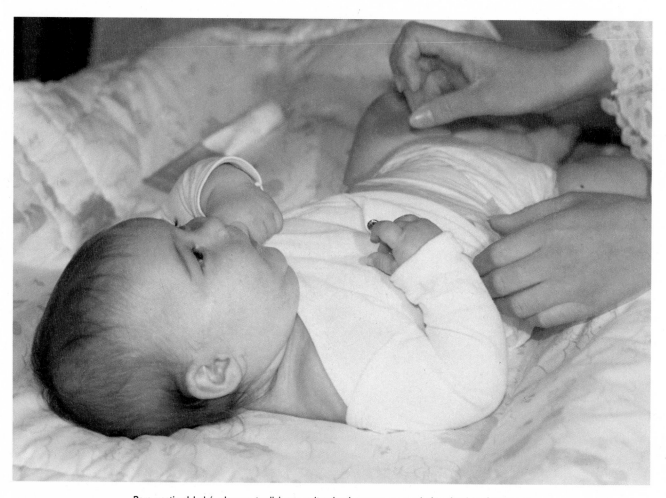

Para vestir al bebé, algunas tradiciones culturales imponen un auténtico ritual perfectamente establecido. La ropa que se utiliza, y la forma de colocársela, no siempre favorece los movimientos del niño y su desarrollo. En la actualidad, con los pañales desechables, y una ropa creada con sentido práctico, vestir a un bebé se ha convertido en algo rápido, cómodo y sencillo.

Toda la delicada epidermis del bebé exige unos cuidados adecuados, pero las nalgas y los genitales son una zona que hay que limpiar con especial atención. En esta página se explica cómo limpiar y mantener en buen estado esa zona del cuerpo del niño.

Cuidados de la piel

La piel no es una simple cubierta del cuerpo, sino un órgano viviente, tan importante como los que se hallan en el interior. Realiza una serie de funciones biológicas fundamentales: eliminación de toxinas, transpiración para el mantenimiento del equilibrio térmico, producción de unto sebáceo, y absorción de ciertas sustancias y de las radiaciones solares. Constituye además una importante reserva de sangre, y por medio de innumerables terminaciones nerviosas puede transmitir a los centros nerviosos estímulos externos. Para poder cumplir correctamente con todas estas funciones la piel tiene que estar limpia.

Nalgas y genitales

Una zona que exige cuidados especiales y constantes es la de las nalgas. El recién nacido ensucia los pañales varias veces al día. Es necesario cambiarlo cada vez que ha hecho caca, pues las deyecciones, en contacto con la piel, la reblandecen e irritan con facilidad.

Para la limpieza del culito del bebé hay que disponer de una manopla o toallita suave, reservada para este uso exclusivamente, que se enjuagará bien cada vez y se sustituirá por otra limpia todos los días. Si se usa una esponja, hay que enjabonarla y enjuagarla después de cada utilización; no se debe emplear para la higiene de otras zonas del cuerpo, y de vez en cuando conviene esterilizarla por ebullición. Las toallitas de celulosa impregnadas de leche limpiadora de un solo uso, resultan de gran utilidad, especialmente fuera de casa.

El culito del niño debe secarse después de la limpieza mediante un lienzo o gasa bien limpia. Finalmente se le puede aplicar una leche limpiadora a base de aceite de almendras dulces y lanolina, sin que sea necesario usar ninguna crema o pomada medicamentosa si la piel no está enrojecida por la irritación.

La limpieza de los genitales siempre se realizará de delante para atrás, evitando en cada pasada trasladar suciedad del ano a los genitales. Esto es particularmente importante en el caso de las niñas, pues, debido a la constitución de sus genitales y la escasa longitud de su uretra, son propensas a las infecciones genitourinarias.

Cuando la piel, especialmente de la zona genitoanal, a pesar de aplicarle los cuidados correctos, presente un enrojecimiento persistente, será necesario llevar al niño al pediatra-puericultor, para que descubra las causas e indique las medidas correctoras o terapéuticas oportunas.

Igualmente si vemos que el niñito o la niñita tiene tendencia a rascarse

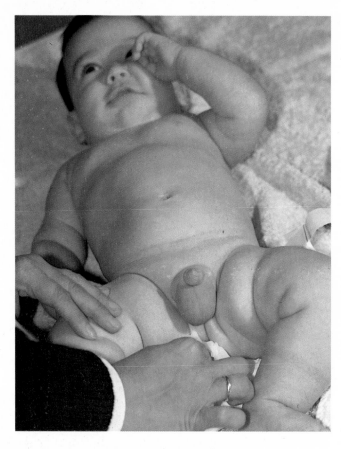

La limpieza de genitales y nalgas siempre debe realizarse de adelante hacia atrás, con el fin de evitar el traslado de suciedad del ano a la zona genital, y no volviendo nunca a la zona inicial con la misma parte de la gasa, toallita o esponja. En el caso de las niñas esto es más importante aún, si cabe, que en el de los varoncitos.

con un cepillo suave. Hay que cortárselas a menudo, para evitar que recojan suciedad y que el bebé se arañe.

Es necesario vigilar que el niño no se lleve las manos a la boca cuando está jugando con tierra o arena, pues podrían estar contaminadas con huevos de parásitos, los cuales pasan al intestino y pueden resultar muy difíciles de desalojar.

Una costumbre muy extendida, pero realmente perniciosa, es la de besar las manos del bebé. El beso de una persona en apariencia sana puede aportar gérmenes peligrosos. Menos aún se permitirá que las manos del niño entren en contacto con animales domésticos, aunque estén aparentemente sanos. Los perros, los gatos, incluso los periquitos, las palomas y otras aves, pueden transmitir diversas enfermedades, algunas de ellas tan peligrosas como el quiste hidatídico de origen canino. En una casa donde hay un bebé, un gato es un animal muy inapropiado, pues no sería el primero que causa una asfixia al colocarse sobre la cara del pequeñín.

Cuidados bucodentales

En tanto que el niño carece de dientes, resulta superfluo limpiarle las encías. Únicamente por prescripción facultativa, en caso de afecciones, se procederá a una delicada limpieza de la mucosa bucal.

Hacia los dos años de edad es el momento oportuno para comenzar a enseñarle al niño a llevar a cabo la higiene bucodental. Se le enseñará a enjuagarse la boca, después de las comidas y antes de acostarse, con agua hervida adicionada de algunas gotas de zumo de limón; procedimiento éste, sencillo, pero que ayuda a mantener la boca sana y los dientes libres de caries.

Un poco más adelante (2½-3 años) es el momento de iniciar al niño en el uso del cepillo dental. Para ello hay que adquirir uno infantil apropiado y renovarlo tan a menudo como sea necesario para que no disminuya su eficacia cuando las cerdas ya han perdido su posición primitiva. Es preferible utilizar un dentífrico líquido, pues los que se presentan en forma de pasta dejan fácilmente depósitos. (Véase el apartado «La dentición», en el capítulo 51.)

alguna zona, la genital en particular, debemos decírselo al médico. No es difícil, por ejemplo, que, a pesar de una buena limpieza, pequeños parásitos, procedentes del ano, asienten en los genitales.

En los varoncitos, el prepucio suele recubrir el glande e impedir su salida. La acción de descubrir el glande hay que llevarla a cabo con suavidad y siempre sin forzar (véase «Fimosis y parafimosis», cap. 3).

Limpieza de la ropa

En el cuidado de la piel y la higiene en general, hay que incluir la limpieza de la ropa, que es esencial, pues en ella anidan todo tipo de microbios con una cierta facilidad, especialmente en las prendas que se humedecen con las babas, y más aún con el orín del bebé. Bajo ningún concepto se debe dejar secar un pañal sin haberlo lavado previamente. Las prendas de plástico o de

ciertas fibras sintéticas no deben estar en contacto con la piel, ya que pueden producir irritaciones o reacciones alérgicas.

Limpieza de manos y uñas

El instinto de succión del recién nacido lo lleva a meterse desde muy pronto los dedos en la boca. Al principio no tiene ocasión de ensuciarse demasiado; no obstante, conviene limpiarle las manos con frecuencia. Hay que contar con la existencia de insectos (moscas, mosquitos), que transportan microbios, y también con las demás personas, especialmente los niños, que a menudo tocan al bebé con las manos no suficientemente limpias.

Cuando el niño comienza a querer andar y arrastrase, será necesario lavarle las manos con jabón varias veces al día. Sobre todo hay que cuidar que las uñas no acumulen suciedad, para ello se le limpiarán adecuadamente

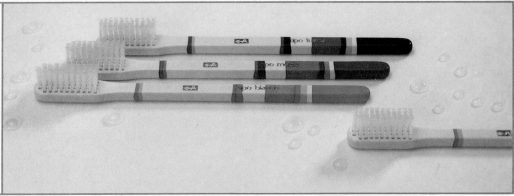

El cepillo es un elemento indispensable para la higiene bucodental. Tan pronto como los niños puedan manejarlo, hay que proporcionarles uno; para que, como si se tratara de un juego, se vayan acostumbrado a su uso. La forma del cepillo y sus cerdas deben estar adaptadas a las peculiares características de la dentadura infantil.

No debemos consentir que nadie pase caramelos o alimentos de su propia boca a la del niño, ni que éste comparta instrumentos musicales de viento (flautas, trompetas, pitos) con otros niños, pues así se pueden transmitir fácilmente enfermedades contagiosas. Por la misma razón no se debe besar a los pequeños en los labios.

La cara y la cabeza

En el bebé, la presencia de zonas no completamente osificadas en el cráneo (fontanelas), da miedo a algunas madres, descuidando por ello la limpieza de esta región, por temor a producir un trastorno. No es necesario apretar ni friccionar esa zona, pero sí hay que lavarla con toda normalidad con un jabón líquido o champú apropiado.

No es aconsejable frotar la cabeza del niño con alcohol, ni aun en forma de agua de colonia, ya que la piel lo absorbe.

Cuando el pequeñín entra en contacto con otros niños es fácil que alguna vez adquiera parásitos. Hay que eliminarlos rápidamente. Para destruir los piojos existen productos comercializados de probada eficacia, en forma de champú y lociones agradablemente perfumadas, cada uno de los cuales viene acompañado de las pertinentes indicaciones para su adecuada aplicación (véase «Pediculosis», cap. 57).

Los ojos, las orejas y la nariz merecen atención especial:

— **Los ojos** hay que limpiarlos a diario. Lo mejor es usar un trozo de algodón empapado en agua hervi-

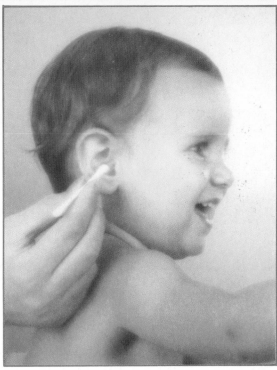

Los bastoncillos provistos de una pequeña torunda de algodón en sus extremos resultan sumamente útiles para la limpieza de las fosas nasales y de las orejas de los niños. Deben, sin embargo, usarse con precaución, pues mal usados, en lugar de quitar la cera, la introducen más profundamente, o, si penetran excesivamente y con fuerza, pueden provocar lesiones importantes, como puede ser la ruptura del tímpano.

da o suero fisiológico. La limpieza se realiza partiendo del ángulo externo o temporal hacia el ángulo interno o nasal. Se utilizará un algodón distinto para cada ojo, con el fin de no pasar del uno al otro suciedad o incluso una posible infección.

En el caso de que algún cuerpo extraño (motita de polvo, pestaña, pelillo) hubiera penetrado en el ojo, hay que impedir que el niño se rasque. Se le aplica un masaje muy suave sobre el párpado, de manera circular, con el fin de que el objeto extraño se desplace hacia el ángulo interno del ojo.

La mejor profilaxis de muchas enfermedades de los ojos consiste en una buena y constante limpieza de las manos del niño.

— **Las orejas** del lactante pueden presentar, a nivel de su conducto auditivo externo, cerumen, en ocasiones de forma abundante. Conviene quitárselo, ya que su acumulación podría resultar nociva, produciendo tapones, que dificultan la audición y consecuentemente la adquisición del lenguaje. Para esta limpieza se utilizan torunditas de algodón, que se introducen, sin usar objetos duros o puntiagudos, con un suave movimiento en espiral sin forzar nunca su entrada, para no introducir aún más el cerumen y producir taponamiento. Sólo se debe limpiar la parte externa, sin intentar una penetración profunda. Existen en los comercios unos bastoncitos o palillos, cuyos extremos se hallan guarnecidos de una borla o huso de algodón bien sujeta, que evita las maniobras de preparación de la torunda.

En tiempo frío hay que proteger bien las orejas del niño, ya que con facilidad pueden producirse otitis o inflamaciones internas del oído con ocasión de cualquier afección nasal sin importancia. Cuando un bebé, a la menor presión sobre la oreja

rompe a llorar, o cuando lo hace sin parar y moviendo la cabeza exageradamente, habrá que pensar en la posibilidad de una de estas afecciones y acudir al médico.

— **La nariz:** Conviene limpiar diariamente las fosas nasales del niño, así como sonársela cada vez que resulte necesario. Las mismas torundas o bastoncillos usados para las orejas son apropiados para la limpieza nasal.

La higiene de la nariz será particularmente rigurosa en el caso del lactante acatarrado, puesto que si la respiración por vía nasal resulta imposible, tendrá que llevarla a cabo por la boca; en cuyo caso se ali-

mentará con dificultad. Antes de la toma del alimento será, pues, necesario liberar la nariz por medio de algunas gotas de la solución que haya indicado el pediatra o simplemente con suero fisiológico.

No se debe hablar nunca a un niño acercándose en exceso a su cara, ya que las gotas de saliva, portadoras de microbios, son proyectadas bastante lejos y pueden infectarlo por vía bucal o nasal.

El lactante no debe entrar en contacto directo con ninguna persona acatarrada. Si es su madre la resfriada, ésta tendrá que cubrirse la boca y nariz con un pañuelo o una mascarilla antes de comenzar a darle de mamar.

EL BAÑO Y LOS BAÑOS

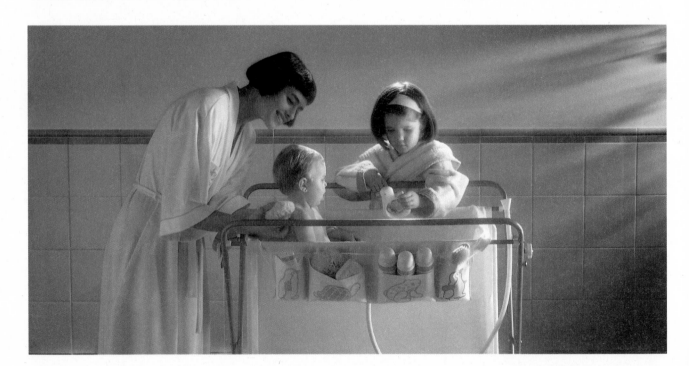

Todo bebé sano debe ser bañado diariamente. Los niños disfrutan de todo el ritual que supone el baño... y sus papás, así como sus hermanitos, disfrutan casi tanto como ellos. Las modernas bañeras plegables, como la de la instantánea, permiten dar el baño de forma cómoda para quien lo aplica, y para el propio bebé. Por supuesto que jabones, champúes, y demás productos de higiene corporal, deben tener una composición adecuada para que no resulten agresivos para la fina epidermis del bebé. La esponja y toallas deben ser muy suaves, y de uso exclusivo del bebé.

El cuerpo del niño necesita desde el principio, para mantenerse en buena salud, la acción limpiadora y tonificante del baño completo. Al principio hay que procurar que la herida no cicatrizada del cordón umbilical no se moje con el agua del baño. Después de dárselo hay que limpiar y desinfectar bien dicha herida, y cubrirla con una nueva gasa estéril.

No se bañará al niño cuando está haciendo la digestión. Normalmente se le da el baño por la noche, antes de la última toma de alimento, o bien por la mañana antes de la primera del día.

Bañar al niño por la mañana tiene la ventaja de proceder a una limpieza general del niño después de toda una noche sin cambiarlo. El baño dado al anochecer, antes de la última tetada, o antes de acostar al niño ya más mayorcito, ofrece la ventaja de producir un

El jabón que se use debe ser apropiado para la delicada piel de los bebés. No se utilizarán jabones alcalinos, sino neutros o más bien ácidos. En el comercio existen jabones infantiles perfectamente adaptados, en su composición y propiedades, a la delicada piel del lactante.

Algunas madres temen bañar al niño cuando tiene fiebre o se ha enfriado. Esto es un error, ya que el baño, a una temperatura un poco más caliente que de costumbre, ayuda al organismo a eliminar toxinas, lo cual resulta sumamente beneficioso en estos casos. Cuando padezca fiebre alta, un baño con agua tibia, refrescará la piel del bebé y ayudará a bajar la temperatura. Evidentemente, si el niño padece alguna erupción o enfermedad de la piel, se suprimirá el baño hasta consultar con el médico.

pre fuera del agua. Una vez introducido en el baño, con la mano libre se enjabona al pequeñín.

Tanto para enjabonar al bebé, como para enjuagarlo, hay que hacerlo rápidamente, por todo el cuerpo y la cabeza, exceptuando la cara, insistiendo especialmente en las zonas de los pliegues cutáneos (espacios interdigitales, ingles, corvas de las rodillas, sobacos, cuello), donde se acumula con más facilidad la grasa y la suciedad. No es necesario enjabonar al niño cotidianamente, aunque con los modernos jabones infantiles no hay ningún peligro de comprometer la normal acidez de la piel.

La duración del baño será al principio de unos tres minutos. Después, según el niño se vaya habituando, se lo podrá dejar dentro del agua cinco o diez minutos, si a él le apetece.

En los dibujos se puede ver con toda claridad la forma de sostener al bebé con una mano, dejando a la otra libre para enjabonarlo y enjuagarlo. Primero se coloca al pequeño boca arriba y luego boca abajo, manteniéndole la cabeza fuera del agua en todo momento, para evitar que trague agua.

efecto relajante que propicia un buen descanso nocturno, lo cual para algunos niños nerviosos resulta de gran utilidad.

El baño debe darse en una habitación cuya temperatura no sea inferior a 20°C y con una temperatura del agua de 36°-37°C, o algo menos si el clima es benigno. Conviene, si no se dispone de agua caliente corriente, tener a mano un recipiente con agua bien caliente, que se va añadiendo a la del baño si ésta se enfría.

Cómo dar el baño

Mientras el bebé no se sostiene erguido sentado, hay que bañarlo siguiendo la sencilla técnica de los dibujos superiores, para evitar resbalones o que sumerja la cabeza en el agua.

La introducción del niño en la bañera debe hacerse delicadamente, sin entretenerse demasiado, pero sin precipitaciones. Hay que sujetar al bebé con una mano, de manera que no le cuelgue la cabeza y ésta le quede siem-

Un hábito que fortalece mucho al niño, y lo prepara contra los resfriados, consiste en aplicarle por todo el cuerpo, antes de secarlo, una breve ducha de agua menos caliente que la del baño.

Para el secado se usará una toalla que no debe estar fría. Inmediatamente hay que vestir al niño.

Para ello lo más cómodo es hacerlo sobre una mesa y no encima de la cama o las rodillas de la madre. Antes conviene revisar la situación higiénica

Aunque siempre resulta un tanto complicado viajar con un bebé, actualmente existen una serie de elementos que facilitan su transporte cómodo y seguro en automóvil. Estos modernos artilugios, no sólo resulta prácticos, sino que además son realmente bonitos. Existen camas-parque plegables, como la de la fotografía, fáciles de trasladar, con las cuales el niño puede permanecer cómodo y seguro al aire libre.

de ojos, orejas y nariz, y si es necesario proceder a realizarla o completarla.

Baños de aire

Proteger en exceso al niño contra las corrientes de aire no hace más que debilitarlo, y en lugar de evitarle los resfriados y afecciones amigdalares, lo único que con ello se consigue es favorecer su aparición. El organismo ha de acostumbrarse a los cambios de temperatura. Para ello resulta interesante que el bebé tome baños de aire diariamente; que, si se pueden combinar con los de sol, resultan altamente beneficiosos. Lo ideal sería situar al niño en plena naturaleza respirando aire puro. En su defecto, se instalará su cunita ante una amplia ventana abierta, donde no haya corrientes de aire frías.

Baños de sol

El mejor método que existe para preservar a los niños del raquitismo es que tomen suficiente sol. Los rayos ultravioleta, además de su poder bactericida, tienen la facultad de transformar la provitamina D de la piel en la vitamina correspondiente. Los niños que toman el sol regularmente tienen mayor apetito, duermen mejor, su aspecto es más saludable y su sistema nervioso funciona mejor que los niños que no lo toman. En cambio, aquellos que carecen de este privilegio, por vivir en una zona con poco sol, tienen que complementar su dieta con un preparado farmacéutico que contenga vitamina D.

A partir del 5.º mes se pondrá al niño sano al sol durante unos minutos, con las piernas desnudas, bien protegida la cabeza, ya que su cabello es más fino que el del adulto. Se irá incrementando poco a poco el tiempo de exposición al sol, aumentando también la superficie que se descubra en cada una de las exposiciones. Son más beneficiosas tres o cuatro exposiciones de pequeña duración que una sola prolongada.

El baño de sol debe durar normalmente unos diez minutos como máximo boca arriba y otros diez dando la espalda al sol. Pero a este tiempo de exposición solar se llegará muy progresivamente, comenzando por pies y piernas, y terminando por el pecho y la espalda. Los niños mayorcitos, no deben permanecer inmóviles al sol; conviene que se muevan y alternen con la sombra.

El mejor momento es por la mañana temprano, ya que el aire renovado durante la noche ha disipado el polvo y los humos industriales que impiden la penetración de la radiación solar ultravioleta. A esas horas el calor en verano es soportable.

Téngase en cuenta que el sol de la montaña es más potente, por la pureza del aire, y el de la playa también, por la reverberación, y que los niños rubios, pelirrojos o débiles, son más sensibles, lo mismo que ciertas pieles, que no soportan el sol. De ahí la importancia del uso de una crema-filtro solar adecuada para cada caso y para cada tipo de piel.

Baños de mar y en piscina

El agua de mar es sumamente tonificante y beneficiosa para la piel, siempre que su temperatura sea soportable para el niño. Nunca se debe bañar a un niño en una playa donde se sospeche que las aguas están contaminadas, por el peligro de contraer enfermedades de la piel; peligro tanto mayor cuanto más pequeño sea el niño.

Los baños en la piscina (pileta de natación) no convienen antes de los 2 años, a causa del calor y de las aglomeraciones humanas, de la desinfección del agua y del posible fácil contagio de diversas afecciones de la piel.

Los bebés nadadores, que están de moda en ciertos ambientes, requieren una vigilancia muy cuidadosa, lo mismo que los ya mayorcitos. Efectivamente, antes de andar, parece que el niño evoluciona en el agua con evidente placer.

El sol, el aire y el agua del mar, resultan sumamente beneficiosos para cualquier niño, siempre que se tomen con mesura y en lugares libres de todo tipo de contaminación.

ABANDONO DE LOS PAÑALES

Las madres suelen preguntarse: ¿A qué edad debo quitarle el pañal a mi hijo? ¿Desde cuándo debo sentarlo en el orinal? ¿Hay que esperar a que lo pida? ¿Qué se debe hacer para que el niño se acostumbre al orinal?

La experiencia nos dice que cada niño reacciona de modo diferente, incluso en una misma familia. Lo que está claro es que no hay que esperar a que él lo pida. Estará muy distraído con sus juguetes y sus fantasías, y no se preocupará de semejante cuestión; entre otras cosas porque nunca antes le había preocupado. Ponerlo en el orinal a determinadas horas fijas, con el fin de que adquiera el hábito, es una buena costumbre. La mamá deberá hacerle compañía hasta que haga algo, en cuyo caso lo alabará por ello.

Al principio a casi todos los pequeñines les cuesta un poco, pero acaban acostumbrándose. Es un proceso relativamente largo y laborioso, que exige una buena dosis de paciencia. No debemos obsesionarnos cuando vemos que otros niños o sus hermanos mayores, a su edad, ya pedían hacer sus necesidades. Cada caso es distinto; hay una gran oscilación en el tiempo para llegar a controlarse. A partir de los 18 meses puede llegar el control diurno. El nocturno tardará un poco más, ya que es más difícil controlar el subconsciente. El control definitivo podría ocurrir entre los dos y tres años, aunque al principio puedan presentarse «fallos» ocasionales.

Enuresis y encopresis

Se denomina enuresis y encopresis a la emisión involuntaria de la orina y las materias fecales, respectivamente. Se considera que un niño es enurético cuando a partir de los cuatro años sigue sin controlar el pis, o bien cuando, después de un período de control voluntario vuelve a ser incontinente. Conviene aclarar que a todos los niños, incluso de edades avanzadas, «se les escapa» alguna vez la orina, y no por ello son enuréticos. Lo mismo se puede decir de la encopresis. Ambos problemas responden al mismo origen y tienen el mismo tratamiento, lo cual no significa que se produzcan a la vez.

En algunas ocasiones, muy pocas, la incontinencia puede deberse a lesiones de tipo orgánico. Si se tiene alguna sospecha conviene consultar con el médico. Una vez descartada una causa fisiológica, debemos centrarnos en los aspectos psicológicos, que se hallan en el origen de la mayoría de los casos.

La emisión involuntaria de orina y heces suele ser nocturna. Si esto ocurriera durante el día, ya de mayorcitos, podríamos encontrarnos ante problemas psicológicos más profundos, que habrían de ser estudiados por profesionales cualificados. La enuresis y encopresis ordinarias pueden ser tratadas por los propios padres. Si persistiesen, convendría visitar a un psicólogo.

Sus causas son muy variadas, pero existe en todas ellas un componente de inseguridad muy acusada. La afectividad del niño se halla perturbada y descarga su agresividad de esa manera. Es una forma de llamar la atención, o si se quiere, de lanzar un SOS avisando de una inseguridad que lo acongoja. Un niño enurético o encoprético está pidiendo que se ocupen de él. La causa quizá radique en la llegada de un hermano, que él percibe como un intruso; la separación de los padres o la muerte de uno de ellos; las disputas conyugales; el trabajo de ambos progenitores fuera del hogar, que puede producir falta de atención afectiva hacia el niño;

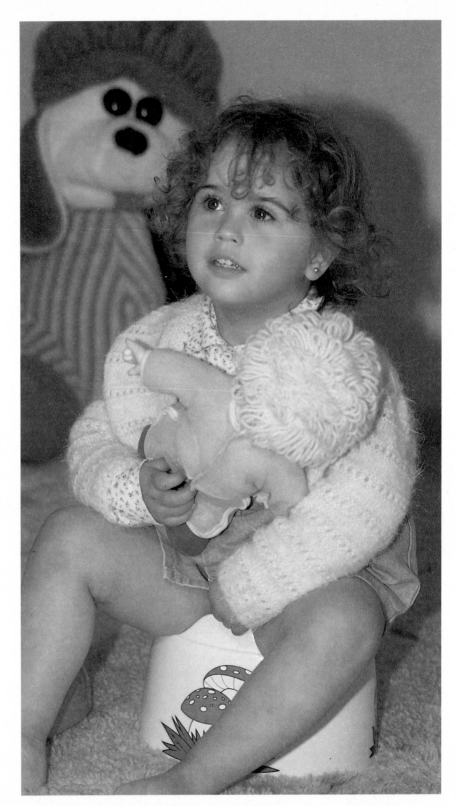

El control definitivo de los esfínteres suele producirse a partir de los dos años, pero desde que el niño es capaz de sostenerse sentado erguido hay que acostumbrarlo a usar el orinal. Lo mejor es que, al principio, la madre observe a qué horas suele hacer sus necesidades, y en ese momento coloque al niño en el orinal; de manera que el pequeño vaya estableciendo una relación directa entre el acto de defecar y el orinal.

el comienzo en el colegio; u otros problemas semejantes.

Dado que la angustia es un componente importante de estos problemas, si los padres se disgustan, castigan o culpabilizan al niño, lo avergüenzan o lo acusan de sucio; lo que consiguen es abrumarlo más, y con ello el problema se agrava. Debemos considerar que estos hechos son involuntarios. El niño no los realiza conscientemente, y por lo tanto no debemos culpabilizarlo reprochándoselo.

Para ayudar al niño que padece enuresis o encopresis conviene hacer un planteamiento positivo, aplicando estos principios básicos de actuación:

— Tranquilizar al niño y restar importancia al problema.
— Ayudarle a comprender que cuenta con todo el cariño de sus padres.
— Estimular la confianza en sí mismo.
— Mientras dura el problema, evitar la ingestión de líquidos tres horas antes de acostarse, así como las cenas a base de frutas, sopas u otros alimentos de gran contenido hídrico. Naturalmente el resto del día puede tomarlos con libertad.
— A las tres horas de acostado, se lo levantará para orinar, procurando que se halle bien consciente de lo que hace.
— Un suplemento vitamínico del grupo B favorece el equilibrio nervioso. La levadura de cerveza y el germen de trigo son productos naturales con un alto contenido en estas vitaminas.

EL REPOSO DEL NIÑO

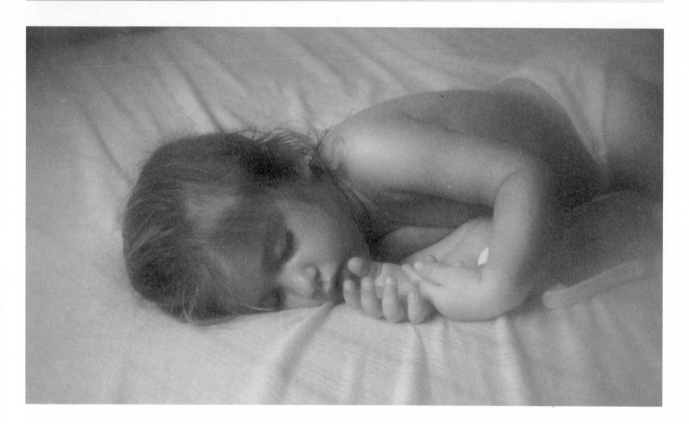

Cuanto más pequeño es un niño, más horas de sueño necesita. El recién nacido duerme casi permanentemente.

Para una correcta educación del niño, hay que evitar tenerlo en brazos. Las caricias y el contacto físico serán suficientes en el momento en que hay que cambiarlo, alimentarlo o lavarlo. El bebé que va de mano en mano no se siente por ello más querido sino más inquieto.

Aunque es una costumbre muy extendida, al niño no hay que acunarlo para que se duerma. Desde el principio debe acostumbrarse a dormir él solito en su cuna. Si llora se comprobará si está húmedo, tiene algún roce o algún objeto que lo moleste, o si tiene demasiado calor o frío, dolores abdominales o cualquier otro problema. Si no se encuentra alguna razón que justifique el llanto, hay que tener la suficiente firmeza para dejarlo llorar, evitando las comidas suplementarias fuera de horas, salvo que creamos que anteriormente no hubiera tomado suficiente alimento.

Cómo acostar al niño

Al bebé, y sobre todo al recién nacido, no hay que acostarlo nunca de espaldas, pues corre el riesgo de ahogarse con la comida regurgitada o devuelta. La postura más correcta es boca abajo, sin almohada, con la cabeza girada alternativamente hacia un lado y otro. En esta posición descansa adecuadamente, y reducimos otros problemas como la otitis y sinusitis, pues las mucosidades pueden salir con más facilidad. No obstante conviene alternar esta posición con la de costado, en esta ocasión con una almohada no muy gruesa; lo justo para que apoye la cabeza sin tener que inclinarla. Cuando está despierto es bueno colocarlo de vez en cuando boca arriba para que pueda patalear libremente o jugar con los dedos de los pies.

Duración del sueño

Hacia el final del primer año el niño duerme una 16 horas diarias. Paulatinamente va reduciéndolas. De los 2 a los 4 años duerme entre 13 y 14 horas repartidas así: 10-11 por la noche y 2-3 por el día. La siesta es una excelente costumbre que debieran practicar todos los niños. Las horas de acostarse y levantarse, tanto del día como de la noche, deberían ser regulares.

Ver programas de televisión excitantes, o acostarse tarde, no favorecen el adecuado reposo nocturno. El miedo y la ansiedad son los mayores enemigos del sueño infantil. Un baño tibio antes de acostarse lo relajará y favorecerá un buen descanso. También puede ser útil una infusión de tila (*Tilia cordata* Mill. / *Tilia platyphyllos* Scop.), el jugo de manzana, la lechuga o la leche, tomados un rato antes de acostarse. Un buen procedimiento de relajación es aplicar un masaje repetido y rítmico con los bordes de los dedos sobre la piel a lo largo de la columna vertebral.

Como bien se ha dicho el mejor alimento para los nervios, y más en su etapa madurativa, es el sueño tranquilo y suficiente.

Hay que subrayar que la aparición de insomnio en un niño de buen dormir es un signo suficiente para acudir al médico, pues podría deberse a trastornos intestinales, enfermedades infecciosas, u otros padecimientos.

Pesadillas y terrores nocturnos

Es relativamente frecuente encontrar niños que se despiertan sobresaltados por causa de un mal sueño o pesadilla. En la mayoría de los casos será suficiente con acudir unos minutos a su lado y atenderlo con cariño para que el pequeño se calme y vuelva a recuperar el sueño. En algunos casos es conveniente dejar encendida una luz tenue para que tome confianza.

Lo importante es atajar la causa. Por ejemplo los programas de televisión, las lecturas o las amistades. Otras veces las pesadillas nocturnas son un síntoma de pequeñas inseguridades o desajustes afectivos, que los padres deben atender con mucha comprensión y cariño.

Algunos niños acuden llorando a la habitación de sus padres y les piden que los dejen dormir con ellos. Accediendo no se resuelve el problema. Hay que mostrarse comprensivos, pero conviene acompañarlo de vuelta a su cuarto. Si consigue quedarse en la cama de sus padres, para él será un refuerzo positivo que propiciará sucesivos estados de ansiedad, que al final tienen «premio». Procediendo así, serán pocas las noches que duerma en su propia cama. Es preferible que uno de los padres se quede junto a la cama con el niño un buen rato hasta que se duerma. En todo caso, que la excepción confirme la regla.

47

NUTRICIÓN INFANTIL

Todo el mundo debiera dominar las nociones básicas sobre nutrición humana, y saberlas aplicar de forma práctica. Por eso los padres, y sobre todo la madre, deben leer con atención este capítulo y los dos siguientes, pues en ellos encontrarán los fundamentos de una ciencia moderna, muy actual, y absolutamente necesaria, si quieren que sus hijos se desarrollen sanos, fuertes y felices. Una nutrición correcta no sólo influye sobre la salud física, sino también sobre la psíquica, pues el cerebro es un órgano como otro cualquiera, que, si no está bien oxigenado y alimentado, sufrirá trastornos, algunos incluso importantes. Se ha comprobado que los niños subalimentados sufren determinadas carencias que afectan a su cerebro y les impiden un adecuado desarrollo psicológico, intelectual y afectivo.

Una nutrición insuficiente o errónea, no se da únicamente en el tercer mundo, sino también en los países ricos. En unos por carecer de suficientes medios, en los otros por desconocer las nociones básicas de la correcta nutrición, o por no aplicarlas convenientemente.

La buena salud física, e incluso la mental, depende en todas las edades de diversos factores. Algunos de los más importantes son: abundancia de sol y aire puro, espacios abiertos para desenvolverse, y una dieta equilibrada... en la que el pan enriquecido con harina de soja es un componente de gran interés.

Los nutrientes son las sustancias integrantes de los alimentos, que un organismo vivo necesita ingerir para conservar la vida de sus células y permitir su desarrollo. Dicho de otra manera, ciñéndonos a lo que nos interesa, el cuerpo humano se halla formado y mantenido en actividad por lo que comemos. Cada una de sus células necesita oxígeno, agua y los nutrientes, que le llegan a través del torrente sanguíneo (algunos autores incluyen el agua dentro de los nutrientes).

Los alimentos se componen de los mismos elementos químicos que nuestro cuerpo: oxígeno, carbono, hidrógeno, nitrógeno, calcio, fósforo, cloro, hierro, etcétera. Estos elementos, a su vez, debidamente combinados, forman los nutrientes, que son:

— glúcidos,
— lípidos,
— prótidos,
— minerales y
— vitaminas.

Atendiendo a sus funciones, que son múltiples e interrelacionadas, los nutrientes se clasifican en:

— **plásticos:** prótidos,
— **energéticos:** glúcidos y lípidos,

— **protectores y reguladores:** minerales y vitaminas.

Los prótidos sirven para reparar desgastes y asegurar el crecimiento. De ahí que un niño necesite ingerir, proporcionalmente a su propio peso, más proteínas que un adulto.

Los glúcidos son nutrientes que proporcionan la energía o combustible que permite al organismo desarrollar sus funciones. Incluso en estado de reposo el cuerpo humano necesita energía para mantener en funcionamiento su corazón, pulmones, riñones, etcétera. Ahora bien, cuanto más trabajo realizamos, más energía gastamos, y por tanto más glúcidos debemos consumir. Los niños, los deportistas y los obreros manuales, evidentemente, también necesitarán consumir más glúcidos que los trabajadores sedentarios. Pero no hemos de olvidar que los prótidos también proporcionan energía (calorías).

Las vitaminas y los minerales, aunque no aportan energía ni «material de construcción» para el organismo, resultan así mismo indispensables para la vida, pues sin ellos un gran número de las complejas reacciones bioquímicas del organismo no se podrían producir, y los alimentos plásticos y los energéticos resultarían inasimilables.

Para que una persona sana se alimente de forma equilibrada, su dieta debe estar compuesta de un 60% de glúcidos, un 13%-15% de prótidos y un 20%-25% de lípidos. Un régimen alimentario variado, que contenga esta proporción de nutrientes plásticos y energéticos, normalmente también aportará suficientes vitaminas y sales minerales.

Los glúcidos

Los glúcidos, llamados también hidratos de carbono por su composición química, reciben a veces el nombre de azúcares, con lo cual se producen muchas confusiones y malentendidos, que cierta publicidad explota para confundir a los niños y a los padres. Decir que los azúcares son indispensables para la vida es una gran verdad. En cambio, afirmar que el azúcar blanco refinado es necesario para fortalecer el organismo y colaborar en el crecimiento, es una verdad muy parcial, y por tanto una afirmación engañosa. El azúcar blanco es sacarosa prácticamente pura, es decir uno de los diversos glúcidos que pueden usarse para la nutrición humana, pero no el único, ni el más conveniente.

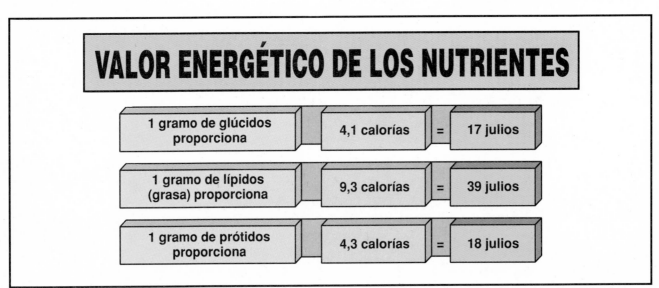

VALOR ENERGÉTICO DE LOS NUTRIENTES

1 gramo de glúcidos proporciona	4,1 calorías	=	17 julios
1 gramo de lípidos (grasa) proporciona	9,3 calorías	=	39 julios
1 gramo de prótidos proporciona	4,3 calorías	=	18 julios

Para ser científicamente exactos habría que hablar de kilocalorías y kilojulios, en lugar de calorías y julios. Véase la ADVERTENCIA AL LECTOR de la página 8 (tomo 1).

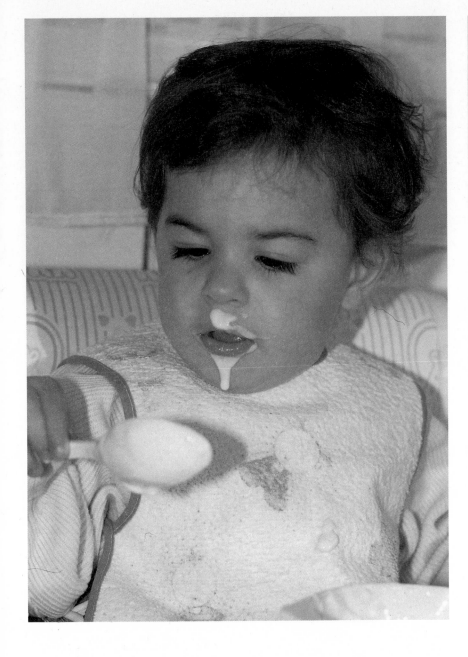

que no han alcanzado los 5 meses de edad como mínimo. El lactante está preparado para asimilar perfectamente los glúcidos de la leche materna; aunque en algunos casos digiere con cierta dificultad la lactosa (glúcido de la leche de vaca y de la materna). Cuando a un lactante le ocurre esto, se le debe dar una dieta de fórmula exenta de lactosa durante una temporada. Pasado un tiempo prudencial, que el médico indicará, hay que ensayar la reintroducción de la lactosa en la alimentación del bebé, pues este glúcido favorece la buena asimilación de las sales minerales y otras sustancias necesarias para el desarrollo en general y la maduración del sistema nervioso en particular.

Las fórmulas lácteas adaptadas y las papillas preparadas que se expenden en las farmacias y otros comercios, contienen los glúcidos apropiados para cada edad y en la proporción conveniente.

Los lípidos

Prácticamente todos los alimentos contienen lípidos (grasas), aunque con notables diferencias de porcentaje. Por ejemplo la mayoría de las frutas frescas y las verduras contienen un 0,5% o menos (el aguacate es la mayor excepción, contiene un 16%), los frutos secos oleaginosos, en cambio, contienen generalmente más lípidos que otros nutrientes (almendras: 54%, avellanas: 62%, cacahuetes: 47%, nueces: 60%-68%, piñones: 60%). La margarina y la mantequilla están constituidas por lípidos en más de un 80% de su peso, y los aceites en más del 99%. Hay que tener en cuenta que el chocolate con-

Los glúcidos son la principal fuente de energía y calor para el organismo humano; aunque, a igual peso, los lípidos son doblemente energéticos (calóricos). Como ya hemos indicado, la base de le dieta (60%) deben ser los glúcidos, que favorecen la correcta metabolización de los lípidos (20-25% de la dieta) y ejercen una función antitóxica. Un exceso, sin embargo, provoca trastornos digestivos y obesidad.

Las mejores fuentes de glúcidos son los cereales, las patatas, los boniatos, el azúcar de caña o de remolacha, los plátanos, las castañas y la miel. Debe quedar bien claro que prácticamente todos los alimentos contienen glúcidos, así como los demás nutrientes. Cuando se habla de un alimento como fuente de un nutriente, quiere decir que éste es su principal componente, sin que ello suponga que carezca de otros.

El recién nacido, por falta de maduración de sus glándulas salivares, no es capaz de digerir todo tipo de glúcidos. Por eso no se deben administrar patatas ni harinas a los bebés, hasta

tiene entre un 30% y un 50% de lípidos, además de un 40%-50% de glúcidos, y las galletas y pasteles en general entre un 15% y un 25% de lípidos y un 50%-70% de glúcidos.

Para que los lípidos puedan ser asimilados por el organismo y cumplir con su función calórica y energética, tienen que ser descompuestos en el aparato digestivo por las enzimas apropiadas en ácidos grasos y glicerol; los cuales, absorbidos por la mucosa intestinal, sufren en los tejidos, y fundamentalmente en el hígado, diversas transformaciones bioquímicas, para por fin recomponerse en lípidos almacenables como reserva energética.

Es muy importante tener en cuenta que cuando un régimen alimentario es demasiado rico en glúcidos, éstos pueden transformarse, en el organismo, en lípidos, que vienen a añadirse a los ya existentes en los depósitos de tejido adiposo (grasa) del organismo.

Los lípidos, para poder ser debidamente asimilados por el cuerpo humano, deben acompañarse de glúcidos. Los lípidos, por su parte, son necesarios para una mejor absorción de las sales minerales, en especial del calcio. Tienen así mismo la propiedad de fijar ciertas toxinas y de vehiculizar algunas vitaminas, tales como la D (antirraquítica) y la A (del crecimiento). Los prótidos, para que puedan ser incorporados al organismo, precisan también del concurso de los lípidos.

Un adulto necesita 1,3 gramos de lípidos por kilo de peso corporal diariamente. El niño, en cambio precisa ingerir unos 3 gramos. Una dieta carencial en lípidos provoca una disminución de la resistencia a las infecciones y una paralización del crecimiento. El exceso provoca, evidentemente, obesidad.

La calidad de los lípidos que se ingieren es tan importante como la adecuada cantidad. Y cuando en nutrición se habla de calidad, no nos referimos ni al sabor, ni al color, ni a otras características visibles, sino al valor alimenticio y salutífero. No todos los ácidos grasos tienen el mismo valor dietético. Algunos de ellos como el ácido linoleico y el linolénico (vitamina F), son elementos indispensables para el crecimiento (véase cuadro, pág. 65).

Todos los aceites vegetales, excepto el de palma y el de coco, son ricos en ácidos grasos insaturados. Por eso son siempre preferibles a los de origen animal (mantequilla, carnes grasas, algunas margarinas) que contienen gran proporción de ácidos grasos saturados generadores del tan temido colesterol.

La leche de vaca, por ser su grasa menos digestible que las vegetales, y debido a su elevado porcentaje de ácidos grasos saturados, no resulta apropiada para la lactancia artificial de débiles y prematuros. En las fórmulas lácteas adaptadas, incluso para los bebés completamente sanos, se sustituye total o parcialmente la grasa de la leche de vaca, por otros lípidos de origen vegetal.

Los prótidos

Los prótidos, o proteínas, están formados por otras sustancias más sencillas llamadas aminoácidos. De ellos hay diez que se llaman esenciales, y que el organismo humano no es capaz de sintetizar, por lo que deben ser aportados por la alimentación. Estos aminoácidos indispensables son, ordenados alfabéticamente: arginina, fenilalanina, histidina, isoleucina, leucina, lisina, metionina, treonina, triptófano y valina (véase la página contigua).

Durante el proceso de digestión, los jugos estomacales e intestinales, con la colaboración de las enzimas, descomponen las moléculas de prótidos en otras moléculas más sencillas, y, por fin, en aminoácidos; los cuales son absorbidos y transportados por la sangre hasta los tejidos. Allí los aminoácidos son reconstruidos por el organismo para formar sus propios prótidos.

Una persona adulta debe tomar diariamente, para mantenerse sana, medio gramo de prótidos por kilo de peso corporal. Las mujeres embarazadas, como indicamos en su lugar, deben aumentar esa proporción. Los niños, especialmente durante la lactancia, precisan de una mayor cantidad de proteína.

Según los expertos de la OMS, la cantidad diaria de prótidos que un niño necesita ingerir por cada kilo de peso corporal es la siguiente:

— hasta los 3 meses: 2,3 gramos,
— de los 3 a los 6 meses: 1,8 gramos,
— de los 6 a los 9 meses: 1,5 gramos,
— de los 9 a los 12 meses: 1,2 gramos,
— desde 1 a 3 años: 1 gramo.

Si un niño no toma suficientes proteínas su crecimiento se verá detenido, o bien disminuido o retrasado.

Como hemos dicho, la cantidad de proteína es importante, pero la calidad no lo es menos. Diariamente el niño debe ingerir todos los aminoácidos esenciales en la proporción adecuada. Precisamente la leche de la madre, para el lactante, es el alimento perfecto, porque no sólo contiene los aminoácidos esenciales, sino todos los demás nutrientes en la proporción óptima.

De los aminoácidos esenciales, los que obran más activamente sobre el crecimiento son la leucina y la lisina, que se encuentran en abundancia en la leche materna, pero en menor proporción en la leche de vaca.

Las sales minerales

El cuerpo humano está constituido en un 5%-6% de minerales. Las funciones de los minerales orgánicos son múltiples. Algunas de las más importantes son: contribuyen a edificar la estructura del esqueleto, resultan indispensables para el buen funcionamiento del sistema nervioso y para el transporte del oxígeno a las células, facilitan la coagulación de la sangre, y aseguran el adecuado equilibrio ácido-básico y el poder disolvente de los líquidos del organismo.

Los minerales son absorbidos durante su tránsito por el intestino. La sangre los reparte por el organismo para reponer las pérdidas o constituir reservas (en el hígado, sobre todo).

Por ser los minerales, juntamente con los prótidos, nutrientes con función plástica, es necesario que su ingestión durante la infancia sea mayor que una vez terminado el crecimiento.

Vamos a ver cuáles son los principales minerales que el organismo precisa y las funciones que desempeñan.

Calcio y fósforo

El calcio es el principal componente de los huesos y la dentadura. Contribuye a regular la actividad del corazón y del sistema nervioso, es necesario para la buena coagulación de la sangre y para mantener su adecuado

Los prótidos o proteínas son elementos de primordial importancia para el buen mantenimiento de la salud, pues son utilizadas por el organismo en los procesos de formación y reparación de tejidos. De ahí su imperiosa necesidad en todos los individuos, y más aún si se trata de niños o adolescentes en pleno desarrollo.

Las proteínas suministran materias primas para la formación de los jugos digestivos, hormonas, proteínas del plasma, hemoglobina, vitaminas y enzimas.

Cada una de las partes de nuestro cuerpo, comenzando por la piel, uñas, y cabellos, hasta nuestras delicadas células del cerebro, tienen como base las proteínas. Se dice, con razón, que necesitamos las proteínas hasta para pensar y para amar. Hay por tanto un desgaste constante de estas sustancias que deben ser repuestas diariamente mediante la ingesta de alimentos.

Clasificación de las proteínas

Las proteínas son grandes moléculas constituidas por aminoácidos que contienen nitrógeno, unidas entre sí por cadenas de aminas. De los 22 aminoácidos conocidos en la actualidad como fisiológicamente importantes, el organismo es capaz de sintetizar algunos. Hay otros que no los puede sintetizar y que deben, por consiguiente, ser suministrados por la dieta. Estos son los aminoácidos indispensables o esenciales, según la FAO/OMS: **«Leucina, isoleucina, lisina, metionina, fenilalanina, treonina, triptófano y valina.** A ellos se puede añadir la **histidina,** que parece esencial para el crecimiento de los lactantes.» Otras fuentes bibliográficas incluyen también la **arginina,** que es sintetizada por el organismo humano; pero parece que los niños no la elaboran con la rapidez necesaria.

A las proteínas que contienen todos los aminoácidos esenciales se las llama «biológicamente completas», mientras que las que carecen de uno o varios aminoácidos esenciales se las denomina «incompletas».

Los alimentos que contienen proteínas completas son la carne , el pes-

LAS PROTEÍNAS
AMINOÁCIDOS ESENCIALES

cado, la leche y sus derivados, los huevos, la soja y la levadura de cerveza.

La mayor parte de los vegetales son pobres en alguno de los aminoácidos esenciales, por lo que su proteína se considera «incompleta». Ahora bien, las mezclas de proteínas vegetales (cereales con legumbres, por ejemplo) pueden contener todos los aminoácidos esenciales, con la ventaja adicional de estar desprovistas de las toxinas que contienen los alimentos de origen animal.

Necesidad de proteínas

El doctor Ralph Bircher, hijo del conocido médico e investigador de la nutrición ya fallecido, el doctor Max Bircher-Benner, ha reunido en varios trabajos los resultados de la moderna investigación sobre las proteínas, que se pueden resumir en las siguientes conclusiones:

Los prótidos son nutrientes imprescindibles, de los cuales una persona sana precisa diariamente de 0,4 a 0,7 gramos por kilo de su propio peso. Las necesidades pueden variar según sea la clase de prótidos empleados y la combinación de los alimentos que los contienen.

El Comité Mixto FAO/OMS de Expertos que se reunió en 1971 estudió cuidadosamente los datos obtenidos en los estudios sobre el balance de nitrógeno, y estableció la cifra de 0,57 y 0,52 gramos por día y kilo de peso corporal como nivel adecuado e inocuo de ingesta de prótidos, expresada en proteínas de la leche de vaca o del huevo, para el hombre y la mujer, respectivamente.

Las necesidades diarias de un adulto, de peso medio y actividad moderada, se verían compensadas adecuadamente cuando el menú contenga, por ejemplo: una ración de

ensalada, una de verdura y una de fruta, 150 gramos de patatas o 50 gramos de cereales integrales, una ración de soja guisada o su equivalente en productos derivados de la soja (carne vegetal), 200 gramos de pan integral, 30 gramos de frutos secos oleaginosos (o un huevo), dos vasos de leche (o su equivalente en queso, yogur, etc.) y una cucharada de levadura de cerveza.

Carencia o exceso

Conviene tener en cuenta que una insuficiencia proteínica puede resultar altamente perjudicial, pero que también lo es el exceso. Una manifestación de carencia de proteínas es la hinchazón del abdomen, piernas y tobillos. Este fenómeno es frecuente en los países pobres o azotados por las guerras, cuando la alimentación de la población en general sufre las consecuencias de la escasez de alimentos.

En los países más desarrollados, en cambio, aunque también se dan casos aislados de carencia, son más frecuentes los trastornos provocados por el exceso de proteínas en la alimentación. Hipertensión, diabetes, gota y aumento del colesterol en la sangre; es decir, factores de riesgo que consideramos como condiciones previas para las enferemedades cardiovasculares, son fruto de una alimentación inadecuada, sobre todo de un consumo excesivo de lípidos (grasas, especialmente las de origen animal) y de glúcidos (hidratos de carbono, que el organismo almacena en forma de grasa). Pues bien, hoy parece demostrado que el exceso de prótidos impide la correcta metabolización de los demás nutrientes (lípidos y glúcidos, especialmente), con lo cual se favorece una mala asimilación y su nocivo acúmulo en el organismo humano.

★ ★ ★

Según Bircher-Benner, Corominas/Gandarias, A.L. Lehninger, Passmore *et al.* (FAO/OMS), E. Schneider, Dirección General de Política Alimentaria (Ministerio de Agricultura, España).

pH (grado de alcalinidad), amén de otras funciones.

La cantidad de calcio que debe ser aportada por la alimentación infantil diariamente, está fijada en unos 40 miligramos por kilo de peso corporal.

El calcio, para ser correctamente asimilado, debe venir acompañado de suficiente cantidad de fósforo (es necesario que la proporción calcio-fósforo en la dieta sea de 1,5 a 2) y de vitamina D. La acidez estomacal también influye en su asimilación. Los trastornos digestivos y algunos glúcidos, como la sacarosa, cuando se consumen en exceso, dificultan su absorción. Por eso, aunque la leche de vaca contiene más calcio que la de mujer (169 mg por 23 mg, en 100 g, respectivamente), la adición de azúcar impide el aprovechamiento óptimo del calcio, lo cual obliga a dar un suplemento de este mineral a los lactantes alimentados artificialmente.

Un insuficiente aporte alimentario de calcio o una deficiente asimilación, provoca trastornos en la coagulación sanguínea, retraso en el crecimiento, mala dentición y raquitismo.

La principal fuente de calcio es la leche y sus derivados, especialmente el queso.

El fósforo contribuye también a la metabolización de los lípidos y los glúcidos.

La yema del huevo, los cereales integrales, las legumbres secas y los frutos secos oleaginosos, son buenas fuentes de fósforo.

Aunque la leche animal no resulta un alimento insustituible, los productos lácteos permiten dar una gran variedad a los menús. Si son de animales bien sanos y han sido debidamente higienizados (pasteurización, esterilización), los productos lácteos son una inestimable fuente de proteínas completas, calcio, y vitaminas, algunas tan importantes como la B_{12}.

NECESIDAD DIARIA DE NUTRIENTES (según la edad)

EDAD	Peso corporal	Energía[1]	Proteínas	Vitamina A	Vitamina D	Vitamina B_1	Vitamina B_2	Niacina	Ácido fólico	Vitamina B_{12}	Vitamina C	Calcio	Hierro[4]
	kg	calorías[2]	g	mcg[3]	mcg[3]	mg	mg	mcg[3]	mcg[3]	mcg[3]	mg	g	mg
NIÑOS													
menores de un año	7,3	820	14	300	10,0	0,3	0,5	5,4	60	0,3	20	0,5-0,6	5-10
de 1-3 años	13,4	1.360	16	250	10,0	0,5	0,8	9,0	100	0,9	20	0,4-0,5	5-10
de 4-6 años	20,2	1.830	20	300	10,0	0,7	1,1	12,1	100	1,5	20	0,4-0,5	5-10
de 7-9 años	28,1	2.190	25	400	2,5	0,9	1,3	14,5	100	1,5	20	0,4-0,5	5-10
ADOLESCENTES (varones)													
de 10-12 años	36,9	2.600	30	575	2,5	1,0	1,6	17,2	100	2,0	20	0,6-0,7	5-10
de 13-15 años	51,3	2.900	37	725	2,5	1,2	1,7	19,1	200	2,0	30	0,6-0,7	9-18
de 16-19 años	62,9	3.070	38	750	2,5	1,2	1,8	20,3	200	2,0	30	0,5-0,6	5-9
ADOLESCENTES (mujeres)													
de 10-12 años	38,0	2.350	29	575	2,5	0,9	1,4	15,5	100	2,0	20	0,6-0,7	5-10
de 13-15 años	49,9	2.490	31	725	2,5	1,0	1,5	16,4	200	2,0	30	0,6-0,7	12-24
de 16-19 años	54,4	2.310	30	750	2,5	0,9	1,4	15,2	200	2,0	30	0,5-0,6	14-28
VARÓN ADULTO													
moderadamente activo	65,0	3.000	37	750	2,5	1,2	1,8	19,8	200	2,0	30	0,4-0,5	5-9
MUJER ADULTA													
moderadamente activa	55,0	2.200	29	750	2,5	0,9	1,3	14,5	200	2,0	30	0,4-0,5	14-28
Embarazo													
segunda mitad		+350	38	750	10,0	+0,1	+0,2	+2,3	400	3,0	50	1,0-1,2	•[5]
Lactancia													
primeros seis meses		+550	46	1.200	10,0	+0,2	+0,4	+3,7	300	2,5	50	1,0-1,2	•[5]

1. Esta tabla está reproducida del *Manual sobre necesidades nutricionales del hombre,* elaborado por Passmore y sus colaboradores, y publicado por la FAO/OMS. Las cantidades que se dan en algunos casos pueden diferir de otras tablas por diversas razones, sin que eso suponga un error en ninguna de ellas. En algunos casos, la cantidad mínima necesaria y la óptima no se hallan establecidas con certeza; en otros, puede tratarse de criterios u opiniones distintos; y en otros, se suelen dar cantidades superiores, para que haya un amplio margen de seguridad. Véase lo que se dice sobre las proteínas en el cuadro de la página 843. Así que todo lo que aquí se indica es orientativo, y, en situaciones particulares (trastornos, enfermedad, estados carenciales) resulta imprescindible un diagnóstico médico personalizado, que establecerá las dosis convenientes en cada caso.— **2.** Véase la nota que figura en la página 8 del primer tomo.—

3. mcg = microgramos (1 mcg = 0,000001 g = 0,001 mg). 1 mcg de vitamina A (retinol) ≈ 5 UI. 1 mcg de vitamina D ≈ 40 UI.— **4.** En cada línea se aplica de los dos que figuran el valor inferior, cuando más del 25% de las calorías de la dieta proceden de alimentos de origen animal, y el valor superior si dichos alimentos aportan menos de 10% de las calorías.— **5.** Para las mujeres cuya ingesta de hierro durante toda la vida se ha mantenido al nivel recomendado en este cuadro, la ingesta diaria de hierro durante el embarazo y la lactancia debe ser la misma que la recomendada para las mujeres no embarazadas ni lactantes pero en edad de procrear. Para las mujeres cuya reserva de hierro no sea satisfactoria al comienzo del embarazo la ingesta necesaria es mayor, y en el caso extremo de las mujeres que no tengan en absoluto reservas de hierro, las necesidades no podrán probablemente satisfacerse sin un suplemento.

Sodio y potasio

El sodio desempeña un papel fundamental en el organismo, acompañando al agua en sus múltiples e importantes funciones metabólicas.

La leche materna, como es natural, contiene el adecuado porcentaje de sodio, pero en la de vaca es mayor. En las fórmulas lácteas adaptadas se corrige este exceso, haciendo que contengan el porcentaje conveniente para la alimentación del lactante.

No hemos de olvidar que los alimentos contienen cloruro sódico. Así que, con una alimentación normal, no es necesario, desde el punto de vista

salutífero, echar sal (cloruro sódico) como condimento de la comida. Al contrario de lo que ocurre con otras sales minerales, las necesidades de sodio del lactante son inferiores a las del adulto.

Así como el sodio predomina en los líquidos orgánicos, el potasio abunda en los tejidos, cuyo proceso de reproducción celular parece favorecer. El potasio contribuye a regular la presión osmótica de la sangre y otros líquidos de nuestro cuerpo; también favorece la eliminación urinaria.

La leche de mujer aporta aproximadamente 45 miligramos de potasio

por cada 100 gramos de leche, y la de vaca casi el triple.

Hierro

El hierro es un componente indispensable de nuestro cuerpo. Unido a las proteínas forma parte del citocromo, componente de los tejidos, que desempeña un importante papel en los procesos de nutrición celular.

El hierro es componente básico de la hemoglobina de los glóbulos rojos sanguíneos, sustancia encargada del transporte del oxígeno desde los pulmones a todas las células del organis-

mo. La anemia más común, que es la ferropénica, se produce por falta de hierro, lo cual conlleva una disminución de hemoglobina en la sangre.

El hierro se almacena en el hígado. Las reservas hepáticas de hierro son muy importantes para el recién nacido, pues tiene que tomar de ellas este mineral, ya que la leche materna contiene una escasa proporción (1-2 mg por litro).

Es indispensable la administración de preparados farmacéuticos a base de hierro a los lactantes prematuros, pues su hígado no posee suficientes reservas. Los niños menores de 12 meses necesitan de 6 a 15 miligramos de hierro por día.

Son alimentos ricos en hierro la yema de huevo, las judías secas (fríjoles), las lentejas, las almendras, la avena, el aguacate, las espinacas, los berros y el perejil.

Otros elementos

El yodo es un componente de la tiroxina, hormona necesaria para un correcto desarrollo físico y mental. Normalmente el agua aporta suficiente yo-do, pero en algunos lugares el suelo es pobre en yodo, entonces ni el agua ni los vegetales lo contienen. En las zonas carenciales de yodo las autoridades sanitarias suelen recurrir al yodado de la sal común de mesa.

El magnesio es elemento constituyente de los huesos, del tejido cerebral y nervioso, y de la sangre. Es un estimulante de la actividad celular, y se considera que tiene propiedades anticancerígenas.

El cobre refuerza la acción antianémica del hierro. Se acumula como reserva en el hígado y el bazo. La le-che de mujer es mucho más rica en cobre que la de vaca.

Otros elementos, tales como el azufre, el manganeso, el cinc, el cobalto y el flúor, entran en proporciones mínimas en la composición del organismo; pero no por eso son menos importantes para conservar la salud. Por ejemplo, bien conocida es la acción anticaries del flúor —que en realidad no es un mineral sino un gas—, que se combina con otros elementos.

El organismo humano además requiere la ingestión de circonio, y otros micronutrientes, como aluminio, antimonio, arsénico, bario, boro, bromo, cadmio, cromo, galio, litio, mercurio, molibdeno, rubidio, selenio, estroncio, titanio y vanadio. Se los denomina micronutrientes u oligoelementos (del griego *óligos*, poco) porque las necesidades diarias humanas de ellos no sobrepasan las millonésimas de gramo en muchos de los casos, y si se superan esas pequeñísimas cantidades resultan incluso tóxicos.

Los niños que toman una dieta suficiente y variada no corren normalmente peligro de padecer carencias de estos nutrientes

Las vitaminas son nutrientes indispensables aportados por los alimentos o sintetizados por el organismo, que actúan en dosis pequeñísimas.

Las vitaminas presentan la particularidad de actuar mejor asociadas que aisladamente, de ahí que cuando se administran sintéticas, suele ser en forma de compuestos polivitamínicos.

Véase la tabla de las vitaminas en las páginas siguientes a ésta.

Vitamina A

La vitamina A, llamada del crecimiento, porque lo favorece, se encuentra en ciertos lípidos (vitamina liposoluble) y también bajo la forma de provitamina (precursor de la vitamina) en el pigmento de numerosos vegetales.

Las necesidades del lactante no son tan grandes como las del niño y las del adulto, y la cantidad que recibe por la leche materna es suficiente para asegurarle un buen crecimiento. Durante el primer año un niño necesita unas 1.000 UI (unidades internacionales) diarias. En la edad adulta se precisan de 2.500 a 5.000 UI cada día.

Los niños prematuros o alimentados artificialmente suelen precisar de un aporte medicamentoso de vitamina A, que en su caso fijará el neonatólogo o el pediatra-puericultor.

Cuando el niño ya es mayor, sus fuentes principales de vitamina A serán: la zanahoria, las espinacas, las coles, las lechugas, la mandarina, el tomate, los huevos y la mantequilla, además de la leche.

Vitamina B

La vitamina B —más bien, complejo vitamínico— forma parte de las llamadas vitaminas hidrosolubles (solubles en agua).

Vamos a ocuparnos tan sólo de las principales vitaminas del grupo B, pues son muy numerosas.

— **Vitamina B_1:** Es conocida así mismo como tiamina o vitamina antiberibérica. También se la conoce como aneurina, porque es un regu-

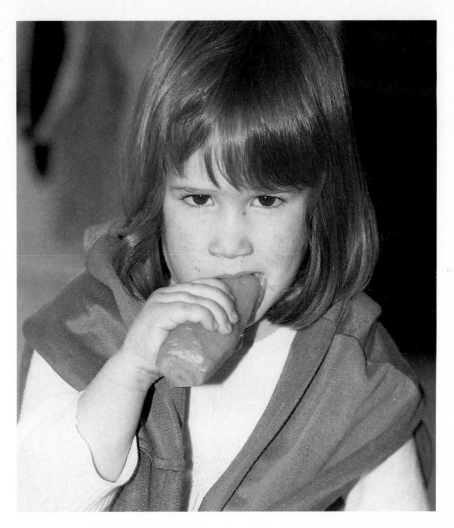

lador de la actividad nerviosa. Es necesaria para la correcta asimilación de los glúcidos.

En los lactantes alimentados con leche de vaca o leche condensada azucarada, con frecuencia se observaban casos de anemia, agitación, inapetencia y estreñimiento, por falta de esta vitamina. Lo mismo ocurre con los niños que reciben exclusivamente papillas de harinas refinadas. Los cereales preparados por los laboratorios para la nutrición infantil, vienen adicionados con ésta y otras vitaminas, de manera que resulten equilibrados y

continúa en página 852

La vitamina A favorece el crecimiento del niño. La zanahoria es una de sus más ricas fuentes. El niño que toma una dieta variada no puede sufrir carencias de esta vitamina. Hay que evitar, siempre que sea posible, tomar preparados farmacológicos, con los que fácilmente se puede caer en una sobredosificación. Un exceso de vitamina A resulta contraproducente, e incluso puede provocar hiperirritabilidad y dolor de cabeza. Por eso, cuando es sintética, debe ser administrada por prescripción del médico y bajo su control.

847

LAS VITAMINAS

VITAMINA	ESTABILIDAD	PRINCIPALES FUENTES NATURALES	SÍNTOMAS CARENCIALES	TOXICIDAD POR EXCESO	ENFERMEDADES QUE CURA O MEJORA	DOSIS DIARIA RECOMENDADA EN LA DIETA
		HIDROSOLUBLES				
B_1 ANEURINA TIAMINA	Se destruye con el calor seco, la oxidación, o por la luz. Se pierde un 25% con la cocción.	Germen de trigo, cereales integrales, levadura de cerveza, frutos secos, soja, huevos, hígado y riñones de animales, pescados.	Falta de apetito, astenia, fatiga, estreñimiento, trastornos nerviosos, musculares y circulatorios.	No resulta perjudicial.	Beriberi, inflamación de los nervios, parálisis, secuelas diftéricas, herpes, depresión.	1 - 1,4 mg
B_2 LACTOFLAVINA RIBOFLAVINA	Se destruye con la luz y por álcalis. Resiste el calor, los ácidos y la oxidación.	Levadura, legumbres, frutos secos, huevos, leche, verdura de hojas verdes, trigo y avena integrales, champiñones, vísceras de animales.	Labios enrojecidos y agrietados, fisuras en los bordes de la boca, lesiones oculares.	No resulta perjudicial.	Boqueras, pérdida de peso en el lactante, perturbaciones de estómago e intestinos, en la piel y en la vista.	1,2 - 1,6 mg
B_6 PIRIDOXINA	Se destruye con la oxidación y con la luz (rayos ultravioleta). Resiste el calor y los ácidos.	Germen de trigo y salvado, pan integral, frutos secos, legumbres, levadura, verduras, aguacate, plátanos, yema de huevo, aceite de hígado de pescado.	Irritabilidad, convulsiones, temblores en niños. Anemia, náuseas, vértigo.	No se conoce.	Reguladora del metabolismo de los tejidos del hígado, del sistema nervioso y de la piel. Es un factor adicional en la curación de la pelagra.	2 mg
B_{12} CIANO-COBALAMINA	Estable.	Espirulina, hígado de animales, pescado, huevos, leche y productos lácteos. Se cree que la sintetizan algunas bacterias del intestino humano.	Alteraciones nerviosas, disminución de la hemoglobina, glóbulos rojos y plaquetas.	No se conoce.	Anemia perniciosa, estados de debilidad posteriores a operaciones, enfermedades infecciosas y del tubo digestivo. Indispensable para la normal hematopoyesis (formación de la sangre).	0,002 mg (2 mcg)

LAS VITAMINAS (cont.)

VITAMINA	ESTABILIDAD	PRINCIPALES FUENTES NATURALES	SÍNTOMAS CARENCIALES	TOXICIDAD POR EXCESO	ENFERMEDADES QUE CURA O MEJORA	DOSIS DIARIA RECOMENDADA EN LA DIETA
ÁCIDO FÓLICO **VITAMINA B$_c$**	Se destruye con la luz solar y los rayos ultravioleta. Se destruye parcialmente por el cocinado (50%).	Espirulina, levadura, germen de trigo y salvado, soja, verduras de hoja verde, yema de huevo, hígado de animales.	Lengua roja, anomalías intestinales, inhibición del crecimiento, disminución de la hemoglobina, glóbulos rojos y plaquetas.	Si hay deficiencia de B$_{12}$ asociada, se agrava la neuropatía. No se debe tomar ácido fólico si la B$_{12}$ es baja.	Anemia. Junto con la B$_{12}$, favorece la formación y maduración de glóbulos rojos. Parece ser útil también para el funcionamiento normal de las mucosas de las vías digestivas.	0,4 mg
NIACINA **ÁCIDO NICOTÍNICO** **FACTOR PP**	Muy estable. Resiste el calor, la luz y el oxígeno del aire.	Germen de trigo, pan integral y cereales integrales, levadura, frutos secos, sésamo, legumbres, champiñones, carne e hígado de animales y pescados.	Lesiones cutáneas y gastrointestinales, perturbaciones nerviosas y mentales.	Picores y rojeces en manos, cara y cuello.	Pelagra y estados análogos, enfermedades de la piel y de las mucosas originadas por carencias en la alimentación.	12 - 18 mg
ÁCIDO PANTO-TÉNICO	Se destruye con el calor seco y álcalis. Resiste el calor húmedo, la luz y el aire.	Levadura, soja, cereales integrales, verduras, fruta, melaza de caña, yema de huevo, hígado y riñones de animales.	Fatiga, trastornos del metabolismo, trastornos del sueño, fallos de coordinación, decoloración y caída del cabello. (No son frecuentes, pues esta vitamina la produce nuestra flora bacteriana intestinal).	No se conoce.	Enfermedades cutáneas y de la mucosa bucal. Quemaduras, heridas, úlceras, fisuras. Estimula el crecimiento y pigmentación del cabello.	8 mg
BIOTINA **VITAMINA H**	Sensible a la luz, pero resistente al calor (200°C).	Levadura, legumbres, verduras, yema de huevo, hígado y riñones de animales.	Piel seca, dermatitis, aumento de colesterol, falta de apetito, cansancio, depresión, náuseas, dolores musculares, disminución de la hemoglobina.	No se conoce.	Enfermedad de Leiner, enfermedad de las glándulas sebáceas de la piel, acné vulgar, trastornos del crecimiento de las uñas, y a veces encanecimiento.	No establecida. La dieta normal proporciona de 0,1 a 0,3 mg.

849

LAS VITAMINAS (cont.)

VITAMINA	ESTABILIDAD	PRINCIPALES FUENTES NATURALES	SÍNTOMAS CARENCIALES	TOXICIDAD POR EXCESO	ENFERMEDADES QUE CURA O MEJORA	DOSIS DIARIA RECOMENDADA EN LA DIETA
C ÁCIDO ASCÓRBICO	Se destruye con el calor y por oxidación. Se conserva en ácidos. Los zumos de frutas deben consumirse inmediatamente después de su preparación.	Frutas frescas, principalmente: acerola, escaramujo, grosella, kiwi y cítricos (naranja, limón, mandarina, pomelo, etc.); verduras: alfalfa, pimientos, perejil, brécol, berros, coles, coliflor, espinacas, lombarda.	Inflamación y hemorragias de las encías, inapetencia, agotamiento, dolores de cabeza, crecimiento retardado, trastornos digestivos, propensión a las infecciones.	A dosis muy altas (4 g) puede causar cálculos de vesícula o riñón, así como trastornos gastrointestinales, náuseas, calambres abdominales, diarreas. También puede ser peligrosa para las personas que llevan un régimen sin sal.	Escorbuto, anemia, astenia primaveral, enfermedades de las encías y dentadura, defensa contra las infecciones e intoxicaciones, enfermedades reumáticas, trastornos digestivos y de la osificación en los niños.	75 mg

LIPOSOLUBLES

VITAMINA	ESTABILIDAD	PRINCIPALES FUENTES NATURALES	SÍNTOMAS CARENCIALES	TOXICIDAD POR EXCESO	ENFERMEDADES QUE CURA O MEJORA	DOSIS DIARIA RECOMENDADA EN LA DIETA
A RETINOL Provitamina: caroteno	Se destruye gradualmente por exposición al aire, al calor, a los rayos ultravioleta y al enranciamiento.	Aceite de hígado de pescado, alfalfa, perejil, zanahoria, verduras de hojas verdes, aceite de soja, mantequilla, yema de huevo, nata (crema), mango, albaricoque, melón, hígado de animales.	Ceguera nocturna, piel áspera, sequedad de las mucosas y disminución de su capacidad defensiva, catarros frecuentes, fragilidad de pelo y uñas.	Hiperirritabilidad, dolores articulares, hinchazón de piernas y brazos, dolor de cabeza, descamación de la piel, caída del cabello.	Dermatosis, faringitis, bronquitis, laringitis, inflamación de la mucosa gástrica, úlceras gástricas, ceguera nocturna, repetición de abortos. Tiene también una función protectora del hígado, de la glándula tiroides, y parece influir positivamente sobre el crecimiento.	5.000 UI (cuando la fuente es principalmente vegetal)
D CALCIFEROL (D$_2$)	Resistente al calor y al almacenamiento. Sensible a la luz, al oxígeno y a los ácidos.	Aceite de hígado de pescado (bacalao, atún, mero), pescado graso, yema de huevo, levadura, setas, productos lácteos (si las vacas pastan al aire libre). Se sintetiza en la piel al actuar los rayos solares sobre su provitamina.	Retraso en el crecimiento y en la dentición, huesos blandos y débiles, pecho de paloma, piernas en arco, y otras deformidades óseas, como el típico «rosario» raquítico de las costillas.	Crecimiento retardado, trastornos renales, calcificación de tejidos, náuseas, vómitos, diarreas.	Raquitismo, dentición retardada o deficiente, osteomalacia, reumatismo articular, tuberculosis de las articulaciones óseas, eccemas crónicos, sabañones.	400 UI

LAS VITAMINAS (cont.)

VITAMINA	ESTABILIDAD	PRINCIPALES FUENTES NATURALES	SÍNTOMAS CARENCIALES	TOXICIDAD POR EXCESO	ENFERMEDADES QUE CURA O MEJORA	DOSIS DIARIA RECOMENDADA EN LA DIETA
E **TOCOFEROL**	Resiste los procesos de cocción. Es sensible al aire y a la luz. Se destruye por el enranciamiento.	Germen de trigo y de otros cereales, alfalfa, guisantes, soja, yema de huevo, cacahuetes, coco, leche y mantequilla.	Es muy rara su deficiencia. Puede producir anemia.	Relativamente atóxica. El consumo prolongado superior a 250 mg por día produce náuseas, vómitos, dolores abdominales, diarreas.	Propensión a partos prematuros y abortos, trastornos de la menstruación, del embarazo y de la menopausia, deficiente secreción láctea, trastornos del desarrollo en el lactante, enfermedades del sistema nerviosos y muscular, enfermedaes cardiovasculares, úlceras varicosas.	No establecida, pero parece que la dosis adecuada debe de estar entre 10 y 12 mg.
K **FILOQUINONA (K₁)**	Resiste los procesos de cocción. Es sensible a la luz y al oxígeno. Se destruye con ácidos o bases fuertes.	Castañas, verduras de hoja verde (especialmente alfalfa, repollo, espinacas), soja, coliflor, aceites vegetales, yema de huevo, hígado de animales. La producen nuestras bacterias intestinales.	Trastornos de la coagulación, enfermedad hemorrágica del recién nacido, hemorragias en general.	A dosis altas puede provocar ictericia.	Induce al hígado a producir la protrombina, factor necesario para la normal coagulación. Hemorragias de la retina, hemorragias nasales o en extracciones dentales u otras operaciones de la garganta.	8 mg

- Las vitaminas son absolutamente indispensables para el metabolismo, y deben ser tomadas del exterior, pues en general nuestro organismo no es capaz de sintetizarlas. De ahí que Funk les diera, en 1912, el nombre de «aminas de la vida», es decir: vitaminas.

- Existen otras vitaminas que no figuran en este cuadro, pero su importancia desde el punto de vista nutritivo, o de la conservación de la salud en general, es secundario. Los niños y adultos que toman una dieta que les proporciona suficiente cantidad de las vitaminas aquí relacionadas, en la práctica, resulta imposible que sufran carencias de otras vitaminas; y muy difícilmente pueden sufrir carencias de otros nutrientes fundamentales. Sobre la llamada vitamina F, véase el cuadro de la página 65.

- Las vitaminas las hemos clasificado, siguiendo el criterio mayoritario en hidrosolubles y liposolubles. Las primeras (complejo B y C), por ser solubles en agua, se encuentran principalmente en las verduras, hortalizas y frutas frescas. No se acumulan en el organismo, pues su exceso se elimina con facilidad por la orina. Es por tanto preciso ingerirlas a diario. Las liposolubles son vehiculizadas por los alimentos de contenido graso (leche, yema de huevo, gérmenes de cereales, algunos frutos secos oleaginosos), y pueden almacenarse en los tejidos del organismo; por lo que no resulta imprescindible ingerirlas a diario.

- En este cuadro, las columnas SÍNTOMAS CARENCIALES y ENFERMEDADES QUE CURA O MEJORA, son complementarias. Por eso hemos procurado huir de las repeticiones entre ambas. Lógicamente,

cuando la dosis vitamínica que se ingiere resulta insuficiente, se presentan los síntomas carenciales, y las enfermedades pueden aparecer o agravarse. Los síntomas desaparecerán, y las enfermedades mejorarán o curarán, cuando la ingesta vuelva a la normalidad.

- La dosis diaria recomendada en la tabla es la que se considera adecuada para un adulto promedio sano, y cuya fuente vitamínica es natural. En caso de enfermedad o trastornos el médico puede ordenar dosis mucho mayores, tanto de procedencia alimentaria, y por tanto natural, como de procedencia farmacológica, y por tanto sintética. La dosis indicada en la tabla es la que se debe ingerir, para que el organismo pueda asimilar suficiente cantidad. El organismo suele necesitar la mitad de dicha dosis, pero por diversas razones no es capaz de asimilar las vitaminas que le suministramos al ciento por ciento.

- No debemos olvidar que las dosis de vitaminas, así como de los demás nutrientes, que se consideran óptimas para el mantenimiento de la salud, pueden variar en razón de diversas particularidades, como la edad, la corpulencia, el estado físico general, el embarazo o la lactancia. En la página 845 presentamos un cuadro con la necesidad diaria de los principales nutrientes, según la edad. En el cuadro de la página 709 se puede ver cómo aumentan las necesidades nutritivas de la mujer gestante y lactante, en comparación con la no gestante.

Véase la TABLA ANALÍTICA DE LOS ALIMENTOS MÁS COMUNES, (págs. 897-903).

viene de página 847

sin carencias. El salvado y el germen de los cereales, el arroz integral, la levadura de cerveza, las legumbres, los frutos secos oleaginosos, y diversas frutas y hortalizas, son buenas fuentes naturales de tiamina.

— **Vitamina B$_2$:** Se la conoce por el nombre de riboflavina o como factor del crecimiento. Es indispensable para los niños. La leche aporta suficiente cantidad. Los cereales integrales también son una buena fuente.

— **Vitamina B$_6$:** El clorhidrato de piridoxina o, abreviando, piridoxina, recibe la denominación de factor de protección de la piel. Su ingestión suficiente corrige diversos trastornos nerviosos de la infancia.

Son fuentes naturales importantes los cereales integrales, la soja y la leche. La leche materna constituye una fuente fundamental para el lactante, hasta el punto de que una alimentación con fórmula artificial desprovista de complemento vitamínico podría causar enfermedades cerebrales.

— **Niacina:** Conocida también como nicotinamida o factor PP. Favorece el crecimiento y protege contra la pelagra. La leche contiene cantidades muy pequeñas. Se encuentra principalmente en la levadura de cerveza, las legumbres, los cacahuetes (maní) y la soja.

— **Ácido fólico (vitamina B$_c$):** Se sabe que favorece la formación y la maduración de los hematíes (glóbulos

rojos). Parece también que es necesario para el normal funcionamiento de las mucosas digestivas, y para favorecer el crecimiento. Se halla en porcentaje estimable en la leche, el queso, los cereales integrales, la levadura de cerveza, la coliflor y las espinacas.

— **Vitamina B$_{12}$ (cianocobalamina):** Es indispensable para la hematopoyesis (formación de sangre), así como para el normal funcionamiento del sistema nervioso central, junto con otros factores, como por ejemplo el ácido fólico. Posibilita al organismo el total aprovechamiento de las proteínas, y a pesar de que la cantidad necesaria para el organismo es de microgramos (milésimas de gramo), actual-

mente está considerada como una de las sustancias biológicas más activas. Su carencia origina la anemia perniciosa y otras enfermedades análogas de la sangre.

En el caso de la vitamina B_{12}, los seres humanos sólo podemos contar con el aporte exógeno, principalmente por la carne de los rumiantes y los productos lácteos. Hasta ahora no se ha podido demostrar fehacientemente que los vegetales contengan vitamina B_{12} (quizá el alga espirulina sea la excepción).

Un régimen vegetariano estricto (sin consumo de huevos y leche, o sus derivados), en teoría pudiera ser responsable de una carencia de vitamina B_{12}. Ahora bien, esa carencia, en cualquier caso, haría su aparición de forma muy lenta, ya que en las verduras se encuentran los microorganismos que sintetizan las coenzimas B_{12}.

La alimentación moderna, a base de cereales y productos muy refinados, con frecuencia es muy carencial en vitaminas del grupo B. Si se toman los cereales integrales y un suplemento de levadura de cerveza y germen de trigo, el aporte de estas vitaminas será suficiente y se evitarán los trastornos que produce su déficit.

La leche materna contiene suficiente vitamina B, pero los lactantes alimentados con leche de vaca deben recibir un suplemento. Por supuesto que las modernas fórmulas lácteas adaptadas y las papillas preparadas por los laboratorios contienen vitaminas del complejo B en un porcentaje equilibrado y suficiente.

Vitamina C

La vitamina C (ácido ascórbico) quizá sea la más popular, por habérsele atribuido propiedades preventivas y hasta curativas de los resfriados. Lo que sí está plenamente demostrado es que previene el escorbuto, la anemia y la tendencia a las hemorragias, favorece la osificación, protege contra las intoxicaciones e infecciones, y fortalece las mucosas, en especial las encías.

El lactante precisa como mínimo 50 miligramos de vitamina C al día. Esta necesidad es mayor en el prema-

turo, cuyas reservas son escasas, así como en el niño enfermo.

La leche de mujer es bastante rica en ácido ascórbico y aporta una dosis suficiente para el lactante. Antiguamente, cuando el niño era alimentado con leche de vaca, como ésta era sometida a ebullición, perdía la vitamina C, y por lo tanto los niños podían presentar carencia. Esto era subsanado en parte por la costumbre de administrar al bebé una cucharadita de agua con unas gotitas de zumo de naranja, cantidad que poco a poco se iba incrementando para no producir reacción en el todavía inmaduro aparato digestivo del bebé.

Actualmente, todas las fórmulas lácteas administradas a los niños, cuando éstos no pueden ser alimentados con leche materna, aportan suficiente cantidad de vitamina C, así como de otras vitaminas y minerales, por lo que se hace innecesaria la administración adicional de zumos de fruta, hasta que el bebé tenga 4 o 5 meses. A esta edad ya se puede empezar a comprobar la tolerancia de los zumos, tal como se expone en el cuadro de las páginas 866 y 867.

Llegado el momento en que el niño puede tolerar los zumos, lo mejor será prepararlos inmediatamente antes de ser consumidos, pues la vitamina C se destruye fácilmente por el calor y la oxidación.

Afortunadamente, es una vitamina que está presente de forma abundante en numerosas verduras y frutas, destacando, entre ellas, la acerola, el escaramujo, la grosella, el kiwi, las fresas y todos los cítricos (naranjas, limones, pomelos, mandarinas), entre las frutas; y la alfalfa, pimientos, perejil, brécol, coliflor, col, lombarda, acelgas, espinacas, judías verdes, guisantes, etcétera, entre las verduras.

Vitamina D

La vitamina D o antirraquítica, al igual que la A, pertenece al grupo de las vitaminas liposolubles (solubles en grasas, no en agua).

La alimentación apenas si aporta esta vitamina natural. Por eso el organismo tiene la propiedad de transformar la provitamina D, cuando se somete la piel a la influencia de los rayos solares, o de los ultravioleta, en vitamina. La mejor prevención del raqui-

tismo es pues el sol, no tomado a través de los cristales de las ventanas, que retienen la radiación solar ultravioleta, sino directamente sobre el cuerpo.

A pesar de que la leche de mujer no contiene más que una pequeña cantidad de vitamina D, el lactante normal, que hace vida al aire libre y toma el sol, jamás presenta signos de raquitismo. El niño que no puede ser expuesto diariamente al sol, por ejemplo a causa del clima, necesitará tomar algún preparado farmacéutico de vitamina D.

En algunos países se enriquece sistemáticamente con vitamina D la leche y los alimentos destinados a lactantes. Donde no se aplica esta medida es conveniente administrar 1.000-1.500 UI diarias a los lactantes hasta los 2 años, siempre bajo prescripción y control facultativos.

Téngase en cuenta que la vitamina D ejerce mejor sus funciones antirraquíticas si va asociada a la vitamina A.

Otras vitaminas: E, F, K

Hay otras vitaminas que también son importantes para el niño, como por ejemplo la E (tocoferol), que es liposoluble. El lactante necesita 3 o 4 miligramos diarios y el adulto de 10 a 20. Es la vitamina de la fecundidad. Su carencia produce en la mujer esterilidad, aborto e incluso muerte fetal. En el varón su carencia es causa de esterilidad definitiva. Se encuentra en el germen de los cereales, los cacahuetes (maní), los guisantes, la soja, el apio y las espinacas.

Con el nombre de vitamina F se designa a veces a un conjunto de ácidos grasos indispensables aunque no sean propiamente una vitamina. Su carencia provoca dermatitis, eccema, acné y esterilidad masculina. Su fuente son las grasas y aceites.

El grupo de vitaminas K es el de la coagulación sanguínea y es necesario para la prevención de las hemorragias. Su producción se realiza en el intestino grueso, sintetizada por la flora bacteriana. De ahí que, en caso de alteración intestinal (diarreas, por ejemplo) tenga que administrarse desde el exterior en forma de medicamento. Los vegetales verdes (alfalfa, espinacas, coles, guisantes, lechuga), la yema de huevo, la soja, el cacahuete (maní), el coco, la leche y la mantequilla, facilitan que la flora bacteriana intestinal pueda sintetizar una mayor cantidad de vitamina K.

El consumo de vitaminas

Una publicidad mal enfocada, así como ciertos programas «de divulgación», han hecho creer a la gente que atiborrando a sus hijos de vitaminas sintéticas éstos crecerán más sanos y fuertes, idea que constituye un error.

Hay vitaminas, como por ejemplo la A, que si se toman en exceso pueden llegar incluso a producir alteraciones del sistema nervioso. Por fortuna es prácticamente imposible ingerirla de forma natural en exceso, igual que sucede con las demás vitaminas, pues para ello habría que tomar cantidades ingentes de alimentos. Pero sí que puede ingerirse de modo excesivo con los preparados farmacéuticos, ya que la contienen en una gran concentración.

No se deben, pues, administrar vitaminas sintéticas a ningún niño sin conocimiento del médico, y, siempre que las prescriba, deberán dársele en las dosis y de la forma que haya indicado.

EL AGUA

El agua es un componente absolutamente indispensable para el mantenimiento de la salud. Sin agua no puede haber vida. El cuerpo de una persona adulta está compuesto en su 60%-65% por agua, pero en el lactante ese porcentaje es de un 72%.

No hemos de olvidar que las frutas y hortalizas están compuestas en su mayor parte por agua (70%-92%). Y por supuesto lo mismo sucede con la leche de mujer (86% de agua) y la de vaca (87%).

Aparte del contenido hídrico de todos los alimentos, es necesario un aporte de agua, tanto mayor cuanta más se pierda por la transpiración.

Cantidad y calidad del agua

En comparación con el adulto, las necesidades del lactante son bastante elevadas.

Con la lactancia natural el niño recibe del pecho materno diariamente

El agua resulta indispensable para la vida. No hemos de olvidar que nuestro organismo está constituido en su mayor parte por agua, y en el de los niños en porcentaje superior al de los adultos. Es conveniente que el niño tome suficiente agua, o bien zumos naturales de fruta, en especial durante la época veraniega.

de 125 a 175 gramos (mililitros) de agua por kilo de peso corporal, en tanto que un adulto no ingiere más allá de 25 a 40 gramos.

La cantidad de agua que necesita el niño va disminuyendo, según estas cifras promedio:

— hasta los 3 meses: 150-175 gramos por kilo y día,
— de los 3 a los 6 meses: 125 gramos,
— de los 6 a los 12 meses sigue disminuyendo, hasta llegar a ser de unos 90 gramos.

Si el aporte de agua no es suficiente, se producirá poco a poco una deshidratación, que se traduce en pérdida de peso, estreñimiento, agitación, insomnio, e incluso afecciones más graves, tales como fiebre elevada y convulsiones (véase «Deshidratación aguda», cap. 58).

Basta, a veces, con administrar un poquito de agua a un bebé gruñón, que se agita después de haberse acabado el biberón con una ración de leche suficiente, para observar como se calma inmediatamente. Las mamás no deben olvidar que con frecuencia los gritos y el llanto de los bebés no son más que la manifestación de la sed que sienten. Al lactante hay que administrarle el agua a temperatura ambiente, no fría, y que haya sido previamente hervida.

En las poblaciones donde las aguas se hallen muy tratadas con productos químicos, es necesario consultar con el pediatra la conveniencia de administrar al niño agua mineral natural.

El agua no debe darse en abundancia junto con los alimentos sólidos, pues complica el trabajo del estómago al diluir los jugos gástricos. Es necesario esperar al menos dos horas después de cada comida para tomar agua, y hacerlo media hora antes de la siguiente toma de alimento.

Los zumos de fruta son una buena fuente de agua biológicamente pura, siempre que las frutas no hayan sido tratadas con pesticidas o, en su defecto, hayan sido completamente peladas.

Los niños no debieran consumir otros líquidos. Por supuesto ni la más mínima cantidad de alcohol (aunque sean vinos quinados o cerveza de baja graduación), ni de ninguna bebida excitante (café, té, mate, refrescos cafeinados). Incluso los refrescos artificiales, que a veces pudieran parecer la bebida más adecuada para los pequeños, no son apropiados para nadie, y menos para los niños, por los aditivos (colorantes, conservantes y azúcares) que contienen.

48

LA ALIMENTACIÓN DEL LACTANTE

«La leche y el corazón de una madre, no pueden ser reemplazados» Durante un tiempo este aforismo se llegó a considerar falso, pues siempre hay quienes, en su afán de enmendarle la plana al Creador, no sólo llegan a creer que pueden corregir y mejorar lo natural, sino incluso sustituirlo por algo superior. Algunos llegaron a pensar que con los avances científicos la leche materna podría ser sustituida, incluso ventajosamente, por algún tipo de leche artificial. Hoy, sin embargo, sabemos que, a pesar de que la leche materna puede ser sustituida por productos artificiales, la tecnología no ha podido crear nada tan perfectamente adaptado a las necesidades del bebé como la leche materna.

Cuando se comenzó a descubrir la composición química exacta de los alimentos, determinados científicos, de manera más o menos explícita, llegaron a difundir la idea de que algún día el hombre sería capaz de crear sintéticamente «alimentos puros», más perfectos que los naturales, puesto que no contendrían componentes «superfluos». Dentro de este orden de ideas, algunas madres llegaron a creer que resultaba, no sólo más cómodo, sino también más adecuado —para ellas mismas y para sus bebés— alimentarlos artificialmente. Les parecía que la alimentación artificial había de ser

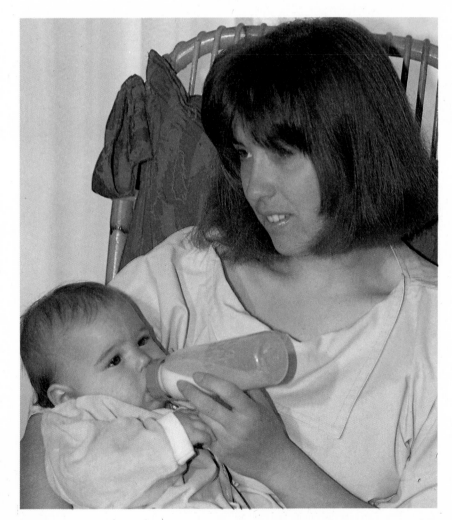

más equilibrada, más higiénica, y que los niños se criarían más fuertes y robustos.

Lo cierto es que se ha demostrado que esta idea no se corresponde ni mucho menos con la realidad. Ningún laboratorio ha sido capaz de crear un producto que posea todas las propiedades nutritivas y salutíferas de la leche materna, y mucho menos que supere sus cualidades. La leche de la madre es el alimento provisto por la naturaleza para el bebé, y el único perfectamente adaptado para sus necesidades, que no sólo son las estrictamente nutricionales, sino también porque contiene componentes protectores procedentes de la sangre de la madre.

Sólo en el caso muy infrecuente de que la madre sufra unas determinadas enfermedades, o en el de contaminación de su leche (drogadicción, alcoholismo), debe preferirse la lactancia artificial a la materna.

LA LECHE MATERNA

El calostro

Antes de que la glándula mamaria femenina comience a segregar la leche, produce el calostro o primera leche, que se ha considerado desde antiguo «leche mala»; aunque hoy nadie con conocimiento de causa se atrevería a calificarla así. El calostro, líquido amarillento y denso, es segregado ya hacia el cuarto mes de la gestación, aunque en pequeñas cantidades. Su composición se aproxima bastante a la del suero sanguíneo.

El calostro contiene más prótidos que la leche materna, en cambio su porcentaje de glúcidos y lípidos es menor. Su contenido mineral también difiere: el calcio se encuentra en menor porcentaje que en la leche; en cambio la proporción de fósforo es más elevada, lo mismo que la del yodo, el cobre y el cinc. Contiene de cinco a diez veces más vitaminas en general y de provitamina A que la leche de vaca, y notablemente más que la leche de mujer.

Además de nutrientes, el calostro contiene inmunoglobulinas en gran cantidad, las cuales atraviesan fácilmente la barrera intestinal; y también leucocitos, sobre todo linfocitos, soporte de la inmunidad celular. El calostro también aporta al niño antitoxinas, que la leche definitiva no contiene, y que son material de lucha contra la infección. Según ciertos autores parece que aporta también protrombina, sustancia indispensable para la coagulación de la sangre, comportándose, por tanto, como un preventivo de las hemorragias.

Glúcidos, lípidos y prótidos

El porcentaje de glúcidos (lactosa, en este caso), que se halla en la leche de mujer, es mayor al comienzo de la lactancia, descendiendo luego, hasta que se estabiliza en unos 70 gramos por litro.

El contenido de lípidos (materias grasas) de la leche humana es muy variable. En una misma mujer la cantidad de lípidos de su leche, varía de un día para el otro, de una tetada a otra, e incluso durante el curso de la misma tetada. En general la tetada más rica en lípidos es la del mediodía.

Diversos autores dan cifras de prótidos en la leche materna que oscilan entre 11 y 14 gramos por litro, es decir, la mitad que en el calostro. Es rica en lactoglobulina y lactoalbúmina, pero relativamente pobre en caseína.

Una de las características destacables de la leche humana es su riqueza en ácidos aminados libres y la presencia de todos los aminoácidos esenciales en proporciones óptimas.

El porcentaje de prótidos es mayor al principio de la lactancia que al final, pues va disminuyendo progresivamente. Por el contrario la proporción de aminoácidos libres no disminuye a medida que la lactancia continúa.

Minerales

El contenido mineral total de la leche humana es de unos 3 gramos por litro al principio, pero desciende rápidamente a 2. El calcio, presente en pequeño porcentaje al principio, va en aumento hasta alcanzar un máximo hacia el tercer mes, para luego ir disminuyendo progresivamente, adaptándose, según parece, a las necesidades del niño. Aunque un suplemento de calcio dado a la madre no produce un aumento de la cantidad segregada por la leche, el médico puede recetarlo para evitar la descalcificación de la propia madre.

El fósforo sigue una trayectoria semejante a la del calcio. El cloro es menos abundante en la leche que en el calostro y no sufre variaciones por una mayor o menor ingestión de sal (cloruro sódico). Por el contrario el sodio va aumentando gradualmente.

La cantidad de hierro por lo general disminuye progresivamente, incluso si las madres absorben grandes cantidades de sales férricas. El cobre disminuye también de forma gradual. El cinc también se encuentra en mayor cantidad en el calostro que en la leche definitiva. Por el contrario el porcentaje de potasio se mantiene invariable.

El cobre se halla en doble proporción en la leche de mujer que en la de vaca. El porcentaje aún es mayor en el calostro. Esto explica lo raro que resulta encontrar niños anémicos entre los criados a pecho, mientras que entre los nutridos con leche de vaca, pobre en cobre, se hallaban con frecuencia.

Vitaminas y enzimas

El contenido de vitamina A de la leche varía notablemente, igual que los lípidos, de una mujer a otra.

Generalmente el contenido de la

leche en vitaminas del grupo B es escaso. Su administración, tanto en forma de comprimidos como mediante levadura de cerveza, hace aumentar notablemente su cantidad en la leche materna. Si una mujer que lacta toma una alimentación variada, con cereales (pan, sopas, arroz) integrales, complementada con germen de trigo y una o dos cucharadas de levadura de cerveza al día, ingerirá vitamina B en cantidad suficiente.

Las glándulas mamarias contienen reservas de vitamina C que pasan a la leche, aunque de manera irregular, ya que la cantidad es más abundante al comienzo de la jornada. La madre lactante debiera tomar todos los días buena cantidad de vitamina C en forma de zumo de naranja, limón, pomelo u otras frutas cítricas, o de tomate.

A pesar de la escasa cantidad de vitamina D presente en la leche de mujer, dado que su asimilación por parte del bebé es óptima, resulta un hecho cierto la rareza de raquitismo entre los niños nutridos al pecho y que son expuestos con regularidad al sol. También influye el hecho de que el equilibrio calcio-fósforo en la leche de mujer es el ideal (véase el subapartado «Calcio y fósforo» del capítulo anterior).

Una de las razones por las que la leche de mujer resulta de tan fácil digestión es por la presencia en su composición de diversas enzimas naturales que favorecen el desdoblamiento de los nutrientes en compuestos más simples, lo cual facilita su asimilación.

En las grandes urbes se produce fácilmente un hacinamiento, debido a la falta de espacio y de viviendas adecuadas. Quizá, por eso, se genera una reacción de alejamiento físico de unos de otros. Desde el mismo nacimiento hay una tendencia a separar a la madre del hijo, manifestada en su forma extrema por el extendido rechazo en ciertos ambientes sociales al amamantamiento de los hijos. La lactancia natural está demostrado que resulta infinitamente superior a la artificial. Pero, además, la relación física que se establece entre el hijo y la madre durante el amamantamiento se ha demostrado que favorece el buen desarrollo psíquico del bebé... y de la madre.

Modificaciones en la composición

Existen diversos factores que pueden influir, por lo general de modo negativo, sobre la producción de la leche o sobre su composición: la reaparición de la regla, un nuevo embarazo, la edad de la madre, la duración de la lactancia, diversas enfermedades, un régimen alimentario inapropiado, u otros.

Embarazo y menstruación

Según se ha podido demostrar científicamente, durante el embarazo y la menstruación la mujer puede seguir lactando sin que ello cause perjuicios al niño ni a la madre, siempre que la salud de ella lo permita. A partir del quinto mes de un nuevo embarazo no es frecuente que se pueda mantener la lactancia natural.

En ocasiones, hacia la séptima semana después del parto reaparece ya la regla; aunque no resulta extraño que la madre que lacta siga sin recuperar su ciclo menstrual hasta más tarde.

Parece que la menstruación disminuye la secreción de la leche, ya que se observa un estacionamiento del peso del niño en esos días, así como cierta irritabilidad, insomnio e incluso vómitos; pero esto sólo durante tres o cuatro días, volviendo después a la normalidad. Por lo tanto no hay motivo para suprimir el pecho aunque hayan reaparecido las reglas.

Edad de la madre y producción

No parece que la edad influya demasiado. Analizando la leche de madres de 14 años que daban de mamar y continuaban creciendo, y la de mujeres de 40 y aun más años, no se han constatado variaciones sensibles en lo que se refiere a cantidad y calidad de la leche.

La duración del período de lactancia tampoco parece influir mucho, dándose casos de mujeres que dan el pecho a sus hijos hasta los tres años con una producción diaria de un litro y medio de leche. Si muchas veces la leche se va haciendo escasa, es porque el niño comienza a tomar otros alimentos, al tiempo que se reduce el número y la duración de las tetadas. Al faltar el estímulo de la succión las glándulas van segregando menos leche (véase «Lactopoyesis», cap. 45).

La alimentación y los medicamentos

Parecería que el régimen alimentario de la mujer que amamanta debiera guardar una estrecha relación con las características de la leche, y en cambio no es así. La ingestión de muchos glúcidos o prótidos no produce un aumento correspondiente en la leche. Si se sigue una dieta muy rica en lípidos, sí varía la proporción de ellos en la leche, pero muy ligeramente.

No se ha conseguido aumentar el contenido mineral de la leche materna, haciendo que la mujer tome una gran cantidad de sales minerales. Por el contrario, cuando la dieta es carencial en estos nutrientes, sí que se aprecia una discreta disminución de los mismos en la leche.

El contenido vitamínico de la leche sí viene directamente influido por el aporte alimentario. Un mayor consumo de vitaminas por parte de la madre produce un aumento de la presencia de éstas en la leche.

Diversas sustancias, como el alcohol, la cafeína y muchos medicamentos, pasan a la leche en pequeña cantidad, cuando la madre las ingiere. Por eso la madre lactante no debe tomar ningún medicamento sin consultarlo con el médico. La madre que amamanta, al igual que cuando estaba embarazada, debe ser siempre consciente de que todo lo que haga con su cuerpo no le afecta sólo a ella, sino que también puede afectar directamente a su hijo.

Otros factores modificantes

Si el pecho no es vaciado de su contenido, la leche sufre transformaciones, como la disminución de su riqueza en lactosa o en lípidos.

El cansancio físico de la madre no influye por sí mismo en la composición y cantidad de la leche. Tampoco varían con las dolorosas grietas de los pechos. En cambio parece que los abscesos de mama sí influyen, provocando una disminución de la secreción láctea.

La disposición anímica y mental de la mujer sí que afecta a la producción láctea, como lo demuestra el éxito de ciertas sustancias elaboradas para producir un «aumento de la leche», que, tomadas «con fe», consiguen su propósito. La influencia de la mente sobre el cuerpo es notoria: Dolores físicos, sustos, angustias morales y preocupaciones, pueden disminuir la cantidad de leche, detenerla temporalmente, y hasta llegar a la supresión definitiva. Esto, por supuesto, depende del psiquismo de cada mujer, pues ante situaciones semejantes las reacciones, a veces, son muy distintas: Lo que para una mujer puede suponer un tremendo trauma con efectos sobre la secreción láctea, para otra no pasa de ser un incidente sin secuelas psíquicas ni físicas.

LA ALIMENTACIÓN DE LA MADRE LACTANTE

1 EL DESGASTE POR LA LACTANCIA

En términos generales, la leche materna posee todos los nutrientes que el bebé precisa, y además en la proporción adecuada, independientemente de que la nutrición de la madre sufra de alguna deficiencia (no siendo ésta muy grave). Pero lógicamente esos nutrientes son tomados del organismo materno, por lo que a menos que se disponga de reservas suficientes, la madre sufre un desgaste mayor que durante el embarazo. No debe pues descuidar su alimentación que, con mayor razón en este caso, deberá ser equilibrada y suficiente.

2 CONTROL DEL PESO

Las necesidades energéticas de la madre lactante aumentan en unas 500 calorías diarias, que se incrementarán según vaya creciendo el bebé, pues él es el receptor directo de ese aumento calórico. Por lo tanto, a diferencia del embarazo, si la alimentación es correcta, el peso de la madre no sufrirá variaciones. Al igual que se controla el peso del bebé con regularidad, también se debería controlar el de la madre, para evitar «sorpresas».

3 NECESIDADES NUTRITIVAS

El mayor aporte calórico debería estar determinado por un incremento de proteínas (carnes, pescados, frutos secos, leche, huevos), pues se necesitan un 50% más de las requeridas antes del embarazo. También deben aumentarse moderadamente los glúcidos (pan, cereales, patatas). Las grasas, en cambio, no deben incrementarse.

4 LECHE Y DERIVADOS

La mujer lactante debe tomar suficientes productos lácteos (leche, yogures, queso), que, además de su importante aporte proteínico, son ricos en calcio y fósforo, elementos indispensables para la estructura ósea del bebé y para paliar el desgaste del organismo materno.

5 VITAMINAS

En esta etapa aumenta la necesidad de todas las vitaminas, algunas hasta un 50% o más (véase el cuadro de la página 709). Las mejores fuentes de vitaminas son la leche, las verduras y las frutas. Conviene por tanto incluir siempre en el menú algún plato de ensalada, verdura cocinada al vapor y abundante fruta o zumos naturales. Para asegurar el suficiente aporte de vitamina D, se recomienda dar paseos al aire libre, con media hora de exposición al sol.

6 BEBIDAS

En todo tiempo, y especialmente en este período, la mejor bebida es el agua. Son excelentes también los zumos naturales de fruta, y algunas infusiones. Están totalmente contraindicados el café, el té y las bebidas alcohólicas. Algunas madres tienen la buena costumbre de beber sistemáticamente, al levantarse y al acostarse, así como antes y después de cada tetada, un buen vaso de agua, leche o zumos.

Tradicionalmente, cuando el niño no podía ser amamantado por su madre, y tampoco se le podía proporcionar una nodriza, se empleaba para su nutrición la leche animal. En nuestro medio, la leche más usada era la de vaca y la de cabra, que por lo común se «rebajaban» con agua y se endulzaban con azúcar.

Composición de la leche de vaca

La leche de vaca está compuesta por agua en un 86%-90%, y su contenido sólido varía de 125 a 130 gramos por litro, según la raza, el clima y la alimentación del ganado.

La leche de vaca no contiene más que un glúcido, la lactosa, que para ser asimilado tiene que ser transformado por el organismo humano en galactosa y glucosa. El contenido porcentual es muy variable, considerándose como promedio el 0,5% (50 gramos/litro).

Aunque la concentración de lípidos es bastante variable, de un animal a otro e incluso en distintos ordeños de la misma vaca, la leche de vaca que se comercializa está homogeneizada y estabilizada en un 3% de materia grasa. Los lípidos de la leche de vaca, por su composición química, son menos digestibles que los de la leche humana, como ya hemos indicado.

Debe tenerse en cuenta que en la leche de mujer las proteínas son tres veces menos abundantes que en la de vaca, pero ésta presenta una mayor concentración de caseína, que en el estómago forma gruesos grumos difíciles de digerir. De ahí que la leche de vaca, para alimentar a los lactantes, hubiera que diluirla en agua, con el fin de hacerla más digestible.

La leche de vaca es rica en calcio, fósforo y cloruro sódico (sal), pero pobre en hierro.

El contenido vitamínico de la leche de vaca no es el ideal para el ser humano. Su riqueza en vitamina B no es demasiado grande. Aunque posee vitamina D, otros componentes de la propia leche neutralizan sus efectos.

El contenido enzimático de la leche de vaca también es destruido por la ebullición, lo cual contribuye a su menor digestibilidad en relación con la de mujer. Así que la leche de vaca es la ideal... para los terneros, ya que, evidentemente, no está adaptada para ser el alimento exclusivo de un ser humano. Por eso en la lactancia artificial, aunque se use la de vaca como producto básico en la elaboración de las «leches» artificiales, los laboratorios la modifican y adaptan para hacerlas más equilibradas y digestibles.

Al igual que ante la falta del pecho materno se recurre a la leche animal, en algunas circunstancias ha sido, y sigue siendo, necesario recurrir a productos de origen vegetal. El más conocido es la leche de almendras, pero hay otros dos productos que superan el valor nutritivo y dietético de esta popular leche vegetal.

La leche de soja

Bien conocido es el caso de un orfelinato de una misión cristiana adventista que durante la guerra civil china no disponía de suficiente leche de vaca para alimentar a todos los bebés que acogía. Sus dirigentes decidieron hacer un experimento: Alimentaron a la mitad de los niños con leche de vaca y a la otra mitad con un producto tradicional del país, la leche de soja. Cuál no sería su sorpresa al ver que los bebés alimentados con leche de soja se criaban, como promedio, más robustos que los alimentados con leche de vaca.

Desde entonces para acá múltiples investigaciones han dado una explicación científica a aquel hecho: La proteína de la soja es completa; esto es, contiene —igual que la carne, huevos, leche animal y pescados— todos los aminoácidos esenciales. Sus lípidos son muy digestibles y no contienen colesterol. El contenido mineral de la soja en grano es muy elevado (4,5%-5%). El extraordinario valor nutritivo de la soja se comprende cuando se sabe que medio kilo de su grano integral tienen el mismo contenido proteínico y graso que cinco litros de leche de vaca o dos docenas de huevos de gallina. Y además la soja es un producto muy barato. De un kilo de soja se obtienen 4-5 litros de leche de soja.

Actualmente, los laboratorios preparan, a base de soja, diversas fórmulas adaptadas para la lactancia artificial de los bebés que no toleran la leche de origen animal. Y esos niños se desarrollan igual de bien que los alimentados artificialmente con productos elaborados con leche de vaca.

La leche de chufa

Aunque la chufa no es muy apreciada dietéticamente, puede comparar-

ANÁLISIS COMPARATIVO DE DIVERSAS LECHES
valores por 100 gramos de leche

NUTRIENTES	MUJER	VACA	SOJA	CHUFA
Agua (g)	86	87	94	90
Glúcidos (g)	7	5	1	3,5
Lípidos (g)	4	3,5	1,3	2,6
Prótidos (g)	1,4	3,5	3,5	0,2
Calcio (mg)	34	118	21	8
Fósforo (mg)	15	90	14	28
Hierro (mg)	0,1	0,2	0,8	0,3
Potasio (mg)	91	140	?	55
Vitamina A (UI)	54	32	?	?
Vitamina B_1 (mg)	0,01	0,04	0,1	0,02
Vitamina B_2 (mg)	0,03	0,2	0,02	?
Niacina (mg)	0,2	0,1	0,24	?
Vitamina C (mg)	5	2	0	1
Calorías (kcal)	68	66	33	38
Julios (kjulios)	284	286	138	159

"El valor nutritivo de la leche completa es sorprendente. Un litro contiene, como promedio, 35 gramos de prótidos (equivalente a 4 huevos), 30-40 gramos de lípidos (equivalente a 45-47 gramos de mantequilla), 50 gramos de lactosa (equivalente a 10-12 terrones de azúcar), 7 gramos de sales minerales, las vitaminas A, B, C, D, E, K, oligoelementos y sustancias de crecimiento" (Dr. E. Schneider). De ahí que todos los especialistas en nutrición consideren a la leche de vaca como un alimento básico. Si un niño toma medio litro de leche al día, o su equivalente en productos lácteos, un par de raciones de fruta, otro par de verduras y hortalizas, y cereales integrales (papillas, pan, galletas, pasta), es prácticamente imposible que sufra deficiencias nutritivas. Es muy interesante comprobar que, salvo en el caso del calcio y el fósforo, las leches de soja y chufa pueden sustituir perfectamente a la de vaca, incluso con ventaja en ciertos aspectos. En el caso de la de soja conviene endulzarla con un poco de miel o melaza de caña, con el fin de contrarrestar su sabor amargo y su pobreza en glúcidos.

se a la soja en muchos aspectos. Recientes investigaciones científicas han demostrado la presencia de todos los aminoácidos esenciales en este diminuto tubérculo.

Su contenido en lípidos es sumamente interesante para la alimentación humana, pues el 85% de sus ácidos grasos son insaturados. Y la relación lípidos-glúcidos ideal (1 a 2), que es la de la leche de mujer, casi es la de la chufa (2,2 a 5).

Por supuesto que no hay que confundir la leche de chufa, con la popular horchata, que normalmente además de la leche de chufa contiene gran cantidad de azúcar refinado y harina de arroz blanco, cuando es fresca, y conservantes químicos cuando no lo es.

Desde que se demostró que la soja contiene todos los aminoácidos esenciales en la proporción óptima, esta humilde legumbre, que en occidente se usaba para alimentar al ganado, se está convirtiendo cada día más en un producto muy apreciado para la alimentación humana. Los niños que son alérgicos a la leche animal, pueden alimentarse con leche de soja, la cual, desde el punto de vista nutritivo, resulta superior a la de vaca en algunos aspectos.

LACTANCIA NATURAL

Ninguna madre, salvo fuerza mayor grave, debiera privar a su hijo de las ventajas de la lactancia natural, y tampoco ella debiera privarse del privilegio de amamantar a su hijo. Únicamente la mujer que ha pasado por la experiencia sabe la satisfacción y el gozo que proporciona el amamantamiento, además de estrechar los vínculos de afecto maternofiliales.

Por poco observador que sea el lector, seguro que se habrá fijado en que nunca está más hermosa una mujer que cuando amamanta a su hijo: Su piel se vuelve más tersa, el color de su rostro es mejor y su cabello está más sedoso y brillante. Esto se explica por la mayor actividad metabólica general que la secreción láctea induce.

La lactancia favorece la regresión del útero a su volumen primitivo e impide la obesidad precoz. Se ha observado que las mujeres que dan el pecho a sus hijos se hallan menos sujetas a padecimientos de la matriz y al cáncer de mama.

Y, contrariamente a lo que en otro tiempo se decía, hoy sabemos que el porcentaje de mujeres que presentan incapacidad absoluta para la lactancia, es mínimo.

Para el niño, como ya hemos indicado, aparte de la ventaja afectiva, que no es la menos importante, la leche materna presenta unas virtudes nutritivas y salutíferas que ninguna otra leche o preparado artificial puede ofrecer.

Y aún quedan por mencionar tres ventajas de la leche materna: se halla disponible en todo momento y en cualquier lugar sin necesidad de preparación previa, no necesita ser sometida a esterilización, y es la más económica.

Comentando los avatares que en este siglo ha sufrido la consideración científica de la lactancia natural, el doctor Ángel Nogales, jefe de pediatría del Hospital 12 de Octubre de Madrid, escribe:

«Resulta sorprendente cómo el médico es capaz de infravalorar las funciones naturales, aduciendo razones aparentemente científicas, y vuelve a revalorizar la naturaleza, como si fuera algo de su propia invención, llegando incluso a calificarla de "moderna". Se buscan razones para justificar la lactancia natural, cuando en todo caso lo único que necesita justificación —ciertamente muy fuerte— es el abandono de las funciones naturales, casi del mismo modo que nadie pensa-

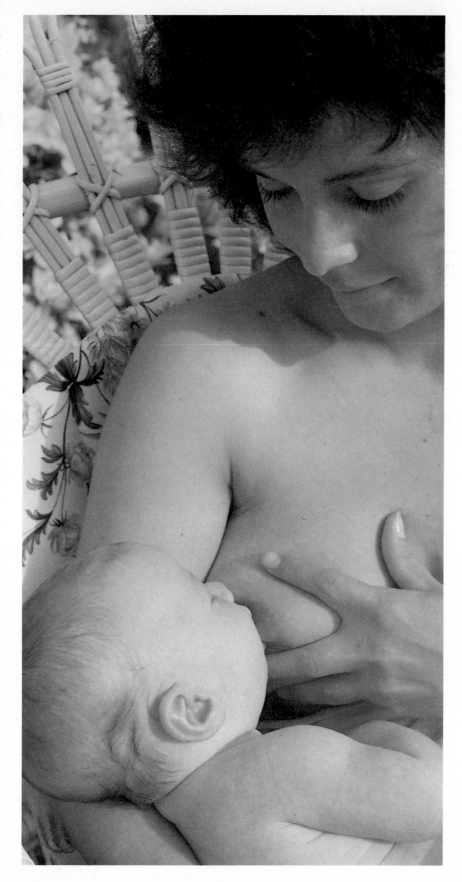

ría en realizar un alegato de la función renal frente a la depuración extracorpórea.»

Normas para la lactancia natural

Durante las primeras tetadas, mientras la madre se halla en cama, el niño debe colocarse acostadito paralelamente a ella, con la cabeza apoyada sobre un brazo de la madre. Inclinada lateralmente sobre el bebé, oprimirá ligeramente el pezón con los dedos índice y medio para hacer salir un poco de leche, a la vez que lo introduce en la boca del niño. A la vez debe sostener el pecho con el pulgar, ya que si la mama es voluminosa puede comprimir la nariz del bebé.

La puesta al pecho no es siempre una tarea fácil. Es necesario que la madre tenga paciencia e introduzca no solamente el extremo del pezón, sino también una parte de la aréola, a fin de evitar la aparición de grietas.

Cuando la madre no tenga que estar en cama, y haya de dar el pecho al niño, procurará encontrar una posición que resulte cómoda para los dos. Una sillita con respaldo y un taburete, sobre el que poder apoyar, de modo que quede un poco elevado, el pie correspondiente al seno que vaya a dar, es la posición habitual. El niño debe hallarse bien sostenido y en posición lo más vertical posible.

El lactante debe mamar de ambos pechos en cada toma. Es conveniente, no obstante, que al menos uno de ellos quede completamente vacío, pues eso favorece la secreción láctea. El tiempo necesario para vaciar un pecho lo determinará la madre fácilmente, al comprobar que cesa el ruidito especial que hace el niño al tragar cuando la cantidad de leche es abundante; también apreciará que el pecho se va quedando fláccido. Aproximadamente en unos 6-7 minutos, el pecho quedará vacío y habrá que ofrecerle el otro. Así pues, la duración total de la toma será de unos 15 minutos. La siguiente toma debería comenzar con el pecho que no ha sido totalmente vaciado.

El número de tomas y los intervalos adecuados están expuestos en las dos páginas siguientes, en el cuadro «Alimentación durante el primer año».

ALIMENTACIÓN DURANTE EL PRIMER AÑO

PRIMER MES (Alimentación láctea exclusiva):

Lactancia natural

Siete tetadas más o menos. Se darán cada tres horas aproximadamente. Es aconsejable seguir un horario flexible adaptándolo a la demanda del bebé, aunque hay que procurar que no pierda tomas a lo largo del día. Si el bebé lo pide, conviene darle otra tetada adicional a la madrugada. Cuando el niño vaya creciendo, lo más probable es que guarde una pausa nocturna cada vez mayor (4-5 horas), hasta que finalmente se podrá suprimir dicha tetada adicional.

Lactancia artificial

1.er día

Seis horas de ayuno y a continuación una o dos tomas de 10 ml (cc) de solución glucosada al 5%. Completar con biberones de 10 ml con leche de fórmula. Al igual que las tetadas, los biberones se darán cada tres horas aproximadamente. Los biberones se preparan con leche en polvo maternizada de iniciación (fórmula adaptada o modificada), utilizando una medida (de las que vienen en el bote) rasa, con la proporción de agua hervida indicada en la etiqueta.

2.º día: 7 biberones de 20 ml.

3.er día: 7 biberones de 30 ml.

4.º día: 7 biberones de 40 ml.

5.º día: 7 biberones de 50 ml.

6.º día: 7 biberones de 60 ml.

7.º día: 7 biberones de 70 ml.

2.ª semana: 7 biberones de 80 ml al día.

3.ª semana: 7 biberones de 90 ml al día.

4.ª semana: 7 biberones de 100 ml al día.

Al mes: 7 biberones de 110 ml al día.

Estas cantidades son orientativas, pues lógicamente cada niño es diferente, y, aun siendo el mismo niño, no siempre tiene el mismo apetito. Conviene preparar un poco más de lo normal, para evitar que el bebé se quede con hambre, y observar lo que toma al día. En caso de duda acudir al pediatra.

SEGUNDO MES (Alimentación láctea exclusiva):

Lactancia natural

6-7 tetadas al día.

Lactancia artificial

6-7 biberones al día de 120 a 140 ml.

TERCER MES (Alimentación láctea exclusiva):

Lactancia natural

6-7 tetadas al día.

Lactancia artificial

6-7 biberones al día de 130 a 150 ml.

CUARTO Y QUINTO MES (Alimentación láctea. Comienzo de la alimentación complementaria):

Lactancia natural

Leche: 5-6 tetadas al día.
Zumos: Se puede empezar a dar zumos de frutas (reba-

jados con agua hervida) fuera de las tomas. Al principio, para probar la tolerancia, se le dará sólo una o dos cucharaditas de ese zumo diluido, y no se mezclarán zumos de varias frutas. Al finalizar este período ya se pueden dar unos 30-50 ml de zumo sin diluir, preferiblemente media hora antes de una tetada.

Papillas de frutas: Si la tolerancia de los zumos ha sido satisfactoria, se puede dar una papilla de frutas bien maduras, trituradas y tamizadas, sin harinas ni galletas. Como al principio tomará poca cantidad, se puede complementar la toma con una tetada, pero cuando sea capaz de tomar suficiente papilla (200-250 ml), sustituirá a una de las tetadas.

Lactancia artificial

Leche: 5-6 biberones de 150 a 180 ml preparados con leche de fórmula de seguimiento o continuidad.

Zumos: Igual que en la lactancia natural.

Papilla de frutas: Igual que en la lactancia natural.

Papilla de cereales: Al final de este período se puede empezar a probar la tolerancia de los cereales. En uno de los biberones, se añade a la leche una o dos cucharaditas de harina instantánea, dextrinada o hidrolizada, sin gluten.

SEXTO MES (Alimentación láctea y complementaria):

Lactancia natural

Leche: Se empieza con 3-4 tetadas y al final del mes sólo se darán dos.

Zumos: 40-50 ml de zumo de fruta, media hora antes de una de las tetadas.

Papilla de frutas: Una papilla de frutas a la que se puede añadir una o dos cucharadas de harina instantánea sin gluten.

Papilla de cereales: Al principio, para probar la tolerancia, se le preparará un biberón con 100 ml de leche de fórmula de seguimiento, al que se añadirán una o dos cucharaditas de harina instantánea de cereales sin gluten, que se le dará inmediatamente antes de la tetada. Si la tolerancia es buena, la papilla se irá haciendo cada vez más espesita y abundante, hasta que finalmente se suprimirá la tetada.

Puré de verduras: Se prepara un puré de verduras bien cocidas, sin sal, al que se le puede añadir un poco de aceite de oliva. Al principio se le preparará más bien clarito y poca cantidad, dándole a continuación una te-

tada. Poco a poco se le irá ofreciendo más cantidad de papilla, hasta que finalmente ya se podrá suprimir la tetada. Para probar la tolerancia de cada verdura, se incorporará una diferente cada día para ver como le sienta. Para empezar, las mejores son: puerros, zanahorias, patatas, tomates, cebollas, calabacín. Las remolachas, los nabos y las espinacas se deben dejar para más adelante (hasta los 7-8 meses).

Lactancia artificial

Leche: 2 a 4 biberones de 180-250 ml.

Zumos: Igual que en la lactancia natural.

Papilla de frutas: Igual que en la lactancia natural.

Papilla de cereales: Una papilla instantánea de harina de cereales sin gluten en sustitución de un biberón. Se preparará con 200 ml de leche de fórmula de seguimiento. Al principio es mejor que no sea demasiado espesa, pero se intentará dar con cucharita.

Puré de verduras: Igual que en la lactancia natural.

SEGUNDO SEMESTRE:

La alimentación puede ser ya muy variada, y las cantidades se adaptarán al apetito y constitución del niño. Se seguirá controlando el peso para evitar los extremos. Las tomas de alimento se reducen a cuatro, que podrían ser las siguientes:

Desayuno

- Una papilla de leche de fórmula con harina instantánea de cereales. Ya se pueden incluir el trigo y otros cereales con gluten.

Almuerzo (comida del mediodía)

- Puré de verduras, al que se le puede añadir 1/4 de

yema de huevo cocido (o 30 gramos de pescado fresco o pollo, bien hervido y triturado).
- Un poco de queso fresco, tipo Burgos, o requesón. O una tetada si se puede.

Merienda

- Una papilla de frutas con dos galletas trituradas.
- Un yogur natural sin azúcar, o con una cucharadita de miel de caña.

Cena

- Sopa de caldo de verduras, espesada con tapioca o maizena.
- Un biberón, o tetada, de 200-250 ml.

NOTAS:
- A partir del segundo semestre, y durante todo el crecimiento, aunque el niño coma toda clase de alimentos sólidos, debe continuar tomando un mínimo de medio litro de leche cada día, o su equivalente en productos lácteos (queso, yogur, crema o nata, etc.).
- Es conveniente darle algún zumo a lo largo del día, y será imprescindible sobre todo si el niño no come suficiente fruta.
- Cuando el bebé toma leche materna, y suficiente fruta o zumos, puede que no tenga sed. De todas formas, no estará de más ofrecerle agua de vez en cuando, fuera de las comidas. Esto será especialmente aconsejable en los días calurosos, y cuando note que el niño está inquieto sin causa aparente.

Después de mamar, eructar y...

Una vez que haya terminado de mamar, debe colocarse al niño lo más verticalmente posible, apoyado contra el hombro hasta que expela el exceso de aire ingerido. Puede provocarse el eructo golpeándole ligeramente la espalda. Nunca se acostará al bebé sin que haya eructado, pues el aire que se encuentra en exceso en el estómago es la causa de regurgitaciones y vómitos. La regurgitación (expulsión de una pequeña cantidad de leche no digerida) no siempre es debida a la aerofagia (aire tragado), sino también a la sobre-alimentación.

Si el bebé eructa mucho, tiene frecuentes crisis de hipo, muchos gases y presenta enrojecimiento persistente de las nalgas, hay que comunicárselo al pediatra, para ver si es debido a una deficiente técnica de lactancia.

El niño alimentado a pecho defeca dos o tres veces por día, y sus heces presentan un aspecto más fluido que las de los bebés alimentados artificialmente. Aunque no es infrecuente que un niño pase, en determinados momentos, dos o tres días sin evacuar el intestino. Por el contrario también puede suceder que las heces sean demasiado líquidas, acompañadas de dolores abdominales. En este caso, aunque no hay que alarmarse en principio, conviene consultar con el médico.

Si el estreñimiento coincide con un estancamiento del peso, puede que se deba a una insuficiencia alimentaria. Para corregirlo bastará con aumentar la ración.

En ocasiones el estreñimiento se debe a un defectuoso funcionamiento del músculo esfínter del ano, y debe provocarse la deposición introduciendo un pequeño supositorio de glicerina. Otras veces basta con cosquillear la región con el extremo de una sonda blanda, o el mismo termómetro untado con un poco de aceite, para que el niño haga caca.

Algunas dificultades

Se dan circunstancias en las que el niño no puede ser alimentado directamente al pecho; por ejemplo, en el caso de bebés débiles (normalmente prematuros) o con malformaciones labia-

Después de cada toma de alimento, la madre coloca a su bebé bien derecho, con el fin de facilitar la expulsión del aire que haya podido tragar al mamar o tomar el biberón; lo cual se produce a menudo en forma de ostentoso eructo.

les; o bien en el caso de madres cuyo pezón no está bien constituido. Para remediar estas situaciones se extrae la leche a la madre y se le da después al niño. La extracción puede efectuarse mediante un sacaleches, de los que existen diversos modelos, algunos muy prácticos, como los eléctricos que emplean las maternidades. La experiencia enseña que estos niños no se crían tan bien como los que toman directamente del pecho su alimento, lo cual es debido, según se cree, a que la secreción gástrica del bebé es insuficiente a causa de la ausencia de una salivación abundante, que únicamente la succión directa es capaz de provocar.

En algunos países es práctica usual en los centros de prematuros disponer de leche de mujer conservada.

Se ha experimentado con leche de mujer esterilizada e incluso desecada, pero los resultados no han sido satisfactorios, pues el calor destruye ciertos nutrientes. Hoy en día se utiliza leche fresca conservada en frío o incluso congelada, lo cual facilita su transporte.

Algunas madres quieren destetar prematuramente a sus hijos, alegando que su secreción de leche no es suficiente. Lo cierto es que una producción insuficiente de leche no es nada frecuente, y aun en esos casos normalmente es interesante que el niño la tome. Ahora bien, cuando la hipogalactia (escasa producción de leche) es real, habrá que aplicar una lactancia mixta o artificial.

Algunas veces se alega para destetar a un bebé, que éste no tolera la leche de su madre. En realidad los casos de intolerancia son extremadamente raros, y el único capacitado para diagnosticarlos es el médico.

Cuando el pequeñín se halla acatarrado, la succión del pecho se le hace difícil. Esto se debe a que la obstrucción nasal le obliga a respirar por la boca (véase lo dicho en el capítulo 46 en cuanto a la higiene de «La nariz»). Otra dificultad para el amamantamiento puede ser la inapetencia; pero aunque el niño rehúse el pecho o no succione de forma suficiente, ninguna madre debe proceder al destete sin previa consulta con el pediatra.

ALIMENTACIÓN COMPLEMENTARIA

Normas generales según la ESPGAN
(European Society for Paediatric Gastroenterology and Nutrition)

- Desde los 6 hasta los 12 meses, el niño debe tomar como mínimo 500 mililitros (medio litro) de leche, para cubrir una parte importante de los requerimientos de calcio y fósforo que su esqueleto precisa. Esta leche será preferiblemente materna o una fórmula de seguimiento. En caso de utilizar leche de vaca, debe ser completa, y suplementada con preparados multivitamínicos. La alimentación complementaria a los 6 meses debe cubrir la mitad de las necesidades calóricas del niño.

- La alimentación complementaria no debe iniciarse antes de los 4-6 meses, pues es a esa edad cuando los mecanismos psicofísicos del apetito ya han madurado.

- No se debe introducir gluten antes de los 6 meses, pues su introducción precoz puede condicionar el desarrollo de la celiaquía.

- No conviene utilizar remolachas, espinacas ni nabos antes de los 6 meses, por su elevado contenido en nitratos.

- Los alimentos deben contener poca sal. Según algunas investigaciones se ha relacionado la hipertensión del adulto con un contenido elevado de sodio durante los primeros meses de vida.

- Cada nuevo alimento debe ser introducido lentamente y sin cambios bruscos.

- Las carnes, pescados y huevos, no deben darse antes de los seis meses.

- No se deben endulzar con sacarosa (azúcar) ni los biberones ni los demás alimentos. Los biberones con zumos dulces no deben ser empleados para calmar al lactante.

- Hay que dar de beber agua pura y libre de contaminación al niño con frecuencia, y desde bien pronto.

El destete

A partir del 6.º mes no conviene que el niño se alimente exclusivamente del pecho, pues sus mayores necesidades alimentarias hacen que la leche de la madre resulte de insuficiente calidad, aunque la cantidad sea suficiente.

Con frecuencia se observa que hacia el medio año el peso del niño se estabiliza, y cuando comienza a administrársele un suplemento en forma de papilla, el niño es capaz de ingerir cantidades que parecen exageradas. Por eso es conveniente no destetar al niño de forma brusca, sino ir reemplazando progresivamente una o más tetadas por una o varias papillas.

Actualmente la pediatría aconseja comenzar el destete hacia los 5 o 6 meses, disminuyendo las tetadas progresivamente. No conviene proceder al destete en los meses calurosos ni cuando la salud del niño sea deficiente.

LACTANCIA MIXTA

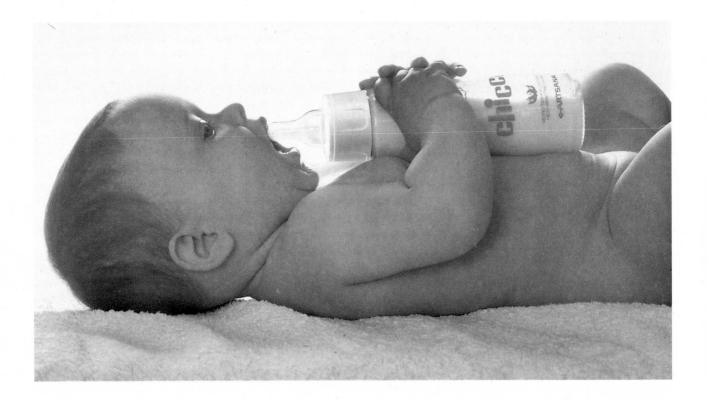

La lactancia mixta, como su propio nombre indica, es la que simultanea o alterna la natural con la artificial a base de leches modificadas (fórmulas adaptadas o fórmulas lácteas). Se aplica cuando la leche materna no resulta suficientemente nutritiva, por la cantidad o la calidad.

Aclaremos ya desde el principio que la insuficiencia cualitativa de la leche materna resulta muy infrecuente, y por eso no vamos a considerarla aquí.

Científicamente no cabe ninguna duda: la lactancia natural es la idónea para el bebé. Pueden, sin embargo, darse circunstancias que obliguen a la madre a suprimir el pecho o a alternar la lactancia natural con la artificial. Afortunadamente las modernas fórmulas lácteas son de gran ayuda para los padres, quienes, siguiendo las indicaciones del pediatra, podrán escoger el tipo que mejor se adapte a las necesidades del niño.

Aplicación de la lactancia mixta

Puede darse una escasa producción de leche en todas las tetadas o solamente en algunas. En este caso hay que completar las que resulten insuficientes; en general las de la tarde. Según la técnica empleada, de acuerdo con las posibilidades de la madre, la lactancia mixta será complementaria o alternante.

— **Lactancia mixta complementaria:** Recibe este nombre la suplementación artificial de cada tetada. Es el mejor método, ya que la leche de mujer ayuda a digerir la artificial suplementaria. Incluso cuando la cantidad de leche materna es mínima, es muy conveniente seguir esta técnica de poner al niño primeramente al pecho. El suplemento no debe administrarse con biberón de tetina normal, que el niño preferiría rápidamente, ya que le exige menos esfuerzo de succión. En este caso el complemento se le dará con un biberón de orificio estrecho, que le obligue a un esfuerzo, o con cucharita, y después de que el lactante haya vaciado bien el pecho.

— **Lactancia mixta alternante:** El sistema de alimentación mixta alternante consisten en reemplazar una o más tetadas por una o varias tomas de una fórmula láctea de laboratorio adecuada. Esta forma de alimentación mixta debe ser excepcional, ya que no es tan buena como la primera, por la menor digestibilidad de los productos artificiales, y también porque disminuye las ocasiones de estimular la secreción de la glándula mamaria por succiones repetidas. Evidentemente, en los casos en que la madre trabaja fuera del hogar, resulta difícil proceder de otra manera.

En ocasiones, la insuficiencia cuantitativa no es más que aparente, ya que la madre produce suficiente leche, y es el niño quien, por diversas razones, no extrae la cantidad necesaria. Para comprobarlo basta con oprimir los senos después de las tetadas, para observar que aún queda leche en ellos. En estos casos, la ración complementaria estará constituida por la leche de la madre extraída por medio de un sacaleches. Generalmente, pasados unos días, el niño, al fortificarse, es capaz de tomar por sí solo la ración directamente del pecho.

Un niño normal toma espontáneamente lo que precisa, siempre que se le ofrezca suficiente. No hay ninguna necesidad de forzar al niño sano a tomar alimento.

LACTANCIA ARTIFICIAL

Ya hemos indicado que los casos en que la lactancia materna es imposible son bastante restringidos, pues la ausencia total de leche es sumamente infrecuente. La supresión de la lactancia natural no resulta necesaria más que en casos extremos en que la madre padezca: cáncer, tuberculosis o anemia perniciosa, y también cuando

Cuando el niño es alimentado con fórmulas lácteas, el mercado ofrece una amplia gama de biberones, tetinas, hervidores, calentadores y otros utensilios, todos ellos sumamente útiles y prácticos. Además de elegir la fórmula láctea más adecuada para su bebé, los padres harán bien en vigilar que los biberones y sus correspondientes tetinas sean los oportunos para él, y también que se hallen en buen uso (sin grietas, con buen aspecto y flexibles) y en las debidas condiciones higiénicas.

se dan problemas cardíacos graves, cirrosis hepática o bocio. Afecciones como la sífilis, la epilepsia y la diabetes no impiden el amamantamiento.

Si la lactancia debe suspenderse, será lo más tarde posible, teniendo en cuenta que la ingestión de la leche materna por parte del niño, aunque sólo sea las tres primeras semanas de su vida, disminuye en gran medida los riesgos de mortalidad y morbilidad infantil. Ahora bien, cuando hay una imposibilidad absoluta, hoy ya no se recurre a la nodriza —toda una institución en otras épocas—, sino a productos elaborados por los laboratorios de dietética infantil, es decir a la alimentación artificial.

La lactancia artificial exige el empleo de una serie de accesorios y técnicas que en las fotografías de esta página y las anteriores se exponen con claridad, y que no vale la pena que intentemos describir en el texto, pues con ello se convertiría en demasiado extenso, complicado, y en realidad poco útil.

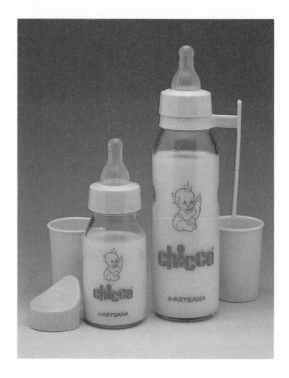

Los diferentes tamaños y modelos de biberones, tetinas y boquillas, pueden ser usados según las necesidades del niño, y de acuerdo con la naturaleza del alimento que se le vaya a administrar. Los biberones pequeños están indicados para las primeras tomas y para la administración de zumos, agua e infusiones.

LAS FÓRMULAS LÁCTEAS

En la actualidad, en todos los países desarrollados, cuando el bebé precisa ser alimentado artificialmente, se le dan las modernas fórmulas lácteas adaptadas y modificadas, cuya composición y digestibilidad se acerca lo más posible a la de la leche humana.

Atendiendo a las últimas investigaciones científicas, y a las recomendaciones de la ESPGAN (European Society for Pediatric Gastroenterology

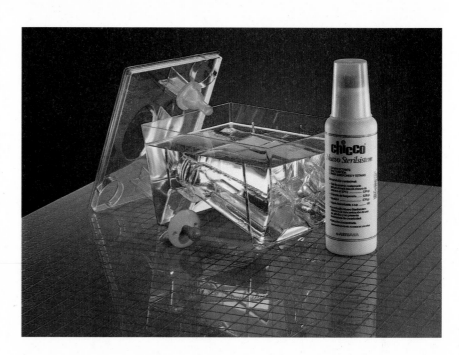

Los modernos métodos de esterilización en frío resultan muy cómodos y seguros; no sólo para esterilizar biberones, sino también, chupetes, mordedores, cubiertos de plástico y otros objetos o juguetes del bebé que no resisten la ebullición. Los frascos con los líquidos esterilizadores llevan las indicaciones precisas para su correcta aplicación.

872

and Nutrition, Sociedad Europea de Gastroenterología y Nutrición Pediátrica), o los organismos correspondientes en otras zonas del mundo, los laboratorios de dietética infantil elaboran una serie de fórmulas lácteas adecuadas para la alimentación del niño desde el primer día de su nacimiento.

En España se fabrican varios tipos de fórmulas lácteas: las adaptadas de comienzo, las modificadas de iniciación y las de continuación. Para ello los laboratorios siguen las normas de mínimos y máximos preconizados por la ESPGAN, en lo concerniente a cada uno de los elementos constituyentes de cada fórmula, así como a la naturaleza y número de ellos.

Técnica de lactancia artificial

Para la preparación de los biberones hay que seguir con toda fidelidad las indicaciones del fabricante y del pediatra.

Es un grave error querer hacer más concentrada la leche, en la creencia de que así el niño estará mejor alimentado. Con ello lo único que se consigue es dificultar la digestión del alimento, provocar problemas intestinales y posible obesidad. Se puede incluso provocar una deshidratación, ya que el bebé tiene que emplear parte de sus líquidos orgánicos en diluir adecuadamente un alimento demasiado concentrado.

Los utensilios para la preparación de los biberones, los propios biberones y tetina, y el agua donde se disuelven estos preparados, deben ser esterilizados antes de cada uso, bien sea por ebullición o por los modernos métodos químicos en frío.

874

49

LA ALIMENTACIÓN INFANTIL

Como ya hemos visto el único alimento completo y perfectamente indicado para el ser humano es la leche materna. Pero eso sólo durante los primeros meses de vida. A partir de una cierta edad, la leche ya no puede ser el alimento único. No obstante, la leche de origen animal, sustituible por leches vegetales, especialmente la de soja, resulta prácticamente imprescindible en la alimentación. Tomada diariamente permite asegurar que un niño que sacia su apetito recibe el suficiente aporte de nutrientes tan importantes como los prótidos o el calcio.

El organismo humano necesita un aporte nutritivo variado. La propia existencia de la dentadura y su especial constitución, además de la gran longitud de nuestros intestinos, son prueba de que el hombre es un ser omnívoro, que no carnívoro. Hemos de comer de todo, fundamentalmente vegetales: frutas, verduras, hortalizas, legumbres, cereales, frutos secos oleaginosos. Una dieta que contenga todos estos productos a la que se adicione más o menos medio litro de leche, o su equivalente en derivados de ella, no sólo es equilibrada y suficiente, sino salutífera en todas las edades. Los huevos también pueden entrar a formar parte de la dieta habitual, siempre que sean de gallinas sanas y se consuman moderadamente.

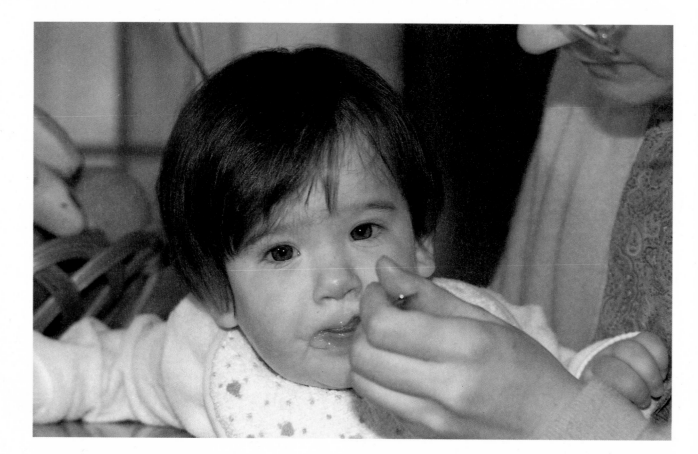

Ya hemos indicado en los capítulos precedentes que el paso de la alimentación puramente líquida de los primeros meses de vida tiene que ir siendo sustituida paulatinamente, por una dieta sólida, que al principio será de alimentos muy diluidos, luego semisólida, y cuando ya el niño es capaz de masticar, será sólida, empezando con los alimentos más blandos.

Hay un principio general válido para la introducción de cualquier nuevo producto en la dieta infantil: la progresividad. Debe empezarse con una cantidad pequeña, que irá aumentando poco a poco. Esta progresividad también se aplica a la variedad de alimentos: No se introduce ninguno nuevo hasta que se ha comprobado la tolerancia a los anteriores.

Las primeras papillas

Las primeras papillas, es decir alimento semisólido, tienen que ser de digestión particularmente fácil.

Cuando se utilizan harinas no adaptadas para la alimentación infantil, se debe empezar con tapioca o las cremas de flor de harina, como por ejemplo la popular maizena (harina extrafina de maíz desgerminado), o la crema de arroz muy tamizada, que no contienen gluten y por eso son más digestibles. Para que el niño pueda digerir estas papillas, al principio deben ser muy claritas, para irlas espesando paulatinamente, y siempre deben haber sido cocinadas a fuego lento, manteniéndolas hirviendo durante un cuarto de hora al menos, removiéndolas con

frecuencia y evitando la formación de grumos. No se debe administrar a un niño pequeño ninguna papilla con grumos, ya que eso significa que su almidón no ha sido debidamente transformado, y será tanto más perjudicial cuanto más pequeño sea el niño.

Cualquier harina o fécula que se administre a un niño, jamás hay que darla simplemente diluida en leche o agua, ya que el almidón crudo no se digiere. Incluso cocinado, si la cocción no ha sido suficiente, se corre el riesgo de suministrar al niño un producto no digerible. Para evitar este peligro hay que mezclar la harina empleada con una proporción suficiente de agua, con el fin de impedir que la papilla espese demasiado deprisa. La relación harina-agua debe ser como máximo de 10 a

Las primeras papillas deben prepararse muy claritas con harinas muy finas carentes de gluten (de maíz o arroz, por ejemplo). Las harinas para el lactante tienen que estar «predigeridas» (cocción muy prolongada, dextrinación, hidrolización), para no provocarle trastornos digestivos, que incluso podrían dejar secuelas perdurables. Las harinas instantáneas preparadas por los laboratorios cumplen, por supuesto, con estos requisitos.

100. Si se trata de maizena o crema de arroz, la proporción será de 6 a 100. Si la papilla se hace demasiado espesa, puede añadirse durante el curso de la preparación un suplemento de agua.

La harina de trigo, muy nutritiva, es de más difícil digestión. Las papillas, para que el delicado estómago infantil las resista, deben prepararse con la harina de trigo dextrinada (bien tostada), proceso que puede considerarse una predigestión. Por eso las galletas del tipo maría resultan adecuadas para la preparación de papillas infantiles.

Al principio no se deben usar harinas integrales, que ciertamente son más nutritivas y favorecen el buen funcionamiento intestinal, pero también resultan más difíciles de digerir.

Una harina muy adecuada para la preparación de papillas infantiles es la de castaña. Las castañas se caracterizan por su alto contenido en glúcidos, un 43% (cereales: 70%-75%), de fácil digestión y asimilación. Su contenido mineral (potasio y fósforo especialmente) y vitamínico (complejo B sobre todo) también resulta interesante. Posee un 9% de sustancias tánicas, lo cual hace que la castaña sea apropiada en caso de diarreas. Las papillas de harina de castaña se pueden preparar solas o mezclándolas con las de cereales.

Harinas adaptadas

Actualmente en el comercio existen multitud de preparados a base de cereales, perfectamente adaptados para el destete del niño.

Su contenido vitamínico y mineral es el más adecuado, pues están elaborados con mezclas de diversas harinas, o cuando son de un único cereal, al llevar adicionadas vitaminas y sales minerales resultan alimentos completos. Algunas incluso llevan incorporada la leche, de manera que lo único que hay que hacer es disolverlas en agua.

Las harinas elaboradas por los laboratorios de dietética infantil están parcial o completamente dextrinadas y malteadas, o bien hidrolizadas, lo cual equivale a un proceso de «predigetión». Las hidrolizadas son preferibles, pues resultan de sabor dulce con muy poca adición de azúcar.

Son muy fáciles de preparar pues no necesitan ser cocinadas, sino simplemente disueltas en agua o leche tibia. Para ello el agua o la leche se hierve suficientemente para tener la seguridad de que no contienen gérmenes patógenos vivos, y se deja entibiar.

Estos preparados dietéticos llevan en sus envases indicaciones precisas para su correcta preparación y administración.

Administración de las papillas

Se puede empezar a administrar papillas a partir del 5.º mes. Véase en el cuadro de la «Alimentación durante el primer año» (págs. 866, 867), la forma correcta de ir introduciendo estas papillas. Como la harina retrasa la digestión, habrá que ir espaciando las tomas.

Cuando ya se ha comprobado la tolerancia del niño a las papillas de trigo, conviene ir introduciendo harina de varios cereales, bien sea en la misma papilla o alternativamente. Así, por ejemplo, el bajo contenido en hierro del trigo se ve compensado con la riqueza de la avena en este elemento; y se consigue un mejor equilibrio de los aminoácidos esenciales, aunque esto siempre es posible, no importa con que harina, cuando la papilla se prepara con leche de vaca o de soja.

LOS VEGETALES EN LA ALIMENTACIÓN INFANTIL

Aunque no es el propósito de esta obra analizar todos los alimentos con detalle, ni el espacio nos lo permite, vamos a comentar los productos más usuales y los aspectos de mayor interés para la alimentación infantil.

Para un conocimiento a fondo del análisis de cada alimento y sus propiedades nutritivas y dietetoterápicas remitimos al lector a *La salud por la nutrición,* del doctor Ernst Schneider, que forma parte de la enciclopedia *Naturama,* publicada por esta misma editorial y distribuida también por el Servicio de Educación y Salud.

Las primeras frutas

Instintivamente los niños gustan de las frutas, por ser agradables al paladar y no demasiado dulces. Es un error grave la creencia de que a los pequeños les gusta lo excesivamente dulce por naturaleza, y por eso los «premiamos» con productos azucarados. Los niños igual que la mayoría de los mamíferos (perros, gatos, caballos, etc.) en principio no sienten ninguna atracción especial por el azúcar o los dulces, sino que después de acostumbrarlos se habitúan a ellos y sufren incluso cierta dependencia, pues el azúcar resulta estimulante, aunque en gran cantidad sea muy nocivo.

Es mejor que el niño siga su propio instinto natural de satisfacerse con los suaves sabores de la fruta, porque, además de complacer al paladar, la fruta debiera ser la principal fuente de vitaminas de los seres humanos. Su gran ventaja es que puede ser consumida cruda, con lo cual no se pierde nada de su valor nutritivo, ni se destruyen sus enzimas. La fruta tiene además un gran poder preventivo e incluso curativo.

ZUMOS: ANÁLISIS COMPARATIVO
valores por cada 100 gramos (≈ 100 ml)

NUTRIENTES	MANZANA	NARANJA	TOMATE	UVA	ZANAHORIA
Agua (g)	86	89	93,6	90	93
Glúcidos (g)	13	10	3,5	10	8
Lípidos (g)	0,1	0,2	1,2	0,1	0,1
Prótidos (g)	0,5	0,7	0,8	2,7	0,7
Calcio (mg)	5	22	7	10	21
Fósforo (mg)	10	17	15	10	20
Hierro (mg)	2,2	0,3	0,4	0,5	0,5
Potasio (mg)	105	184	270	160	300
Vitamina A (UI)	40	40	1.050	45	10.800
Vitamina B_1 (mg)	0,01	0,1	0,05	0,04	0,06
Vitamina B_2 (mg)	0,03	0,1	0,03	0,02	0,05
Niacina (mg)	0,3	0,2	0,8	0,15	0,7
Vitamina C (mg)	10	59	16	50	5
Calorías (kcal)	56	45	27	51	36
Julios (kj)	234	188	113	213	150
Regulador intestinal	A++	L++	L+	L+++	A+++

A = Astringente   L = Laxante   + = suave   ++ = medio   +++ = enérgico

La fruta cruda debe darse a los niños cuando ya está bien madura, pues así es más digestible y nutritiva. La fruta ideal es la del tiempo y que haya sido madurada en el árbol. Nunca debe darse fruta verde a un niño.

Se comienza a dar en forma de zumos diluidos en agua hervida, al principio a pequeños sorbos, en cucharita; y sin mezclar zumos de varias frutas, pues hay que observar la tolerancia a cada uno de ellos. Advirtamos que si un zumo no es bien tolerado al principio, no quiere decir que posteriormente no lo vaya a ser, pues la tolerancia del niño va aumentando según su aparato digestivo va madurando y acostumbrándose a nuevos productos. Por eso, pasadas unas semanas, debe volver a darse el zumo no tolerado, y ver si ya lo admite sin problemas.

La fruta normalmente se introduce en la dieta infantil entre el 4.º y el 5.º mes, del modo que se expone en el cuadro titulado «Alimentación durante el primer año» (págs. 866, 867).

Algunas frutas de interés

Aparte de los cítricos de los que ya hemos hablado, vamos a exponer algunas características destacables de otras frutas que, por sus propiedades nutritivas y salutíferas, merecen aunque no sea más que un breve comentario.

Por lo general las frutas no son muy energéticas (calóricas), pues su contenido en glúcidos no es proporcionalmente elevado, y muy escaso el de lípidos; pero hay excepciones como es el caso del plátano —rico en glúcidos— y el aguacate —de alto contenido graso—. Estas dos frutas son de gran interés para la alimentación infantil. Con ellas pueden prepararse papillas.

Los plátanos (bananas) crudos o cocinados, bien machacados y pasados por un tamiz, son la base de deliciosas papillas de fruta, pues combinan muy bien con la naranja, la manzana, la pera, los melocotones, etcétera. En algunos países se comercializa la harina de plátano. Los glúcidos del plátano son muy digestibles y asimilables, pues su principal componente es la fructosa. Este fruto tropical, pero de gran consumo en todos los países, es rico en potasio y magnesio, en cambio es de bajo contenido en sodio. A los niños los plátanos hay que dárselos bien maduros.

Recientes investigaciones científi-

La fruta tiene que ser componente básico de una dieta equilibrada. Y dentro de las frutas, la manzana, sin ningún género de dudas es la reina. El niño que se acostumbra a comer todos los días al menos una manzana, está adquiriendo un hábito alimentario que le proporcionará no sólo elementos nutritivos de gran interés, sino otros que lo protegerán de la enfermedad.

cas han demostrado que, curiosamente, el aceite de oliva tiene una composición muy semejante a la grasa de la leche materna. Y no menos interesante resulta saber que los ácidos grasos de los lípidos del aguacate son prácticamente los mismos y en proporción muy semejante a la del aceite de oliva. Ninguna fruta presenta un porcentaje de lípidos tan elevado como el aguacate (30%). Es rico en hierro. Su contenido vitamínico es relativamente elevado, especialmente en vitaminas del complejo B. Después del plátano es la fruta de mayor contenido en vitamina B_6. Por su composición, el aguacate resulta bastante energético, pero perfectamente digerible incluso para el delicado aparato digestivo infantil.

Para el niño resultan también de gran interés nutritivo el caqui, las cerezas, las ciruelas, la chirimoya, el kiwi, el mango, el melocotón (durazno), la papaya, la pera y la uva, sin olvidar la reina de las frutas: la manzana. Si hay un auténtico alimento-medicina éste es la manzana. Cuando examinamos tan sólo sus valores analíticos no podemos darnos cuenta de su auténtico valor salutífero, pues además de sus cualidades nutritivas, la manzana posee otros componentes que hacen de ella un excelente tónico digestivo. Por ejemplo su riqueza en pectina es de gran interés porque favorece la correcta coagulación sanguínea. El niño que come diariamente una manzana bien madura se está protegiendo contra las infecciones. Es un excelente regulador intestinal, tanto para las diarreas cuando se administra rallada, como para el estreñimiento. Diversos estomatólogos recomiendan el consumo de una manzana después de cada comida, por su demostrada propiedad de limpiar y blanquear la dentadura sin atacar el esmalte. La manzana puede darse a partir del 5.º mes en forma de zumo e

RECETAS n.° 24 (pág. 884) y n.° 31 (pág. 885).

incluso finamente rallada, o en forma de compota, aunque así, al haber sido cocinada, pierde propiedades nutritivas.

Para la fruta elaborada industrialmente, tanto en forma de papilla o puré, como de zumo, vale lo que decimos un poco más adelante al final del subapartado que sigue a éste: No deben ser más que un complemento ocasional, y nunca sustituir sistemáticamente a los productos naturales; aunque en determinados casos de intolerancia de la fruta natural cruda o en zumo, resultan de gran interés, pues, evidentemente, es mejor tomar fruta conservada artificialmente que no tomarla.

Las primeras verduras y hortalizas

Se sabe que los vegetales, y concretamente las verduras y hortalizas, son alimentos básicos, cuyo consumo debe ser diario. Aportan gran cantidad de sales minerales, fundamentales para una buena osificación y dentición. La leche no contiene suficientes minerales —hierro y cobre sobre todo—, razón por la cual, las verduras, productos ricos en estos nutrientes, resultan componentes imprescindibles de una dieta equilibrada. Además los vegetales de hoja verde son ricos en clorofila, útil para la formación de sangre. Muchas

de las vitaminas y provitaminas, indispensables para mantener la salud, se encuentran fundamentalmente en las verduras y hortalizas.

Así mismo las verduras aportan fibra no digerible (celulosa), fundamental para evitar el estreñimiento y las autointoxicaciones de origen intestinal.

Las verduras y hortalizas más convenientes para iniciar al niño en el consumo de vegetales son la lechuga, las zanahorias, los puerros, los tomates, las patatas (papas), la calabaza (zapallo) y el calabacín.

Al principio los vegetales que se administren al niño deben estar muy

continúa en página 886

RECETARIO DE COCINA INFANTIL
(estas recetas están calculadas para dos raciones)

RECETAS PARA EL PRIMER AÑO

1. LECHE DE SOJA
(1.er mes)

(para 1 litro)

- 100 g de soja blanca (1/2 taza) • 1 litro y cuarto de agua

1.º Lavar bien las alubias de soja. Dejarlas en remojo en medio litro de agua durante doce horas o más.
2.º Escurrir la soja y reservar el agua del remojo. Triturar la soja con la picadora.
3.º En una cazuela mezclar la soja triturada con el agua del remojo y tres cuartos de litro más de agua. Cocer a fuego lento durante treinta minutos, removiendo de vez en cuando y procurando que no se vierta la leche con la ebullición.
4.º Colar a través de un lienzo fino y dejar enfriar.

2. LECHE DE ALMENDRAS
(2.º mes)

(para 1 litro)

- 250 g de almendras • 1 litro y medio vaso de agua

1.º Remojar las almendras en agua hirviendo durante cinco minutos. Pelarlas y dejarlas de nuevo en remojo, esta vez en agua fría, durante toda la noche.
2.º Escurrir bien las almendras y triturarlas, reservando el agua. Ponerlas en un recipiente hondo con tres vasos del agua de remojo y dejar en reposo durante media hora.

3.º Colar a través de un lienzo fino y reservar esa primera leche en una jarra.
4.º Volver a depositar la almendra triturada en el mismo recipiente hondo y añadir un vaso y medio de agua. Dejar en reposo otra media hora y colar después exprimiendo bien el lienzo.
5.º Mezclar la leche obtenida en ambas operaciones y dejar en el frigorífico hasta el momento de consumir.

3. LECHE DE CHUFA
(2.º mes)

(para 1 litro)

- 160 g de chufas secas (1 taza) • 2 trozos de corteza de limón • 1 litro y medio vaso de agua

1.º Escoger bien las chufas eliminando las estropeadas o cualquier impureza que puedan contener. Lavarlas y ponerlas a remojo durante 24 horas o más. Cambiar el agua de remojo dos o tres veces en ese tiempo.
2.º Lavar de nuevo las chufas, pues al hincharse van desprendiendo partículas de tierra. Escurrir bien y triturar, con la picadora, junto con las cortezas de limón.
3.º Verter las chufas molidas en un recipiente hondo, y a partir de aquí proceder como en la obtención de la leche de almendras.
4.º Remover bien cada vez que se vaya a servir.

4. PURRUSALDA
(6.º mes)

- 250 g de patatas • 200 g de puerros • 1 zanahoria pequeña • 1 cucharada de aceite de oliva • sal

1.º Pelar y trocear las hortalizas.

2.º Cocerlas en una cazuelita con agua suficiente para cubrirlas, un poco de sal y el aceite.
3.º Cuando esté tierno triturar con la batidora y pasar por tamiz si hay hebras. A partir del año se puede probar de dárselo chafando simplemente con un tenedor, y poco a poco se le intentará dar cada vez más entero.

5. PLÁTANOS AL HORNO
(6.º mes)

- 2 plátanos

1.º Quite la mitad de la piel de cada plátano y colóquelos en una fuente para horno, apoyándolos sobre la mitad de la cáscara.
2.º Introdúzcalos en el horno, a fuego suave, hasta que se doren ligeramente.

6. SOPA DE TOMATE
(6.º mes)

- 1 patata • 2 tomates bien maduros • 1 cebolla pequeña • 1 cucharada de aceite • sal

1.º Pelar las hortalizas y trocearlas. Ponerlas en una cazuela con agua suficiente para cubrirlas, y un poco de sal.
2.º Poner a cocinar a fuego lento, durante unos veinte minutos. Añadir el aceite durante la cocción.
3.º Triturar con la batidora y pasar por un colador.

7. SOPA DE ZANAHORIA
(6.º mes)

- 2 zanahorias • 1 patata • 1 cebolla pequeña • 1 cucharada de aceite • sal

1.º Pelar las hortalizas y trocearlas. Ponerlas en una cazuela con agua suficiente para cubrirlas y un poco de sal.
2.º Cocinar a fuego lento hasta que todo esté tierno. Añadir el aceite mientras está cociendo.
3.º Triturarlo todo con la batidora y pasar por colador para que no queden hebras que puedan molestar al bebé.

8. CREMA DE CALABACÍN
(8 meses)

● *1 calabacín (300 g)* ● *1 taza de salsa bechamel ligera (receta n.º 9)* ● *sal*

1.º Pelar el calabacín, trocearlo y cocinarlo con un poco de agua y sal a fuego lento.
2.º Cuando esté bien cocido se cuela, se tritura y se le añade la taza de bechamel ligera.
3.º Mezclar bien con la batidora y servir.

9. SALSA BECHAMEL LIGERA
(8 meses)

● *15 g de harina (1 cucharada bien colmada)* ● *1/4 de litro de leche* ● *2 cucharadas de crema de nata líquida* ● *2 cucharadas de queso fresco rallado* ● *2 cucharaditas de levadura de cerveza* ● *sal*

1.º Preparar una papilla con la harina y la leche y un poco de sal.
2.º Cuando haya hervido y espesado suficientemente se le añade la crema, el queso y la levadura, removiendo sin cesar hasta que quede homogéneo. Si quedara algún grumo se le puede pasar la batidora.

10. CREMA DE PUERROS
(9 meses)

● *250 g de puerros* ● *1 zanahoria* ● *1 cucharada de harina* ● *3 cucharadas de crema (nata)* ● *1/2 huevo cocido* ● *sal*

1.º Limpiar y trocear los puerros y la zanahoria.
2.º Cocerlos con agua y sal.
3.º Diluir la harina en un poco de agua y añadir a la cazuela cuando los puerros están tiernos. Remover bien y seguir cocinando unos diez minutos más.
4.º Añadir la crema, y el huevo cocido. Pasar por la batidora.

11. LECHE DE SÉSAMO
(9 meses)

● *1 taza de semillas de sésamo* ● *1 taza de agua*

1.º Escoger las semillas, separando cualquier impureza que puedan tener. Lavarlas con agua y escurrirlas.
2.º Poner a remojo con una taza de agua, durante dos o tres horas.
3.º Triturarlo todo junto con la batidora. Colar a través de un lienzo fino.
4.º La leche obtenida se diluye con un poco de agua y se le añade un poco de miel, al gusto de cada uno.

12. ENSALADA LICUADA
(10 meses)

● *2 zanahorias* ● *1 ramita de apio* ● *1 hoja de lechuga* ● *1 tomate maduro* ● *4 aceitunas sin hueso* ● *unas gotas de aceite* ● *sal*

1.º Pelar el tomate y triturarlo con la batidora, añadiendo las aceitunas, unas gotas de aceite y una pizca de sal. Si quedan semillas o restos de piel, pasarlo por un colador.
2.º Pelar las zanahorias y lavar el apio y la lechuga. Pasarlo por la licuadora y añadir el zumo obtenido al vaso de la batidora. Mezclar bien y servir.

RECETAS PARA NIÑOS DE 12 A 18 MESES

13. CREMA DE ESPINACAS
(12 meses)

● *250 g de espinacas* ● *1 taza de salsa bechamel ligera (receta n.º 9)* ● *50 g de piñones* ● *sal*

1.º Limpiar las espinacas y cocerlas con poca agua y sal.
2.º Añadir la salsa bechamel y los piñones. Triturar todo hasta que quede una crema homogénea.

14. PURÉ DE CASTAÑAS
(12 meses)

● *250 g de castañas* ● *2 vasos de leche* ● *1 cucharada de miel* ● *una pizca de sal* ● *1 cucharada de crema (nata) líquida*

1.º Quitar la cáscara exterior de las castañas y cocerlas en agua, a fuego medio durante una hora aproximadamente.
2.º Cuele las castañas y quíteles la piel interior que se desprenderá con facilidad. Póngalas en un vaso de la batidora, junto con un poco de leche y tritúrelas.
3.º Ponga el resto de la leche a hervir, con una pizca de sal, y añada las castañas trituradas. Remueva sin cesar mientras se va cocinando, a fuego suave, durante media hora.
4.º Retire del fuego y añada la crema y la miel. También se puede preparar en salado, prescindiendo de la miel y añadiendo un poco más de sal.

15. CREMA DE JUGO DE FRUTAS (15 meses)

● *1 cucharada de maizena* ● *1 taza de zumo de fruta natural* ● *1 cucharada de miel* ● *1 cucharada de mermelada*

1.º Desleír la maizena en el zumo de fruta. Se pueden usar naranjas, limones, fresas, uvas, manzanas; cualquiera de ellas o una mezcla de dos o tres zumos.

2.º Cocinar a fuego suave, removiendo sin parar hasta que espese. Añadir la miel y mezclar bien.

3.º Vierta la crema en los moldes pequeños (flaneras o geletes), pasados previamente por agua fría. Déjelos enfriar.

4.º Desmolde sobre un platito y adorne con un poco de mermelada.

16. MAYONESA COCIDA (15 meses)

● 1 cucharada de maizena ● 1/2 vaso de leche ● 1 huevo duro ● 3 cucharadas de aceite ● zumo de limón ● una pizca de ajo ● perejil

1.º Se prepara una papilla con la maizena y la leche.

2.º Añadir el resto de los ingredientes a dicha papilla mezclando bien con la batidora, hasta que quede una crema fina, semejante a la mayonesa.

17. PASTEL DE ARROZ (15 meses)

● 100 g de arroz ● 2 cucharadas de miel ● 1 huevo ● 25 g de mantequilla ● un poco de vainilla ● una pizca de sal

1.º Escoger el arroz y lavarlo con agua fría.

2.º Poner el arroz en agua hirviendo durante cinco minutos y escurrir.

3.º Poner al fuego dos vasos de agua con la vainilla. Cuando rompa a hervir se le añade la sal y el arroz, y se deja cocinar a fuego suave durante media hora.

4.º Añadir entonces 20 gramos de mantequilla y la miel. Remover bien y seguir hirviendo cinco minutos más, procurando que no se agarre. Apartar y dejar entibiar.

5.º Engrasar un molde con el resto de la mantequilla y espolvorearlo con el pan rallado.

6.º Batir un huevo, sin que haga espuma, y mezclarlo bien con el arroz templado. Verter en el molde preparado y meter en el horno, a fuego moderado, durante media hora.

18. SOPA DE COPOS DE NIEVE (15 meses)

● 2 cucharadas soperas de copos de avena ● 1/2 litro de leche ● 1 cucharada de crema (nata) líquida ● 1 cucharada de miel ● una pizca de sal

1.º Poner los copos a remojo con poca agua y separar las pajas si las hubiere.

2.º Calentar la leche con una pizca de sal. Agregar los copos con su agua cuando la leche rompa a hervir, y remover frecuentemente.

3.º Cocinar a fuego medio durante unos quince minutos.

4.º Al retirar del fuego, añadir la crema y la miel removiendo bien.

19. SUFLÉ DE MAÍZ (15 meses) ·

● 2 cucharadas de harina de maíz (maizena) ● 1/4 de litro de leche ● 1 cucharada de miel ● 1 huevo ● un poco de mantequilla

1.º Preparar una papilla con la leche y la maizena. Endulzar con la miel y dejar entibiar.

2.º Añadir a la papilla la yema de huevo y la clara batida a punto de nieve, removiendo con cuidado para que quede espumoso.

3.º Untar un molde con un poco de mantequilla y poner en él la mezcla preparada.

4.º Hornéese a fuego moderado, durante quince minutos.

RECETAS PARA NIÑOS DE 18 MESES A DOS AÑOS Y MEDIO

20. CREMA DE LEGUMBRES (18 meses)

● 30 g de garbanzos ● 30 g de lentejas ● 30 g de soja ● 2 cucharadas de arroz integral ● 50 g de calabaza ● 1 cebolla pequeña ● 1 nabo ● 1 tomate maduro ● 2 dientes de ajo ● 1 ramita de apio ● 1 cucharada de aceite ● sal

1.º Lavar la legumbre y ponerla a remojo la noche anteior.

2.º Poner la legumbre y el arroz en una olla, con suficiente agua, y cocinar a fuego medio durante media hora o algo más.

3.º Pelar y trocear las hortalizas y agregarlas a la olla. Añadir también el aceite y un poco de sal. Que siga la cocción durante unos quince minutos.

4.º Pasar la batidora para triturarlo todo y seguir cociendo unos minutos más.

5.º Finalmente se pasa por un pasapuré fino, para que no queden hebras ni pellejos.

21. ENSALAPEQUE (18 meses)

● 1 tomate maduro grande ● 1 aguacate maduro ● 2 hojas de lechuga ● 1 manzana ● 1 cucharadita de sésamo molido ● 1 cucharada de aceite de oliva ● 2 cucharadas de yogur ● sal

1.º Pelar el tomate, la manzana y el aguacate, y lavar bien las hojas de lechuga.

2.º Poner todos los ingredientes limpios y troceados en un vaso de la batidora y triturarlo bien. Servir recién hecho.

22. HUEVOS ESCALFADOS
(18 meses)

● 2 huevos ● 1/4 de litro de caldo de verduras ● un poco de sal

1.º Poner al fuego una cazuelita con el caldo de verduras.
2.º Cuando rompa a hervir, cascar ambos huevos y dejar caer, procurando que queden separados.
3.º Sazonar con un poco de sal y cocinar a fuego suave durante cuatro minutos. Sacar con una espumadera y servir antes de que se enfríen.

23. ALBÓNDIGAS
(2 años)

● 125 g de pan ● 1/2 vaso de leche ● 40 g de harina ● 1 cucharada de almendra triturada ● 1 huevo ● sal ● caldo de verduras

1.º Remojar el pan con la leche. Añadir la harina, la almendra triturada, el huevo batido y un poco de sal. Dejar reposar la mezcla unos 20-30 minutos.
2.º Formar las albóndigas y hervirlas en caldo de verduras.

24. ENSALADILLA
(2 años)

● 1 patata grande ● 1 zanahoria ● 1 cebolla pequeña ● 1 cucharadita de mantequilla ● 50 g de judías verdes ● 50 g de guisantes ● 1 huevo duro ● 30 g de aceitunas sin hueso ● un trocito de pimiento morrón ● 2 cucharadas de aceite ● zumo de limón ● sal

1.º Cocinar la patata con piel hasta que esté tierna. Se cuecen aparte la zanahoria y la cebolla, peladas y troceadas.
2.º Las judías verdes se cortan a trocitos y se cuecen al vapor. Los guisantes, si son congelados se cuecen ligeramente, si son de lata se escurren y se reservan junto con las judías.

3.º Pelar la patata todavía caliente. Ponerla en un plato junto con la zanahoria y la cebolla y aplastar conjuntamente con un tenedor. Añadir la mantequilla y mezclar bien hasta que quede una masa homogénea.
4.º Añadir entonces las judías, los guisantes y las aceitunas picadas, mezclando con cuidado. Reservar algún guisante y el pimiento morrón para adornar.
5.º Separar la clara de huevo que también se reserva para el adorno. La yema se chafa con un tenedor, junto con el aceite y un poco de zumo de limón. Remover sin cesar hasta que quede una salsita homogénea.
6.º Añadir la salsita a la ensaladilla, mezclando con cuidado, y colocar sobre una fuente, adornando por encima con los ingredientes que hemos reservado.

25. HUEVO REVUELTO
(2 años)

● 2 huevos ● 2 cucharaditas de leche ● 1 cucharadita de aceite ● sal

1.º Batir bien el huevo con la leche y dejar reposar.
2.º Unte una cazuelita de acero inoxidable o de material antiadherente con la cucharadita de aceite. Debe ser una cazuela pequeña para que quepa dentro de otra mayor con agua.
3.º Ponga en la cazuelita la mezcla del huevo y cuézalo al baño María, removiendo sin cesar hasta que cuaje. Ponga un poco de sal y remueva por última vez.

26. PATATAS CON LECHE AL HORNO (2 años)

● 250 g de patatas ● 1 vaso de leche ● 1 huevo ● sal ● aceite

1.º Pelar las patatas y cortarlas en rodajas finas. Sazonarlas y colocarlas en un molde para horno, untado con un poco de aceite.
2.º Batir el huevo y mezclarlo con la leche. Verter la mezcla sobre las patatas.
3.º Hornear a fuego medio durante media hora aproximadamente.

27. PUDÍN DE FRUTAS
(2 años)

● 150 g de ciruelas pasas sin hueso ● 60 g de pasas de Corinto (sin semillas) ● 1 manzana grande ● un poco de mantequilla

1.º Ponga las ciruelas en una cazuelita con agua, a fuego medio. Cuando comience a hervir añada las pasas y la manzana, pelada y troceada finamente.
2.º Preparar un molde untado con poca mantequilla. Verter las frutas y poner al horno durante media hora, o al baño María una hora.

28. SALSA DE TOMATE CRUDA (2 años)

● 1 tomate maduro grande ● 4 cucharadas de aceite de oliva ● una pizca de ajo ● sal

1.º Pelar el tomate y escurrir ligeramente procurando quitar las semillas. Trocearlo y ponerlo en el vaso de la batidora junto con el aceite, un poco de sal y un poquito de ajo muy menudito.
2.º Batir bien y colocar en un tarro en el frigorífico. Quedará como una salsa ligera, ideal para extender sobre el pan. Se debe consumir en uno o dos días.

RECETAS PARA NIÑOS DE DOS AÑOS Y MEDIO EN ADELANTE

29. SOPA DE ARROZ CON VERDURAS
(2 años y medio)

● 1 zahanoria ● 100 g de judías verdes ● 1 puerro ● 50 g de guisantes ● 1 trozo de pimiento morrón ● 1 tomate maduro ● 2 ramilletes de coliflor ● 4 cucharadas de arroz ● 1 cucharada de aceite ● 1 cubito de caldo vegetal

1.º Pelar y lavar las hortalizas. Trocearlas y cocinarlas con dos vasos de agua, a fuego medio. El pimiento morrón puede ser de bote, o bien un trozo de un pimiento que previamente hayamos asado y pelado. Se cortará a cuadritos pequeños y se añadirá a la cazuela.

2.º Cuando haya hervido unos diez minutos, se le añade el aceite, el cubito (o un poco de sal) y el arroz.

3.º Dejar en cocción veinte minutos más, apagar el fuego y dejar reposar cinco minutos antes de servir.

30. ASADO DE LENTEJAS
(2 años y medio)

● *1 taza de lentejas cocidas* ● *50 g de nueces picadas* ● *1 cebolla pequeña* ● *1 diente de ajo* ● *2 huevos* ● *1/2 vaso de crema (nata) líquida* ● *50 g de pan integral triturado* ● *sal*

1.º Poner las lentejas hervidas en un vaso de la batidora (pueden ser lentejas que nos hayan sobrado de un potaje). Añadir las nueces, la cebolla picada, el diente de ajo, un huevo y una clara (se reserva una yema), la crema líquida y la sal. Triturarlo todo con la batidora.

2.º El pan, que debe ser del día anterior, se tritura con la picadora y se añade a la mezcla anterior. Remover bien y dejar reposar unos quince minutos.

3.º Untar un molde con un poco de aceite y verter la mezcla preparada. Batir la yema y ponerla por encima untando con un pincel.

4.º Meter en el horno caliente y hornear durante media hora o cuarenta minutos.

31. BARQUITOS DE HUEVO
(2 años y medio)

● *1 huevo* ● *2 trocitos de pimiento morrón*

1.º Hervir el huevo en agua con sal durante diez minutos. Enfriar bajo el chorro de agua fría y pelar.

2.º Partir el huevo por la mitad a lo largo. Corte también una lonchita de clara de cada mitad de huevo, recórtela y colóquela con un palillo sobre el huevo, a modo de velita. En la parte superior del palillo se coloca un trocito de pimiento. Se trata de adornar los huevos como si fueran barquitos de vela. La vela también se puede hacer con papel blanco o de colores.

3.º Coloque cada barquito sobre el plato que ya tendrá su comida correspondiente y que le servirá de base.

32. BIRCHER MUESLI
(2 años y medio)

● *2 cucharadas de copos de avena* ● *30 g de pasas de Corinto* ● *1 manzana* ● *zumo de limón* ● *1 plátano* ● *100 g de fresón* ● *1 yogur* ● *4 cucharadas de nata líquida* ● *1 cucharada de miel* ● *30 g de almendra rallada*

1.º Poner los copos y las pasas a remojo, con un poco de agua, la noche anterior.

2.º Por la mañana se pela y se ralla la manzana, se rocía con un poco de zumo de limón y se añade a los copos. Se agregan también las otras frutas, peladas y picadas, así como los demás ingredientes.

3.º Remover todo bien, dejar reposar media hora y servir.

33. BOCADILLOS DE FRUTOS SECOS (2 años y medio)

● *3 ciruelas secas* ● *3 higos secos* ● *3 nueces peladas* ● *1 cucharada de almendra triturada* ● *1 cucharada de cacahuetes* ● *zumo de naranja*

1.º Poner las ciruelas y los higos en remojo, durante una hora o más.

2.º Poner estos frutos escurridos, junto con los demás ingredientes en un vaso de la batidora y triturar finamente.

3.º Extender la pasta sobre rebanadas de pan, a modo de mantequilla.

34. BOLITAS DE PATATA
(2 años y medio)

● *1 patata grande* ● *1 cucharadita de mantequilla* ● *1 huevo* ● *1 diente de ajo* ● *perejil* ● *30 g de piñones* ● *sal* ● *pan rallado* ● *aceite*

1.º Lavar la patata y cocinarla con la piel, en agua con sal, hasta que esté tierna.

2.º Machacar en un mortero el ajo, el perejil y los piñones.

3.º Poner la patata todavía caliente en un plato hondo. Pelarla y aplastarla con un tenedor. Añadirle la mantequilla, la yema del huevo y el picadillo que tenemos preparado, mezclando todo bien.

4.º Batir la clara de huevo. Poner la sartén al fuego con aceite de oliva.

5.º Tomar porciones de la masa con una cuchara. Formar las bolitas, pasarlas por la clara batida y el pan rallado y freírlas hasta que estén uniformemente doradas.

35. GALLETAS RELLENAS
(2 años y medio)

● *12 galletas* ● *1 plátano maduro* ● *1 cucharadita de miel* ● *unas gotas de zumo de limón*

1.º Pelar el plátano y aplastarlo bien con un tenedor.

2.º Añádale la miel y el limón y mezcle bien con el mismo tenedor.

3.º Extienda esa crema sobre una galleta y tape con otra. Obtendrá 6 emparedados de galletas.

36. RELLENO DE MANZANAS
(2 años y medio)

● *150 g de harina* ● *1/4 de litro de leche* ● *3 manzanas*

1.º Diluir la harina con la leche.

2.° Pelar las manzanas y cortarlas a rodajas.

3.° Poner todo en un molde al horno y retirar cuando la superficie esté dorada.

37. SOJA VERDE ESTOFADA
(2 años y medio)

● *100 g de soja verde* ● *1 cebolla pequeña* ● *1 patata pequeña* ● *1 tomate maduro* ● *1 ramita de apio* ● *2 dientes de ajo* ● *1 cucharada de aceite* ● *sal*

1.° Lavar las alubias de soja con agua fría y dejar en remojo desde la noche anterior.

2.° Poner en una olla con medio litro de agua y un poco de sal. Cocinar a fuego lento durante 20 minutos o media hora.

3.° Añadir las hortalizas troceadas a la olla, junto con el aceite y la sal y seguir la cocción unos quince o veinte minutos más, siempre a fuego lento y removiendo de vez en cuando.

38. HUEVOS AL PLATO
(3 años)

● *1 vaso de salsa de tomate* ● *50 g de guisantes* ● *1 salchicha de soja* ● *2 huevos* ● *1 cucharada de queso rallado*

1.° Cortar la salchicha en rodajitas y repartirla en dos cazuelitas de barro. Repartir a partes iguales los guisantes y la salsa de tomate en ambas cazuelitas. Cascar un huevo sobre cada una y espolvorear con un poco de sal y queso rallado.

2.° Poner en el horno hasta que cuaje el huevo y se dore ligeramente.

39. HUEVOS FRITOS DULCES (3 años)

● *1/2 litro de leche de soja* ● *1 cucharada de azúcar integral* ● *1 pizca de sal* ● *2 cucharadas de sémola de arroz* ● *1 cucharada de crema (nata)* ● *un poco de canela en polvo* ● *2 mitades de melocotón en almíbar*

1.° Ponga la leche de soja en un cazo al fuego para cocerla. Añadir la pizca de sal y el azúcar.

2.° Disuelva la sémola de arroz en un poco de agua y viértala en la leche cuando rompa a hervir. Remueva constantemente para evitar que se pegue. Mantenga la cocción a fuego suave hasta que espese la sémola.

3.° Añada la crema cuando aparte del fuego, removiendo bien. Vierta la crema obtenida en dos platitos, espolvoree un poco de canela y ponga en el centro la mitad del melocotón en almíbar, de forma que parezca un huevo frito.

40. TOSTADA EXPRÉS
(3 años)

● *4 rebanadas de pan integral* ● *mantequilla* ● *puré de tomate* ● *queso rallado*

1.° Se untan las rebanadas con un poco de mantequilla, se extiende un poco de puré de tomate por encima y el queso rallado.

2.° Poner en el horno a fuego moderado hasta que se tueste el pan y se dore por encima.

viene de página 880

bien cocidos, y perfectamente triturados y tamizados; de manera que no corra el peligro de atragantarse y resulten perfectamente digestibles.

Existen preparados comerciales a base de vegetales, apropiados para la alimentación infantil. Presentan la ventaja de su cuidadosa cocción al vapor, su perfecta trituración y homogeneización, aparte de su fácil conservación y su permanente disponibilidad. Como contrapartida, son relativamente caros, y su sabor especial puede provocar que el niño rehúse los productos naturales. Los productos conservados siempre presentan un valor vitamínico y salutífero inferior a los naturales que se ingieren inmediatamente después de su elaboración culinaria. Hay que tener en cuenta, además, que todos los productos alimentarios conservados tienen una fecha de caducidad, pasada la cual, pierden sus propiedades nutritivas iniciales y resultan inadecuados para el consumo. Lo más recomendable es que el niño coma alimentos frescos recién preparados, y que los elaborados industrialmente no le sean dados más que en situaciones especiales, como los viajes, o en caso de emergencia.

Preparación y administración de las verduras

A partir de los 6 meses se le empieza a dar al niño caldo de verdura muy diluido al principio. Este caldo se prepara con verduras y hortalizas cortadas en trozos muy pequeños, que se cocinan rápidamente a fuego vivo, en la menor cantidad de agua posible.

Al principio conviene usar un solo vegetal, o máximo dos o tres, para ir comprobando la tolerancia del niño a cada uno de ellos. Poco a poco se van añadiendo otros, de manera que la variedad de productos asegure un adecuado aporte vitamínico y mineral.

Al caldo, así como a las papillas y purés de verduras, conviene añadirles una pequeña cantidad de algún tipo de grasa alimentaria. El aceite de oliva sería el más adecuado, pero también se puede usar un poco de crema (nata) de leche, y con más moderación la mantequilla. No es necesario añadir sal ni al caldo ni a las papillas, y en caso de hacerlo debe ser en muy poca cantidad.

Al cabo de cuatro o cinco días, si la tolerancia al caldo es buena, se puede empezar con los purés. Al principio se le hacen muy claritos y se espesan con la harina que el niño esté tomando. Cada día se va reduciendo la cantidad de harina y aumentando la de verduras y hortalizas, de manera que a los 8 o 10 días se haya suprimido la harina.

El puré vegetal se da en lugar de una tetada o biberón, y no en vez de una papilla lacteada, que debe continuar administrándose. No obstante, el pequeño deberá seguir tomando leche, o sus derivados, aunque haga tres comidas solidas. La cantidad de leche, o su equivalente en otros productos lácteos, que todo niño debe tomar cada día, no debe ser inferior al medio litro.

Cuando el niño ya es capaz de tomar papillas de vegetales o purés, no debe dejar de consumir el caldo, pues

Los cristianos solicitamos a Dios el pan cotidiano para nosotros y para nuestros hijos, pues el pan es símbolo del alimento. Los cereales, la fruta, las legumbres y los frutos oleaginosos, son la base de la alimentación humana. Los productos elaborados con cereales integrales son más nutritivos que los preparados con harinas refinadas, y resultan muy convenientes por su contenido en fibra. Para algunos estómagos delicados, sin embargo, no resultan adecuados. Los primeros cereales y el primer pan que toma un niño, tampoco deben ser integrales.

en el agua de la cocción de los vegetales quedan disueltas sales minerales de gran interés nutritivo.

Pan, pastas, sémola y copos

El pan, por contener un almidón no suficientemente cocido, no debe darse al niño hasta que es capaz de masticar correctamente, pues la miga es sumamente indigesta si no ha sido debidamente masticada y ensalivada. Es por tanto una muy mala costumbre

MENÚS INFANTILES

MENÚS PARA NIÑOS DE 12 A 18 MESES

MENÚ n.º 1

Desayuno:
- Zumo de naranja [1]
- 1 cucharadita de polen [2]
- Papilla de cereales con leche

Almuerzo:*
- Zumo de tomate
- Purrusalda (4)
- 1/2 huevo triturado
- 1 cucharada de germen de trigo

Merienda:
- 1 yogur con miel
- 2 galletas

Cena:
- Papilla de tapioca
- Compota de manzana

MENÚ n.º 2

Desayuno:
- Zumo de uva [3]
- 1 cucharadita de polen
- Crema de arroz
- 1/2 plátano maduro chafado

Almuerzo:*
- Zumo de zanahoria
- Sopa de tomate (6) [4]
- Coliflor hervida y chafada con un poco de aceite
- 50 g de queso fresco o requesón

Merienda:
- Papilla de frutas
- 1 cucharada de piñones triturados
- 1 cucharada de levadura de cerveza
- 1 yogur con miel (melaza) de caña

Cena:
- 1 taza de leche
- 3 galletas

MENÚ n.º 3

Desayuno:
- Zumo de ciruelas pasas remojadas
- 1 cucharadita de polen
- Papilla de harina de trigo con miel

Almuerzo:*
- Aguacate y huevo cocido chafado
- 1 cucharada de levadura de cerveza
- Sopa de zanahoria (7)

Merienda:
- Plátanos al horno (5)
- 2 galletas

Cena:
- Puré de castañas (14)
- 1 yogur con miel de caña

MENÚ n.º 4

Desayuno:
- Zumo de tomate
- 1 cucharadita de polen
- Papilla de tapioca

Almuerzo:*
- Ensalada licuada (12)
- Crema de espinacas (13)
- 50 g de queso fresco

Merienda:
- 1 plátano machacado con zumo de naranja
- 1 cucharada de germen de trigo
- 1 cuajada

Cena:
- Sopa de copos de nieve (18)
- 1 vaso de leche de almendras (2)

MENÚ n.º 5

Desayuno:
- Crema de jugo de frutas (15)
- 1 cucharadita de polen
- 2 galletas

Almuerzo:*
- Zumo de manzana y zanahoria
- 1 cucharada de levadura de cerveza
- Crema de calabacín (8)
- 50 g de requesón

Merienda:
- Papilla de frutas con almendra triturada
- 1 cucharada de germen de trigo
- 1 vaso de leche

Cena:
Suflé de maíz (19)

MENÚS PARA NIÑOS DE 18 MESES A DOS AÑOS Y MEDIO

Para esta edad, sirven también los menús anteriores

MENÚ n.º 1

Desayuno:
- Zumo de naranja
- 1 cucharadita de lecitina o polen [2]
- 1 cucharada de levadura de cerveza
- Sopa de copos de nieve (18)

Almuerzo:*
- Tomate y aguacate, pelados y a trocitos
- Sopa de verduras con fideos
- 1 cucharada de germen de trigo
- Albóndigas (23)

Merienda:
- Pudín de frutas (27)
- 1 vaso de leche

Cena:
- Hervido de patatas y judías verdes a trocitos
- 1 biogur [5]

MENÚ n.º 2

Desayuno:
- Zumo de zanahoria y manzana
- 1 cucharada de levadura de cerveza
- Papilla de cereales con leche

Almuerzo:*
- Zumo de tomate
- Ensaladilla (24)

Merienda:
- Frutas del tiempo a trocitos
- 1 yogur con nata y miel

Cena:
- Crema de calabacín (8)
- Queso fresco
- Pan tostado

MENÚ n.º 3

Desayuno:
- Zumo de uva
- 1 cucharada de polen
- Huevo revuelto (25)
- 2 tostaditas de pan
- 1 vaso de leche de almendras (2)

Almuerzo:*
- Ensalada licuada (12)
- 1 cucharada de levadura de cerveza
- Patatas con leche al horno (26)
- 1 rodaja de carne vegetal

Merienda:
- 2 tostadas con crema (manteca) de cacahuete
- 1 biogur con miel

Cena:
- Sémola de trigo con caldo de verduras
- 1 cucharada de germen de trigo
- 1 manzana asada
- 1 vaso de leche

MENÚ n.º 4

Desayuno:
- Pudín de frutas (27)
- 1 vaso de leche
- galletas o magdalenas

Almuerzo:*
- Ensalada de tomate, aguacate y manzana, todo pelado y a cuadritos
- Queso fresco
- 1 cucharada de germen de trigo
- Crema de legumbres (20)

Merienda:
- 2 tostadas de pan
- Salsa de tomate cruda (28)
- Fruta del tiempo a trocitos

Cena:
- Brécol cocido a trocitos
- 1 yogur

MENÚ n.º 5

Desayuno:
- Zumo de tomate
- 1 cucharadita de lecitina
- Arroz con leche
- Plátanos al horno (5)

Almuerzo:*
- Ensalapeque (21)
- Puré de lentejas
- 1/2 huevo duro picadito

Merienda:
- Papilla de frutas
- 1 cucharada de levadura de cerveza
- 1 cucharada de piñones triturados
- 3 galletas

Cena:
- Crema de espárragos
- 1 cucharada de germen de trigo
- Queso fresco
- 1 tostada de pan

MENÚS PARA NIÑOS DE DOS AÑOS Y MEDIO EN ADELANTE

A partir de esta edad, el niño ya posee una dentadura suficiente para masticar con más facilidad, lo que le permitirá comer alimentos cada vez más sólidos. También podrá tomar más cantidad en una misma comida, por lo que se podrá suprimir la merienda, dejando más tiempo de reposo entre una y otra co-

mida. Esto favorecerá las digestiones y estimulará el apetito.

Los menús que exponemos a continuación son únicamente una sugerencia. El niño tiene que ir paulatinamente participando en los menús de los adultos cada vez más, teniendo en cuenta las normas básicas para su alimentación, tal y como se exponen en este capítulo. Y, por descontado, también puede seguir los menús anteriores.

MENÚ n.º 1

Desayuno:
- Zumo de naranja
- 1 cucharadita de lecitina
- 1 tazón de copos de avena con leche

Almuerzo:*
- Ensalada a trocitos
- Sopa de arroz con verduras (29)
- 1 cucharada de germen de trigo
- Espárragos con bechamel
- 1 manzana

Cena:
- Bocadillos de frutos secos (33)
- Frutas a trocitos con yogur y miel

MENÚ n.º 2

Desayuno:
- Zumo de manzana
- 1 cucharada de polen
- Bircher Muesli (32)

Almuerzo:*
- Ensalada de aguacate, tomate, huevo duro y aceitunas
- Sopa de verduras
- 1 cucharada de germen de trigo
- Tostada exprés (40)
- 1 manzana asada

Cena:
- Crema de calabacín (8)
- Huevos fritos dulces (39)

MENÚ n.º 3

Desayuno:
- Zumo de uva
- 1 cucharadita de polen
- Galletas rellenas (35)
- 1 vaso de leche

Almuerzo:*
- Ensalada variada a trocitos
- Soja verde estofada (37)
- Pan integral con salsa de tomate cruda (28)
- 1 pera

Cena:
- Macedonia de frutas
- 1 cucharada de levadura
- 1 biogur
- Relleno de manzanas (36)

MENÚ n.º 4

Desayuno:
- Zumo de pomelo
- 1 cucharadita de polen
- 1 tazón de leche con cereales tostados
- Fruta

Almuerzo:*
- Ensalada triturada
- 1 cucharada de germen de trigo
- Macarrones con salsa de tomate
- Bolitas de patata (34)
- 1 yogur

Cena:
- Hervido de patatas y acelgas
- Queso fresco
- Pan con salsa de tomate cruda (28)
- 1 manzana

MENÚ n.º 5

Desayuno:
- Zumo de zanahoria
- 1 cucharadita de polen
- Pastel de arroz (17)
- 1 vaso de leche de sésamo
- Fruta

Almuerzo:*
- Ensalada variada a trocitos
- Asado de lentejas (30)
- 1 manzana

Cena:
- Sopa de zanahoria (7)
- 1 cucharada de levadura
- Huevos al plato (38)
- 1 vaso de leche

★ ★ ★

NOTAS:

* El almuerzo es la comida del mediodía.
1. Aconsejamos dar los zumos 20-30 minutos antes de las comidas, o bien a media mañana.
2. El polen debería tomarse a diario durante 2 o 3 meses, para luego descansar un período similar, en el que se podrá administrar la lecitina.
3. Es conveniente dar variedad de zumos al niño. Los que se indican en los menús son sólo una sugerencia. Cada madre le dará el que más convenga a su hijo en ese momento, o de la fruta que disponga más fácilmente.
4. El número entre paréntesis [por ejemplo: (32)] es de la receta del RECETARIO de las páginas 881-886.
5. El biogur es semejante al yogur, con la diferencia de los fermentos empleados en su elaboración. Ambos resultan interesantes para la alimentación del niño, y por esa razón aconsejamos que se alternen yogur y biogur (pág. 892).

Las legumbres y los frutos secos oleaginosos son de un gran interés desde el punto de vista nutritivo, como se indica en el texto de esta página y la siguiente. Deben formar parte de la dieta habitual de todos los adultos y los niños mayorcitos, pero el inicio en su consumo debe realizarse con prudencia y en el momento apropiado, de acuerdo con las indicaciones que damos en el texto y particularmente en la tabla de la página 895.

dar un pedazo de pan a los lactantes, con el fin de que se distraigan o se les calme el dolor de la dentición.

Es preferible que al principio el niño tome galletas, que al estar tostadas en toda su extensión y no sólo superficialmente, su harina está dextrinada y por tanto resulta muy digestible. También son convenientes para empezar los llamados «biscottes» (pan dextrinado elaborado con harina fina). Es preferible el pan con poca miga y una corteza bien cocida para iniciar al niño en su consumo.

Aunque el pan integral es más nutritivo y conveniente, por su riqueza en fibra celulósica, no debe darse antes de los dos años ni en mucha cantidad. Se puede empezar a introducirlo en forma de pan semiintegral (mezcla de harina completa y harina blanca).

Las pastas, si el niño las mastica bien, son bastante bien toleradas. De-ben ser bien cocinadas. Hay pocos niños que no acepten con agrado las pastas: fideos, macarrones, tallarines, espaguetis.

A partir de los 10 o 12 meses se pueden empezar a dar a los niños sémolas y los copos de cereales. Los cereales en grano no son adecuados para la alimentación infantil, salvo el arroz blanco, que puede ser incluido en los menús infantiles a partir del año, a condición de que haya sido sometido a una perfecta cocción.

Las legumbres

Las legumbres más empleadas en la alimentación humana son los garbanzos, los guisantes, las habas, las judías y las lentejas. Son alimentos particularmente nutritivos de gran riqueza proteínica, mineral y de vitaminas del grupo B.

Las legumbres presentan el inconveniente de su difícil digestión para ciertos estómagos delicados. Hay que cocinarlas durante mucho tiempo, convertirlas en puré y pasarlas por un tamiz fino. Sólo de esta manera se podrán dar a los niños a partir del 15.º mes. Hay que esperar a que el niño tenga al menos cinco años para dárselas enteras y con piel.

Ya hemos hablado de la soja, al hablar de las leches. En forma de legumbre, el grano de soja es un alimento ideal. La soja verde es mucho más digestible que la común, y por tanto más apropiada para la nutrición infantil.

Actualmente existen en el mercado sustitutivos de la carne elaborados a base de soja, que alimentan tanto o más que los productos animales, y no presentan ninguno de sus inconvenientes. También se elaboran sustitutivos cárnicos con gluten (proteína de cereal, normalmente trigo). Son ideales para dar variedad a los menús, aunque el gluten debe ser complementado con otros alimentos, pues su proteína no es completa como la de la soja. Todos los sustitutivos de la carne se empiezan a administrar al niño a partir del año, con pautas de introducción semejantes a las de la carne, aunque son productos mucho más digestibles que ésta.

Frutos secos oleaginosos

Llamamos frutos secos oleaginosos a aquellas semillas vegetales de gran contenido graso, que se usan en la alimentación humana: almendras, anacardo, avellanas, cacahuetes (maní), nueces (en sus distintas variedades), pipas de girasol, sésamo (ajonjolí), y algunos otros.

Al principio sólo deben administrarse en forma de leche, como la popular leche de almendras. Después se pueden ir introduciendo bien triturados en las papillas de fruta o en los purés de verduras. Los piñones y algunos tipos de nueces, que son relativamente blandos, se pueden dar al niño cuando ya mastica bien.

A partir de los cinco o seis años ya se pueden administrar enteros. Nunca antes de esa edad, pues no sería el primer niño que sufre una asfixia por culpa de un simple cacahuete o una avellana.

Aunque son una excelente fuente de prótidos y de vitaminas, su consumo tiene que ser limitado por su gran contenido graso. Si el niño no los mastica bien no resultan asimilables. Una forma excelente de incluirlos en la die-

ta infantil es en forma de crema. Son muy populares las de cacahuete y las de avellanas, y en algunos países también la de sésamo. Lo ideal es que esas cremas estén elaboradas sin azúcar, ni cacao, ni aditivos o conservantes químicos, por supuesto.

Comentario aparte merece el sésamo (ajonjolí), componente de numerosos platos y galletas o pastelitos orientales. El sésamo es el vegetal más rico en lecitina, seguido de la soja. La lecitina es un fosfolípido regulador del colesterol, pero que además posee la virtud de fortalecer el cerebro y todo el sistema nervioso, lo cual resulta de gran interés en la alimentación infantil. En forma de horchata (leche) se puede dar a partir de los 9 meses; y bien triturado, en forma de harina, a partir del año.

ALIMENTOS DE ORIGEN ANIMAL

Aunque en otras épocas se creía que para que los seres humanos estuvieran sanos era necesario que consumieran proteínas de origen animal, hoy en día sabemos que todos los principios nutritivos necesarios, incluidos los aminoácidos esenciales, indispensables para conservar la salud, pueden ser aportados por una alimentación exclusivamente vegetariana. Nosotros recomendamos un régimen vegetariano, complementado con productos lácteos y un consumo moderado de huevos, es decir una dieta ovolactovegetariana. Es cierto que una alimentación estrictamente vegetariana puede resultar carencial si no está muy bien estudiada, pero cuando incluye suficiente productos lácteos eso es prácticamente imposible.

Los huevos

Los huevos tienen la gran virtud de que son un alimento altamente concentrado. Y esa gran virtud puede convertirse en su gran inconveniente, pues por su escaso volumen no sacian fácilmente, con lo que se puede caer en un exceso de ellos con facilidad. En ningún caso se debiera consumir más de

un huevo diario, y lo mejor es un promedio de un par a la semana. Tengamos en cuenta que una yema de huevo contiene unos 300 miligramos de colesterol, que es la cantidad máxima de esa sustancia que el organismo humano adulto tolera sin problemas. La clara de huevo, sin embargo, no contiene colesterol.

Aparte de una importante cantidad de vitamina B_1, la clara posee una escasa riqueza vitamínica y mineral. También es pobre en lípidos, pero muy rica en prótidos compuestos por todos los aminoácidos esenciales.

La yema del huevo es rica en fosfolípidos (lecitina), vitamina A y diversas vitaminas del complejo B. La yema de huevo también es rica en hierro.

Los huevos para la alimentación infantil deben proceder de gallinas sanas y ser bien frescos. No debe darse nunca huevo crudo a los niños directamente o bien en forma de mayonesa. El aparato digestivo infantil tampoco tolera los huevos fritos (enteros o revueltos en forma de tortilla) ni tampoco simplemente pasados por agua. Deben ser hervidos durante al menos diez minutos.

Para introducir el huevo en la dieta infantil se comienza con una pizca de yema mezclada en los purés o papillas. La administración de la clara se hace progresivamente también, tanteando la tolerancia. Nunca se debe dar huevo antes del medio año, y preferiblemente se comenzará a dar más tarde: 8-9 meses.

Los productos lácteos

La dosis diaria de leche puede administrarse también en forma de queso tierno, requesón, yogur o cuajada.

El yogur y la cuajada son equivalentes en valor nutritivo a un volumen igual de leche. El valor alimenticio de los quesos, en comparación con la leche, depende mucho de la cantidad de suero lácteo que se les haya extraído. Por lo general los quesos son muy interesantes por su elevado porcentaje de calcio.

Al niño se le comienzan a dar quesos muy frescos (tipo Burgos o requesón), y siempre pasteurizados a partir de los 6 o 7 meses. Los quesos tipo «petit suisse», normalmente son muy grasos y contienen azúcar, lo cual los hace un poco indigestos, y deben introducirse en la dieta un poco más tarde. Es muy peligroso ingerir quesos elaborados con leche que no se tenga la certeza de que ha sido debidamente pasteurizada. No hemos de olvidar que los quesos para fundir y otros quesos curados, se elaboran con diversos aditivos que se ha demostrado que producen alteraciones metabólicas y nerviosas en niños sensibles. Algunos escolares extremadamente violentos se vuelven niños normales y pacíficos cuando dejan de tomar estos quesos, según se ha podido comprobar experimentalmente.

El yogur, por ser leche «predigerida» es un alimento de gran interés en la dietética infantil y de todas las edades, aunque no carece de contraindicaciones. A pesar de que favorece el mantenimiento de la flora bacteriana, si su consumo es diario puede alterarla. Por eso cuando se toma yogur cotidianamente es conveniente sustituirlo una o dos veces por semana, por leche cuajada, que se ha solidificado, no por fermentación láctica, como en el caso del yogur, sino por acción enzimática. Se puede comenzar a dar una o dos cucharadas de yogur o cuajada por día a partir del 7.º mes, e ir aumentado poco a poco la dosis, hasta llegar a un yogur (125 g) al día a los 10 meses.

La OMS recomienda con preferencia para la alimentación infantil el llamado biogur o el sanogur (elaborados con *Streptococus thermophilus* y *Lactobacillus acidophilus*), porque el tipo de ácido láctico que contienen es asimilable en su mayor parte por el organismo humano. El ácido láctico del yogur normal (producido por *Lactobacillus bulgaricus*) al no poder ser completamente asimilado, puede producir una sobrecarga metabólica. Ninguna persona, y menos un niño, conviene que tome más de medio litro de yogur común diariamente, y en ningún caso más de un litro.

La mantequilla, aunque, por ser una grasa sólida de origen animal, contiene demasiada proporción de ácidos grasos saturados (50%), administrada al niño en pequeña cantidad, es una buena fuente de vitaminas A y D. La margarina puede ser un buen sustitutivo de la mantequilla, y, según el tipo de aceite con el que haya sido elaborada, su contenido de ácidos grasos satu-

El yogur, y de manera particular el biogur (sanogur), la cuajada, el requesón y los quesos frescos, son productos de gran interés dietético. Los quesos tipo «petit suisse», por su contenido graso y la adición de azúcar, no deben ser de consumo habitual. Todos estos productos deben ser lo más naturales posible, y por tanto hallarse libres de colorantes y saborizantes.

rados es relativamente bajo, aunque resulta menos conveniente por ser un producto artificial elaborado en ocasiones con colorantes y conservantes cuya inocuidad está por demostrar.

La crema (nata) de leche, a pesar de ser una grasa de origen animal, resulta muy digestible. Es preferible a la mantequilla en cualquier caso, aunque ello no significa que se pueda administrar en gran cantidad a los niños, pues no deja de ser un alimento altamente energético (calórico). La crema de leche que se vende montada, suele contener azúcar, y a menudo otras grasas animales, por lo que ya no resulta con-

veniente para la nutrición infantil. Como todos los productos lácteos tanto la nata como la mantequilla deben estar perfectamente higienizadas (pasteurizadas o esterilizadas).

Carnes y pescados

Salud Mundial, la revista del máximo organismo sanitario mundial, la OMS, ha declarado de forma rotunda: «Una dieta vegetariana bien equilibrada puede proporcionar al organismo el mismo músculo, la misma energía y el mismo vigor que la dieta compuesta a base de productos de origen animal.»

Es decir que la carne no resulta indispensable para la nutrición humana.

Mas bien al contrario: Una dieta basada en productos de origen animal favorece el aumento del colesterol y del ácido úrico en la sangre. La carne duplica cuando menos el tiempo de digestión de los alimentos, lo cual favorece la putrefacción intestinal, la autointoxicación y la aparición del cáncer de colon. La carne carece por completo de fibra indigerible, tan necesaria para un buen funcionamiento intestinal y la prevención del estreñimiento. Y no digamos ya de las manipulaciones (administración de hormonas y antibióticos) y las enfermedades que padece el ganado criado «industrialmente», que evidentemente representan un peligro real para la salud humana.

Por eso venimos recomendando una dieta básicamente vegetariana, que, repetimos, nunca puede ser carencial si se complementa con una ración diaria suficiente de productos lácteos. Las proteínas de la carne, su primordial aporte nutritivo, no son más completas que las de la leche o el huevo, y pueden ser sustituidas ventajosamente por las de la soja, o una combinación de legumbres y cereales.

No obstante, si se desea introducir la carne en el régimen del niño, cuanto más tarde, tanto mejor. Antiguamente se recomendaba no incluirlas hasta los 3 o 4 años. Hoy se dan a partir del primero. Suele comenzarse su administración por el jugo de la carne añadido a los purés. Más tarde, y lentamente, se pasa de 10-20 gramos diarios hasta llegar a los 80-100 al cumplir los dos años.

La carne que se dé a los niños tiene que estar bien triturada y perfectamente cocinada, para impedir la presencia de gérmenes patógenos vivos, y para facilitar su digestión.

Las carnes grasas son muy indigestas. Por eso las más tolerables son las de pollo, pichón y ternera. Se evitarán cuidadosamente la oca, el pato y el cerdo y todos sus derivados. Los embutidos, por su elevado contenido graso y su forma de elaboración (falta de cocción, especias, sangre, ahumado), aparte de su falta de digestibilidad, no deben ser administrados bajo ningún concepto a los niños. La caza o la carne de reses de lidia, a causa de las sustancias tóxicas formadas en el curso del proceso de descomposición desde el momento de la muerte del animal hasta su consumo, y por su imperfecto desangrado (la sangre contiene numerosas toxinas, especialmente en los animales muertos tras intenso sufrimiento), no debe entrar nunca en el estómago infantil.

Los caracoles, sumamente indigestos y a menudo tóxicos, no deben ser consumidos por ningún niño.

El pescado es igual de rico en prótidos que las carnes, y por lo general más pobre en lípidos. Los pescados que son grasos, se considera en la actualidad que no aportan colesterol en la misma medida que las carnes, e incluso los llamados azules pueden favorecer su disminución, aunque éstos resultan inapropiados para el niño pequeño, pues son de difícil digestión. El pescado es rico en fósforo. La digestión de los pescados blancos resulta mucho más fácil que la de cualquier carne. Para el niño los más convenientes son la merluza, el lenguado, el salmonete, el besugo y la trucha. Se pueden administrar a partir del 7.º-8.º mes, bien hervidos y al principio mezclados con los purés.

Para la alimentación infantil el pescado tiene que ser fresco o congelado con las debidas garantías, y no debe haber sido capturado cerca de la costa, por la contaminación marina que lo puede hacer inapto para la alimentación. El de río, por la misma razón, tiene que haber sido pescado cerca del nacimiento. En ningún caso se debe dar a un niño mariscos, pulpo o calamares, por ser de difícil digestión, y por la facilidad con que algunos (ostras y mejillones, por ejemplo) provocan intoxicaciones, graves a veces, o transmiten enfermedades infecciosas como la hepatitis.

COMPLEMENTOS NUTRITIVOS

Existen una serie de productos que no son componentes básicos en la dieta humana, pero que por sus especiales características es muy interesante incluir algunos de ellos en nuestros menús. Los complementos son eso, complementos, y por tanto no deben incluirse todos, sino aquellos de los que se disponga, y de acuerdo con las necesidades y la conveniencia individual. Algunos como la miel son bien conocidos, y otros como el sésamo o las algas, se pueden considerar exóticos, aunque ni lo uno ni lo otro prejuzgue su interés dietético.

La miel

Los poderes nutritivos y curativos de la miel son proverbiales, con razón se la ha llamado «la dulce medicina».

La miel, al contrario que el azúcar blanco (sacarosa pura), debido a la composición de sus glúcidos (levulosa, dextrosa y sacarosa), tomada moderadamente facilita el aprovechamiento del calcio, lo cual quiere decir que sí «fortalece los huesos». El azúcar blanco, en cambio, contrariamente a lo que mucha gente cree es descalcificador; es decir, debilita los huesos.

Ciertos estómagos no la toleran sola, en cambio la aceptan perfectamente disuelta en algún líquido. Como todo tiene que ser introducida paulatinamente. A partir de los 6 meses un bebé sano puede tomar una punta de cucharita disuelta en el zumo de frutas o el biberón. La miel es más conveniente para endulzar las papillas, a partir de esa edad, que el azúcar.

El polen y la jalea real

Además de la miel, existen otros productos de la colmena de gran inte-

Cada día son más los niños que se benefician de las propiedades nutritivas, y sobre todo salutíferas, de la miel, la melaza de caña, el polen y el germen de trigo. Acostumbremos a nuestros hijos desde bien pronto a un consumo moderado y habitual de estos interesantes complementos nutritivos.

rés para la nutrición infantil, como el polen y la jalea real.

El polen tiene, proporcionalmente, un elevado contenido proteínico, y también en lípidos. Su contenido vitamínico y mineral no es de gran interés desde el punto de vista cuantitativo. En cambio se ha demostrado que tiene interesantes efectos profilácticos y curativos, que se supone se deben a la combinación de sus nutrientes o a la presencia de sustancias todavía no bien conocidas. Se ha demostrado su efecto positivo en anemias, retraso en el crecimiento, malas digestiones, falta de apetito, trastornos nerviosos y depresivos, y en diversos casos de falta de vitalidad. Algunos científicos atribuyen propiedades anticancerígenas al polen. A partir del 5.º mes se le pueden dar al niño unos granitos de polen, que al principio tomará realizando al-

gunas muecas, pero que al cabo de unas semanas los ingerirá incluso con gusto. A los 8 meses se puede llegar a una cucharadita, y a partir del año una cucharada rasa al día.

El polen se puede administrar directamente o disuelto en leche o zumo de fruta. Se recomienda no consumirlo de forma permanente. Es mejor tomarlo durante 3 meses y descansar uno por ejemplo.

La jalea real, según los análisis cualitativos más recientes, presenta la misma composición que el polen, diferenciándose únicamente por la presencia de una sustancia todavía no bien estudiada. La jalea real suele usarse más bien con propósitos terapéuticos que como complemento nutritivo. Aunque hay diversas investigaciones en proceso, todavía no se han podido establecer con certeza las propiedades salutí-

feras de la jalea real. En general se considera que aumenta la vitalidad, estimula positivamente las funciones psíquicas y mejora las defensas contra las infecciones. La jalea real no se empieza a dar a los niños antes de su primer año de vida

La melaza (miel de caña)

Lo que antes se despreciaba como desecho en la elaboración del azúcar de caña, hoy sabemos que es un producto de gran interés dietético y medicinal.

La melaza de caña es rica en hierro, por lo que ayuda a prevenir y curar las anemias ferropénicas de forma eficaz. También es muy interesante su contenido en potasio y magnesio, dos minerales que a veces escasean en la alimentación actual. Su contenido en cobre y cinc también es destacable.

El consumo regular de melaza ha demostrado poseer efectos favorables en diferentes enfermedades de la piel, y en diversos trastornos patológicos de las uñas y el cabello. Es un buen tónico nervioso, y un excelente regulardor de la función intestinal.

Las indicaciones dadas en cuanto a la forma de administrar la miel, pueden servir para el caso de la melaza, llamada con razón miel de caña.

El germen de trigo

El germen suele eliminarse de la harina de trigo, incluso la integral, para evitar su enranciamiento. Es, sin embargo, precisamente el elemento de mayor interés de un cereal. En el germen, por ser el inicio de una nueva planta, de una nueva vida, es donde se concentran todas sus mejores propiedades nutritivas y salutíferas.

Posee propiedades antianémicas, por su excelente contenido en elementos que favorecen la formación de sangre. Su gran riqueza en el complejo vitamínico B lo convierten en un producto básico para prevenir los estados carenciales de esta vitamina; por cierto bastante comunes en nuestra sociedad, tan amante de los productos refinados y superelaborados, es decir, desmineralizados y desvitaminizados. Muchos niños nerviosos e inquietos, mejoran de forma notable, cuando toman con regularidad germen.

TABLA DE INTRODUCCIÓN DE ALIMENTOS EN LA DIETA INFANTIL

PRODUCTO	EDAD	CANTIDAD	OBSERVACIONES
Leche materna	1.er día	a discreción	Ver tabla página 866.
Fórmula láctea	1.er día	10 ml	Ver tabla página 866.
Leche de soja	1.er mes	1 o 2 cucharadas	Para probar tolerancia. Incrementar progresivamente.
Leche de chufa o de almendras	2.º mes	1 o 2 cucharadas	Para probar tolerancia. Incrementar progresivamente.
Zumos de frutas	4.º mes	1 o 2 cucharadas	Ver tabla página 866.
Papilla de frutas	5.º mes	50 - 100 ml	Cuando toleran los zumos.
Polen	5.º mes	3 - 5 bolitas	Sólo para que se acostumbre al sabor. Al año ya podrá tomar una cucharadita.
Papilla de cereales sin gluten	5.º mes	100 - 200 ml	Ver tabla página 866.
Papilla de verduras	6.º mes	100 - 200 ml	Ver tabla página 866.
Patata	6.º mes	30 - 50 g	Bien cocida y triturada. Con las verduras.
Aceite de oliva	6.º mes	1/2 cucharada	Con la papilla de verduras.
Levadura de cerveza	6.º mes	1/2 cucharadita	Incrementar progresivamente hasta una cucharada al día. Diluir en el zumo.
Miel (o melaza)	6.º mes	1/2 cucharadita	Con la papilla o los zumos.
Yema de huevo	7.º mes	una pizca	Bien cocida y mezclada con la papilla. Incrementar progresivamente hasta tomar la yema completa.
Requesón (o queso fresco)	7.º mes	1 cucharada	Incrementar progresivamente.
Yogur	7.º mes	1 cucharada	Ver página 892.
Papilla de cereales con gluten	7.º mes	250 ml	Ya se pueden incluir la harina de trigo y otros cereales.
Tapioca, maizena	7.º mes	100 - 200 ml	En sopa o crema. Con caldo de verduras o con leche.
Galletas	7.º mes	2 - 4	Trituradas con la papilla de fruta.
Crema de leche (nata)	8.º mes	1/2 cucharada	Igual que el aceite. Alternar con éste.
Pescado y pollo	8.º mes	30 g	Ver página 893.
Sésamo (leche)	9.º mes	100 ml	Al año, ya se podrán dar las semillas bien molidas, con las papillas.
Huevo completo	9.º mes	1/4 de huevo	Cocido y triturado, con las papillas.
Frutos secos	12 meses	1 cucharada	Triturados y mezclados con la papilla. Ver página 891.
Carne vegetal (de soja)	12 meses	20 - 30 g	Cocida y triturada con las verduras.
Carne	12 meses	20 - 30 g	Ver página 893.
Cereales (en copos)	12 meses	200 ml	Cocer bien y triturar si quedan muy enteros.
Arroz blanco	12 meses	50 g	Bien cocido.
Fideos	12 meses	100 - 200 ml	En sopa de caldo de verduras.
Germen de trigo	12 meses	1/2 cucharadita	Con los zumos o papillas.
Algas	12 meses	1 cucharadita	Trituradas y mezcladas con las papillas.
Legumbres	15 meses	100 g	En puré y pasadas por tamiz fino.
Pan	15 meses	20 g	Sin miga (tipo «colín» o «rosquilleta»).
Germinados	15 meses	1 cucharada	Cocidos y triturados.

Algunos especialistas en nutrición infantil recomiendan que a las papillas infantiles se les adicione germen de trigo, pues es la mejor fuente natural de vitamina B, aparte de que sus lípidos (grasa) son muy adecuados para la nutrición humana. Algunas de las sustancias que el germen contiene en elevada proporción favorecen el equilibrio metabólico y el crecimiento. No es extraño pues que se considere el germen de trigo como un componente de gran interés para la alimentación infantil. Siempre que resulte posible, debe incluirse en la dieta habitual.

El germen se puede dar directamente a razón de media cucharadita a la semana a partir del primer año. Poco a poco se va aumentando la ración, repartida en varios días hasta llegar a unas dos cucharadas soperas por semana a los dos años. Se puede tomar directamente o mezclado con papillas, purés o zumos.

La levadura de cerveza

Se considera que la de cerveza es la levadura alimentaria que mejor se asimila. Su contenido proteínico es casi del cincuenta por ciento, y se considera que la proteína de la levadura de cerveza es de las más asimilables (90%, frente a un 70% como máximo de la carne). Así que de este complemento nutritivo no se debe abusar.

Presenta una gran riqueza en potasio, fósforo y hierro, pero sobre todo es una fuente de gran valor de vitaminas del grupo B.

La levadura de cerveza favorece el crecimiento, previene y cura diversos trastornos nerviosos, favorece la formación de glóbulos rojos y puede corregir diferentes trastornos de la piel, cabello y uñas.

La levadura de cerveza se administra a los niños en copos o de forma líquida. Se puede introducir desde bien pronto mezclada con las papillas y purés. Parece, sin embargo, que lo mejor es comenzar a administrarla a partir de los 6 meses, comenzando con media cucharadita al día, hasta llegar en unas semanas a una cucharada, hablando siempre de levadura en copos no de la líquida concentrada o de extractos. A los niños no se les debe dar levadura o germen en forma de comprimidos, salvo cuando ya son mayorcitos y pueden llevar una alimentación como la de los adultos.

Las algas

Las algas son vegetales marinos que tradicionalmente se vienen usando para la alimentación humana y del ganado en muchos países orientales. En occidente se emplean sobre todo para obtener de ellas diversos productos, como son los espesantes y gelificantes alimentarios. Su riqueza mineral y vitamínica es elevada. Son de gran interés algunas algas, como la espirulina, pues según algunos investigadores contienen vitamina B_{12}, que durante mucho tiempo se había creído que no existía en el reino vegetal. Todas las algas son una fuente de yodo de primera magnitud, pues son cinco veces más ricas en este elemento que la propia agua de mar

En algunos preparados comerciales a base de harinas de cereales, se incluye también una proporción de harina de algas.

Las algas son productos poco estudiados desde el punto de vista nutritivo y dietético. Se considera que pueden comenzar a administrarse a partir de los 12 meses.

Los germinados (brotes)

Los germinados, muy fáciles de obtener en casa en todas las épocas del año, son un producto de gran interés para la nutrición infantil. Cualquier semilla germinada sufre interesantes transformaciones. Por ejemplo la soja, que no posee más que indicios de vitamina C, cuando germina pasa a tener 108 miligramos por 100 gramos, y otras vitaminas multiplican su porcentaje por dos y hasta por tres. En el caso del trigo su vitamina C se sextuplica, y la E se triplica. Los germinados son ricos en clorofila.

El proceso de germinación ha sido considerado como una «predigestión», al igual que lo es la cocción. La germinación, por ejemplo, transforma el almidón de los glúcidos en carbohidratos más simples, y por tanto más asimilables, y también disocia los aminoácidos, con lo cual ahorra esa función al aparato digestivo. Los germinados deben usarse preferiblemente frescos y en crudo. A los 15 meses se comienza a administrar cocidos y bien triturados. A los 2 años ya se pueden dar crudos, aunque triturados, y a partir de los 3, cuando el niño mastica perfectamente se pueden administrar enteros. Suelen mezclarse con los purés de verduras o legumbres, o se sirven en las ensaladas.

Dulces y chocolate: ¿complementos?

Todavía hay quienes confunden energético (calórico) con nutritivo o alimenticio, o peor aun piensan que los alimentos que más sacian y resultan más difíciles de digerir, son los que «más alimentan». Por ejemplo, determinados pasteles y dulces industriales —igual que los caseros— «llenan» mucho, son muy energéticos, por su riqueza en azúcares y grasas, pero su contenido vitamínico y mineral es escaso o prácticamente nulo, y por supuesto carecen de fibra. O sea nutren, pero de forma desequilibrada, pues favorecen la obesidad, pero son carenciales en vitaminas, sales minerales y en fibra. De manera que no se sorprenda el lector si no los consideramos un «alimento», ni tampoco un complemento nutritivo. No resultan pues convenientes para la salud, y menos si se hace un uso habitual de ellos.

Así que los padres que por comodidad, o simplemente por satisfacer los malos hábitos infantiles, permiten que sus hijos tomen, como desayuno o merienda, pastelitos o bollos, no están alimentándolos correctamente; más aún, les están produciendo un perjuicio inmediato y otro a más largo plazo: educar incorrectamente su paladar.

Los dulces caseros, elaborados con poco azúcar o miel, muy bien cocinados u horneados, es tolerable dárselos a los niños, siempre que sean algo excepcional, y en ningún caso antes de que puedan masticarlos y ensalivarlos perfectamente.

El cacao, bien sea disuelto en leche o en forma de chocolate no es conveniente para los niños. Es de difícil digestión, recarga el hígado, resulta excitante, favorece el acné y sus propiedades nutritivas se reducen, en el caso del chocolate por su gran proporción de azúcar, a su gran aporte calórico, lo cual, en realidad, resulta un inconveniente. En cualquier caso, no debe darse cacao a los niños menores de 3 años.

TABLA ANALÍTICA DE LOS ALIMENTOS MÁS COMUNES
EN LATINOAMÉRICA Y ESPAÑA
VALOR NUTRITIVO POR CADA 100 GRAMOS DE PARTE COMESTIBLE

| NOMBRE COMÚN Y CIENTÍFICO | gramos | | | | miligramos | | | | U I | miligramos | | | | |
---	Agua	Glú-cidos	Lípi-dos	Pró-tidos	Calcio	Fós-foro	Hierro	Pota-sio	Vita-mina A	Vita-mina B₁	Vita-mina B₂	Nia-cina	Vita-mina C	Calo-rías
FRUTAS														
Acerola (*Malpighia punicifolia*)	90	13,5	0,1	1,7	21	35	1	—	0	0,014	0,04	0,5	2.520	62
Aguacate (*Persea americana*)	81	6,3	16,4	2,1	10	42	0,6	604	290	0,11	0,2	1,6	14	167
Albaricoque (*Prunus armeniaca*) ..	84	12,4	0,1	0,9	14	24	0,6	300	2.000	0,04	0,05	0,8	10	54
seco	12	68,4	0,4	5,0	75	120	4,5	1.100	6.500	0,01	0,1	3,2	11	300
jugo	86	12	0,5	0,5	8	12	0,3	98	1.000	0,01	0,01	2,4	9	50
en conserva	80	16	0,3	0,6	10	15	0,4	135	1.150	0,02	0,02	3,1	9	72
Anacardo (*Anacardium occidentale*)	85	10	0,1	0,8	—	10	0,5	—	5.000	0,02	0,02	0,1	250	44
Arándano (*Vaccinium myrtillus*) ...	82	13,6	0,6	0,6	10	9	0,7	65	220	0,02	0,02	0,4	20	62
Arándano rojo (*Vaccinium vitis-idaea*)	83	11,6	0,5	0,3	14	10	0,5	72	30	0,014	0,024	0,2	12	42
Caqui (*Diospyros kaki*)														
japonés	75	19,7	0,4	0,7	6	3	0,3	174	2.170	0,03	0,02	0,1	11	77
americano	65	33,5	0,4	0,8	27	26	2,5	310	—	—	—	—	66	127
Cereza (*Prunus avium*)	82	14	0,5	0,8	16	25	0,4	230	105	0,03	0,03	0,2	10	64
Cidra (*Citrus medica*)	88	10	0,1	0,6	42	20	0,5	—	5	0,1	0,1	0,2	32	40
Ciruela (*Prunus doméstica*)	80	13,3	0,1	0,7	13	23	0,4	170	250	0,07	0,035	0,5	1	53
seca (pàsa)	20	70	0,5	2,5	52	78	3	600	1.200	0,13	0,15	1,2	3	262
Chicozapote (*Manikara zapota*)	72	21,8	1,1	0,5	21	12	0,8	193	60	+	0,02	0,2	14	99
Chirimoya (*Annona cherimola*)	72	24	0,4	1,3	23	40	0,5	—	10	0,1	0,11	1,3	10-50	94
Dátil (*Phoenix dactylifera*)	21	73,2	0,5	1,9	65	60	1,9	650	50	0,04	0,07	1,9	3	305
Escaramujo (*Rosa canina*)	62	30	0,7	2,7	510	—	—	50	300	0,1	0,007	0,4	600	147
Frambuesa (*Rubus idaeus*)	88	8,1	0,3	1,3	40	44	1	170	70	0,02	0,05	0,3	25	40
Fresa (*Fragancia vesca*)	81	8	0,4	8	26	33	0,9	140	60	0,03	0,07	0,4	59	39
Granada (*Punica granatum*)	76	16	0,5	1	10	105	0,3	50	+	0,01	0,03	+	50	74
Granadilla (*Passiflora edulis*)	84	13,6	0,1	0,4	4	12	0,2	—	1.400	+	0,1	1,5	30	51
Grosella negra (*Ribes nigrum*) ...	77	10,4	0,1	1	17	28	0,9	340	220	0,054	0,03	0,35	170	46
Grosella roja (*Ribes rubrum*)	89	7,9	0,1	1,1	25	32	0,9	240	100	0,04	0,02	0,2	32	37
Guanábana (*Annona muricata*)	81	16,3	0,3	1	14	27	0,6	265	10	0,07	0,05	0,9	20	65
Guayaba (*Psidium guajaba*)	82	15	0,6	0,8	23	42	0,9	289	90-280	0,05	0,05	1,2	242	62
Higo (*Ficus carica*)	82	16	0,4	1	53	40	0,7	190	75	0,1	0,08	0,63	2	80
seco	22	73	1,5	4,5	192	149	4	910	60	0,13	0,11	1,72	0	275
Higo chumbo (*Opuntia ficus-indica*)	89	9	0,7	0,3	24	28	0,3	90	130	0,01	0,03	0,4	25	44
Jobo amarillo (*Spondias mombin*)	81	13,8	2,1	0,8	26	31	2,3	—	70	0,08	0,07	0,5	30	70
Jobo rojo (*Spondias purpurea*) ...	75	22	0,1	0,9	22	40	0,6	—	31	0,07	0,03	1	45	83
Kiwi (*Actinidia chinensis*)	86	11	0,3	1,6	56	42	—	320	—	—	—	—	300	53
Lima (*Citrus aurantiifolia*)	89	8	1	0,5	26	18	0,5	—	2	0,1	0,1	0,2	45	31
zumo	90	9	0	0,4	9	—	0,2	—	12	0	0	0,1	33	26
Limón (*Citrus limon*)	88	8	0,6	0,6	41	15	0,7	142	5	0,1	0,1	0,1	51	29
zumo	91	8,1	0	0,4	7	—	0,2	—	17	0,1	0	0,1	46	24
Litchi (*Litchi chinensis*)	82	15,7	0,1	0,8	5	31	1,1	—	+	0,02	0,03	0,9	72	60
Mamey (*Mammea americana*)	87	11	0,5	0,5	11	11	0,5	—	90	0,02	0,04	0,4	14	49
Mango (*Mangifera indica*)	80	16,8	0,4	0,7	10	13	0,4	189	4.800	0,05	0,05	1,1	35	66
Mangostán (*Garcinia mangostana*)	76	18,6	0,8	0,7	18	11	0,3	—	—	0,06	0,01	0,04	4	76
Manzana (*Pirus malus*)	85	12,1	0,3	0,3	8	10	0,3	140	100	0,03	0,03	0,1	12	52
jugo	86	13	0,1	0,5	5	10	2,2	105	40	0,01	0,03	—	10	52
asada	70	30	0,5	1	4	12	0,3	130	—	0,02	0,02	0,2	20	100
Melocotón (*Prunus persica*)	85	10,5	0,1	0,7	10	30	0,6	220	770	0,04	0,05	0,8	11	40
jugo	87	13	0,1	0,3	5	7	0,2	—	310	0,01	0,01	0,3	10	50
en almíbar	82	18	0,1	0,5	5	20	1	100	500	0,01	0,02	0,7	40	70
Melón (*Cucumis melo*)	90	7,5	0,1	0,7	14	16	0,4	230	3.400	0,04	0,03	0,6	33	20
Membrillo (*Cydonia oblonga*)	82	14,9	0,3	0,3	14	19	0,3	203	30	0,03	0,02	0,2	15	57
Naranja amarga (*Citrus aurantium*)	85	13	0,1	0,7	43	17	0,6	—	20	0,1	0,1	0,3	42	50

NOMBRE COMÚN Y CIENTÍFICO	gramos				miligramos				U I	miligramos				
	Agua	Glú-cidos	Lípi-dos	Pró-tidos	Calcio	Fós-foro	Hierro	Pota-sio	Vita-mina A	Vita-mina B₁	Vita-mina B₂	Nia-cina	Vita-mina C	Calo-rías
Naranja dulce (Citrus sinensis)	87	10,5	0,2	0,8	34	20	0,7	175	40	0,1	0,1	0,2	59	42
zumo	89	10	0,2	0,7	22	17	0,3	184	40	0,1	0,1	0,2	59	40
Níspero del Japón (Eriobotrya japonica)	87	9	0,6	0,4	25	20	0,4	215	1.200	0,02	0,02	0,2	2	47
Papaya (Carica papaya)	89	10	0,1	0,6	20	16	0,3	234	1.750	0,04	0,04	—	56	39
Pera (Pyrus communis)	85	13,3	0,4	0,5	17	22	0,3	120	170	0,04	0,03	0,2	5	59
en almíbar	75	25	0,1	1	8	8	1	71	5	0,01	0,02	0,1	2	76
Piña americana (Ananas comosus)	84	13,4	0,2	0,5	15	10	0,3	190	110	0,08	0,02	0,2	21	57
conserva	80	20	0,1	0,4	30	8	1	95	80	0,06	0,02	1,9	90	75
Plátano (Musa ssp.)														
común	76	22,2	0,2	1,1	8	26	0,7	370	190	0,05	0,06	0,7	10	85
morado	74	23,4	0,2	1,2	10	18	0,8	370	400	0,05	0,04	0,6	10	90
asado	66	31,2	0,4	1,1	7	30	0,7	385	118	0,06	0,04	0,6	14	119
harina	3	88,6	0,8	4,4	32	104	2,8	1.477	760	0,18	0,24	2,8	7	340
Pomarrosa (Syzygium jambos)	92	6	0,3	0,6	29	16	1,2	—	75	0,02	0,03	0,8	22	63
Pomelo (Citrus maxima)	90	8,5	0,2	0,6	26	26	0,5	—	0	0,1	0,1	0,2	35	34
Sandía (Citrullus lanatus)	92	6,4	0,2	0,5	7	10	—	100	590	0,03	0,03	0,2	7	26
Saúco (Sambucus nigra)	80	15,9	0,5	2,5	35	57	1,6	305	600	0,07	0,08	1,5	18	42
Uva (Vitis vinifera)	82	16,5	0,5	0,7	15	26	0,5	160	50	0,04	0,022	0,2	4	74
zumo	90	10	0,1	2,7	10	10	0,5	160	45	0,04	0,022	0,15	5	40
pasas	25	70,5	0,5	2,5	30	110	3	630	70	0,1	0,1	—	3	295
Uva espina (Ribes uva-crispa)	90	8,8	0,1	0,8	20	30	0,6	200	350	0,016	0,018	0,2	35	44
Zapote (Calocarpum sapota)	71	26,2	0,5	1	22	0,9	1,4	226	115	0,02	0,02	1,4	23	113
Zarzamora (Rubus fructicosus)	88	8,6	1	1,2	30	30	0,9	190	450	0,3	0,04	0,4	17	48
FRUTOS SECOS OLEAGINOSOS														
Almendra (Prunus amygdalus)	10	16	54,1	18,3	250	455	4,1	725	70	0,7	0,6	4,2	—	650
Avellana (Corylus avellana)	10	12,6	61,8	13,9	240	330	3,8	610	43	0,4	0,2	1,6	3	690
Cacahuete (Arachis hypogea)	7	19	46,6	26,5	67	410	2	670	26	0,6	0,1	16,4	—	600
tostado	3	23	47,5	27,5	72	400	3,5	—	+	0,25	0,25	17	1	630
Chufa (Cyperus esculentus)														
seca	75	51	21,8	2	69	211	3	502	—	—	—	—	—	408
horchata sin edulcorar (leche) ...	90	3,5	2,6	0,2	8	28	0,3	55	—	0,02	—	—	1	38
Macadamia (Macadamia integrifolia)	2	10	78,2	9,2	53	240	1,99	—	—	0,216	0,12	1,6	—	778
Nuez (Juglans regia)	6	13,5	62,7	14,6	70	430	2,1	570	80	0,36	0,12	1	15	705
Nuez del Brasil (Bertholletia excelsa)	12	7,3	66,8	14	185	28	3,4	645	10	1	0,035	0,2	12	714
Piñón (Pinus pinea)	5	20,5	60,5	13	12	604	5,2	—	30	1,28	0,23	4,5	—	365
Pipa de girasol (Helianthus annuus)	40	17,4	27	15,2	+	—	—	—	33	0,25	0,18	2,7	+	402
Pistacho (Pistacia vera)	7	19	53,7	19,3	131	500	7,3	972	230	0,67	0,2	1,4	7	594
Semilla de calabaza (Cucurbita pepo)	5	14,5	56	30	38	1.064	9,2	—	15	0,23	0,15	3	0	547
Sésamo	5	21,1	52,2	17,6	1.212	620	10,5	725	5	0,98	0,25	5	—	584
VERDURAS Y HORTALIZAS														
Acelga (Beta vulgaris)	96	2,9	0,3	2,1	100	40	2,7	380	5.900	0,1	0,16	0,6	40	23
Achicoria (Chichorium intybus) ...	93	4,1	0,3	2,1	18	21	0,7	—	10.000	0,1	0,2	0,4	15	21
Alcachofa (Cynara scolymus)	85	12,2	0,1	2,4	53	130	1,5	350	167	0,14	0,012	0,1	8	60
Alfalfa (Medicago sativa)	82	9,5	0,4	6,6	525	155	3,89	—	15.900	0,25	0,34	1,7	183	38
Apio (Apium graveolens)	90	7,4	0,3	1,5	70	80	0,5	320	25	0,036	0,07	0,9	8	38
Bambú, brotes (Bambusa arundinacea)	91	6	0,2	2,5	35	40	0,3	—	10	0,15	0,07	0,6	5	29
Berenjena (Solanum melongena) ..	93	4,9	0,2	1,2	13	25	0,42	218	50	0,06	0,06	0,6	5	19
Berro (Rorippa nasturtium-aquaticum)	93	3,3	0,4	2,8	117	76	2	—	1.105	0,1	0,1	1	44	22
Brécol (Brassica oleracea botrytis)	90	5,9	0,3	3,6	103	78	1,1	400	2.500	0,1	0,2	0,9	113	32
Calabacín (Cucurbita pepo)	86	7,3	0,1	4,2	19	20	0,4	291	16	0,04	0,03	—	10	23

	gramos				miligramos			U I	miligramos				
NOMBRE COMÚN Y CIENTÍFICO	Agua	Glú-cidos	Lípi-dos	Pró-tidos	Calcio	Fós-foro	Hierro	Pota-sio	Vita-mina A	Vita-mina B$_1$	Vita-mina B$_2$	Nia-cina	Vita-mina C	Calo-rías
Calabaza (*Cucurbita pepo*)	95	3,5	0,1	0,8	22	44	0,8	383	1.600	0,047	0,065	0,5	9	15
Col blanca (*Brassica oleracea capitata*)	94	4,2	0,2	1,4	46	27	0,5	230	70	0,05	0,04	0,3	46	24
Col común (*Brassica oleracea acephala*)	88	5,1	0,9	4,3	210	87	1,9	490	6.830	0,1	0,2	2,1	105	46
Col china (*Brassica pekinensis*) ...	95	2	0,3	1,2	40	82	0,6	202	8.400	0,6	0,2	1	36	16
Col de Bruselas (*Brassica oleracea gemmifera*)	85	7,1	0,6	4,4	30	86	1,1	410	780	0,11	0,16	0,7	104	52
Col fermentada	93	4	0,3	1,5	48	43	0,6	290	30	0,1	0,1	0,2	20	26
Coliflor (*Brassica oleracea botrytis*)	93	3,9	0,3	2,5	20	56	0,6	330	55	0,1	0,1	0,6	70	28
Colirrábano (*Brassica oleracea gongylodes*)	92	4,4	0,1	1,9	75	50	—	390	450	0,05	0,05	1,8	53	26
Col rizada (*Brassica oleracea sabauda*)	91	4,4	0,4	2,9	47	56	0,5	280	65	0,05	0,06	0,3	45	33
Chayote (*Sechium edule*)	92	6	0,1	1	10	30	0,4	—	5	0,05	0,05	0,5	20	29
Diente de león (*Taraxacum officinale*)	87	9	0,7	2,7	150	—	3	—	2.500	0,2	0,1	0,8	28	44
Escarola (*Chicorium endivia*)	93	4	0,2	1,6	58	65	2,2	390	7.000	0,07	0,18	0,4	13	20
Espárrago (*Asparagus officinalis*) ..	95	2,9	0,1	1,9	20	45	1	210	500	0,11	0,12	1	20	20
Espinaca (*Spinaca oleracea*)	94	2,4	0,4	2,4	110	48	3	660	8.200	0,086	0,240	0,6	47	23
Guisante (*Pisum sativum*)	77	13,9	0,5	6,7	26	120	1,9	300	900	0,28	0,15	2,1	25	93
seco	15	60,7	1,4	22,9	44	300	4,7	880	120	0,87	0,3	3,3	2	323
harina	10	62	2	23,4	80	295	6	—	25	0,6	0,17	3,2	1	350
Haba (*Vicia faba*)	85	8,6	0,4	4,6	23	—	1,7	—	42	0,17	0,09	2,8	24	56
seca	15	56	2	23	115	—	8,5	—	420	0,52	0,24	4,9	4	334
Judía verde (*Phaseolus vulgaris*) ..	90	6,2	0,2	2,3	65	40	1,7	270	850	0,24	0,16	0,5	18	35
Lechuga (*Lactuca sativa*)	95	2,7	0,1	1	16	23	0,4	—	—	0,1	0,1	0,3	7	13
Lombarda (*Brassica oleracea capitata rubra*)	93	4,7	0,2	1,5	35	30	0,5	266	50	0,07	0,05	0,4	50	27
Pepino (*Cucumis sativus*)	95	3	0,2	1	17	22	0,3	22	120	0,1	0,1	0,2	11	14
Pimiento (*Capsicum anuum*)	95	3,7	0,2	0,9	10	23	0,5	234	940	0,05	0,04	0,4	131	19
Puerro (*Allium porrum*)	90	6,3	0,3	2,2	85	4	1	225	40	0,1	0,06	0,5	20	38
Tomate (*Solanum lycopersicum*) ..	95	3,3	0,2	0,9	14	26	0,5	300	1.000	0,057	0,035	0,53	24	19
RAÍCES Y TUBÉRCULOS														
Ajo (*Allium sativum*)	65	30	0,2	4,4	32	94	1,2	—	5	0,3	0,1	0,7	10	95
Batata (*Ipomoea batatas*)	70	28,6	0,3	1,3	31	37	1	—	1.500	0,1	0,04	0,8	31	116
Cebolla (*Allium cepa*)	89	9,5	0,2	1,2	31	42	0,15	175	50	0,033	0,028	0,2	8	45
Cebollino (*Allium schoenoprasum*)	92	5,5	0,2	1,1	76	26	1	—	—	0,1	0,1	0,3	22	24
Jícama (*Pachyrrizus erosus*)	87	10,6	0,1	1,2	18	16	0,8	—	+	0,1	0,1	0,3	21	45
Malanga (*Xanthosoma ssp.*)	66	31	0,3	1,7	1	56	0,8	—	10	0,1	0,1	0,7	5	132
Ñame (*Dioscorea ssp.*)	73	24,3	0,2	2	14	43	1,3	—	+	0,1	0,1	0,4	3	100
Patata (*Solanum tuberosum*)	78	18,9	0,1	2	13	58	0,9	520	450	0,05	0,05	1,8	53	84
Rábano (*Raphanus sativus*)	95	3,5	0,1	1	34	26	1,5	255	38	0,033	0,03	0,2	30	19
Remolacha (*Beta vulgaris*)	89	7,6	1,5	1,5	30	45	0,9	840	180	0,022	0,04	0,2	10	37
Yuca (*Manihot esculenta*)	61	37,4	0,3	0,8	36	48	1,1	—	5	0,06	0,04	0,7	40	14
Zanahoria (*Daucus carota*)	91	7,3	0,2	1	35	30	0,7	280	13.500	0,07	0,055	0,8	6	35
LEGUMBRES														
Alubia (*Phaseolus ssp.*)	38	40	2	16	35	360	6,6	200	—	0,5	0,15	—	2	298
Azuki (*Vigna angularis*)	15	58,4	1,6	21,5	75	350	4,8	—	6	0,5	0,1	2,5	0	326
Garbanzo (*Cicer arietinum*)	20	53	2	23	41	300	4,8	940	—	0,4	0,15	—	2	345
harina	9	60	6,6	20	100	338	6	—	10	0,14	0,35	0,6	0	368
Lenteja (*Ervum lens*)	23	58	2	24	25	350	7	788	320	0,5	0,2	—	5	388
Soja (*Glycine max*)														
fresca	71	10	5	14	90	280	3,1	—	1.150	0,63	0,3	—	20	137
seca	5	37	19	38	220	550	10	1.780	125	1	0,5	—	+	375
harina	8	31	21	39	195	550	12	—	140	0,8	0,3	—	0	380

| NOMBRE COMÚN Y CIENTÍFICO | gramos | | | | miligramos | | | | U I | miligramos | | | | |
	Agua	Glú-cidos	Lípi-dos	Pró-tidos	Calcio	Fós-foro	Hierro	Pota-sio	Vita-mina A	Vita-mina B₁	Vita-mina B₂	Nia-cina	Vita-mina C	Calo-rías
Soja (cont.)														
germinada (brotes)	92	1	1	3,8	30	13	0,8	160	—	0,2	0,15	2,5	23	28
queso (tofu)	86	3	3,8	6,9	—	36	2	—	—	0,06	0,04	0,48	0	75
leche	94	1	1,3	3,5	—	14	0,8	—	—	0,1	0,02	0,24	0	33
salsa (Tamari)	63	9,5·	1,5	5,5	80	100	5	370	0	0,02	0,27	0,5	0	70
CEREALES														
Alforfón (*Fagopyrum esculentum*)														
harina	15	70	2	11,2	30	—	5	+	—	0,5	0,2	7	—	341
Arroz (*Oryza sativa*)														
blanco	11	79,7	0,6	7,2	9	104	2,6	115	0	0,08	0,03	1,4	0	364
integral	13	77,6	1,5	7,2	14	231	2,6	125	0	0,2	0,05	4	0	357
Avena (*Avena sativa*)														
grano	10	68	7	14	53	405	4,5	370	0	0,6	0,1	1	0	396
harina	9	70	8	13	60	360	5	380	—	—	—	—	—	410
pan	49	40	1	8	45	140	3	170	—	0,1	0,1	—	—	220
Cebada (*Hordeum vulgare*)														
grano	12	75,4	1,9	9,7	55	341	4,5	—	5	0,38	0,2	7,2	0	348
harina	12	75	1,5	9	10	230	0,65	135	—	0,32	0,11	—	—	360
pan	51	39	1	6,5	4	93	0,41	65	—	0,16	0,07	—	—	205
Centeno (*Secale cereale*)														
grano	12	73,4	1,7	12,1	38	376	3,7	300	0	0,43	0,22	1,6	0	334
harina	13	74	1	13	25	225	2	200	—	0,21	0,25	1,5	—	360
pan	35	53,5	1	9,3	40	180	3,1	—	0	0,18	0,1	1,1	0	265
Maíz (*Zea mays*)														
grano	10	75	4,3	9,4	9	290	2,5	—	70	0,43	0,1	2	0	361
harina	13	73	3	9	15	65	1,9	132	300˙	0,2	0,15	1,6	0	358
pan	44	45	1,5	6,2	8	32	0,7	45	110	0,15	0,2	1,2	—	230
almidón (maizena)	13	86	0,2	0,5	18	89	3	85	0	0	0,02	0	0	360
Mijo (*Panicum miliaceum*)	13	73	2,5	10,	35	—	5	—	—	0,6	0,1	1	—	356
Pan de diabéticos	42	48	0,7	9	12	89	1,8	145	—	0,25	0,1	—	—	236
Pastas crudas	11	74	1,5	12	20	155	1	160	5	0,3	0,11	3,1	—	360
Tapioca natural	13	86	0,2	0,5	9	23	0,6	30	—	—	0,11	—	—	353
Trigo (*Triticum aestivum*)														
grano	14	70	2,5	13	37	386	4,3	—	0	0,7	0,1	4,4	0	332
harina	13	73	1,5	10	26	305	3,5	290	240	0,4	0,1	1,8	—	349
pan integral	37	50	1,5	9	17	210	3	250	—	0,2	0,15	2	—	240
pan blanco	36	54	1	6	40	80	2	90	—	0,06	0,05	0,6	—	265
almidón	13	85	0,2	1	18	180	2	142	15	0,2	0,1	—	—	355
germen	22	37	9	28	43	1.458	3	—	0	2	0,8	4,6	0	343
FRUTOS VARIOS														
Aceituna (*Olea europaea*)														
verde	58	4,5	22	3,5	60	20	1,5	50	300	0,1	0,1	0,4	—	231
negra	34	3,7	60	3	60	10	1,5	30	200	0,1	0,2	0,6	—	567
Castaña (*Castanea sativa*)	51	42,8	1,9	2,9	33	87	1,3	710	40	0,2	0,2	0,9	27	210
Coco (*Cocos nucifera*)														
pulpa fresca	45	10,3	36,5	3,9	20	95	2,2	380	—	0,06	0,008	0,4	2	400
pulpa seca	5	41	48	5	40	190	3,5	720	—	—	—	—	—	585
leche	93	6	0,2	0,5	25	32	0,1	310	—	—	—	—	—	27
Fruto del pan (*Artocarpus communis*)	71	26,2	0,3	1,7	33	32	1,2	439	40	0,11	0,03	0,9	29	103
seco	3	70	1,5	4	—	90	1,9	1.630	—	—	0,21	2,39	23	112
Pejibaye (*Guilelma gasipaes*)	50	41,7	4,4	2,6	14	46	1	—	670	0,05	0,16	1,4	35	196
Tamarindo (*Tamarimdus indica*) ..	22	62,5	0,6	2,8	74	113	2,8	781	30	0,34	0,14	1,2	4	239
OTROS PRODUCTOS														
Champiñón (*Agaricus bisporus*) ...	88	6	0,3	5	25	130	1	400	—	0,1	0,4	6,2	4	42
Espirulina (*Spirulina platensis*)	7	18	8	70	118	828	53	1.430	2.800	5	4	12	—	360

NOMBRE COMÚN Y CIENTÍFICO	gramos				miligramos				U I	miligramos				
	Agua	Glú-cidos	Lípi-dos	Pró-tidos	Calcio	Fós-foro	Hierro	Pota-sio	Vita-mina A	Vita-mina B$_1$	Vita-mina B$_2$	Nia-cina	Vita-mina C	Calo-rías
Jalea real	66	12	5,5	12	+	+	+	+	—	0,4	0,9	2	+	146
Levadura de cerveza seca	13	36,1	1,3	47,9	217	1.700	17,6	1.700	—	12	3,78	44,8	—	308
Levadura de melaza	51	9	0,4	38	—	—	—	—	—	5	—	—	—	191
Levadura de torula	20	31	6	42	400	1.300	10	2.500	—	17	9	—	—	345
Levadura láctica	20	31	6	42	400	1.300	6,2	2.200	—	1,8	5,5	—	—	395
Polen	9	37	5	21	480	360	9	1.950	100	0,4	0,9	3	20	277
Setas del género *Boletus*	88	5	0,4	5,2	—	—	—	—	—	0,03	0,4	5	2	43
CARNES														
Aves														
codorniz	70	2	11	17	20	250	3	185	—	0,23	0,32	—	7	177
faisán	71	1	5	21	30	272	6	360	—	0,2	0,23	—	—	140
gallina y pollo	70	+	9,5	20	14	200	1	290	+	0,1	0,17	10,2	1	165
paloma	47	0,5	11,3	20	17	343	5	305	—	0,2	0,25	5,18	6	133
pato	53	+	27	17	20	—	1,9	—	—	0,1	0,2	5,76	—	318
pavo	60	+	20	20	20	—	5	—	—	0,08	0,17	8,1	—	262
perdiz	72	1	3,5	22	40	290	8	380	—	0,2	0,05	—	—	118
pintada	58	+	8	31	20	280	10	425	—	—	—	—	—	205
Carne de caballo	76	+	5	18	10	—	2,1	—	—	0,86	0,16	3,8	—	119
Carne de cabra	64	+	18	16	10	—	2	—	—	0,15	0,27	5,3	—	227
Carne de ciervo	84	1	3,8	17	20	185	6	326	—	0,3	0,3	7,1	—	115
Carne de conejo	70	+	10	19	15	—	2,1	—	—	0,06	0,2	8,1	—	167
Carne de jabalí	73	+	12	14	—	—	—	—	—	—	—	—	—	160
Carne de liebre	72	1	8	18	18	—	2,6	—	—	0,1	0,17	7	—	148
Cerdo														
carne grasa	48	3	35	13	6	—	1,5	—	—	0,3	0,14	2,4	—	380
carne semigrasa	41	5	23	13	8	—	1,6	—	—	0,55	0,2	2,9	—	280
carne magra	72	+	8	19	8	—	1,4	—	0	0,85	0,2	8,5	0	160
jamón crudo	64	0,5	19	15	11	165	2	320	—	0,8	0,2	4,5	—	265
jamón cocido	45	0,3	33	20	10	225	2,5	325	—	0,45	0,2	4	—	355
Cordero														
chuletas	65	+	16	19	10	—	2	—	1	0,1	0,2	9	0	223
pierna	62	2	17	19	10	215	2,7	350	—	0,1	0,2	5	—	230
Ternera														
carne magra	70	1	8	20	11	—	2,5	—	20	0,15	0,30	6,5	—	155
carne semigrasa	66	+	12	20	15	—	2,5	—	45	0,1	0,21	4	—	192
Vaca														
carne grasa	52	3	24	18	10	—	3	—	60	0,1	0,15	3	—	300
carne semigrasa	60	2	19	18	10	—	3	—	50	0,1	0,2	3,5	—	250
carne magra	65	2	13	19	13	—	3	—	40	0,1	0,2	4	—	200
chuletas	63	+	21	17	8	—	2	—	+	0,06	0,18	7	0	250
HUEVOS														
VALORES PARA UN HUEVO														
PROMEDIO DE 60 GRAMOS														
Huevo de gallina														
crudo	78	+	6,6	8	30,6	—	1,33	—	340	0,06	0,2	2,05	0	90
clara	53	0,4	0,2	6,4	5	11	0,1	59	0	0,015	0,15	0,05	—	31
yema	31	0,4	18	10	85	297	3,5	71	2.010	0,2	0,25	—	—	211
Huevo de pata	82	+	7,8	8	34	—	1,5	—	720	0,03	0,18	0,06	—	104
Huevo de pava	85	6	0,7	7,5	—	—	—	—	—	—	—	—	—	65
PESCADOS														
Abadejo	82	0	0,7	17	15	—	0,5	—	400	0,1	0,08	5,2	+	75
Angulas	68	0	15	17	35	—	1,3	—	1.200	0,2	0,3	5,7	+	200
Arenque	73	+	8	19	21	250	1,1	305	300	0,03	0,25	7,3	1.031	157
Atún	65	0	14	21	40	—	1,4	—	6.050	0,06	0,19	18	+	198
conserva	50	0,5	15	33	20	330	1,5	350	670	0,04	0,15	0,4	—	260

| | gramos | | | | miligramos | | | U I | miligramos | | | | |
NOMBRE COMÚN Y CIENTÍFICO	Agua	Glú-cidos	Lípi-dos	Pró-tidos	Calcio	Fós-foro	Hierro	Pota-sio	Vita-mina A	Vita-mina B₁	Vita-mina B₂	Nia-cina	Vita-mina C	Calo-rías
Bacaladilla	82	0	1	17	15	—	0,5	—	1.000	0,1	0,08	5,1	+	80
Bacalao	85	+	0,5	15	21	200	1	330	3.100	0,1	0,09	2,1	1.300	65
salado	41	6	7	39,4	60	303	2,6	135	15.980	0,043	0,2	3,8	2.150	227
Barbo	80	+	4,5	15	15	330	1,4	319	—	—	—	—	—	93
Besugo	82	0	2,1	16,7	33	—	1	—	100	0,06	0,09	5,3	+	85
Bonito	67	+	4	28	25	220	0,8	290	3.200	0,28	0,011	—	—	145
Boquerón	76	1	6	17	33	230	1,2	280	300	0,05	0,4	8,7	—	130
conserva	67	1	9	21	245	300	3,4	305	210	0,04	0,34	9	—	173
Caballa	73	1	10	16	20	—	1,5	—	1.000	0,1	0,37	10	+	155
Carpa	78	+	1	20	30	170	1,5	230	350	0,2	0,041	—	+	100
Caviar, conserva	56	1	15	33	90	210	3,1	190	—	1,1	0,67	—	—	280
Chanquetes y peces que se comen enteros	84	2	3	12	90	—	1,1	—	200	0,05	0,4	8,1	—	80
Dorada	82	+	1	18	35	—	0,8	—	85	0,06	0,11	6,2	+	80
Gallo	78	+	1,5	19	40	230	0,9	330	—	0,1	0,17	—	—	80
Huevas	74	+	1,6	25	19	—	1,5	—	600	1,01	1,1	6,1	22	115
Lenguado	80	+	1	17	75	220	0,9	320	—	0,1	0,09	1,6	—	75
Lubina	80	0,5	1,1	18,5	36	—	1	—	300	0,13	0,18	6,5	+	85
Merluza	80	+	2,5	16,3	25	210	0,6	310	930	0,05	0,2	6	+	94
Mero	80	0	2	18	33	—	0,5	—	500	0,1	0,09	6,3	+	90
Mújol	77	1	6,3	16	45	—	1,4	—	130	0,1	0,23	5,5	+	125
Palometa	75	+	5,1	19	32	—	0,9	—	250	0,06	0,1	9,2	+	122
Pescadilla cocida	76	1	0,5	21	44	205	1	280	—	—	—	—	—	92
Salmón	70	+	7,5	22	40	280	2,3	300	300	0,1	0,17	7,1	10	140
Salmonete	84	+	2	14	25	—	0,9	318	150	0,3	0,2	2	—	70
Sardinas	67	2	6,5	22	24	480	5	310	2.000	0,05	0,1	—	—	145
conserva	61	0,5	13,9	21	83	400	5	430	250	0,05	0,19	5,1	—	210
Tenca	88	+	2,5	9	46	175	1	220	800	0,1	0,1	—	—	60
Trucha	75	+	2	20	30	200	1	315	500	0,14	0,15	3	—	100
PRODUCTOS LÁCTEOS														
Crema o nata	61	4	31,7	3	110	80	0,1	—	80	0,1	0,1	0,1	1	302
Kéfir	85	4,5	3,6	3,2	—	—	—	—	—	—	—	—	—	64
Leche condensada	65	13	10	9	315	245	0,1	—	85	0,1	0,5	0,1	1	181
Leche de cabra	82	4,5	6,2	3,9	190	129	0,2	—	25	0,06	0,2	0,3	1	92
Leche de mujer	86	7	4	1,4	34	15	0,1	—	54	0,01	0,03	0,2	5	68
Leche de oveja	84	5,7	5	4,7	240	152	0,1	—	50	—	—	—	4	86
Leche descremada	89	5	+	4	123	95	—	—	—	0,05	0,15	0,1	—	35
Leche en polvo completa	10	38	26	25	920	710	0,7	—	295	0,25	1,3	0,7	2	500
Leche en polvo descremada	10	52	1	35	1.300	1.000	0,8	—	12	0,35	2,2	1,1	2	370
Leche de vaca	87	5	3,5	3,5	118	90	0,2	—	32	0,04	0,2	0,1	2	66
Mantequilla	15	+	83	1	13	20	0,2	—	600	0,01	0,02	0,03	+	775
Queso Camembert	55	+	26	18	200	—	0,5	—	240	0,05	0,5	0,4	—	305
Queso de Burgos	65	+	15,5	19	200	—	0,3	—	40	0,02	0,3	0,1	—	215
Queso de cabra	70	+	10	18	300	—	1	—	40	0,01	0,7	0,2	—	175
Queso de Cabrales	45	+	32,5	20,5	700	—	1	—	310	0,01	0,4	0,1	—	385
Queso Gruyère	22	+	33	30	700	—	1	—	400	0,01	0,4	0,1	—	420
Queso manchego	52	+	23,5	24,1	400	—	1	—	300	0,05	0,5	0,4	—	310
Queso Roquefort	45	+	30,5	22,4	700	—	0,5	—	300	0,03	0,4	0,4	—	364
Requesón	82	3,2	0,8	16	100	190	0,3	—	50	0,02	0,3	0,1	—	84
Suero de leche edulcorado	92	4,6	2	—	100	43	0,1	—	3	0,04	1,5	0,3	3	240
Suero de mantequilla («babeurre»)	90	4	1	4	109	90	0,1	—	12	0,03	0,15	0,1	1	36
Yogur/biogur/cuajada	83	5	4	5	150	105	0,2	—	30	0,05	0,25	0,2	2	74
ACEITES														
Girasol	—	—	99,8	—	—	—	—	—	67	—	—	—	—	881
Maíz (germen)	—	—	99,9	—	—	—	—	—	467	—	—	—	—	883
Oliva	—	—	99,6	—	—	—	—	—	400	—	—	—	—	879

	gramos				miligramos				U I	miligramos				
NOMBRE COMÚN Y CIENTÍFICO	Agua	Glú-cidos	Lípi-dos	Pró-tidos	Calcio	Fós-foro	Hierro	Pota-sio	Vita-mina A	Vita-mina B$_1$	Vita-mina B$_2$	Nia-cina	Vita-mina C	Calo-rías
Sésamo	—	—	99,5	—	—	—	—	—	—	—	—	—	—	879
Soja	—	—	98,6	—	—	—	—	—	11.667	—	—	—	—	871
DULCES														
Azúcar de caña														
refinado	2	99,5	0	0	0	0	0,04	+	0	0	0	0	0	385
sin refinar	3	94	0	1,5	90	45	—	250	—	—	—	—	—	350
melaza	24	60	0	0	273	69	6,7	1.500	0	0,68	0	2,8	0	232
Caramelos	5	79	11	3	100	75	2	—	90	0,03	0,01	—	—	400
Confituras	25	70	2	1	10	11	0,2	10	10	0,01	0,01	0,2	6	295
Chocolate con leche	2	51	31	8	160	300	0,1	375	530	0,05	0,4	0,28	—	555
sin leche (amargo)	2	40	54	5	100	430	5	610	213	0,05	0,25	1,1	—	560
Galletas	5	72	14	7,5	60	40	0,9	163	—	0,15	—	—	—	440
Miel	17,2	82,3	0	0,3	5	6	0,5	51	0	+	0,04	0,3	1	304
Pastelería	24	50	20	4,9	59	—	1,4	—	190	0,05	0,1	1,3	—	390
Turrón	2	57	24	10	130	—	2,2	—	0	0,09	0,35	2,3	+	475
OTROS PRODUCTOS ELABORADOS														
Batidos lácteos	81	11	5	3,1	5	—	0,5	—	40	0,02	0,2	1	2	100
Caldos secos en cubitos	67	2	10	20,5	—	—	—	—	—	—	—	—	—	180
Copos de maíz («Corn-flakes»)	6	84	0,8	7,5	—	—	—	—	—	1,8	2,01	1,7	—	375
Copos de trigo enriquecidos	5	80	2	10	41	310	4,5	1.050	0	0,67	0,14	5,1	0	355
Churros	34	40	20	4	10	—	0,7	—	0	0,04	0,01	1,7	0	350
Helados	60	25,5	10	3,9	140	—	0,3	—	50	0,05	0,15	1	0	205
Katchup	74	24	+	2	25	—	1,3	—	30	0,1	0,05	1	+	100
Mayonesa	19	+	80	1,5	15	—	0,1	—	100	0,05	0,1	0,9	0	715
Natillas y flanes	75	17	4	4	140	—	0,1	—	50	0,05	0,25	1	+	115
Sopas y cremas	91	6	2	1,2	25	—	0,3	—	+	0,02	0,02	0,43	—	50
Tarros de alimentos infantiles														
carne	83	3,5	2,5	9	6	85	1	140	—	0,08	0,1	—	+	80
carne con verduras	82	8	3,4	4	25	57	1	185	80	0,08	0,08	—	5	79
frutas	70	28	0,15	0,3	7	9	0,3	96	—	0,02	0,04	—	10	114
Tarta de frutas	40	45	8	2,3	7	25	0,4	—	175	0,03	0,02	0,3	5	240
Trigo hinchado enriquecido, con														
azúcar y miel	3	88	2	6	26	150	3,3	100	0	0,5	0,18	6,5	0	398
Trigo hinchado enriquecido, sin sal	3	78	1,5	15	28	322	4,1	340	0	0,5	—	7,8	0	385

Esta tabla ha sido reproducida, con pequeñas adaptaciones después de corregir todas las erratas halladas, de *La salud por la nutrición,* obra de nuestro fondo editorial, que también distribuye en exclusiva el SERVICIO DE EDUCACIÓN Y SALUD. La elaboración de la tabla ha sido obra de la Redacción de Safeliz, basándose en las fuentes bibliográficas más acreditadas, que figuran en la «Bibliografía» de la mencionada obra.

Salvo indicación en contra, o que la propia naturaleza del producto determine lo contrario, todos los valores que se dan corresponden al alimento fresco en crudo.

El lector no debe sorprenderse de que esta tabla presente discrepancias —casi siempre muy pequeñas— con otras tablas, incluso de esta misma obra. Ello se debe a las diferencias que los propios alimentos presentan en forma natural y a los métodos de análisis usados por diferentes autores científicos.

También resulta necesario advertir que algunos de los nutrientes, especialmente las vitaminas hidrosolubles, cuando un alimento es sometido a cocción u otras manipulaciones, se transforman, desaparecen o disminuyen de forma significativa.

Para un mejor conocimiento del valor nutritivo de los alimentos en su conjunto, conviene que el lector consulte también la tabla de LAS VITAMINAS (págs. 848-851).

En cuanto al uso de «calorías» en lugar del término científicamente exacto, «kilocalorías», y su transformación en «julios», o mejor: «kilojulios», véase la nota que figura en la página 8 del primer tomo de VIDA, AMOR Y SEXO.

50

DESARROLLO FÍSICO INFANTIL

Nos hallamos todavía lejos de haber creado las condiciones para poder ofrecer a nuestros hijos un ambiente material y espiritual donde se puedan desarrollar de forma óptima. Y no digamos en los países poco industrializados o los francamente pobres. Eso no quita, sin embargo, que reconozcamos que la calidad de vida humana ha progresado en muchos aspectos. Buena prueba de ello es que el nivel de salud física y de longevidad ha aumentado de forma realmente espectacular.

Esa mejora en la calidad de vida se debe en buena parte a la puericultura preconcepcional y a la prenatal, estudiada en la Cuarta Parte de VIDA, AMOR Y SEXO. En esta Quinta Parte ya hemos considerado la importancia de una correcta alimentación, para conseguir una mejor salud. Y un buen indicador de la salud presente, y futura, de un niño es su desarrollo. Cuando un pequeño crece y aumenta de peso con regularidad y dentro de unos determinados límites, podemos tener la razonable certeza de que todo su organismo funciona en las mejores condiciones.

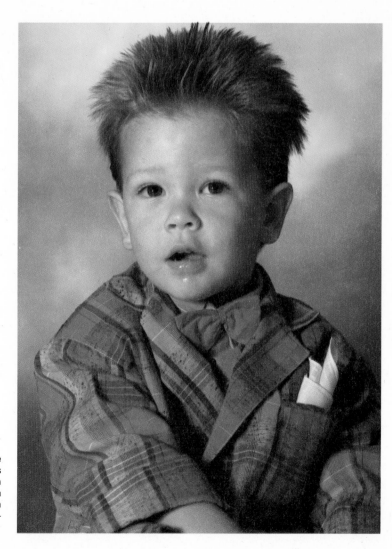

No es fruto de la casualidad que nuestros hijos se desarrollen más altos, más robustos y más sanos que nosotros... e incluso más guapos. Aunque en otros aspectos la civilización nos está llevando a una evolución regresiva, la higiene y la nutrición han progresado de forma muy positiva, produciendo estos satisfactorios resultados.

Podemos definir el crecimiento como la diferencia entre dos mediciones exactas y fechadas. Es pues el cálculo de un aumento, o de una velocidad de progreso, dentro de un intervalo de tiempo delimitado. Cuando el crecimiento no se produce al ritmo adecuado, o no alcanza los valores normales para una determinada edad, hablamos de trastornos del crecimiento.

Crecimiento prenatal

El crecimiento en el claustro materno es longitudinal y ponderal (del peso), y se produce, tanto en su fase embrionaria como en la fetal, dentro del útero.

Existen tablas que permiten evaluar el crecimiento intrauterino, de modo que se pueden descubrir los que serán bebés de alto riesgo, por su desarrollo prenatal deficiente, asociado con frecuencia a malformaciones congénitas (véase el gráfico de la página 799).

Es muy importante el control ecográfico del crecimiento cefálico (del perímetro craneal), ya que se considera que su estancamiento en el tercer trimestre de gestación es un signo evidente de sufrimiento cerebral con elevado riesgo.

Crecimiento postnatal

El crecimiento después del parto es también longitudinal y ponderal. Las medidas más importantes son la talla, el peso, el perímetro craneal, y la envergadura y altura pubis-suelo.

Resulta conveniente que se mida al niño a intervalos regulares, con lo que se puede observar si la dinámica de su crecimiento es la correcta.

Curvas de crecimiento

Basándose en mediciones sistemáticas de gran número de niños normales se han creado unas curvas-tipo de crecimiento.

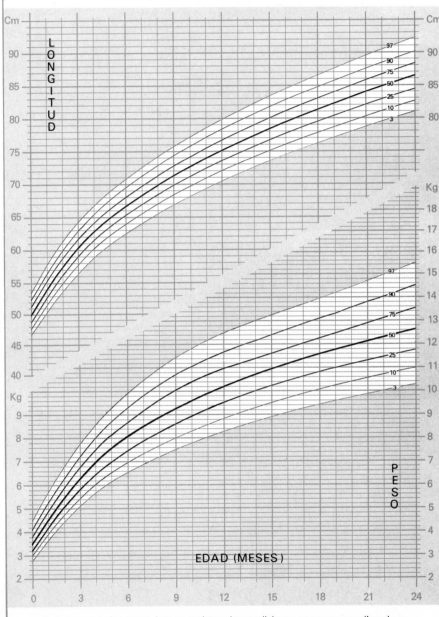

CURVAS DE CRECIMIENTO
NIÑOS DE 0 A 2 AÑOS

En hojas pautadas como ésta se registran las mediciones que se van realizando en los meses indicados. De este modo, el pediatra-puericultor, con un simple vistazo, puede comprobar, por comparación con las curvas promedio, y las desviaciones que se consideran dentro del límite de lo normal, si el niño se está desarrollando normalmente.

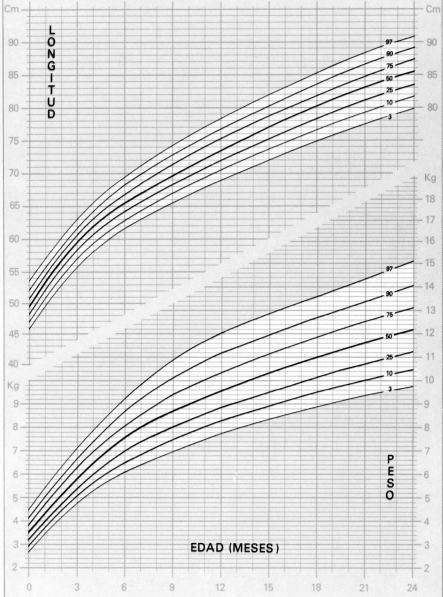

CURVAS DE CRECIMIENTO
NIÑAS DE 0 A 2 AÑOS

LONGITUD

Cm

97
90
75
50
25
10
3

Kg

97
90
75
50
25
10
3

PESO

EDAD (MESES)

Las curvas de esta página y la contigua son muestra, reproducida a un tamaño inferior del real, de las publicadas por el doctor Manuel Hernández Rodríguez, director del Instituto de Investigación de Crecimiento y Desarrollo de la Fundación F. Orbegozo de Bilbao, y sus colaboradores. El profesor Hernández dice en la «Presentación»: «Se ha utilizado un diseño longitudinal mixto, seleccionando al azar tres grupos de 600 niños [españoles], a los que se ha seguido durante seis años. Las edades al comienzo del estudio eran de 0, 5 y 9 años, respectivamente, y los intervalos entre las medidas de 6 meses, excepto durante el primer año que se tomaron cada 3 meses. Se excluyeron sistemáticamente a los que faltaron a dos controles sucesivos.» Juntamente con éstas se han editado curvas para controlar el perímetro craneal, la relación peso-talla, el incremento de peso y longitudinal, e incluso parámetros del desarrollo muscular. Estas curvas sirven para controlar el desarrollo hasta los 14 años.

Resultan muy útiles para el control del desarrollo de un niño. En la actualidad, en España, los pediatras y puericultores vigilan el desarrollo de sus pequeños pacientes mediante la anotación de sus mediciones en hojas pautadas, donde vienen impresas las curvas medias, y las curvas de máximos y mínimos.

Para el lector, mejor que con todas las explicaciones que pudiéramos darle, quedará clara la forma y utilidad de estas curvas viéndolas en esta misma página y la anterior.

Maduración ósea y dental

En el diagnóstico de algunos trastornos del crecimiento resulta de gran valor la estimación de la edad ósea del niño, comparándola con la cronológica. Para establecer la edad ósea se realiza un estudio de los puntos de osificación del esqueleto, número, forma y grado de madurez.

La osificación de los huesos largos, en los niños normales, se produce con variaciones en más o en menos de unos seis meses. La gran fontanela anterior del cráneo (zona blanda) se cierra entre los 6 y los 12 meses. Las suturas craneales no se sueldan durante todo el período infantil, permitiendo el crecimiento del cerebro y su reparación en caso de hipertensión craneal.

La calidad, la forma y el modo de implantación de los dientes viene determinada por factores hereditarios. De la dentición, así como de otros aspectos también muy importantes del desarrollo, pero que presentan peculiaridades propias, hablaremos con amplitud en el próximo capítulo.

DESARROLLO PONDERAL

Para evaluar el desarrollo ponderal del niño, hemos de tener en cuenta el peso que presentaba al nacer, sin que ello nos permita, no obstante, predecir con certeza su evolución.

Lo normal es que un bebé pese al nacer más de 2.500 gramos y no supere los 4.500. Se dan casos de recién nacidos de 5 y hasta 6 kilos, sobre todo hijos de diabéticas. Incluso se conocen casos de niños que pesaron al nacer 12 kilos, pero estos bebés gigantescos es muy raro que sobrevivan.

Por supuesto que el peso de un bebé está en relación con su talla. Es decir, no se puede considerar que un recién nacido es de poco peso sin tener en cuenta su longitud, que como en el caso de los adultos, puede presentar desviaciones significativas en relación con el promedio.

Conviene distinguir entre bajo peso e inmadurez; pues un bajo peso, a menos que realmente exista inmadurez, no impide por sí mismo un desarrollo normal. Por el contrario, un peso normal al nacimiento, y menos aún uno superior, no es garantía de un desarrollo ulterior perfecto.

El aumento de peso

El aumento del peso es máximo durante los dos primeros meses de vida: de 600 a 800 gramos por mes. Hacia el 7.º o 9.º mes, el aumento se reduce a 350 o incluso 200 gramos al mes. Esta reducción, en el niño de pecho, suele coincidir con una disminución de la secreción láctea materna, lo cual determina la administración de un suplemento en forma de papilla de cereales.

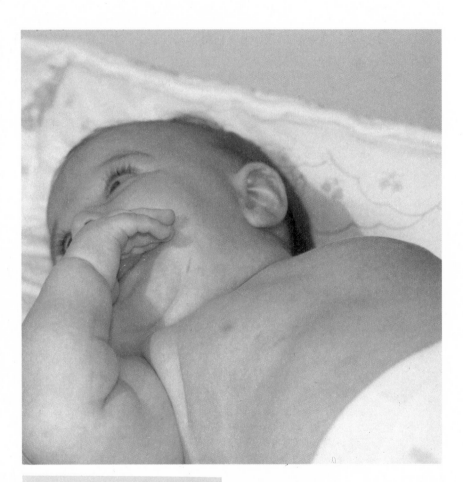

Para comprobar si un bebé toma suficiente alimento es necesario pesarlo con regularidad. El desarrollo ponderal (del peso) es así mismo un buen indicador del estado general de la salud de un niño. Un bebé sano va aumentando de peso de modo regular y constante.

A partir del 10.º mes el aumento de peso no suele sobrepasar los 300 gramos mensuales. De los 2 a los 4 años, el niño gana unos dos kilos de peso cada año.

Se puede decir que, como regla general, el niño·

— ha duplicado su peso de nacimiento entre el 5.° y el 6.° mes,
— lo ha triplicado hacia el fin del primer año, y
— lo cuadruplica durante el segundo año.

Factores y mecanismos del aumento de peso

Entre los factores que influyen en el peso del niño, podemos considerar en primer lugar la herencia, determinante de la constitución ósea y muscular y del metabolismo individual que regula la asimilación de la energía (calorías).

Debemos, pues, tener en cuenta que no es lo mismo un niño obeso que un niño corpulento. El obeso posee un exceso de tejido adiposo (grasa). El corpulento, en cambio, aunque con igual talla que el obeso y un peso semejante, posee menos proporción de tejido adiposo, y su peso se debe a que posee huesos más robustos y mayor masa muscular. La asimilación de los nutrientes también influye en el peso: Dos niños pueden comer la misma cantidad, y uno estar gordito y el otro no; porque el primero asimila mejor los alimentos.

Los niños nerviosos, que se agitan y gritan con facilidad, suelen presentar un peso inferior a los que son de temperamento tranquilo y duermen mucho. Para la disminución o falta de aumento del peso en un niño pueden influir factores tales como un clima muy caluroso o el padecimiento de alguna enfermedad.

Si la curva ponderal se mantiene estacionaria, o desciende por debajo del límite de normalidad, sin causa aparente, el pediatra procederá a examinar y analizar al niño, para determinar el origen de esta anormalidad. Cuando la curva de peso crece de forma exagerada, también debe procederse a un estudio del caso, ya que ese aumento anormal puede ocultar un raquitismo llamado «florido».

El aumento de peso se debe al crecimiento natural y progresivo de todas las partes del cuerpo y al acúmulo de tejido adiposo (grasa) bajo la piel. Este depósito se produce primero en la cara, luego en el tórax, las extremidades y el vientre. Resulta máximo hacia el 7.° mes, cuando los muslos del niño

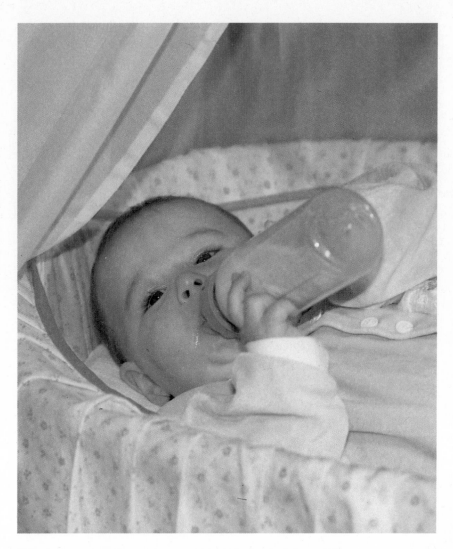

Ninguna persona medianamente conocedora de la ciencia de la nutrición apoya aquello de «niño gordo = niño sano». La obesidad hoy está considerada como una enfermedad en sí misma, además de ser un factor de riesgo muy importante, sobre todo para las temidas —y con razón— afecciones cardiovasculares. Mamá, abuela, si se siente tentada a sobrealimentar a su bebé, recuerde que el 70%-80% de los niños obesos serán adultos obesos...

ofrecen los «rollos» característicos. Posteriormente es el desarrollo muscular el que predomina.

El acúmulo normal de grasa resulta necesario, ya que sirve como depósito de reserva de las vitaminas A y D. Si el niño adelgaza, pierde primeramente la grasa del abdomen. Para comprobarlo el médico pinza con los dedos la piel abdominal.

La obesidad infantil

Cuando se produce un desarrollo ponderal excesivo hablamos de obesi-

dad. En los países en desarrollo los niños reciben a menudo una dieta pobre en calorías y en proteínas, lo cual les provoca retrasos en el desarrollo, diversas deformaciones óseas, e incluso deficiencia intelectual por haber sido afectado el cerebro. En cambio en las sociedades industrializadas el problema es que se consumen demasiados glúcidos y lípidos (dieta hipercalórica), y también un exceso de prótidos. Es cierto que hay un pequeño porcentaje de obesos por causas constitucionales u hormonales, que, en su caso, el médico debe determinar y corregir, cuando sea posible. Aunque más que obesidad de causa hormonal, lo que se dan son trastornos hormonales debidos a la obesidad.

Según la OMS el 50% de los adultos mayores de 40 años son obesos, lo cual es de conocimiento general que resulta inconveniente. Todos los que presentan sobrepeso quieren adelgazar, porque ya nadie ignora que la obesidad es un factor de riesgo importante en diversas enfermedades cardiocirculatorias, y que además sobrecarga la columna y las articulaciones de las piernas, lo cual perjudica en todos los procesos de degeneración ósea propios de la edad adulta, y especialmente la tercera edad. Sin embargo, la obesidad infantil es tenida aún por muchas gentes como un signo de salud, lo cual resulta completamente erróneo.

Se considera que hay obesidad cuando el peso supera en un 20% el que se considera ideal de acuerdo con la talla. No obstante, es más exacto valorar el exceso de tejido adiposo (grasa) midiendo el espesor del pliegue cutáneo. Ambos valores se trasladan a gráficos, que nos indicarán el grado de obesidad existente.

Causas de la obesidad. La bulimia

Aparte de causas hereditarias —nada claras en la mayoría de los casos—, constitucionales y hormonales, la causa fundamental está en la ingestión excesiva de alimentos, o en una ingestión desequilibrada (exceso de calorías).

Una sobrealimentación durante la segunda mitad del embarazo puede determinar el nacimiento de un niño obeso. La lactancia artificial, si no se siguen las pautas adecuadas, fácilmente puede llevar a la sobrealimentación y la consiguiente obesidad, igual que una alimentación complementaria precoz. La sobrealimentación de la madre durante la gestación, y del niño durante la lactancia y el primer año sobre todo, pueden estimular la producción e hipertrofia de los adipocitos (células que almacenan la grasa), cuyo número queda determinado en la infancia, y que luego permanece invariable para el resto de la vida. Así, en general, un adulto que adquirió, por su alimenta-

Los padres y los educadores no deben, bajo ningún concepto, permitir que un niño coma entre comidas... y eso incluye todo tipo de pastelitos, dulces, caramelos o frutos secos oleaginosos (pipas, cacahuetes o maní, nueces, etc.). La regularidad en las comidas es un principio básico para la conservación de la salud.

ción excesiva en la infancia, una gran cantidad de adipocitos, tendrá mayor predisposición a ser obeso, y le resultará muy difícil perder peso.

Son causa de la obesidad, aunque no se tienen muy en cuenta a veces, determinados factores psicológicos. Aquí es difícil determinar si son esos factores los que provocan la obesidad, o ésta es la que causa los problemas psicológicos. Un problema típico es la bulimia, trastorno contrario a la anorexia mental (cap. 57). La bulimia se caracteriza por la aparición de episodios recurrentes de voracidad, en los que se consume rápidamente grandes

Es curioso que dentro de la educación escolar y en el hogar se tenga tan poco en cuenta un factor esencial de la vida: la alimentación. Si nos alimentamos correctamente, nuestra vida se desarrollará de forma óptima; pero si lo hacemos incorrectamente, podemos llegar a destruir nuestra salud. Educación escolar, educación sexual, educación cívica, educación religiosa,... ¡Y educación alimentaria!

co sino psicológico: estrés, depresión, sentimientos de culpabilidad, reacción posterior a un dieta de adelgazamiento severa. Igual que a un adolescente en una fase especialmente crítica puede darle por no comer, otro reacciona de forma opuesta comiendo de continuo y de forma voraz y excesiva.

Resulta aleccionador, para descubrir el verdadero origen de la obesidad, realizar una encuesta dietética en el hogar. Es muy sencillo. Consiste en que el mismo niño, al igual que los demás miembros de la familia, durante unos días vayan apuntando absolutamente todo lo que comen y beben, tanto en las tres comidas principales, como entre ellas. Es decir, la relación tiene que incluir de forma detallada y precisando la cantidad, además de todo lo ingerido en el desayuno, el almuerzo, la merienda y la cena, todo lo que se consuma a lo largo de la jornada: refrescos, golosinas, pastelitos, helados, pipas, cacahuetes (maní), caramelos. El propio niño —y no digamos sus padres— a menudo se sorprende de la larga lista que confecciona, en su mayoría de golosinas y bollería: «calorías vacías», cuando no francamente perjudiciales.

Problemas que provoca la obesidad

«La obesidad en el niño —según el folleto *De niño gordito a hombre obeso*, publicado por el Ministerio de Sanidad español— predispone a peligros importantes que debemos conocer:

»— Está demostrado que la obesidad infantil, en su gran mayoría, se continúa en la vida adulta, como consecuencia de unos malos hábitos alimentarios adquiridos en la infancia.
»— Si su hijo es obeso padecerá con mayor facilidad de pies planos y de deformaciones del esqueleto.
»— La obesidad disminuye la capacidad para el ejercicio físico, por lo que su actitud en los juegos infantiles no es la misma que la de un niño normal. Por ello, [los niños con sobrepeso] con frecuencia dejan de participar en los juegos, tan importantes para su salud física y mental. Esta actitud contribuye a un mayor aumento de peso.

cantidades de alimentos, con escasos intervalos de tiempo, por lo general inferiores a las dos horas, entre una toma de alimentos y la otra. Además, la persona que la padece suele preferir los productos de gran valor calórico. La bulimia no tiene un origen somáti-

911

»— Un niño obeso puede ser objeto de burlas entre sus amigos, desarrollando complejos respecto a los otros niños, en ocasiones muy difíciles de superar.»

Prevención y curación de la obesidad infantil

De acuerdo con el mencionado folleto, para corregir un exceso de peso en el niño, lo primero es variar sus hábitos alimentarios... que seguramente son los de su familia. Los padres gordos suelen tener hijos gordos. ¿Es pues la obesidad hereditaria? Es difícil discernir la influencia genética de los hábitos alimentarios familiares. Las estadísticas muestran que en hijos de padres con peso normal, sólo un 7% es obeso, mientras que lo son el 40% con un progenitor obeso, y un 80% si ambos progenitores tienen sobrepeso.

Ningún niño debe pasar hambre. Simplemente se trata de que se alimente correctamente. Para ello basta con no abusar de las grasas, azúcares y bebidas refrescantes. La saciedad se debe alcanzar con frutas, verduras y hortalizas fundamentalmente, por su riqueza en vitaminas y minerales, además de fibra; pero cuyo aporte calórico es proporcionalmente bajo. En las páginas 888 y 889 presentamos las pautas generales para elaborar una dieta infantil equilibrada, que sacie y que no fomente el sobrepeso.

El niño, siguiendo el ejemplo de sus padres, si quiere conservar su peso debe evitar tomar productos alimentarios —algunos de los cuales ni siquiera alimentan— entre comidas.

El Ministerio de Sanidad español aconseja, que para que un niño conserve un peso correcto, debe consumir alimentos naturales, pues los platos precocinados o preparados, aparte de ser más caros, tienen un valor nutritivo inferior a los elaborados con productos frescos, y además sus componentes fundamentales (grasas casi siempre de origen animal, harinas refinadas, azúcar, etc.) suelen aportar proporcionalmente demasiadas calorías.

El ejercicio físico es fundamental, porque aparte del consumo de calorías que supone, conduce a un desarrollo de la masa muscular con el mismo efecto añadido.

Y terminamos con las palabras del folleto:

«Recuerde que la publicidad referente a bollería, dulces y bebidas refrescantes está condicionando la alimentación de su hijo, y sólo le incita a comer alimentos que, en su mayoría, no son aconsejables. Por otra parte, la obesidad y las caries [véase el próximo capítulo] se originan en muchos casos por el consumo excesivo de alimentos dulces. Vigile la salud de su hijo. Aprenda a alimentarlo [véanse los capítulos precedentes] y enséñele a alimentarse bien. Pues estar gordo no es estar sano.»

Y no queremos dejar esta cuestión de la obesidad sin una advertencia: Ningún niño o adolescente debe someterse a un régimen de adelgazamiento sin que lo controle el médico. Una dieta desequilibrada o carencial, en la decisiva época del crecimiento, puede resultar igual de nociva, o más, que la propia obesidad.

AUMENTO DE LA TALLA

El desarrollo físico infantil también se evalúa y controla por la evolución de la estatura.

Durante el primer año es cuando más se crece: 22-24 centímetros. Así que a los 12 meses de edad un niño mide 70-75 centímetros.

El crecimiento

El desarrollo longitudinal se produce «a saltos» y no de forma continua. Hay períodos cuando el aumento de talla es muy rápido, en cambio en otros se produce un crecimiento relativamente lento. Uno de estos saltos puede observarse en el primer mes de vida y otro hacia el quinto.

Igual que con el peso, el aumento de la talla se va moderando progresivamente. El crecimiento durante los dos primeros años generalmente se produce según las siguientes pautas:

— 1-3 meses: 8 centímetros,
— 4-6 meses: 6 centímetros,
— 7-9 meses: 5 centímetros,
— 10-12 meses: 4 centímetros,
— 13-24 meses: 10 centímetros.

Si comparamos el crecimiento del peso con el de la talla, observaremos que su ritmo de aumento no es coincidente ni simultáneo. Más tarde se va produciendo una alternancia entre ambos procesos, en la que se pueden distinguir varios períodos:

— El período de relleno de los 3 a los 5 años, durante el cual el crecimiento longitudinal disminuye aumentando el ponderal.
— A los 5-7 años se produce el primer estirón, coincidiendo con una disminución en el ritmo del aumento del peso.
— El segundo relleno tiene lugar a los 8-10 años.
— El segundo estirón se produce de los 11 a los 15 años. Le sigue la fase de maduración.

Factores que influyen en la talla

Los factores que inciden de modo favorable en el crecimiento son:

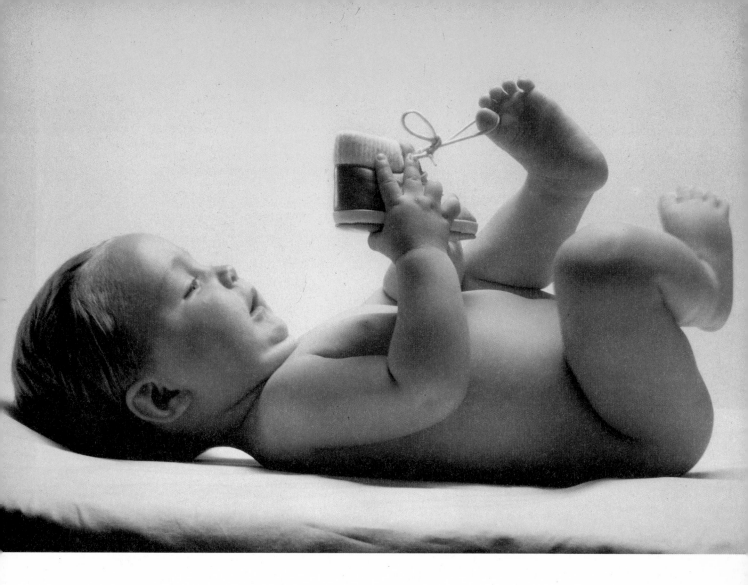

En los primeros meses de la vida de un niño el control de sus progresos se realiza fundamentalmente mediante la observación de su desarrollo ponderal y longitudinal. Es cierto que su desarrollo psicomotriz también es un buen indicador de que su sistema nervioso y muscular está en buen estado, aunque resulte más difícil de evaluar para los padres (véase el capítulo 59 en el tomo 4, pág. 1091).

— la herencia normal,
— el ejercicio moderado,
— una buena alimentación, especialmente una ingestión suficiente de calcio y fósforo (productos lácteos) y vitaminas A, B y D,
— vivir en un ambiente tranquilo,
— suficiente sueño.

Insistimos en el hecho de que una alimentación suficiente y equilibrada, especialmente en lo que se refiere al aporte de calcio, es fundamental para que un niño alcance su máxima estatura potencial de acuerdo con su herencia genética. En un país como España, donde la mejora en la nutrición ha sido evidente en las últimas décadas, se considera completamente normal que los hijos sean bastante más altos que los padres. Ello, evidentemente, se de-

be a que las generaciones más jóvenes han recibido una dieta más equilibrada, y han consumido leche y sus derivados en abundancia durante toda la niñez y adolescencia.

Los factores, que conviene evitar, porque influyen negativamente en el desarrollo físico de un niño, son fundamentalmente los siguientes:

— alimentación insuficiente o desequilibrada,

— trabajo precoz,
— consumo de bebidas alcohólicas,
— uso de tóxicos (tabaco y otras drogas),
— consumo abundante de azúcar blanco (dulces, golosinas, helados, bebidas refrescantes, etc.), que provoca una mala asimilación del calcio,
— falta de reposo suficiente,
— vivir en un ambiente de angustia y tensión.

Relación entre talla y peso

Todos los cuadros y gráficos, que se han creado para establecer los límites normales de desarrollo ponderal y longitudinal infantil, están basados en datos estadísticos. Por lo tanto son valores promedio, que en cada caso indi-

913

vidual pueden variar notablemente, sin que ello presuponga el padecimiento de ningún trastorno o enfermedad. La simple observación común pone de manifiesto que, incluso entre hermanos, se encuentran diferencias notables de altura y complexión; aunque en general, una vez concluido el crecimiento, tiendan a igualarse. No es infrecuente que el más bajito de los hermanos acabe siendo, de mayor, el más alto.

A pesar de todo lo dicho, el control del crecimiento de un niño, resulta muy útil para que el médico, si ve que los datos de un niño se apartan mucho de ese promedio, pueda dilucidar si se trata de un caso patológico, y solucionarlo a tiempo.

Retrasos en el crecimiento

Ya hemos indicado que el ritmo a que se desarrolla un niño viene determinado por su herencia genética e influido por diversos factores ambientales, entre los que cuenta principalmente la alimentación. Algunas enfermedades pueden producir alteraciones en el desarrollo.

En el crecimiento también influyen diversas hormonas como los corticoides, la insulina, y los andrógenos y estrógenos (hormonas sexuales). Desempeñan un papel fundamental las hormonas tiroideas, que si faltan antes y después del nacimiento, determinan una talla baja y subnormalidad (véanse en el tomo 1 los cuadros de las páginas 182, 186, 187). Después del nacimiento es muy importante la llamada hormona del crecimiento.

En la inquieta y penetrante mirada de este niñito, de tan sólo seis meses, ya intuimos todo un futuro luchador por la vida propia y por mejorar la de los demás. Ésa es al menos la ilusión de todos los padres. Tiene que crecer sano y fuerte... para que pueda ser dichoso y feliz. La ciencia médica pone hoy a nuestro alcance eficaces medios que permitirán que lo consiga, a pesar de las múltiples enfermedades y trastornos que acechan a todo ser humano desde su misma concepción.

Causas del retraso y posibles soluciones

Cuando el retraso en el crecimiento es fruto de alteraciones genéticas o de alteraciones óseas, motivo de gran número de consultas, en la mayoría de los casos no existe solución.

Si ese retraso es debido a la malnutrición, lo importante es tratarla a tiempo con una correcta alimentación y aporte de vitaminas y minerales. Cuando la malnutrición se produce durante el período de lactancia, puede resultar irreversible.

Una causa relativamente frecuente de retraso en el crecimiento son las malabsorciones intestinales y las inflamaciones crónicas del intestino. En estos casos, el tratamiento de los trastornos causantes del retraso hace que el desarrollo de la talla y el peso se normalice.

Cuando, después de los oportunos análisis, el médico comprueba que un niño no crece por algún déficit hormonal, muchas veces se puede resolver compensando medicamentosamente la carencia. Ahora bien, únicamente el especialista está capacitado para discernir cuando eso es así. Conviene que advirtamos que, si el retraso en el crecimiento es constitucional, el aporte de hormonas sexuales produce un crecimiento rápido con el desarrollo de los caracteres sexuales secundarios, y como efecto indeseado una aceleración de la maduración ósea que imposibilita un crecimiento posterior. Esto, a la larga, hace que la talla máxima que se alcance sea menor que si se hubiera respetado el desarrollo natural.

La hormona del crecimiento

El llamado enanismo hipofisario, debido a la falta del la hormona del crecimiento, que se manifiesta por una talla baja totalmente desproporcionada, puede ser corregido de forma espectacular mediante la administración artificial de dicha hormona.

Las flores y los niños, son de lo más hermoso que esta vida puede ofrecernos. Para que unas y otros se desarrollen de la mejor manera posible necesitan, aire, agua, sol, y, sobre todo, ¡cariño!

La hormona del crecimiento recibe varios nombres: somatotropina, somatohormona, hormona somatotropa, somatoestimulina, y se la conoce con las siglas HC (hormona del crecimiento) o GH (*Growth Hormone*, hormona del crecimiento, en inglés).

Hace ya más de medio siglo que se conoce esta hormona estimuladora del crecimiento, que es producida en la adenohipófisis (lóbulo anterior de la glándula hipófisis).

La producción y liberación de la HC (GH) está regulada por el hipotá-lamo con dos hormonas: una liberadora, la GHRF y la inhibidora SRIF o somatostatina. Para la comprensión de este mecanismo resulta útil dar un repaso al capítulo 9, titulado «El soporte hormonal de la sexualidad», y en particular a sus cuadros (págs. 182, 186).

Estimulan la producción de esta hormona el estrés, la fiebre, el ejercicio físico, la intranquilidad, y el sueño profundo, y la inhiben medicamentos sedantes como la reserpina o la clorpromacina. Así que aquella observación de nuestras madres y abuelas, de «¡Qué estirón ha dado el niño!», después de un período febril en cama, se ajustaba a una realidad de origen hormonal.

La HC (GH) induce el aumento de la talla, interviniendo en la asimilación de los nutrientes, así como en el metabolismo celular, e incrementando el número y el tamaño de las células, especialmente de los diversos órganos.

Si una hiposecreción de la hormona del crecimiento produce el llamado enanismo hipofisario, la hipersecreción, en cambio, produce el gigantismo hipofisario del que se habla en el próximo subapartado.

Cuando existe un déficit de esta hormona, se produce un desarrollo muscular escaso típico, así como una pequeñez de diversos órganos internos. En la acromegalia, se produce, por el contrario, una visceromegalia (aumento excesivo de las vísceras).

Se ha avanzado mucho desde 1985, cuando se sintetizó la hormona del crecimiento, pues antes sólo se obtenía de hipófisis de cadáveres humanos. A pesar de todo el tratamiento con esta hormona sigue siendo muy costoso y no resulta eficaz en todos los casos. Antes de saber si su aplicación resulta posible y útil, es necesario hacer un buen estudio clínico que lleve a determinar en cada caso la causa del déficit hormonal, o su inactividad, caso de su cantidad normal en el organismo.

Es curioso que actualmente la hormona del crecimiento se aplique para «rejuvenecer». Se están llevando a cabo experimentos, administrándola a personas de la tercera edad. Con ello no han conseguido alargarles su existencia, pero sí mejorar su calidad de vida, pues se ha observado en ellas un aumento de la masa muscular, una disminución del tejido adiposo (grasa) y un fortalecimiento óseo, todo lo cual evidentemente aumenta la vitalidad. A pesar de esto, no se puede pensar que la hormona del crecimiento sea una panacea, pues los riesgos que comporta su aplicación son importantes, ya que puede provocar diabetes o agravar la existente, así como artritis y alteraciones cardíacas, entre otros trastornos importantes.

Crecimiento excesivo

Igual que se puede producir un crecimiento insuficiente, también se dan casos de crecimiento excesivo. El crecimiento excesivo, si no produce deformaciones, no suele ser motivo de preocupación ni de consulta por parte de los padres, y menos en esta época cuando tantos jovencitos aspiran a ser figuras del baloncesto. Sin embargo, una talla demasiado elevada, en comparación con la de los ascendientes inmediatos, puede ser consecuencia de diversos problemas hormonales o genéticos, que conviene que el especialista investigue.

Son numerosos los tipos de gran desarrollo longitudinal. Vamos a citar tres únicamente:

— **Gigantismo constitucional.** Cuando el crecimiento resulta excesivo pero se produce de forma armoniosa, y además afecta a varios miembros de la familia, sin que se observen anormalidades hormonales, no debe preocupar.

— **Gigantismo hipofisario.** El llamado gigantismo hipofisario, como su nombre indica viene determinado por un mal funcionamiento de la hipófisis (con frecuencia por una tumoración), que provoca un aumento en la producción de la hormona del crecimiento, antes de la soldadura de los cartílagos de los huesos en la pubertad. Si ese aumento se produce después de pasada la pubertad, da lugar a lo que se conoce como acromegalia, que provoca individuos con manos, pies y cara de un tamaño muy grande y desproporcionado, lo cual les confiere un aspecto muy característico.

— **Hipogonadismo prepuberal masculino.** Se dan casos curiosos de crecimiento excesivo, con piernas muy largas, y con retraso en la pubertad o ausencia de madurez sexual y eunucoidismo, cuando se produce una producción insuficiente de las hormonas propias de las gónadas masculinas.

En algunos casos de crecimiento excesivo el especialista puede controlarlo mediante la administración de preparados hormonales; pero resulta un tratamiento controvertido y de dudosa eficacia, aparte de que puede provocar numerosos efectos secundarios indeseados.

EVOLUCIÓN DE LA MORFOLOGÍA CORPORAL

El niño no aumenta únicamente en estatura y peso; su cuerpo va experimentando marcadas transformaciones morfológicas, es decir de la forma de su cuerpo.

La cabeza

Todo el mundo ha observado que los niños, cuanto más pequeños son, mayor tienen, proporcionalmente, la cabeza. Es decir, que el tronco y las extremidades crecen con mayor rapidez.

El crecimiento del cráneo es más lento que el de la cara. Si unimos los dos ojos mediante una línea imaginaria, nos daremos cuenta de que esa línea va subiendo más a medida que el niño crece.

Es interesante la media de los perímetros craneales. Un excesivo aumento durante el primer semestre puede indicar la aparición de hidrocefalia por hipersecreción de líquido cefalorraquídeo, bloqueo del desagüe e hiperdosificación de vitaminas A y D. Y si es en el segundo semestre, un raquitismo, que se manifiesta con prominencia de la frente, reblandecimiento de ciertas zonas del cráneo y persistencia de las fontanelas.

Tronco y extremidades

El tórax, en forma de tonel del bebé, se transforma radicalmente en pocos años, ensanchándose y aplastándose. Hacia los 5-6 años, la circunferencia superior predomina sobre la inferior.

La morfología torácica varía bastante durante la niñez y adolescencia, y no es hasta los 25 años cuando toma su forma definitiva.

Hasta los 2 años el volumen del abdomen es muy marcado, sobre todo por encima del ombligo. Más tarde, especialmente durante la pubertad y en la mujer, es el segmento situado bajo el ombligo el que predomina.

De 1 a 7 años el niño aumenta principalmente por sus piernas, mientras el tronco, en comparación, se desarrolla más lentamente. Los brazos crecen más despacio que las piernas.

De los 2 a los 11 años las piernas duplican su longitud, y los brazos prácticamente también (como promedio, pasan de los 24 a los 44 centímetros).

Desarrollo muscular

El recién nacido presenta un sistema muscular poco desarrollado. Por eso es incapaz de andar, de tenerse en pie e incluso de mantener erguida la cabeza.

Normalmente a los 3 meses un niño ya es capaz de sostener la cabeza, y a los 6 meses el bebé tiene que poder mantenerse sentado.

Al 8.º mes un niño que se desarrolla normalmente intenta levantarse por sí solo apoyando los brazos contra las paredes u otros lugares.

A los 10 meses los niños suelen mantenerse ya de pie si cuentan con apoyo.

Hacia los 12-13 meses los más robustos ya andan solos, con las piernas muy separadas y los brazos extendidos a modo de contrapeso. (Véase el cuadro de la página 1093.)

Desarrollo tras la primera infancia

El crecimiento va disminuyendo su ritmo con la edad. El aumento de estatura como promedio es el siguiente:

El pediatra-puericultor controla el crecimiento cefálico de los niños, pues el aumento regular del diámetro craneal es un buen indicativo de que el cerebro está desarrollándose correctamente.

— de los 2 a los 7 años: 5-7 centímetros por año,
— de los 7 a los 12 años: 5,5 centímetros por año,
— de los 12 a los 16 años: 2,6 centímetros en las niñas y 4 en los niños.

Al igual que para la primera infancia, existen curvas de crecimiento para los niños y niñas de 2 a 14 años, que sirven de pauta para comprobar el buen desarrollo físico.

En la segunda y tercera infancia el cuerpo se alarga, los miembros inferiores crecen notablemente, y el raquis (columna vertebral), primero rectilíneo, se incurva con la marcha; de modo que, visto de perfil, adopta una suave forma de S. La respiración, de abdominal, pasa a ser torácica, mientras que el abdomen tiende a retraerse.

Por supuesto que todas estas transformaciones morfológicas externas, se acompañan de cambios internos considerables, sobre todo a nivel de las glándulas endocrinas, durante la pubertad (véanse los apartados dedicados a «La pubertad», caps. 1 y 4).

918

51

DENTICIÓN, VISTA, PIES Y COLUMNA

En el capítulo anterior hemos querido ofrecer una idea general del desarrollo físico del niño. En el presente vamos a considerar cuatro aspectos concretos de ese desarrollo y algunos de los problemas que pueden presentarse. Porque podríamos encontrarnos con un niño cuyo desarrollo físico general fuera correcto, en cuanto a su ritmo de crecimiento, peso y proporciones corporales, y que, no obstante, presentara anomalías en la dentición, o la formación del pie, o dificultades visuales. Todas esas anomalías, aunque no afecten directamente al buen funcionamiento de otros órganos, sí inciden negativamente en el desarrollo general, tanto físico como intelectual.

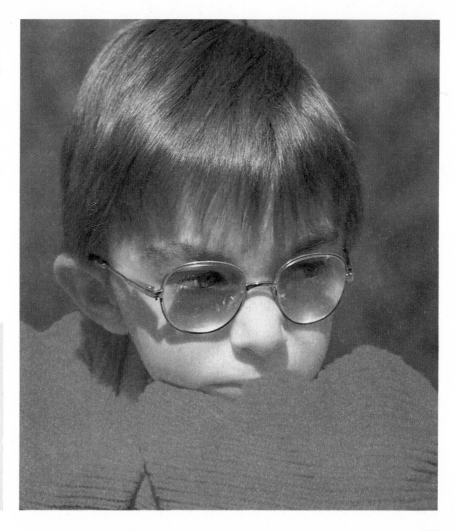

Afortunadamente hoy los defectos visuales pueden ser corregidos en la mayor parte de los casos con absoluta seguridad y eficacia. Los cristales y las monturas se fabrican a prueba de niños, y algunas de ellas hasta sirven para enmarcar bellamente los vivaces ojuelos infantiles.

Después de la estatura y del peso, la dentición es quizás el proceso de desarrollo infantil que, por su significado y características peculiares, más llama la atención. La irrupción de los dientes siempre es un motivo de alegría para los padres, o los lleva a preocuparse, si por alguna razón se retrasa. Conviene aclarar que un retraso o adelanto en la salida de los dientes no tiene nada que ver, en principio, con la salud general del niño, y sí con factores hereditarios o individuales. Incluso se conoce el caso de niños que nacieron ya con algún diente, y, por el contrario, a otros no les ha salido todavía ninguno al cumplir el año. No tiene por qué haber nada de anormal en ello.

Tanto la dentición precoz como la tardía no poseen ningún significado especial, y no deben preocupar a los padres. Ahora bien, un retraso muy notorio y generalizado en la erupción de los dientes podría atribuirse a algún problema endocrino o algún trastorno general que convendría que evaluase el pediatra.

La dentición primaria, los llamados dientes de leche, la constituyen 20 dientes, 10 para cada arco dentario, compuesto por:

— 4 incisivos,
— 2 caninos y
— 4 molares.

Los llamados dientes de leche aparecen entre los 6 y 30 meses, si bien pueden darse grandes oscilaciones en el tiempo. Parece que, en los niños alimentados con leche materna, la dentición comienza antes que en los alimentados con leches artificiales.

Trastornos en la erupción dentaria

La erupción de los dientes en el bebé es causa de molestias porque las encías se hallan inflamadas, enrojecidas y dolorosas. Esto le produce agitación, malestar, nerviosismo, falta de apetito y trastornos en el sueño. Llora, babea,

El hecho de aparición de los dientes, no por repetido y natural, resulta menos interesante. De las encías del pequeño van surgiendo, ante la curiosa mirada de todos los familiares, esos pequeños brotes nacarados, signo de cómo la vida surge y se desarrolla.

y se lleva con desesperación las manos a la boca en busca de alivio.

Sin embargo, no es cierta la idea tan extendida de que la erupción de los dientes provoque fiebre, diarreas, bronquitis o convulsiones. Lo que ocurre es que este proceso resulta coincidente con otros, como son el cambio de alimentación y la pérdida de anticuerpos maternos. Los niños en esta edad son más sensibles y vulnerables a las enfermedades. Por otro lado se sabe que las enfermedades febriles favorecen la erupción de los dientes. Así que primero viene la fiebre y luego los dientes, y no al revés como se suele creer. Téngase esto en cuenta, ya que es muy fácil pasar por alto alguna dolencia, por ejemplo de los oídos, al atribuir los síntomas a la dentición.

Para aliviar la inflamación e irritación de las encías y el nerviosismo del bebé podemos frotarle suavemente las encías, dejarle objetos adecuados que pueda morder, darle bebidas frescas, o un jarabe prescrito por el médico. En algunos casos de niños muy inquietos, el pediatra puede que incluso considere conveniente recetar un calmante.

Mineralización

La mineralización u osificación de las piezas dentarias sigue una marcha progresiva desde la corona a la raíz. Los dientes de leche, en el momento

LA DENTICIÓN

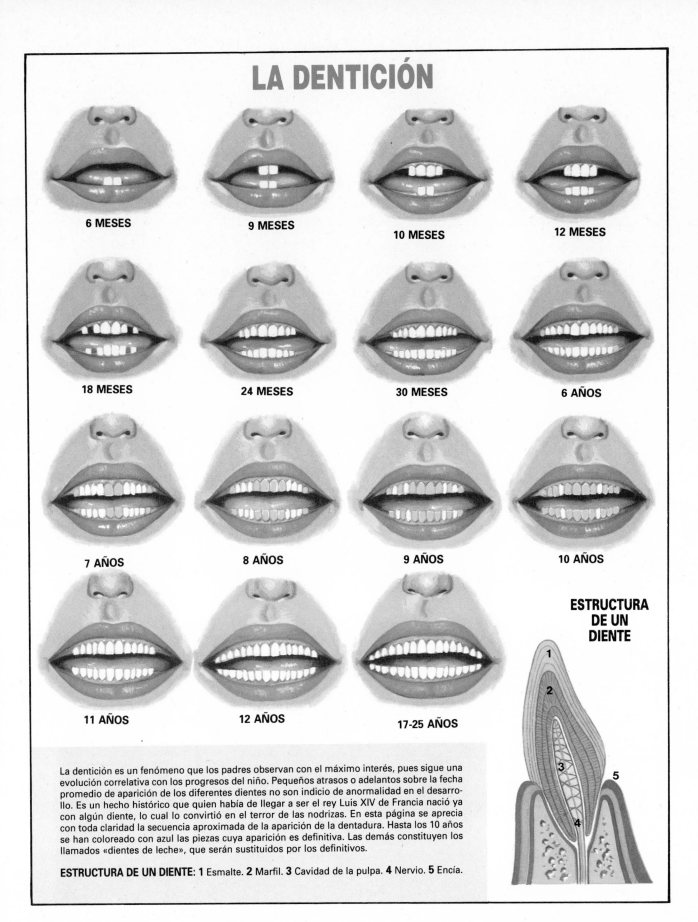

6 MESES

9 MESES

10 MESES

12 MESES

18 MESES

24 MESES

30 MESES

6 AÑOS

7 AÑOS

8 AÑOS

9 AÑOS

10 AÑOS

11 AÑOS

12 AÑOS

17-25 AÑOS

ESTRUCTURA DE UN DIENTE

La dentición es un fenómeno que los padres observan con el máximo interés, pues sigue una evolución correlativa con los progresos del niño. Pequeños atrasos o adelantos sobre la fecha promedio de aparición de los diferentes dientes no son indicio de anormalidad en el desarrollo. Es un hecho histórico que quien había de llegar a ser el rey Luis XIV de Francia nació ya con algún diente, lo cual lo convirtió en el terror de las nodrizas. En esta página se aprecia con toda claridad la secuencia aproximada de la aparición de la dentadura. Hasta los 10 años se han coloreado con azul las piezas cuya aparición es definitiva. Las demás constituyen los llamados «dientes de leche», que serán sustituidos por los definitivos.

ESTRUCTURA DE UN DIENTE: 1 Esmalte. **2** Marfil. **3** Cavidad de la pulpa. **4** Nervio. **5** Encía.

de su salida, aún tienen un tercio de su raíz sin mineralizar.

Los dientes definitivos permanecen debajo de los primarios a la espera de su erupción a partir de los seis años. Desde el mismo nacimiento se están mineralizando, hasta los 9 o 10 años.

Dentición secundaria o permanente

Determinadas piezas dentales salen en su forma definitiva desde el principio: Es el caso de algunos molares y premolares. A partir de los cinco años sale el primer gran molar definitivo. Sin embargo se considera que es a partir de los seis años cuando comienza la dentición definitiva, coincidiendo con la caída de los dientes de leche y su sustitución por los definitivos.

Los dientes permanentes son 32 y sustituyen a los dientes de leche durante la segunda infancia y la adolescencia (6-18 años). En algunos casos pueden retrasarse algún tiempo más, o incluso no llegar a completarse el total de muelas. A muchos adultos nunca les sale alguna de las llamadas muelas del juicio, quedando con 30 o 28 piezas dentarias.

La distribución de los dientes permanentes en cada mandíbula es la siguiente:

— 4 incisivos,
— 2 caninos,
— 4 premolares y
— 6 molares.

Con cierta frecuencia los dientes definitivos irrumpen irregularmente, encabalgándose unos sobre otros o simplemente descentrados. En estos casos conviene acudir a un odontólogo para que, mediante los aparatos necesarios, corrija las desviaciones.

Higiene bucondental

Una vez que los primeros dientes han salido, se debe iniciar la limpieza de los mismos. Para ello no es necesario, al principio, ni el uso de cepillo ni de pasta dentífrica. Un simple algodón mojado en agua con bicarbonato o con sal común es suficiente.

Hacia los tres años el niño ya posee todos los dientes de leche y conviene que se los cepille con el fin de eliminar la placa. Para el niño será muy motiva-

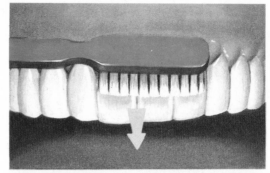
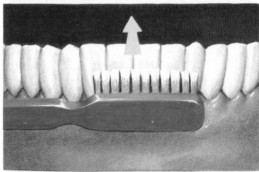
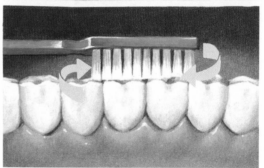

La técnica del cepillado es muy importante, para que la limpieza de los espacios interdentales se realice con eficacia. Los movimientos del cepillo deben ser verticales y no horizontales, con un recorrido corto, de forma vibratoria, rápida y suave. Las cerdas han de formar un ángulo de unos 45° con dientes y encía. El cepillado debe incluir la encía. También es importante cepillar la cara de los dientes que mastica, como se indica en el dibujo inferior. Y aunque no se representa en las figuras, es necesario limpiar la cara interna de los dientes, colocando en este caso el cepillo perpendicularmente a la dentadura. Y finalmente hay que cepillar la lengua y la cara interna de los carrillos.

dor imitar a sus padres. Por eso resulta muy interesante que después de cada comida, y sobre todo antes de acostarse los padres y los hijos realicen juntos su limpieza bucodentaria. Hasta los cinco años el pequeño no puede adquirir la destreza necesaria, así que los adultos tienen que complementar la limpieza hecha por el niño. Si se tiene paciencia y perseverancia, el niño adquirirá sin esfuerzo el hábito para toda la vida. Dejándolo para más adelante le costará mucho más.

Para una correcta limpieza bucodental lo más importante es el cepillo. Sus cerdas han de ser suaves, de una fibra sintética adecuada con puntas redondeadas, y tamaño adaptado a la mano y la boca del niño. El dentífrico no es tan importante en la limpieza de

los dientes, como se suele creer. Pero sí parece que resulta interesante que contenga flúor. No conviene echar mucha pasta, primero porque es innecesaria y segundo porque los niños suelen tragársela. Al principio resultan más convenientes los dentífricos líquidos.

El cepillado se efectuará de arriba abajo, por delante y por detrás de todas las piezas dentarias, así como por la parte superior de las mismas. Se procurará liberar los espacios interdentarios de cualquier resto alimentario, recurriendo, si fuera necesario al hilo dental. También deben cepillarse suavemente la lengua, el paladar, las encías, y la cara interna de carrillos y labios.

Lo ideal es un cepillado después de cada comida. Si se ha tomado un pos-

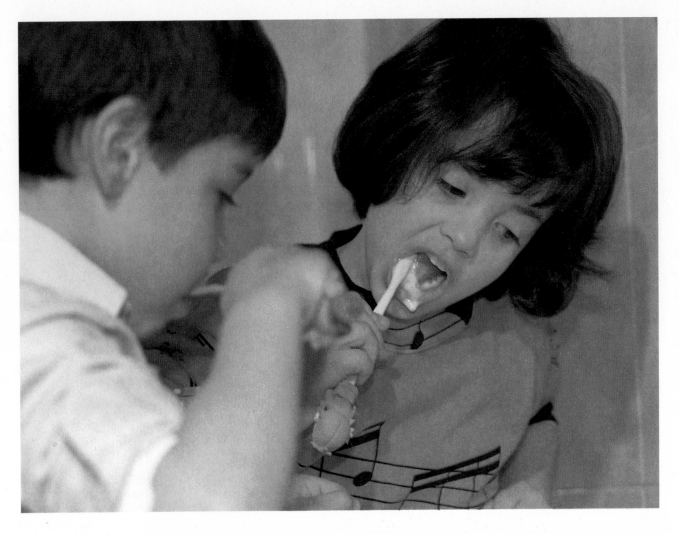

Tan pronto como resulte posible todos los niños debieran comenzar a cepillarse los dientes. Para ellos será como un agradable juego de imitación de los mayores. Por supuesto al principio un adulto tendrá que proceder a la limpieza de boca y dientes, después de que el pequeño se haya «cepillado». Lo que importa no es tanto su habilidad como el valor educativo de la adquisición del necesario hábito de la higiene bucodental.

tre dulce, entonces resulta indispensable. Algunas frutas y hortalizas, como la manzana o la zanahoria cruda, bien masticadas al final de la comida ayudan a limpiar la dentadura. Todo niño debiera cepillarse concienzudamente la dentadura al menos después del desayuno y de la cena.

Las caries

La caries dental es la destrucción, reblandecimiento y disolución de las sustancias duras del diente, que evolucionan hacia la formación de cavidades, y sin tendencia a la curación. Los dientes son órganos vivos que se ven alterados por agentes microbianos provocantes de fenómenos fisicoquímicos nocivos que atacan el esmalte, que se va desmineralizando en determinados puntos, dando lugar a la caries. La lesión va progresando hasta llegar a la pulpa o porción central, en la que se encuentra la raíz y los nervios del diente.

La visita anual al odontólogo es conveniente a partir de los tres años, para detectar lo antes posible el inicio de las caries u otros problemas y corregirlos. Las caries dentales pueden ser el origen de diversos trastornos, serios inclusive, como pueden ser reumatismo, endocarditis, nefritis o amigdalitis. Se sabe, que las caries siguen en incidencia al resfriado común entre los padecimientos más frecuentes en todo el mundo.

No hay que olvidar que el problema de las caries no es sólo externo, sino también interno. Mucho se ha dicho, y aún es poco, de la nefasta costumbre de premiar al niño con productos alimentarios elaborados a base de harinas refinadas y azúcar blanco, en forma de pastelitos, bollos y golosinas. El azúcar blanco favorece el desarrollo de las bacterias causantes de las caries e impide una buena asimilación del calcio. Y los cereales refinados han perdido su contenido de vitaminas del

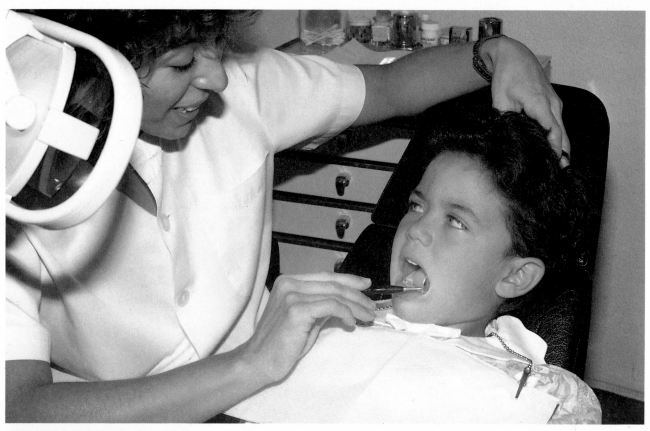

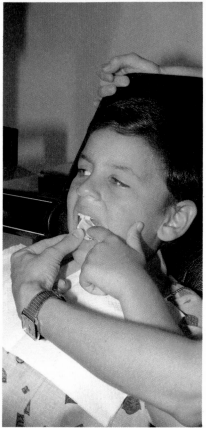

complejo B, esenciales para la conservación de la dentadura. Se ha demostrado que el número de caries disminuye suprimiendo el consumo de azúcar e incluyendo en la dieta cereales integrales, levadura de cerveza y germen de trigo. Por otra parte la leche y sus derivados, aportan el calcio tan necesario a estas edades.

Para la prevención de las caries cumple, también, un papel muy importante la ingestión de suficiente flúor. Los iones del flúor favorecen la remineralización de los dientes y protegen el esmalte inhibiendo la formación de ácidos grasos agresivos y de la placa dentaria.

La ortodoncia

La mayoría de las anomalías dentarias de forma o posición, debidas a los propios dientes o a su soporte óseo, los maxilares, tienen una fácil corrección ortodóncica, aunque el tratamiento puede resultar pesado por el tiempo que requiere, y, por la misma razón, económicamente costoso.

Las mayores posibilidades de éxito en el tratamiento se consiguen si se interviene antes de los 12 años en que el desarrollo zonal aún no se ha acabado, y por tanto las correcciones son más fáciles.

Las deformaciones dentarias más frecuentes son el agrupamiento de dientes, la separación anormal entre los mismos, el desfase entre los dientes de ambas arcadas, la falta de algún diente o su rotura.

Una dentadura anormal no solo interfiere en los procesos de masticación y por lo tanto en la digestión y asimilación de los alimentos, sino también en los aspectos estéticos e incluso en problemas psicológicos. Cuántos niños tienen que sufrir burlas o desprecios por sufrir alguno de estos problemas como la desviación de dientes, o cuando los de la mandíbula superior sobresalen de forma notoria. Aparte están los trastornos del lenguaje como mala pronunciación o silabeos, que pueden afectar al desarrollo social del niño.

La ortodoncia dispone de numerosos recursos; el más conocido es el de los aparatos fijos o móviles, cuya utilización resulta necesaria durante unos meses, o incluso dos o más años, según el problema.

PROBLEMAS OCULARES Y DE LA VISIÓN

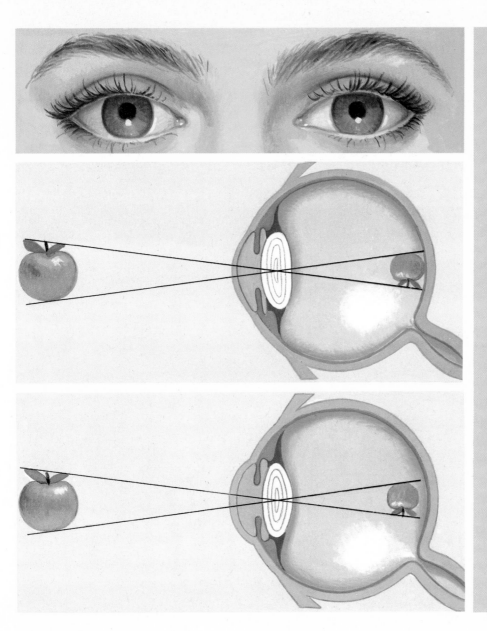

Los trastornos de la visión conviene detectarlos lo antes posible, ya que algunos de ellos, como el estrabismo (ojos bizcos), pueden ser corregidos tan sólo durante los primeros años de la vida. Otros, si se corrigen precozmente, se evita que aumenten. El retraso escolar de algunos niños se debe a una visión deficiente no corregida.

VISIÓN NORMAL. En el esquema superior se puede ver el mecanismo de visión de un ojo. La imagen se forma en la retina como si fuera en la película de una cámara fotográfica. En el dibujo está en relieve sobre la retina, pero en la realidad, viéndola de frente es plana, y se halla en posición invertida. Es el cerebro que corrige la posición de la imagen recibida a través del nervio óptico. La sensación de relieve se produce en el cerebro por la fusión de las dos imágenes, correspondientes a cada ojo.

MIOPÍA. En el esquema inferior vemos como, debido al mayor tamaño del globo ocular, la imagen, de acuerdo con las leyes ópticas, se forma delante de la retina. Este defecto se llama miopía, y suele ser de carácter hereditario; aunque a veces es adquirido y suele manifestarse hacia los diez años. La miopía que aparece en la infancia, debe ser controlada por el médico oculista, pues va aumentando con los años. La miopía muy intensa predispone al desprendimiento de retina, y por eso con los niños que la padecen deben tomarse las precauciones oportunas.

A través de los ojos recibimos las impresiones luminosas del mundo exterior que nos rodea. En el momento del nacimiento el sistema visual está anatómicamente desarrollado, pero inmaduro. Los recién nacidos son hipermétropes de unas dos o tres dioptrías; y aún pueden serlo en la edad preescolar. A los ocho años el ojo llega a su pleno desarrollo.

Es conveniente realizar un examen oftalmológico rutinario a los niños en los siguientes períodos:

— período neonatal,
— antes de ingresar en el centro de preescolar,
— a intervalos de dos años, empezando en la pubertad, y
— siempre que se detecte algún defecto de visión o afección ocular.

Por ejemplo, el estrabismo, que se puede corregir; si no se trata antes de los 6 años, es el causante de una mala visión irreversible en el ojo no usado.

Anomalías de refracción

— **Hipermetropía.** Es un defecto de la visión por la que se reciben confusamente las imágenes, porque se proyectan detrás de la retina. El ojo lo compensa acomodando la visión lejana, pero ello produce fatiga, con las consiguientes cefaleas (dolores de cabeza) y sensación de cansancio en los ojos. Debe sospecharse en niños con visión defectuosa, falta de interés en la lectura u observación de grabados, cefaleas, molestias en los ojos, estrabismo, inflamación de los párpados, vómitos no explicables por causa conocida, tic facial, tortícolis o vértigo. El uso de lentes adecuadas corrige estos problemas.

— **Miopía.** El ojo del miope, o corto de vista, es precisamente más largo de lo normal, por lo que el foco se forma delante de la retina. Los objetos lejanos se ven borrosos y eso no mejora con la acomodación, aunque sí frunciendo los párpados. El niño debe llevar constantemente lentes correctoras, y ser examinado cada seis meses los primeros años y anualmente después. Este problema ocular es de tendencia hereditaria, por lo que los hijos de padres

miopes deben ser examinados a edad temprana.

— **Astigmatismo.** El astigmatismo produce visión distorsionada. Debido a la borrosidad y deformación de la imagen, el niño puede sufrir problemas de rendimiento escolar, dolor y fatiga ocular, cefaleas, irritación de la conjuntiva, y nerviosismo. A veces se combina con miopía o hipermetropía. Los casos leves de astigmatismo —muy frecuentes— pueden permanecer sin corregir, en los casos moderados sólo se pondrán lentes para leer, ver la televisión, o el cine, pero los más acentuados precisarán de su uso permanente.

Estrabismo

El estrabismo (bizquería) consiste en que los ejes visuales no se dirigen al mismo punto en los dos ojos. Por ello se produce una doble imagen que el cerebro trata de superar suprimiendo una de ellas. Es importante el diagnóstico precoz, porque el estrabismo no se cura cuando el niño ya es mayor, y porque cuanto más precozmente se detecte mayor es el éxito del tratamiento.

La corrección del estrabismo puede incluir la oclusión del ojo sano para desarrollar la visión del enfermo, rectificación mediante lentes correctoras, aplicación de terapéuticas oftalmológicas, cirugía para alinear los ojos cuando las lentes correctoras no sean útiles, o incluso una combinación de varias de ellas.

Cataratas

La catarata es una opacidad del cristalino que disminuye, o incluso impide la visión normal. Es como si se interpusiera un cristal opaco entre los ojos y los objetos que se observa.

Las cataratas pueden ser congénitas o adquiridas. Las congénitas suelen tener relación con la rubéola materna durante los primeros meses de embarazo. En las cataratas adquiridas, según su origen, distinguiremos:

— las seniles (afección frecuente en las edades avanzadas);
— las debidas a traumatismos oculares (golpes, heridas penetrantes en el globo ocular);
— las relacionadas con enfermedades

como la diabetes o la nefritis, u otras afecciones oculares como el desprendimiento de retina o el glaucoma; y
— las debidas a intoxicaciones o tratamiento prolongado con corticoides.

El tratamiento de las cataratas pasa por la intervención quirúrgica, cuyo momento más oportuno es esperar a que la catarata esté madura, es decir, cuando el cristalino se ha vuelto opaco del todo.

Conjuntivitis, oftalmía neonatal y tracoma

Además de los elementos propios de la visión existen otros que están en funciones de protección o auxiliares. No afectan directamente a la vista, aunque los padecimientos que sufren pueden incidir directa o indirectamente en ella. El más común de esos padecimientos en los niños es la conjuntivitis, es decir, la inflamación de la conjuntiva del ojo. La conjuntiva es la membrana mucosa que cubre interiormente los párpados. Su inflamación produce enrojecimiento, lagrimeo, sensación de tener un cuerpo extraño. Es fácil que al levantarse se tengan los párpados pegados. Suele ser benigna. Generalmente se produce por irritaciones externas como cuerpos extraños o sustancias químicas (líquidos, gases, vapores), golpes, contacto con el agua de las piscinas (piletas), heridas, o incluso exposiciones a una iluminación demasiado intensa. También puede ser debida a infecciones de tipo bacteriano o vírico. Diversos brotes repetidos pueden producir una conjuntivitis crónica.

Ante la sospecha de conjuntivitis hay que llevar al pequeño al médico sin demora. Si es de origen infeccioso hay que evitar el contagio. El niño debe, pues, usar una toalla exclusiva para secarse la cara, y especialmente los ojos. Si alguien de la familia padece conjuntivitis no debe entrar en contacto con los niños, ni con nadie, después de haberse tocado los ojos, si no se ha lavado previamente, y con cuidado, las manos.

Algunas conjuntivitis curan espontáneamente, pero otras, las infecciosas en particular, exigen un tratamiento médico a base de pomadas o gotas an-

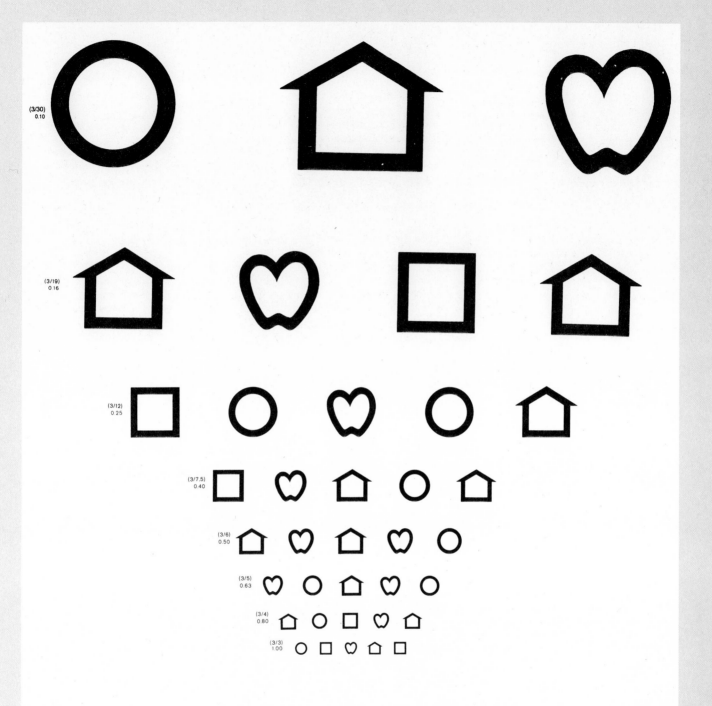

LH-visual acuity test, 3 m, 8 lines, **D2**

Este es el optotipo (cartel) con el que se realiza el *test* LH (Lea Hyvä-rinen). Se utiliza en todas las unidades de rehabilitación del CERVO (Centro de Rehabilitación Visual de la ONCE). Sirve para medir la agudeza visual de niños con baja visión que no saben leer o que tienen problemas de expresión verbal. Su tamaño original es de 36,5 por 44 centímetros, y se coloca a 3 metros de distancia del paciente, mientras éste sostiene una tarjeta rectangular con las cuatro figuras básicas impresas en tamaño grande. El evaluador señala una figura cualquiera de las que aparecen en el optotipo, y el niño entonces identifica, de viva voz o señalándola en la tarjeta, la figura que distingue. Las figuras, aunque sencillas, son ligeramente más abstractas que las representaciones habituales de los objetos, y su estructura es tal que, al llegar a una línea en la que el niño no puede identificar las figuras, todas ellas son interpretadas como círculos; con lo cual el niño no experimenta la frustración de estar cometiendo un error.

927

tibióticas, que se aplicarán después de un baño ocular con una infusión de manzanilla común (*Matricaria chamomilla* L.) o manzanilla romana (*Anthemis nobilis* L.) a razón de 10-15 gramos por litro. En condiciones normales una conjuntivitis debe desaparecer en unos quince días.

Cuando la inflamación de la conjuntiva se debe a la llamada oftalmía neonatal, puede ser grave. Suele manifestarse a los pocos días del nacimiento. Se debe a gonococos, estafilococos, clamidias, habitualmente por contagio materno en el momento del parto, o incluso a irritación química (nitrato de plata). Es muy importante el adecuado tratamiento de la conjuntivitis gonocócica (contagiada por una madre con gonorrea), porque llega a provocar ulceración y hasta perforación de la córnea. Lo mejor en este caso, es la prevención, que se realiza sistemáticamente en todos los recién nacidos mediante la instilación de unas gotas antibióticas.

Una de las causas de conjuntivitis es el tracoma, que tantas cegueras causaba en otro tiempo en España, y sigue causando en algunos países. Antes se creía que el agente causante del tracoma era un virus atípico de gran tamaño. Hoy se sabe que es una bacteria del género *Chlamydia*. Aparte de la inflamación de la conjuntiva el tracoma se manifiesta por derrame acuoso fluido, y en una segunda etapa por la aparición de cicatrices en la conjuntiva y opacificación corneal. Actualmente, gracias a las sulfamidas, las tetraciclinas y la eritromicina, es posible su curación.

En todos los casos de conjuntivitis, el tratamiento no debe interrumpirse cuando hayan desaparecido los síntomas, sino que debe continuar durante unos días más, con el fin de evitar recurrencias tempranas.

Orzuelo, blefaritis y glaucoma

El orzuelo quizás sea la más frecuente de las enfermedades de los párpados que sufren los niños. Es una afección dolorosa por inflamación purulenta. En algunos casos puede llegar a ser necesaria la práctica de una incisión por parte del médico para eliminar el pus, aunque lo normal es que salga de forma espontánea. Para el orzuelo resulta conveniente aplicar calor, y en su caso, por prescripción médica, antibióticos.

La blefaritis consiste en una inflamación que afecta a los rebordes de los párpados y la piel que circunda la base de las pestañas. Su causa puede ser una seborrea a la que habrá que tratar también limpiando el borde de los párpados con un algodón y champú para niños. En los casos más fuertes necesitará un antibiótico.

El glaucoma consiste en el aumento de la presión intraocular. Cuando el aumento es fuerte o sostenido puede llegar a la ceguera. De hecho un 10% de ellas son debidas al glaucoma. Puede ser congénito primario o glaucoma secundario, generalmente producido por una obstrucción de los conductos de drenaje del humor acuoso, traumatismos, hemorragias oculares, desviación del cristalino, tumores, iritis. El tratamiento es complicado y debe ser dirigido por un oftalmólogo. En la mayoría de los casos se impone la intervención quirúrgica.

MALFORMACIONES Y DEFORMIDADES DE LOS PIES

HUELLAS PLANTARES

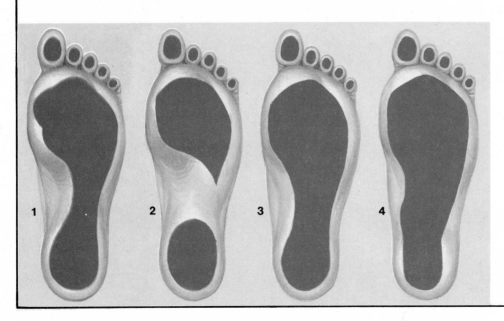

La huella del pie permite comprobar si éste es normal o sufre alguna deformación. Aquí tenemos cuatro huellas plantares típicas:
1. Pie normal. 2. Pie cavo: Es el que presenta una bóveda plantar con una curvatura exagerada, es decir el defecto contrario al pie plano. **3. Hundimiento de la bóveda plantar:** Un caso leve. **4. Pie plano:** Esta huella pone de manifiesto un acusado hundimiento de la bóveda plantar, es decir de un pie plano.
El doctor Plaza Montero en su *Puericultura* señala: «El pie del lactante, y hasta los dos años de edad aproximadamente, se caracteriza por ser más flexible, más relajado y más móvil que en los niños mayores. El arco es menos rígido y se encuentra relleno de una almohadilla de grasa que le confiere el mismo aspecto que en los casos de niños mayores con pie plano.»

El pie constituye la parte extrema del miembro inferior. Consta de dos porciones: la anterior, formada por los dedos, y otra posterior o tarso-metatarsiana. Se halla adaptado a la función de soporte y marcha, y se describe como una bóveda constituida por dos arcos longitudinales (interno y externo) y dos arcos transversales (anterior y posterior). Esta bóveda plantar, para ejercer su función de soporte del cuerpo, se mantiene gracias a la buena alineación y posición de los huesos que constituyen el esqueleto del pie, a la integridad absoluta de sus ligamentos y al buen tono de sus músculos.

Cuando en algunas de estas estructuras se producen alteraciones, nos encontramos con deformidades o malformaciones en los pies, de las que vamos a describir las más importantes, aunque algunas de ellas pueden presentarse de forma mixta:

Pie plano

Es una de las deformaciones más habituales y se produce cuando la cúpula plantar es más baja y el pie se encuentra aplanado, lo que dificulta la marcha y la carrera. El cansancio es habitual y los niños se caen con frecuencia. Es típico el apoyo sobre la cara interna del talón lo que lleva a la adopción del varo.

En los niños pequeños, es fácil que aparezca un falso pie plano, puesto que, con frecuencia, tienen la arcada de apoyo, rellena de grasa. En los adultos puede aparecer el pie plano por un exceso de peso, calzado inadecuado, o en la menopausia con una laxitud de los ligamentos.

El tratamiento para su corrección en los niños será ortopédico, a base de plantillas, y fisioterápico, andando sobre superficies blandas como la arena, y lo más a menudo que se pueda, de puntillas.

Pie cavo

Al contrario del pie plano, en el pie cavo la bóveda longitudinal está más elevada de lo normal, provocando en los dedos una posición en garra. Puede ser congénito o adquirido. En este último caso, generalmente a causa de la poliomielitis o de traumatismos con fracturas que supongan serias desviaciones de los huesos.

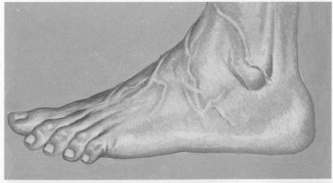

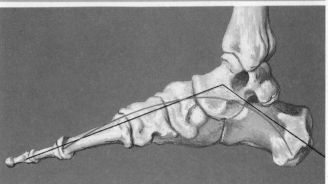

PIE NORMAL Y PLANO. Pie normal visto de perfil. El modelo de este pie ha sido el de la escultura de Miguel Ángel conocida como «La Noche», que se halla en la capilla de los Médicis de Florencia. En la figura inferior se presentan los huesos de un pie plano visto de perfil. La línea negra señala la angulación normal de la bóveda o arco del pie. La línea roja señala la mayor apertura de dicho ángulo, determinada por el hundimiento de la bóveda plantar.

En los casos sencillos aparecen síntomas de dolor, marcha insegura y pérdida de la estabilidad, llegando a caerse con más frecuencia que los de pie plano. El tratamiento puede ser ortopédico mediante uso de botas especiales con plantillas adecuadas. En los casos más graves es necesaria la intervención quirúrgica.

Pie talo

El pie talo se presenta en flexión dorsal, provocando el apoyo sobre el talón o calcáneo. Era muy común en la China tradicional, por la costumbre de comprimir con fuertes vendajes el pie de las mujeres. Hoy, afortunadamente, esa costumbre está proscrita. Se produce el pie talo cuando no actúan los músculos de la pantorrilla por parálisis o por problemas en el tendón de Aquiles. La fisioterapia puede ayudar a su corrección, pero en muchos casos se impone la intervención quirúrgica.

Pie equinovaro

El pie equinovaro (zambo) está constituido por tres elementos:

1. Flexión plantar del pie en la articulación del tobillo.
2. Deformidad en varo o en inversión del talón.
3. Parte anterior del pie en varo.

El apoyo se realiza sobre los dedos o el antepié.

Las causas pueden ser hereditarias o estar relacionadas con problemas musculares o del tendón de Aquiles. El tratamiento vendrá determinado en función de las causas y dificultades. En algunos casos el masaje y tracción del pie contraído, y la posterior colocación de una férula para mantener la corrección, puede resultar suficiente. La mitad de los niños con pie equinovaro necesitan la intervención quirúrgica para alargar las estructuras rígidas del miembro.

Pie valgo

Se denomina pie valgo al torcido o doblado hacia afuera. Denota especialmente la deformidad en la cual una parte se encuentra desviada hacia fuera de la línea media del cuerpo.

Uso correcto del calzado

Muchos de los problemas de los pies son fruto de un mal uso del calzado. Los bebés, mientras no sepan andar, no es necesario que usen zapatos. Mientras lo hagan por suelos alfombrados, deben ser lo más blandos posibles, tipo mocasín. Cuando los suelos sean duros y pavimentados, convienen las suelas duras para protegerlo de los choques; no obstante deben ser flexibles ya que las suelas rígidas limitan el movimiento del pie, dificultando el desarrollo de los músculos que lo sostienen.

La caña del zapato debe ser flexible y la horma justa o ligeramente holgada. Durante el crecimiento los zapatos deben ser de anchura y longitud adecuada: en posición de pie, los dedos del pie no deben tocar el extremo del zapato. La amplitud del calzado debe ser tal que permita los movimientos del pie sin oprimirlo.

Los zapatos ortopédicos se usarán sólo en ciertos tipos de problemas, y siempre que así lo haya aconsejado el ortopeda infantil. No se colocarán nunca en pies normales.

LA COLUMNA VERTEBRAL Y SUS PROBLEMAS

La columna vertebral es el eje óseo del tronco formado por vértebras que se extienden desde el cráneo al coxis. La pelvis, que une a los miembros inferiores, se articula con el sacro y forma la base de la columna.

Existe una interdependencia entre diversos elementos que obran dentro del conjunto: los huesos, que incluyen especialmente las vértebras, la pelvis y los huesos largos de las extremidades inferiores; los ligamentos articulares; y la musculatura, de cuya fortaleza o debilidad dependerá la actitud que tomamos en la posición erecta.

Los problemas más habituales en la columna podemos clasificarlos en dos apartados:

— **los defectos simétricos,** entre los que podemos indicar la lordosis y la cifosis, y
— **los defectos asimétricos,** entre los que destaca la escoliosis o desviación lateral.

La lordosis

La lordosis es una córcova con prominencia anterior. Generalmente se produce por una inclinación de la pelvis que da lugar a un ensillamiento exagerado de la región lumbar. Los casos leves apenas provocan molestias, y pueden corregirse con adecuados ejercicios gimnásticos que fortalezcan los músculos extensores de la cadera y los ligamentos vertebrales.

Las lordosis más intensas pueden ser dolorosas y requieren un tratamiento médico especializado.

ESCOLIOSIS. Las escoliosis, o incurvaciones laterales de la columna vertebral, se dan con mucha frecuencia, sobre todo entre los niños. Por lo común son el resultado de actitudes posturales o posiciones incorrectas. En estos casos pueden ser prevenidas. Cuando son detectadas, y más cuando es tempranamente, pueden ser corregidas por diversos procedimientos: ortopedia, gimnasia correctiva, e incluso cirugía. En la figura se observa, en la parte inferior de la columna, una incurvación escoliótica primitiva, y en la parte superior, una secundaria, compensatoria de la primitiva.

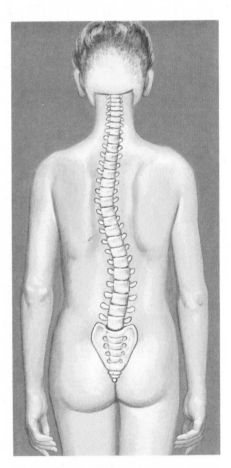

La cifosis

La cifosis es una encorvadura defectuosa de la columna vertebral, de convexidad posterior. La mayoría de las veces se trata de un abombamiento de la espalda producido por debilidad de los músculos extensores del raquis, que provocan un deslizamiento hacia delante del cinturón escapular y del brazo.

Una de las consecuencias de la cifosis es su acción desfavorable sobre la respiración al dificultar el desarrollo de la parte superior de la caja torácica.

Su tratamiento pasa por un fortalecimiento de los músculos que tiran del cinturón escapular hacia atrás.

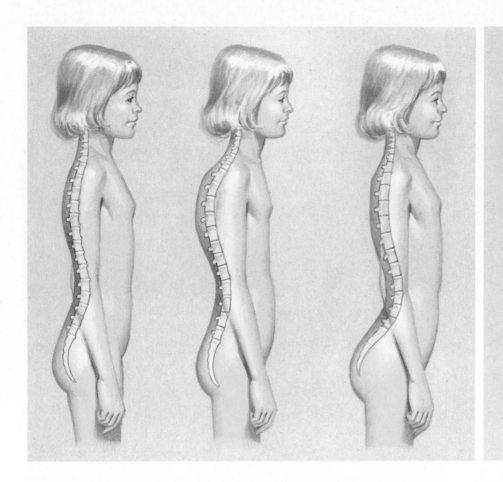

CIFOSIS Y LORDOSIS. Cifosis y lordosis traducen una exageración anormal de las incurvaciones propias de la columna vertebral. Sin tratamiento pueden ser causas de trastornos importantes. La figura de la izquierda del lector presenta un perfil columnar normal. La del centro sufre cifosis dorsal: abombamiento hacia atrás. La figura más cercana a estas líneas presenta una lordosis lumbar: curvatura anormal hacia adelante de la columna.

La escoliosis

Entendemos por escoliosis la desviación lateral de columna. Puede ser reducible, cuando se trata más bien de una actitud escoliótica, e irreducible o fija, que es la verdadera escoliosis.

Las actitudes escolióticas son frecuentes entre los niños que adoptan posturas incorrectas en los pupitres. Por fortuna resultan de fácil solución cuando el maestro corrige los defectos posturales de sus alumnos, y éstos practican la gimnasia y natación. A medida que avanza la edad las soluciones se hacen más difíciles. En los adultos se acompañan frecuentemente de contracturas o dolores reumáticos.

La escoliosis óseas o irreducibles, se caracterizan por presentar una rotación de las vértebras en torno a su eje vertical. Son, evidentemente, más difíciles de corregir y habría que conocer bien su causa. Entre éstas encontramos escoliosis de origen congénito, en

docrino, muscular, longitud desigual de las extremidades inferiores, poliomielítico, raquítico o nervioso.

La escoliosis leve apenas tiene efectos sobre la capacidad pulmonar. Pero a medida que la curvatura vertebral aumenta, puede producir deformidad de la caja torácica con la consiguiente insuficiencia respiratoria que puede precisar la intervención quirúrgica.

En la escoliosis idiopática (de origen desconocido) infantil, si la curvatura es menor de 30°, el pronóstico es excelente ya que casi las tres cuartas partes de los casos se resuelven de forma espontánea a través de una buena gimnasia y actitudes adecuadas. Si la curvatura supera los 30°, el pronóstico es reservado ya que puede haber progresión. Las curvaturas torácicas mayores de 60° son graves y producen una esperanza de vida más corta.

Es muy importante el diagnóstico

precoz de la escoliosis. Desde que se ha introducido un programa de seguimiento escolar, se ha conseguido reducir considerablemente su incidencia. Por otro lado un 5%-7% de las escoliosis tienen un origen congénito. Quien padezca este problema debe examinar a sus hijos regularmente para detectar posibles herencias que durante el desarrollo tienen una solución más fácil.

El tratamiento de la escoliosis debe adaptarse a la causa y su grado de desviación. La reeducación motora, los aparatos ortopédicos, la gimnasia correctora, pueden ser suficientes. Si con ello no se obtienen resultados, se impondrá la intervención quirúrgica a la que posteriormente le seguirá la reeducación motora necesaria para fortalecer la musculatura de la región.

Sea cual fuere el procedimiento corrector empleado o su combinación, es necesaria una vigilancia médica para observar la evolución del proceso.

932

52

EL EJERCICIO FÍSICO

Hay un común acuerdo sobre la necesidad de realizar actividad física desde los primeros momentos de la vida, y de no dejar de practicarla posteriormente. Todo el mundo está de acuerdo en que el ejercicio físico es un método educativo, no sólo capaz de mejorar la forma física sino también de crear los hábitos higiénicos implicados en el desarrollo de la personalidad del individuo.

Hemos de precisar, antes de continuar, que ejercicio físico no significa necesariamente la práctica de un deporte o una disciplina como las que conocemos. Un movimiento corporal realizado con libertad es ya ejercicio. Y como veremos, ése es el modo en que el niño debe comenzar.

El niño. y sobre todo el adolescente, tienen necesidad de movimiento. Como decía el fundador del movimiento *scout*, Baden-Powell: «¿Qué chiquillo de buena salud no juzga una "triste pérdida de tiempo y de luz solar" el permanecer sentado en clase durante cuatro o cinco horas diarias? O, ¿qué chiquillo, pudiendo estar al aire libre, pedirá a su madre que le deje permanecer sentado a su lado en el in-

terior de la casa?» Con razón dirá también De Paillerets: «Todo adolescente es como un potro que todavía no puede atarse a rígidas estacas y que para lograr su completo desarrollo debe galopar, crines al viento, por el libre prado.»

Beneficios del ejercicio

En los niños y en los adolescentes, todas sus funciones orgánicas o psíquicas desembocan en una absoluta necesidad de actividad y movimiento que ninguna educación puede ignorar o menospreciar. Señalaremos, con Decarie, que la actividad física ejerce un efecto indispensable en el desarrollo de la inteligencia y de los afectos, dado que ambas cosas se producen por la adaptación del individuo al medio ambiente circundante.

El ejercicio físico puede ser tanto el natural y espontáneo como el dirigido. En cualquier caso para que resulte salutífero no debe sobrepasar ciertos límites, tanto en lo que se refiere a las modalidades, como a la intensidad de esfuerzo y tiempo de su práctica. Cuando el ejercicio físico se realiza

por encima de las posibilidades del sujeto practicante, los resultados pueden ser contraproducentes de forma inmediata y a largo plazo.

Los más recientes estudios medicodeportivos han demostrado que el ejercicio moderado, adaptado a las posibilidades de cada sujeto, mejora la salud y previene multitud de enfermedades llamadas de la civilización. Esos mismos estudios, no obstante, han dejado bien claro que el deporte denominado de alta competición, resulta nocivo para la salud de los deportistas en muchos casos, quienes, cuando se retiran de la práctica activa, se resienten de sus excesos, de las lesiones, de la ingestión de sustancias dopantes, y además, si no siguen un régimen alimentario adecuado caen fácilmente en la obesidad.

Por todo ello conviene que el niño, desde bien pequeñito, se acostumbre a realizar sistemáticamente ejercicio físico; pero siempre consciente de sus propios límites, que al principio le tendrán que ser impuestos por los padres. Y, ahora que está tan de moda la «fabricación en serie» de supercampeones, sepan todos los padres que el ejercicio físico impuesto, puede provocar en el niño importantes trastornos psicológicos, que nunca compensarán los dudosos beneficios de una ejercitación deportiva inmoderada, cuyo único fin es la satisfacción del ego paterno, antes incluso que el del niño, y la posible consecución de ganancias económicas fáciles.

Hay un principio que no se debe olvidar: El ejercicio físico más conveniente es el que el niño realiza alegremente. Un niño sano realiza suficiente ejercicio de forma natural y espontánea. Por desgracia esa espontaneidad se ha roto con la vida artificial que obliga al niño a permanecer sentado muchas horas en el aula escolar, y luego, por comodidad de los padres, frente al televisor o ante un monitor de un ordenador hipnotizado con uno de esos juegos no sin razón llamados «comecocos». El niño que vive en un ambiente rural, anda más, juega más al aire libre, y, qué duda cabe, está más sano física y mentalmente. Evidentemente el mejor ejercicio físico para un ser humano es la agricultura o la jardinería, pues esa actividad se beneficia de todas las virtudes positivas: tiene utilidad práctica, es un ejercicio completo, su intensidad se puede graduar a la fuerza y el estado físico de todas las personas, se lleva a cabo al aire libre (en verano el sol curte y en invierno el frío fortalece), y ayuda al hombre a depender más de la naturaleza —la Providencia para el creyente—, ayudándolo a no creerse inmune a los elementos naturales, de los cuales al final todos dependemos.

Por eso hay que procurar que el niño realice el ejercicio, siempre que sea posible, al aire libre. El sol y el aire puro, son dos elementos fundamentales en la prevención de las enfermedades y el fortalecimiento del organismo.

El niño por naturaleza tiende al movimiento. Y como el movimiento es necesario para la vida, hemos de fomentarlo. Los niños no deben permanecer demasiado tiempo encerrados en el aula, o en soledad en el salón frente al televisor, o leyendo revistas infantiles ilustradas, por muy educativas que sean, ni en sus cuartos frente a la pantalla de videojuegos. Hemos de procurar que pasen el máximo de tiempo al aire libre y con otros compañeros de su edad.

Para que un niño realice ejercicio físico saludable no se necesita más que estimular su innato instinto lúdico. Espacio libre, una simple pelota, y la compañía de papá son suficientes para hacer salud... y encima pasárselo estupendamente.

Por lo que ya hemos señalado, no todo tipo de ejercicio físico conviene a cualquier edad, sino que hay que respetar ésta y proporcionar el tipo de actividad que conviene en cada momento. Un excesivo agotamiento muscular puede ser contraproducente a cierta edad. Un esfuerzo cardíaco puede no ser conveniente. Una respiración defectuosa o la adopción de un postura incorrecta, pueden producir el efecto contrario al que buscamos con el ejercicio.

Basta con un poco de sentido común y la observación, para percatarse de cuándo un niño está llegando a los límites de la fatiga o la ha alcanzado.

Un niño que realice ejercicio físico por encima de sus posibilidades puede, como consecuencia de ello, padecer diarrea, bronquitis con escalofríos, y otros trastornos.

De todos modos, un aumento alto de la temperatura, aun después de un esfuerzo físico intenso, tiene que hacernos pensar en que la salud del niño no es normal, y en acudir al médico, para descartar cualquier enfermedad o lesión orgánica.

Baden-Powell resume el objetivo de la actividad física en las siguientes palabras:

«— Haced que vuestro corazón sea fuerte, para que bombee debidamente la sangre a todas las partes del cuerpo y, de esta manera, tendréis buenas carnes, huesos y músculos.

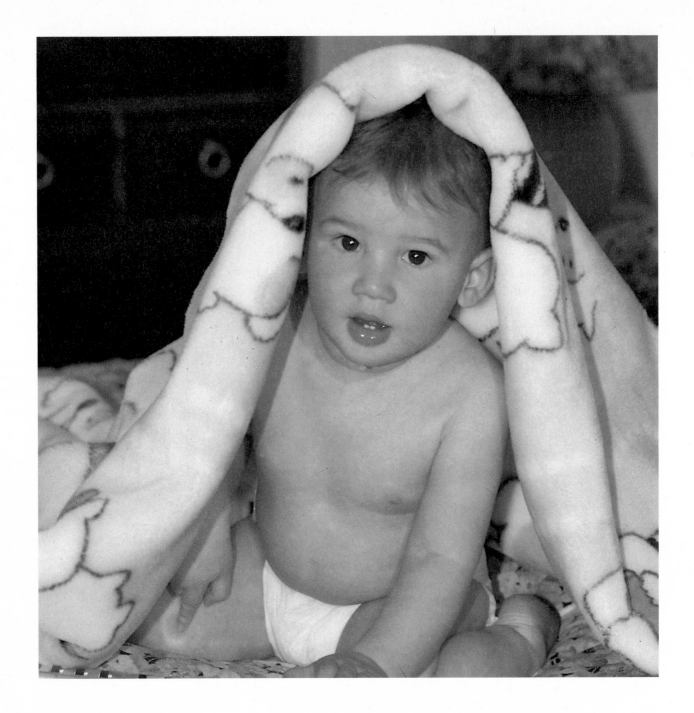

»— Haced fuertes vuestros pulmones, para que provean de aire fresco a vuestra sangre.

»— Haced que vuestra piel transpire, para libraros de las impurezas de la sangre.

»— Haced que vuestro intestino sea activo, para que expulse todo lo sobrante de los alimentos y la suciedad que haya dentro del cuerpo.

»— Haced que vuestro estómago trabaje, para que alimente vuestra sangre.

»— Trabajad los músculos de todas las partes del cuerpo, para que la sangre llegue hasta ellas y, de esta manera, aumente vuestra fuerza.»

El ejercicio físico del lactante

En este primer estadio de la vida, la práctica del ejercicio físico del niño es absolutamente espontánea, y suficiente, si está sano. El papel de los padres se reduce a observar y favorecer su realización.

Las viviendas pequeñas y la temprana asistencia de los niños a guarderías o jardines de infancia, no siempre favorecen el ejercicio físico espontáneo, en cuyo caso pueden resultar útiles las tablas de ejercicios para lactantes, que no son más que una forma de fomentar y facilitar el movimiento natural del niño.

La ropa del niño y el medio donde se desenvuelve deben favorecer que se mueva libremente y sin peligro, pues el movimiento es fundamental para su desarrollo físico armonioso.

Por supuesto que los niños con alteraciones funcionales o biológicas, deben recibir una atención familiar y escolar especial, al objeto de hacerles ejecutar aquellos movimientos de los que se ven privados de forma natural, por fallo de sus mecanismos o con el fin de corregir tendencias o anomalías constitucionales.

El ejercicio físico de 2 a 6 años

A esta edad ningún juego del niño debe ser de competición, en el sentido de exigirle esfuerzos que lo lleven al límite de su resistencia, ya que el ejercicio físico lo que persigue es, ante todo, el estímulo de la biología del niño, con su demostrada influencia positiva sobre todas las funciones vitales.

Los pediatras y puericultores dicen que los requisitos de la educación física infantil deben ser los que consigan para el niño mayor agilidad y prontitud en sus juegos y reacciones.

De los 2 a los 6 años es precisamente la denominada «edad de los juegos». El niño tiende a jugar de una forma natural, y para él el juego es algo muy serio. De todos modos conviene que los mayores orienten y dirijan, sin imposiciones, la actividad lúdica innata del niño.

El juego espontáneo a esta edad es la mejor forma de ejercitarse física y mentalmente. E insistimos en lo de mentalmente. En el juego infantil no sólo intervienen factores físicos, pues el niño discurre, idea nuevos juegos e incluso construye sus propios juguetes.

El niño debe jugar preferentemente con compañeritos de su misma edad. El papel de los adultos debe ser el de vigilar y controlar que no se produzcan altercados ni accidentes, pero no debe imponer reglas ni actividades que el niño no comprende ni puede aceptar, aunque para el adulto sean de lo más lógico.

Cuando el niño juega con otros de más edad, el adulto debe procurar que el tipo de actividad esté adaptada a los más pequeños y débiles.

El ejercicio físico para el niño de dos a seis años debe ser fundamentalmente el que lleva a cabo practicando de forma espontánea sus juegos. El movimiento muscular favorece, por supuesto la salud física, y también la mental. Por dos razones fundamentales: el juego estimula sus funciones psíquicas, y además el ejercicio estimula la irrigación sanguínea y la oxigenación de las células de todo el organismo, y del cerebro en particular.

Si queréis unos hijos sanos y felices, lo primero que tenéis que conseguir es que dispongan de tiempo suficiente para corretear y jugar al aire libre. Movimiento, aire y sol, junto con una alimentación suficiente y equilibrada, son la mejor medicina preventiva.

El niño se mantiene en constante actividad, pero de forma natural realiza pequeñas pausas. Por eso en los juegos dirigidos, si se quiere mantener el interés y el nivel de actividad, es imprescindible realizar breves descansos. En los juegos, de forma natural se empieza de forma suave, se alcanza un período más o menos prolongado de máxima intensidad, y al final se termina de una manera también suave. Cuando el juego sea dirigido hay que respetar esta pauta que es natural, y adaptada a la fisiología humana.

A esta edad ya, después del ejercicio físico, es necesario que el niño se bañe. Mientras era un bebé su ejercicio físico no era determinante de un cansancio ni una sudoración especial, pero a esta edad sí. Por eso, y más como tonficante que a efectos de la pura limpieza, un baño o una ducha frotándole el cuerpo suavemente es elemento indispensable como conclusión de una sesión de juego, deportes o ejercicios gimnásticos.

El ejercicio físico intenso, debido a la transpiración, provoca una pérdida de agua orgánica, lo cual se traduce en sed. Para reponer la pérdida de esta agua, no hay ningún inconveniente en satisfacer con mesura el deseo y la necesidad de beber que el niño siente. Lo que nunca se le deben ofrecer, cuando está acalorado, son bebidas frías. Lo mejor es agua o una tisana tibia endulzada con un poquito de miel, con lo cual no sólo calmaremos su sed sino que le aportaremos una sustancia energética y saludable, que viene a compensar prontamente las pérdidas sufridas por la actividad física. Las bebidas calientes se absorben mejor y disipan con más facilidad la sed.

El ejercicio físico de 6 a 12 años

Aunque la educación física, como todo tipo de educación, se inicia desde el mismo nacimiento, e incluso antes, de forma sistemática e institucionalizada, y asumida de forma ya más o menos conscientemente por el niño y por todos en general, se entiende que comienza hacia los 5 o 6 años.

El ejercicio físico, hasta que el niño no llega a la edad escolar, es una actividad muy libre y espontánea. Pero cuando el niño se ve obligado a ir al colegio las cosas cambian. Si el sistema educativo está bien planificado, y bien llevado a la práctica, el niño no pasará de una situación a la otra de forma brusca, tanto en la educación física como en la intelectual, sino paulatina. No se puede pasar de un aprendizaje espontáneo y sin horarios y normas rígidas, a uno donde la disciplina sea rigurosa y haya que cumplir con un programa inflexible. Tampoco se puede pasar de jugar todo el día libremente y con pocos o ningún compañero, a la práctica de, por ejemplo, un deporte de equipo perfectamente codificado y jerarquizado.

Afortunadamente los modernos sistemas educativos permiten que el niño pase, antes de la edad escolar, por lo que se ha dado en llamar la enseñanza preescolar, donde el niño aprende la socialización, mediante el juego dirigido, y comienza su aprendizaje intelectual de forma tan escalonada que él mismo no se da cuenta de que está «estudiando».

Si el ejercicio físico es importante antes de los 6 años, en esta etapa no lo es menos. Quizá, sin embargo, debiéramos poner más énfasis en su necesidad en esta fase del desarrollo infantil. Creemos que es necesario insistir en que el ejercicio físico es tan importante como el estudio intelectual, pues algunos padres y educadores parecen tener la idea de que los niños se forman

El tiempo que el escolar dedica al juego y al ejercicio físico no es tiempo perdido, sino más bien alegría y vitalidad ganadas.

y se preparan mejor para enfrentarse a la vida, si dedican el máximo de tiempo a la actividad intelectual. Y eso no es cierto.

En esta edad hay dos imperativos importantes que se deben lograr: la postura y la respiración. Puesto que a partir de esta edad la actividad física va a intensificarse, es conveniente sentar unas buenas bases. La adopción de malas posturas o la incorrección respiratoria pueden estropear el beneficio del ejercicio, e incluso producir cuerpos deformes o incapaces de llegar al rendimiento que obtendrían con esas bases bien establecidas.

Es necesario que el niño adopte una buena postura. Es preciso que aprenda a mantenerse erguido. Si es necesario se realizarán ejercicios de corrección para acostumbrar al niño a ello. La buena postura hay que mantenerla en posición de pie y en posición sentada. Al principio puede resultar al niño algo forzada esta actitud, pero cuando se acostumbre se verá que la buena postura es lo normal y natural de un ser armonioso, con buena salud, que goza del desarrollo de todas sus facultades físicas, mentales y morales.

Esto es especialmente importante para las jovencitas. Muchas veces unos senos pequeños son debidos a una mala postura, encorvada hacia adelante, con la espalda arqueada. Los senos adquirirían un tamaño normal si se mantuviera una posición erguida, pecho hacia afuera con naturalidad y sin ostentación.

Evidentemente, cuando los esfuerzos para mantener una buena postura empiezan a hacerse pesados para el niño, hay que dejar que se relaje.

En los casos de problemas de espalda, los ejercicios de buena postura son capitales para conseguir la rectitud de la columna vertebral y prevenir los molestos dolores dorsales en la edad adulta.

Gracias a estos primeros ejercicios de buena postura el niño toma conciencia de la posición y del movimiento correctos. Y, de 6 a 12 años, esto es lo más importante. No se trata de hacer músculos, sino de educar los reflejos de la postura.

El segundo imperativo es el de la respiración. Conviene enseñar al niño cómo debe respirar, y también es bueno hacer controles médicos para medir la capacidad torácica. Mediante el ejercicio correctamente realizado el niño debe desarrollar su caja torácica. El médico puede detectar deformaciones torácicas o insuficiencias respiratorias. También conviene enseñar al niño la respiración tanto nasal (nunca por la boca) como diafragmática. Los grandes deportistas, los atletas de competición han podido realizar sus hazañas gracias a poseer una gran capacidad pulmonar. Sin una educación respiratoria, los niños tienen una respiración abdominal y un juego diafragmático mediocre.

El cerebro para desarrollarse necesita cultivar sus funciones intelectuales, pero no hemos de olvidar que es un órgano físico también, y que como tal necesita una buena irrigación sanguínea, que le aporte nutrientes y oxígeno. Todos hemos comprobado que para tener la «cabeza clara» no es conveniente un exceso de trabajo intelectual. Y muchos también observan con sorpresa que cuando practican ejercicio físico moderado con regularidad, sus funciones intelectuales se avivan.

Pues bien, hemos de acostumbrar al niño a simultanear equilibradamente la actividad intelectual con la física. Un obrero manual necesita a veces compensar su intenso trabajo físico con una afición intelectual y la lectura, y el obrero intelectual, en cambio, necesita dedicar parte de su ocio al ejercicio físico. Pensemos que a esta edad, el niño, por lo común, pasa, por exigencias de la sociedad, mucho de su tiempo en clase, sentado, realizando un esfuerzo mental intenso para sus posibilidades. No lo privemos pues, bajo ningún concepto, del necesario ejercicio físico diario.

Ahora bien, cuidémonos mucho de convertir esa necesidad, que cualquier niño sano tiende a satisfacer espontáneamente, en una obligación penosa.

Tampoco se debe fomentar la competitividad exagerada entre los niños, que sólo lleva a desarrollar de forma nociva el instinto de agresividad que todos llevamos dentro.

Aunque la gimnasia es el deporte básico, fundamento de cualquier otro deporte o compensación de los desequilibrios que éste pueda provocar, por sus características intrínsecas no resulta el ejercicio que más apetece a los niños, pues no es fácil motivarlos

El ejercicio físico del niño no debe ser dirigido y controlado para la fabricación de supercampeones. Eso quizá gratifique el ego de los padres, pero puede resultar nocivo para el desarrollo físico y psíquico del pequeño. Hemos de dejarlo que se mueva espontáneamente. El niño, que todavía no ha perdido su instinto natural de la movilidad, realizará los ejercicios y movimientos que le convienen y en la cantidad adecuada. Los adultos tan sólo hemos de vigilar que no se dañe.

para que vean en ella un medio útil. Para el niño el juego y el deporte resulta un fin en sí mismo. Que es un medio para conservar la salud y canalizar la agresividad, es algo que saben los mayores, pero los niños tienen que irlo asimilando.

Así que la mejor manera de hacer que el niño haga ejercicio o deporte, es convirtiéndolo en algo divertido y grato por sí mismo. Dependiendo del temperamento de cada niño, los paseos, las excursiones, los juegos deportivos en grupo, el cicloturismo con mo-

deración, las carreras, el tenis, la natación, el voleibol, u otros deportes, serán la forma o formas que le permitan un desarrollo físico armonioso. Por supuesto que hay que fomentar los deportes que se practican al aire libre, como la marcha o el esquí, y desaconsejar los que propician la violencia o el choque físico directo. Por eso, el baloncesto, o particularmente el fútbol, el hockey, el balonmano y otros deportes semejantes, que tanto atraen a los jovencitos, hay que procurar que los practiquen siempre en presencia y bajo la dirección de adultos responsables, no sea que en lugar de un factor educativo se conviertan en todo lo contrario.

Hay que tener siempre en cuenta que los deportes que desarrollan unilateralmente una parte del cuerpo, deben ser simultaneados con otros o con gimnasia que compensen sus carencias.

«Fútbol: juego de caballeros practicado por villanos. Rugby: juego de villanos practicado por caballeros.» Con ello quieren decir, los amantes del rugby, que, un juego resulta limpio y «deportivo», más que por su reglamentos y el juego en sí, por los buenos modales y el *fair play* de los jugadores. Para alejar de la violencia a nuestros hijos, no parece una medida inteligente prohibirles, por ejemplo, que jueguen al fútbol. Lo mejor es educarlos para participar en la competencia deportiva como forma de desarrollo personal y de liberarse de la agresividad, y no precisamente de fomentarla.

EJERCICIO FÍSICO PREVENTIVO Y CORRECTIVO

El ejercicio físico mejora la calidad de vida, propicia el buen funcionamiento orgánico y, en gran medida, previene de enfermedades.

Hoy en día se habla mucho de la degeneración hipocinética. La hipocinesis es una carencia de movimiento. Las personas que hacen poco ejercicio, las que llevan una vida sedentaria, o aquellas que pasan mucho tiempo en la cama sufren dicha hipocinesis. Los efectos pueden ser: osteoporosis, atrofia muscular, pérdida de flexibilidad, degeneración cardiovascular, problemas respiratorios, alteración de las funciones de los intestinos y la vejiga, úlceras en la piel.

La arteriosclerosis es una enfermedad típica de las iniciadas en la infancia cuya manifestación se produce en la edad adulta. Muchos de los factores influyentes en su presentación y evolución se observan en edades muy tempranas, y pueden ser favorablemente modificados mediante el ejercicio y el deporte.

Es un hecho manifiesto que niños y

jóvenes en los que se encuentran cifras elevadas de colesterol se convertirán en adultos propensos a sufrir las complicaciones de la arteriosclerosis. El ejercicio físico baja estas cifras. Por lo tanto, el ejercicio y el deporte poseen efectos beneficiosos para prevenir las complicaciones futuras de la arteriosclerosis.

De igual forma, en los niños que padecen hipertensión arterial, la actividad física hace descender sus cifras basales.

Todos los médicos se hallan de acuerdo en que el tratamiento de la diabetes infantil se sustenta en tres puntos: la insulina, la dieta y el ejercicio físico adecuado.

La obesidad es una alteración cada día más presente en los niños. Este trastorno metabólico, además de constituir un factor de riesgo de la enfermedad coronaria, posee una patología propia que la hace muy peligrosa para el porvenir del niño. La dieta y el ejercicio son los principales componentes de su tratamiento (véase «La obesidad infantil», cap. 50).

El sedentarismo origina numerosas alteraciones en la fisiología del ser humano en cualquier edad. El único tratamiento efectivo consiste en realizar actividad física a menudo.

La pérdida de hueso (osteoporosis) no suele aparecer sino hasta épocas tardías de la vida. Se cree que el ejercicio físico realizado durante la adolescencia y juventud constituye la mejor prevención para impedir las pérdidas futuras de sustancia ósea.

En cuanto a la psicología infantil, hemos de decir que el ejercicio y el deporte poseen efectos muy favorables sobre la personalidad, el carácter y la autoestima, y de igual modo disminuyen la ansiedad en el niño. Piaget señaló, en 1956, y ha sido confirmado por otros muchos investigadores modernos, que las mejorías producidas en el aprendizaje motor influyen positivamente en la adquisición de conocimientos (especialmente de las matemáticas) y contribuyen al desarrollo de la inteligencia.